La LIBRERA
y el HEREJE

BRENDA VANTREASE

La LIBRERA
y el HEREJE

*Una mujer audaz lucha
por defender aquello en lo que cree*

Traducción:
CARLOS MILLA E ISABEL FERRER

MAEVA

Título original:
THE HERETIC'S WIFE

Diseño e imagen de cubierta:
ALEJANDRO COLUCCI

Fotografía de la autora:
NANCY CRAMPTON

© BRENDA RICKMAN VANTREASE, 2010
© de la traducción: CARLOS MILLA E ISABEL FERRER, 2012
© MAEVA EDICIONES, 2012
  Benito Castro, 6
  28028 MADRID
  emaeva@maeva.es
  www.maeva.es

ISBN: 978-84-15120-38-4
Depósito legal: M-29.238-2012

Fotomecánica: Gráficas 4, S. A.
Impresión y encuadernación: Huertas, S. A.
Impreso en España / Printed in Spain

*Para Julie, con recuerdos de Londres
y la búsqueda de sir Tomás*

PRÓLOGO

LONDRES,
ABRIL DE 1524

illiam Tyndale se dio unas palmadas en el bolsillo delantero de la almilla por enésima vez desde que se marchó de la feria de St. Bart. Seguía ahí. Claro que sí. Ni siquiera el ladronzuelo más insignificante en medio de aquella muchedumbre se arriesgaría al cepo por robar un libro cuyo valor no pasaba de los tres chelines. Imprimirlo no debía de haber costado más de diez peniques, pero para él no tenía precio.

Avanzaba por el centro de la calle para evitar los albañales lodosos, indiferente a las burlas y silbidos de los borrachos y las mujeres pintarrajeadas que se manoseaban mutuamente en los portales oscuros de Cock's Lane. Mantenía la cabeza gacha para eludir el contacto visual directo, a la vez que se preguntaba cuántos de ellos sabrían leer, no el libro que él llevaba en el bolsillo, claro está, sino uno en inglés, en su propia lengua. Si pudiese proporcionar ejemplares baratos suficientes del Nuevo Testamento en inglés para esparcir por la calle salpicada de basura, ¿habría entre aquellas almas condenadas al infierno al menos una alfabetizada que cogiera uno y lo leyera? ¡Al menos un alma!

Pero eso no ocurriría hoy, ni nunca si el obispo de Londres, que le había negado el patrocinio, se salía con la suya. William apretó el paso anhelando el momento en que, ya a solas en sus aposentos, compararía la edición griega de Erasmo con la Vulgata, la única traducción autorizada por Roma.

Una tenue llovizna caía del cielo plomizo cuando pasó ante Smithfield. El aire húmedo llegaba impregnado del hedor a carne descuartizada y sangre fresca procedente del matadero de Londres. Allí la niebla era siempre más espesa. Cerrada. Asfixiante. ¿Acaso era una fantasía de una imaginación desbocada pensar que ese mismo aire transportaba los espectros de los lolardos muertos hacía tiempo, mártires quemados en ese mismo campo por los predecesores de Wolsey sin haber cometido más delito que poner en duda el dogma férreo de la doctrina de la Iglesia?

Las comadres y los niños sostenían que el fantasma de sir John Oldcastle, noble y lolardo que distribuyó biblias inglesas de contrabando, rondaba por ese lugar desde hacía cien años. Pero William sabía que sir John no había muerto allí. Lo habían ahorcado y quemado a menos de una milla al oeste, donde colgaban a todos los traidores. Y, sin embargo, los miasmas arremolinados de ese lugar lo inquietaban sobremanera, por los recuerdos que evocaban… y por la persecución que presagiaban. Había oído decir que *Wolfsee* –ese era el apodo con el que William había bautizado al cardenal Wolsey: Wolfsee, «Sede del Lobo»*– no quemaba a hombres, pero a él le temblaba el alma solo de pensarlo. Como un niño asustado aferrándose a su juguete preferido, volvió a darse una palmada en el bolsillo delantero. La promesa de placer intelectual le infundía valor mientras se alejaba apresuradamente de aquel aborrecible lugar.

El clamor de las campanas lo persiguió por Cheapside hacia el Steelyard, el núcleo comercial de la Liga Hanseática, a orillas del Támesis, donde debía reunirse con su benefactor. Se tapó los oídos:

---

* En inglés, *wolf* significa «lobo» y *see*, «sede religiosa». *(N. del T.)*

8

eran las campanas de St. Mary-le-Bow, las campanas más sonoras en una ciudad de campanas atronadoras, y él tenía la desgracia de vivir cerca de ellas.

¡Condenados repiques de vanidad!

El mismo tolón tolón que interrumpía sus sermones en St. Dunstan –¡tolón!– y espantaba a los aguzanieves que se posaban plácidamente en los alféizares de sus aposentos –¡tolón!– ahuyentaba asimismo sus pensamientos cuando trabajaba con afán en su traducción. Echó a trotar, como si acelerando el paso pudiera reducir el clamor de las campanas.

Cuando dobló por Cousin Lane, reconoció la fornida silueta de Humphrey Monmouth, resplandeciente como siempre con el jubón guarnecido de piel y el calzón de seda que lo obligaba a llevar su esposa Bessie, paseándose impacientemente ante las enormes puertas labradas del salón de los mercaderes hanseáticos. William ignoraba por qué su mecenas deseaba que se reuniera con un puñado de acaudalados comerciantes alemanes. Para él, su parloteo sobre la lana y las ganancias era una jerga incomprensible, pero era muy consciente de que le debía a Humphrey Monmouth el techo que cubría su cabeza y hasta el último bocado de carne guisada y el último trago de cerveza mala que se echaba al coleto.

La presión del Evangelio griego de Erasmo embutido en la exigua abertura del bolsillo de su almilla lo incitaba poderosamente a pasar de largo. Qué suerte haberlo encontrado en la feria. El Evangelio griego, al igual que la traducción latina de Erasmo, no estaba prohibido porque solo una pequeña élite entre los eclesiásticos y los estudiosos, hombres entregados al nuevo saber, leía en latín y griego clásico, pero ninguno de los dos textos circulaba ampliamente. Ansiaba sumergirse en el libro, pero Monmouth lo había visto y le hacía apremiantes señas para que se acercara.

Cuando William entró por la verja en arco del gran salón de piedra junto a su benefactor, le bastó con una ojeada para saber que estaba entre hombres ricos. La luz penetraba a raudales desde un extremo del salón por las grandes ventanas vidriadas, pero en una exhibición de derroche las antorchas estaban encendidas en sus tederos, y su resplandor se reflejaba en los hilos de plata de la indumentaria y en las piedras preciosas de las sortijas y las cadenas de oro que lucían los mercaderes sentados en los bancos de madera dispuestos en el contorno de la sala. Hierbas recién cogidas, colocadas entre las esteras en el suelo, sazonaban el olor que despedían aquellos hombres poderosos durante sus negociaciones. Uno de los mercaderes miró en dirección a ellos y, con marcado acento alemán, vociferó:

–¡Monmouth! Traed aquí a maese Tyndale.

Sorprendido de que conocieran su nombre, William recordó de pronto que iba destocado y se alisó el pelo hacia atrás con las manos, lo que, como de sobra sabía, no hacía más que acentuar su frente amplia y nudosa. Monmouth, de un suave empujón, lo obligó a avanzar hacia la mesa centrada bajo el escudo de armas de los mercaderes.

Un hombre robusto de barba roja y dorada, con el aplomo de un gran señor vikingo, se inclinó sobre la mesa y lo agarró de la mano. Dirigiéndose a él y, a juzgar por el volumen de su voz, a toda la concurrencia, dijo:

–Monmouth nos ha hablado de vos, Tyndale, y estamos todos deseosos de oír lo que tenéis que decir.

William recorrió la sala con la vista. Todas las miradas se posaron en él. Cuando la conversación se apagó hasta quedar reducida a un tenue murmullo, trató de recordar cuándo se había recortado la barba por última vez o cambiado de camisa. Cesó el clamor de las campanas de St. Mary-le-Bow y el silencio se hizo más profundo. Un púlpito sobresalía de una pared: había oído decir que los mercaderes celebraban allí oficios devotos. ¿Pretendían que pronunciara un sermón? Monmouth era feligrés de St. Dunstan, pero en ningún momento había dicho que William debiera pronunciar un sermón ante los mercaderes. Se había limitado a decir: «Acompañadme a la reunión hanseática».

William lanzó una mirada de incertidumbre a Monmouth, que sonreía como si le complaciese ver enmudecido de pronto a su verboso protegido, y tragó saliva.

–Me temo… es decir… no me siento preparado…

Monmouth soltó una carcajada.

–No os he traído aquí para que prediquéis ante mis hermanos, sino para que conozcáis a unas almas afines. Estamos comprometidos con la misma causa que vos. Somos una liga de mercaderes, cierto es, pero también se nos conoce como la Cofradía de los Hermanos Cristianos y, junto con ciertos Comerciantes Aventureros de otras tierras, nos proponemos empapelar Inglaterra de ejemplares impresos a buen precio de una Biblia inglesa. Con vuestra ayuda, podemos ganarnos a Inglaterra para la causa reformista de Martín Lutero… –Se interrumpió y blandió la mano en un amplio gesto para abarcar a sus compañeros a la vez que guiñaba un ojo–. Y de paso obtendremos ganancias.

Cuando se apagaron los vítores y aplausos de los mercaderes, Monmouth prosiguió:

–Tenemos un plan, y si os sentáis y relajáis… Señor de la mesa, servid una copa a maese Tyndale; se lo ve tan seco como para beberse un tonel… os explicaremos vuestra función.

William se hundió en el cojín de terciopelo de una silla de respaldo alto y fingió tomar un sorbo de su bebida mientras escuchaba con creciente incredulidad. Los mercaderes le dijeron que llevaban un tiempo dedicándose a la importación de los textos de Martín Lutero y ahora tenían un plan para soslayar la prohibición de imprimir y publicar biblias inglesas impuesta por el cardenal Wolsey. Según su propuesta, Tyndale solo tenía que encargarse de su traducción y ocuparse de la posterior impresión en el continente. Y de la importación y distribución ya se encargarían ellos: manifiestos falsos entre cargamentos legítimos, pliegos sueltos de las Escrituras metidos en piezas de tela, un barril con el rótulo HARINA lleno de biblias… eso no era asunto de William.

William miró a Monmouth, cuya sonrisa había desaparecido, y observó que la seriedad de su actitud, al igual que su fornido físico, chocaba con su atuendo a la moda. Cuando habló, lo hizo con voz firme.

–Esta labor no está exenta de riesgos, William. La mano de Wolsey llega mucho más allá de los límites de esta pequeña isla. Y él no es el único. También el consejero del rey, Tomás Moro, está empeñado en perpetuar el control del papa al precio que sea. Si unís vuestra suerte a la nuestra en esta aventura, quizá os granjeéis las iras de poderosos enemigos. –Apoyó la mano en el hombro de William–. No os precipitéis en dar una respuesta.

William se limitó a asentir, intentando aparentar una pose pensativa. Si había oído bien, allí tenía una colección de mecenas ofreciéndole lo que el obispo de Londres le había negado: la oportunidad de traducir el Nuevo Testamento al inglés. Era el encargo que más profundamente deseaba su corazón. En cuanto a enemigos poderosos, ya habían puesto a prueba su temple cuando fue preceptor de los hijos de lord Walsh en Little Sodbury. Allí no se había arredrado ante las amenazas de los prelados.

Los hombres prorrumpieron en palabras de ratificación y ánimo, y al cabo de un momento el estallido se redujo a un cortés murmullo, dándole tiempo para reflexionar. Monmouth se alejó y, sin levantar la voz, entabló conversación con los otros mercaderes.

¿Qué había que reflexionar? William a duras penas conseguía reprimir su entusiasmo. ¡Mal rayo partiera al obispo de Londres! La imagen de Cuthbert Tunstall encontrando casualmente una traducción del Nuevo Testamento a cargo de Tyndale asomó a la cabeza de William. Se imaginó al obispo topándose con su traducción en una librería de Paternoster Row, cogiéndola con cuidado como si manipulase un objeto emponzoñado, abriéndola con sus dedos enjoyados y viendo el nombre de Tyndale en tinta. ¡Qué no daría él por presenciar ese momento! Finalmente, el obispo de Londres sabría que el erudito a quien había despreciado había alcanzado su meta sin él. «La arrogancia precede a la caída», se recordó a sí mismo. Bastaba con que Dios hubiese proporcionado los medios. Dios y Humphrey Monmouth.

❧

Al cabo de tres días William Tyndale partió con destino a Alemania. En el bolsillo llevaba veinte libras, proporcionadas por los mercaderes hanseáticos del Steelyard de Londres, junto con el Nuevo Testamento en griego de Erasmo. Lo utilizaría, además de la Biblia alemana de Lutero, para realizar su propia traducción inglesa, no con la intención de promover la causa humanista, no como ejercicio en lenguas clásicas para el «nuevo saber» de la élite intelectual representada por Erasmo y sir Tomás Moro, sino con la intención de hacer por los ingleses lo que Lutero había hecho por sus compatriotas. Se había concedido un año: seis meses para aprender alemán y seis meses para su traducción al inglés. En la tierra que no había quemado a Lutero muy probablemente gozaría de libertad para imprimir.

Al embarcar en Bristol, se dio unas palmadas en el bolsillo de la almilla de cuero para palpar el abultado contorno del Nuevo Testamento en griego. Cuando regresara, llevaría otro en lugar de ese, y estaría escrito en inglés.

William había olvidado por completo los fantasmas de Smithfield y sus advertencias.

I

MARZO DE 1528

No desesperes, ni te desanimes, lector, porque esté prohibido, so pena de perder la vida y los bienes... leer la palabra que sanará tu alma... ya que si Dios está de nuestro lado, qué más da a quién tengamos en contra, sean obispos, cardenales, papas...

WILLIAM TYNDALE,
La obediencia del cristiano, 1528

Un grito reverberó entre las paredes de la imprenta y librería Gough y el eco recorrió Paternoster Row. Una espantosa rata de mirada malévola forcejeaba torpemente dentro del tarro con cebo, intentando salir a zarpazos. Como no acudió presencia masculina alguna, Kate Gough cerró los ojos, respiró hondo, agarró el atizador y descargó un golpe con tal fuerza que casi perdió el equilibrio. El tarro se hizo añicos. Una mancha gris huyó corriendo y se ocultó detrás de un enorme códice en el estante inferior del armario de los libros.

¡Maldita sea! A cambio de sus esfuerzos solo había conseguido un pegote de grasa y cenizas y cristales rotos en el suelo. ¿Dónde estaban los hombres cuando se los necesitaba? Aunque la verdad era que Kate no contaba con ningún hombre en su vida, salvo su hermano John, que se había ido a la Feria del Libro de Frankfurt a modo de gran aventura. Sus dos pretendientes, el hijo sinvergüenza de un comerciante de especias y un aprendiz de imprenta amigo de lo ajeno, se habían esfumado al enterarse de que ella no tenía dote y el negocio era propiedad de su hermano.

—Criaturas espantosas, malignas —masculló Kate entre dientes, ya que no había nadie cerca para oírla.

Aun cuando no hubiera visto cara a cara a la merodeadora, había pruebas evidentes de otra invasión de roedores: ángulos raídos en las cubiertas de piel de los libros, hojas masticadas, repugnantes excrementos negros en los anaqueles de la estantería. Al dejar caer el atizador al suelo, el ruido ahogó el chirrido de la puerta, pero cuando se agachó para recoger las esquirlas más grandes de vidrio grasiento, entró una corriente de aire frío.

—Id echando un vistazo —dijo por encima del hombro—. Enseguida estoy con vos. —Cogió la escoba que estaba apoyada contra la chimenea y barrió los cristales para formar una pila—. He roto un tarro y no querría que alguien pisara algún trozo.

—Por favor, es urgente. —Era la voz de una mujer.

Kate sintió que se le erizaba el vello de la nuca. ¿Cómo podía ser urgente la compra de un libro?

—Cerrad la puerta, por favor. Entra el frío. No tardaré más de un minuto —repitió, intentando disimular la irritación.

—Por favor. No puedo esperar. Solo tenéis que vigilar a mi bebé. Ahora vuelvo. Enseguida. Lo prometo. —La mujer hablaba en voz baja, con la respiración entrecortada, como si alguien la persiguiera.

¿Un bebé? ¿Ha dicho que dejaba un bebé?

Kate se volvió justo a tiempo de ver otra mancha gris —esta más grande y con falda— salir como una exhalación por la puerta.

—¡Esperad! No… —empezó a decir Kate, pero la mujer escapó con igual rapidez que la rata—. ¡Esperad! ¡Volved! —gritó a la falda y el mantón que en ese momento desaparecían por la esquina que llevaba al patio de San Pablo.

Por todos los santos y la mismísima Virgen, musitó para sí, olvidándose por completo de la rata y los cristales rotos; olvidándose de la escoba que tenía en la mano, al mirar con incredulidad el bulto en el suelo. Este se movió un poco dentro de la ropa que lo envolvía. ¡Cómo se atreve esa mujer! ¡Habrase visto presunción y negligencia y estupidez mayor que dejar a un niño con un

16

desconocido!, pensó. Kate no sabía nada del cuidado de los bebés. La única persona a quien había cuidado había sido a su madre moribunda, y ni siquiera eso se le había dado muy bien.

¿Y si la mujer mentía? ¿Y si tardaba horas en volver? Ante la otra posibilidad que acudió a su mente, se le cortó el aliento. ¿Y si no volvía nunca? Probablemente era una de las desharrapadas que rondaban por la escalinata de San Pablo, mujeres con la misma expresión de hambre en los ojos que las palomas que picoteaban los restos de comida dejados por los buhoneros en las losas sucias del pavimento. El bulto se retorció un poco y emitió un ruido parecido a un chupeteo. ¿Por qué aquella tonta no lo había llevado a la inclusa o a las monjas del convento dominico? Dios bendito, ¿por qué tenía que dejarlo allí? ¡Virgen santa, empieza a llorar!

–Chist, chist, no llores. Por favor, por favor, no llores –suplicó–. Llorar no es bueno, llorar no sirve de nada –dijo, como si fuera posible hacer entrar en razón al pequeño.

Kate dejó la escoba junto a la puerta y, arrodillándose en el suelo, observó a la criatura.

–No debes llorar. No está permitido –dijo, y apartó una manta descolorida pero limpia bajo la que apareció una cara de muñeca y una boca abullonada contrayéndose en una mueca de rabia. Una manita minúscula y perfecta se zafó de la ropa y lanzó un golpe al aire. El bebé dejó escapar un berrido débil y agudo, y luego otro, hasta que su pequeño cuerpo se retorció al ritmo de su llanto.

Kate cogió al bebé con cuidado y, apoyándoselo en la sangría del brazo, lo acunó con delicadeza. Para su asombro, el llanto bajó de volumen y se interrumpió de manera intermitente.

–Ya, ya –arrulló Kate a la vez que se balanceaba y mecía al bebé.

Tampoco es tan difícil, pensó.

El bebé dejó de llorar y abrió los ojos. Eran del color del manto de la Virgen en la antigua Biblia ilustrada que ella había heredado de su abuela, un azul virginal, puro y perfecto. Kate detuvo su balanceo. Los ojos azules se cerraron y la boquita se contrajo de nuevo. Kate prosiguió con el balanceo y los arrullos, y el mundo estuvo otra vez en orden. El bebé –a quien Kate, con su limitada experiencia, calculó un par de meses– fijó la mirada en su cara y sonrió. Tanto la mirada como la sonrisa parecían poseer una sabiduría primigenia, como si dijera: «Sé quién eres y te declaro digna». Un gorgorito siguió a la sonrisa, luego otro.

En ese momento el corazón se le triplicó de tamaño.

Aún tenía al bebé en brazos e intercambiaba con él vacilantes sonidos de cariño en un lenguaje antiguo, conocido solo por mujeres y bebés, cuando de pronto regresó la madre.

—No sabéis cuánto lo siento. Muchas gracias por cuidar de mi pequeña Madeline. —Se interrumpió para recuperar el aliento—. Con ella no podía correr. Un cortabolsas me ha robado el jornal, y he tenido que salir en su persecución. —Sonrió y sostuvo en alto la bolsa pequeña y estrecha. Dentro tintinaron unas monedas—. Me llamo Winifred. Soy costurera de la tienda de la calle de arriba y la dueña ha salido. No podía dejar a mi hija sola.

—¿Madeline? Es un nombre precioso —dijo Kate. Su enfado contra la mujer por abandonar a la niña en el suelo de su librería se había disipado—. Y es una niña preciosa.

—Su padre es francés —aclaró la mujer, como si eso explicara el nombre de la pequeña, o quizá su belleza, a juzgar por cómo se le iluminó el rostro al hablar de él.

La niña gorjeaba aún, y Kate seguía meciéndola en sus brazos. Por un momento pensó, asombrada, en la manifiesta temeridad de la joven, que no podía tener más de diecisiete años, la edad de Kate cuando el aprendiz de impresor con el que ella había intercambiado algún que otro torpe beso fue descubierto con la mano en la caja de la librería y despachado vergonzosamente. Esta muchacha contaba ya con un marido y una hija y perseguía a cortabolsas como si formara parte de sus labores diarias.

La mujer tendió los brazos.

—Le caéis bien. Normalmente no acepta a los desconocidos.

—Sois muy valiente… o muy insensata —comentó Kate, estrechando a la niña inconscientemente.

—Ah, no era más que un chiquillo. Le he dado un sopapo y lo he mandado a casa con su mamá para que sepa lo que le conviene. Debía de tener hambre, pero yo no puedo permitirme darle de comer. Mi hombre no se alegraría mucho si yo volviera a casa con las manos vacías. Trabaja de barquero en Southwark. Solo en la comida de los tres ya gastamos hasta el último penique que nos metemos en el bolsillo. A este lado del río hay mucha gente que se niega a subir en su barca porque es extranjero. –Con los brazos todavía extendidos, la mujer dio un paso más al frente–. Me la llevo ya. He abusado demasiado de vuestra paciencia.

Kate entregó a la pequeña de mala gana.

–No tiene importancia –murmuró.

Winifred cogió a la niña en brazos y le frotó la nariz con la suya.

–Te has portado muy bien, pero ahora tenemos que irnos. Papá querrá cenar –dijo. Salió de la tienda apresuradamente, casi tan deprisa como había entrado, añadiendo por encima del hombro–: Muy agradecida, señora.

–Por favor, estoy a vuestra disposición –exclamó Kate en dirección a la espalda que se alejaba–. No ha sido ninguna molestia. En serio.

Permaneció un momento en la puerta, sin sentir la corriente de aire frío, notando aún en los brazos el peso de la niña. El farolero cumplía ya con su cometido y el sereno había iniciado su ronda. Pronto oscurecería y la noche se desplegaría ante ella. Encendería su propio candil, leería un rato una traducción reciente de Dante que tenían a la venta, con cuidado de no ensuciar las páginas, naturalmente. Comería pan rancio y queso, y quizá unos cuantos frutos secos. Apenas cocinaba desde que su hermano se había casado, y se alegraba de haberse librado de esa tarea en los últimos dos años. Luego avivaría el fuego en la chimenea de la tienda y subiría por la escalera de caracol a su pequeña cama, donde apenas cabía una sola persona.

Antes debía barrer los cristales rotos. Cogió la escoba, pero simplemente se apoyó en ella, preguntándose qué había cambiado: ¿De dónde venía esa repentina sensación de soledad e insatisfacción? Pensó en las mujeres pobres que dormían a la sombra de San Pablo, en cualquier portal donde encontraran cobijo. Deberías dar gracias a Dios, Kate Gough –se reprendió–. Tienes un techo y un hogar… y libros. Si te entra el anhelo de sostener a un niño en brazos, siempre está el pequeño Pipkin… y luego puedes devolvérselo a su madre. ¿De dónde sacarías el tiempo para los libros si tuvieras una prole de niños llorones y un marido? Pero no se sintió agradecida.

La muchacha… Dijo que se llamaba Winifred. Ya debía de estar en su casa. Su marido y ella cenarían juntos y se reirían de la captura del aspirante a ladrón. Tal vez incluso le hablase a su francés sobre la librera que le había cuidado a la niña.

«¿Era amable?», quizá preguntara él. «Bastante amable. Pero se la veía un poco triste. Pareció como si quisiera quedarse a la pequeña Madeline. Me ha dado un poco de lástima.»

La pequeña Madeline. Kate recordó su olor a bebé, la manita perfecta que se agarró a su dedo como si fuera una cuerda de salvamento.

¡Basta ya, Kate!

Movió la escoba con más brusquedad de la que pretendía. Un trozo de cristal resbaló por el suelo y la sobresaltó, lo que la llevó a preguntarse si la alimaña de ojos rojos la observaría esa noche cuando ella apagara la vela.

Parpadeando para contener unas lágrimas de frustración, no pudo menos que preguntarse por segunda vez ese día: ¿Dónde están los hombres cuando se los necesita?

～≈≈～

A la mañana siguiente despertaron a Kate unos fuertes golpes en la puerta. A lo mejor el que llama se marcha, pensó, y se dio la vuelta en la cama para seguir durmiendo. Era un día gris y encapotado y nevaba; lo vio por la pequeña ventana que había en lo alto de la pared, bajo el alero, justo frente a su cama. La cama estaba caliente, y abajo, en la librería vacía, la aguardaban un suelo frío y una chimenea apagada. Se tapó la cabeza con las mantas.

Continuó el persistente aporreo.

–Marchaos –gritó, pero bajó los pies al suelo gélido y se puso la falda sobre el camisón. Otro cliente que necesitaba un libro «con urgencia». Pero podía ser el único cliente en todo el día. Se recogió la trenza en un moño, se lo sujetó y descendió por la escalera. De pronto la asaltó la idea de que podía ser otra vez la mujer con la niña. Al fin y al cabo, la había invitado a llevársela cuando quisiera–. Ya voy.

Pero cuando levantó el pestillo, su hermano John irrumpió en la tienda y se apresuró a cerrar la puerta. Kate le echó los brazos al cuello, olvidándose de la mujer y la niña, y luego dio un paso atrás para mirarlo. Tenía la nariz arrugada por el frío y el sombrero y la capa salpicados de copos de nieve. Se lo veía muy pálido y cansado: debía de haber viajado toda la noche. No era raro que hubiese llamado a la puerta con tal impaciencia.

–¿Has dejado los libros fuera? –preguntó ella, buscando alrededor una cartera o una pequeña caja de embalaje–. Se mojarán. Deberíamos entrarlos. Inmediatamente. –Volvió a abrir la puerta.

Su hermano alargó el brazo por encima de su hombro y cerró de un portazo.

–No hay libros –dijo él, golpeándose el sombrero contra la capa para sacudir la nieve–. No he comprado ninguno.

–¡No has comprado! ¿Por qué demonios…? –De pronto su pensamiento se adelantó a sus palabras–. ¡Has perdido el dinero! ¡Por todos los santos, te han robado! ¿Estás bien?

Él dejó escapar un suspiro de hastío.

–No he perdido el dinero, querida hermana. Compré libros, pero de camino a casa descubrí que no es buen momento para entrar en Inglaterra más sermones luteranos o Biblias inglesas. Por suerte, pude recuperar parte del dinero gastado. Vendí lo que había comprado a precio de saldo a un inglés que se iba a vivir al extranjero.

–Vaya, una excelente decisión comercial –comentó Kate entre dientes–. Quizá deberíamos buscar una tienda más grande para vender libros por debajo del coste.

Él no respondió a su sarcasmo con otra pulla ingeniosa, como era su costumbre, sino que cogió el atizador y revolvió las cenizas, avivando las brasas, y echó algo de yesca de una cesta colocada junto a la chimenea. Ahora sus movimientos, por lo general parsimoniosos, eran precipitados, rayanos en el frenesí. Las llamas se elevaron, fundiendo los copos de nieve de su sombrero y su capa. Un pequeño charco se formó en las tablas enceradas del suelo mientras Kate se reconcomía en silencio por lo de los libros. Llevaba días esperándolos con ilusión y andaban muy escasos de existencias, sin apenas más material que aquello que él había podido imprimir en la trastienda, y eso no era gran cosa, dado que no conseguía la licencia para vender los textos luteranos que eran su especialidad. El fuego ardía ya con llama viva, disipando el frío de la mañana.

–¿Has visto a Mary y al bebé? –preguntó ella, cambiando de tema para no arruinar la vuelta a casa de su hermano con su lengua afilada.

–No, he venido aquí directamente –respondió él.

Revolvía en las librerías y cogía panfletos. Kate reconoció el sello de Amberes en algunos de ellos. Debían de ser textos de Tyndale, los últimos que les quedaban.

–¿Qué buscas? John, de verdad, me alegro de que estés aquí, pero antes deberías haber ido a casa a ver a tu mujer. –Incapaz de contenerse, añadió en voz baja–: Y más teniendo en cuenta que has vuelto con las manos vacías.

John cruzó la tienda a zancadas y examinó los panfletos antes de acercarse a la chimenea y echarlos al fuego, primero uno, luego otro.

–¡John! ¿Qué demonios…?

Las vivas llamas se elevaron aún más, devorando el papel y la tinta que él había entrado en el país de contrabando corriendo un gran riesgo. Estaba ya ante otra estantería, hurgando en su contenido, descartando algunos textos, separando otros para entregarlos al voraz resplandor. Cogió los dos últimos Nuevos Testamentos en inglés de Tyndale y se inclinó hacia el fuego, protegiéndose la cara del calor.

Ella hizo ademán de quitárselos, pero ya era tarde.

–¡John! ¿Es que te has vuelto loco? ¡Lo que estás quemando es la Palabra de Dios! Y son nuestras últimas existencias.

–Tengo que hacerlo, Kate. Han arrestado a Thomas Garrett –explicó él.

Kate, con la mano extendida, se detuvo a medio camino. Thomas Garrett era un librero que suministraba a los estudiosos de Oxford y uno de los principales proveedores de la librería. Aquellos cargamentos de contrabando a los que John no tenía acceso directo se los compraba a Garrett. El calor del fuego absorbía el aire de la librería, pero Kate encontró aliento suficiente para preguntar:

–¿Qué le harán? ¿Lo tiene el cardenal Wolsey? ¿O eran soldados del rey?

–Lo mismo da. Enrique VIII, Defensor de la Fe –dijo John con amargura–, hará lo que diga el cardenal. Por suerte, Garrett tuvo la inteligencia de escapar. Pero han arrestado a otros. Torturaron a un párroco de Honey Lane junto con su criado.

Se interrumpió y la miró con severidad, clavando sus ojos en los de ella; de pronto eran niños otra vez, y él, siempre el más cauto, la prevenía de los peligros.

–Kate, Garrett me ha enviado un mensaje. Es posible que me hayan delatado.

Hablaba con voz serena, pero ella vio el miedo en sus ojos y de repente sus movimientos nerviosos y precipitados cobraron sentido.

–Pero incluso si eso es verdad y has sido delatado… no corres verdadero peligro, ¿verdad? La Iglesia nunca ha perseguido a los libreros en serio. Sería una obstrucción al comercio. Sea el títere del papa o no, el rey nunca lo permitiría.

Pero mientras pronunciaba atropelladamente estas palabras, recordaba las nuevas leyes contra la publicación de obras sin licencia y, en particular, la difusión de textos luteranos. Ellos habían considerado los edictos poco más que un gesto de conciliación con el clero, ya que parecían guardar más relación con el comercio que con la herejía.

–¿No estás pecando de exceso de cautela? No puede decirse que seas un predicador luterano ni nada por el estilo. Nuestros clientes acuden a nosotros en busca de los libros. Seguramente saldrías del paso con una multa o la amenaza de cerrarnos la tienda. Si eso ocurriera, me parecería bien quemar los libros.

–Kate, ¿qué es Thomas Garrett sino librero? Por eso estaba en Oxford. Y encontraba un mercado propicio. Están interrogando a varios de los estudiantes –dijo, echando otro evangelio al fuego.

Kate retrocedió, alejándose del calor abrasador.

–¡Eso era el Evangelio según san Lucas! Lo imprimiste tú mismo. –De pronto revivió una imagen de él inclinado sobre la prensa, trabajando por la noche clandestinamente contraviniendo y las normas del gremio que prohibían imprimir después de oscurecer. Cogió lo que quedaba y lo estrechó entre sus brazos mientras hablaba–. ¿Por qué no los escondemos hasta que esta situación pase, y ya está?

—Esta vez no va a pasar. No se detendrán hasta que apliquen castigos ejemplares a algunos de nosotros... hasta que enciendan ellos mismos unas cuantas hogueras. –Hablaba con voz firme, resuelta. Tendió las manos en ademán de coger los libros que ella sostenía.

Kate pensó en los traductores en su exilio autoimpuesto en Europa y en los contrabandistas que se habían arriesgado tanto para trasladar esos libros a Inglaterra. Pensó en el gasto que habían representado para ellos esos libros.

—¿Vas a rendirte, pues? John, no está bien quemar los libros. Es un sacrilegio y un insulto para quienes tanto han padecido por esta causa. El cardenal Wolsey y su gente queman libros. Nosotros no quemamos libros. –Advirtió que su voz era cada vez más estridente.

John le contestó con comedimiento.

—Quemar los libros es precisamente lo que hizo Humphrey Monmouth hace dos años cuando la redada en el Steelyard y lo llevaron a prisión. Al registrar su casa, no encontraron pruebas. Lo dejaron en libertad. Yo tengo que pensar en Mary y el niño. Y en ti –dijo en tono ecuánime, sin ira en la voz, mientras se movía apresuradamente y la vena que surcaba el centro de su frente sobresalía como un cordón azul–. Si tienes razón, si Wolsey y Cuthbert Tunstall encuentran algo más que perseguir y se olvidan de nosotros, podremos imprimir más.

¿Y qué venderemos entretanto? ¿Cómo nos ganaremos la vida sin existencias? Pero Kate calló. Era a su hermano a quien perseguirían, no a ella, así que, supuso, la decisión debía tomarla él.

John dejó escapar una risa amarga.

—Muchos de los libros que quemó el obispo Tunstall ante la Cruz de San Pablo los había comprado él y pagado con fondos de la Iglesia para mayor espectáculo. Tyndale empleó ese dinero para financiar otra edición mejor, una con glosas incluso más severas contra el papado. –Alargó el brazo hacia el estante donde se hallaba la Biblia de Wycliffe, la Biblia que había pertenecido a su bisabuela.

Kate le agarró la muñeca con fuerza para impedírselo. Esta vez fue ella quien habló con firmeza.

—Esa no, John. Esa no la quemarás. Es insustituible.

Por una vez, él cedió. Arrugando el ceño, se la entregó.

—Llévatela de aquí, pues. Cuando registren esto, no conviene que encuentren ningún libro de contrabando… ninguno, Kate, ¿lo entiendes?

Cuando ella cogió la pesada Biblia, desempolvó la cubierta con la mano, descubriendo el borde áspero allí donde las ratas habían roído la piel de la encuadernación. Para las alimañas no había nada sagrado.

—Ya no queda nada más, estoy seguro —dijo John, mirando alrededor.

—¿Y el cargamento de Bristol? —preguntó Kate.

John se encogió de hombros.

—No iré a recogerlo, claro está. Es demasiado arriesgado. Siendo ya sospechoso, si me sorprendieran…

Todas esas biblias tiradas al mar, pensó ella, todo ese trabajo malgastado, todas esas palabras pagadas con tan buen dinero convertidas en alimento para los peces.

El fuego ya se apagaba. Kate dejó la Biblia y cogió la escoba para barrer unos cuantos cristales rotos que la noche anterior, a la luz del candil, había pasado por alto.

—¿Qué se te ha roto? —preguntó él preparándose para salir.

—Era un tarro con cebo para atrapar una rata —respondió ella.

Él se quedó ante la puerta con la mano en el pestillo. Una parca sonrisa asomó a las comisuras de sus labios por primera vez desde su llegada.

—¿Se escapó la rata?

—Condenada alimaña.

—Juras demasiado. Nunca encontrarás marido.

—Entonces hilaré al calor de tu hogar hasta que me convierta en una vieja bruja.

Era una antigua broma entre ellos. Pero últimamente a ella ya no le hacía tanta gracia.

—Uf —gruñó él, como siempre. La sonrisa permaneció en su rostro, como siempre.

—Dale recuerdos a Mary y un beso al pequeño Pipkin —dijo ella.

Los dos se sobresaltaron al oír los golpes de un objeto contundente contra la puerta.

—¡Abrid en nombre del rey!

A una mirada y un gesto de John, Kate cogió la vieja Biblia de Wycliffe y huyó a su alcoba por la escalera de atrás de la librería. Oyó un grito, y luego voces amortiguadas. Reconoció los tonos bien modulados de John. Serenándose, bajó la escalera y entró en la tienda justo a tiempo de ver al sereno y dos soldados llevarse a su hermano.

II

*Moro es un hombre con la inteligencia de un ángel
y una sabiduría singular… ¿Dónde hay otro hombre
de tal gentileza, modestia y afabilidad? Y cuando
la ocasión lo requiere, hombre capaz de una extraordinaria exultación y esparcimiento, y a veces
en igual medida de triste gravedad. Un hombre para
todas las circunstancias.*

ROBERT WHITTINTON,
Encomio de sir Tomás Moro, 1520

El viernes era el día preferido de sir Tomás Moro. Los viernes, después de la misa diaria, del te deum y del último salmo cantado, no se ponía su toga rayada para ir a Lincoln's Inn a impartir
lecciones de leyes, ni iba siquiera a Black Friars, donde, en su función de presidente de la Cámara de los Comunes, debía pedir financiación parlamentaria para la campaña francesa del rey. Vestido
con la capa y el embozo escarlata del poderoso gremio de los merceros, no dio el breve paseo hasta su sede en Ironmonger Lane para
informar de sus últimas negociaciones con la Liga Hanseática. Tampoco se adornó con la cadena de oro emblemática de los Tudor, ni
fue río abajo en su barcaza particular hasta Westminster para asistir
a la reunión del Consejo Real. Ni siquiera fue a Oxford, donde actuaba como patrón, para juzgar a los estudiosos réprobos de allí.

Los viernes le pertenecían a él.

Cuando sir Tomás despedía a su familia después de la misa obligatoria para que cada uno cumpliera con sus tareas individuales y a veces ruidosas, él se quedaba solo en la capilla, postrado ante la Santa Cruz. Solo cuando tenía las piernas y los brazos entumecidos por la fatiga, y los pensamientos tan enredados como los nudos en la pequeña tralla, sacaba su flagelo y empezaba a azotarse.

El primer golpe por encima del hombro izquierdo era para su superior y en otro tiempo amigo. Wolsey, Wolsey con su capelo cardenalicio. Sir Tomás se administró estos primeros azotes con más ira que arrepentimiento, solo para coger ritmo, para abrir por la fuerza la puerta al éxtasis del dolor. ¡Wolsey! ¡Vaya un cardenal! Con un matrimonio secreto. Un cardenal con el poder del clero y una esposa.

Luego otros azotes por su padre abogado, John Moro. Su padre, a quien debía complacer. Su padre, a quien debía elogiar. Su padre, a quien debía obedecer.

Luego una tanda de golpes sobre el hombro derecho, aún más airados, proyectando su rabia todavía hacia fuera. Rabia por Lutero y su *furfuris*, ese traductor que lo emulaba, William Tyndale. *Merda, stercus, lutum*. Mierda. Estiércol. Inmundicia. ¡Herejes viles y peligrosos! Ahora ya con la respiración acelerada. Uno que tomó a una monja ramera por esposa, y el otro que vivió como un monje a la vez que osaba ensalzar el matrimonio entre el clero.

Acto seguido, una profunda inhalación y dos azotes más. Izquierda, derecha. Esta vez en penitencia por su propio pecado, en pago por su propio placer. Uno por su difunta esposa, su joven y dócil Jane. Había gozado de ella en exceso. Inhalación. Por el deseo que sentía hacia ella, había abandonado su pequeña celda de monje cartujo. Exhalación. Y otro más por su segunda esposa. Lady Alice: su lengua, azote más que suficiente para cualquier hombre; su voluntad igual de poderosa.

Izquierda, derecha. Una en pago por su hijo. Dos. Tres. En pago por la hija de Alice. Las hijas de Jane.

El escozor empezó en el hombro y se propagó entre los omóplatos, como lenguas de fuego que lamían su piel ya en carne viva a causa del cilicio.

Dos azotes más por Meg, la hija a quien más quería. Una vez en el hombro izquierdo. Otra vez en el derecho.

Diez. Once. Doce… uno por cada uno de sus nietos, hasta que su carne se estremeció de arrepentimiento, hasta que hubo pagado por todos sus placeres, los inocentes y los carnales. Trece. Catorce. Hasta que tuvo la mente y el cuerpo tan extenuados como la primera vez que yació con una mujer. Este traidor a su vocación. Este pecador, demasiado carnal para vivir en el celibato y demasiado respetuoso de la ley para vivir en la mentira. Como hacía Wolsey, Wolsey que vestía la púrpura cardenalicia.

Solo al acabar de flagelarse, purificada ya su alma pecadora y apagadas las brasas de su ira por un tiempo, sir Tomás pudo regresar a su dicha doméstica de los viernes. En verano, iba a comer al aire libre con su familia a los amplios jardines de su nuevo palacio en Chelsea. En invierno tocaba el laúd con Alice y sus hijas en la solana o se retiraba a su biblioteca para hablar de Aristóteles con su hija Margaret.

Pero aparte de la capilla, donde obtenía la redención de su espíritu, o la biblioteca, donde escribía sus versos, soñaba su *Utopía* y sostenía conversaciones inteligentes con su Meg, la niña de sus ojos, el lugar preferido de sir Tomás Moro era la rosaleda. Tenía allí una pajarera con aves exóticas por sus trinos y su color, y unos cuantos hurones y comadrejas, e incluso un simio enjaulado de nombre *Sansón* para su entretenimiento. En verano las rosas, bañadas por la brumosa lluvia inglesa o heridas por el vivo sol, estaban siempre fragantes.

Pero aún no era verano.

Aquella mañana de los albores de la primavera los capullos no serían más que simples protuberancias en las enredaderas deshojadas y espinosas. Aun así, el jardín lo atraía. Porque en el corazón prohibido del jardín, allí donde sus nietos e hijas jamás se aventuraban a entrar, había un espino de otra clase, en el que brotaban retoños rojos fuera de temporada. Pero las flores de ese árbol solo se abrían de noche, y aún era de día, y Meg lo esperaba en la biblioteca.

⚜

Una vez acabado el día, cuando Alice empezó a roncar, profundamente dormida, y los sonidos de la gran casa se apaciguaron,

29

Tomás se apartó de su esposa y, en susurros, dijo al sirviente que dormía ante su alcoba:

—Ya es hora, Barnabas. —Y le entregó el látigo enrollado.

Al pasar frente a la biblioteca advirtió que las candelas seguían encendidas, su luz amarilla se derramaba por la rendija de la puerta entornada: Meg, que una vez más se quedaba trabajando hasta entrada la noche, dejando a su marido en una cama solitaria. Pero Tomás compadecía poco a William Roper. Temía estar albergando a un hereje luterano bajo su propio techo. Solo con esta hija predilecta sería tan tolerante.

Sonrió, pensando en su trabajo con las traducciones del griego a hora tan avanzada, su rostro inclinado sobre el escritorio, su excelente letra fluyendo de sus dedos agarrotados, las palabras de su ágil intelecto. ¿Qué más daba que fuera la menos agraciada de todas? Poseía una mente extraordinaria; incluso podía decirse que era una mente hermosa. Era demasiado buena para William Roper, aunque el emparejamiento, como todos los matrimonios en la familia Moro, había aportado su porción de riqueza y buenos contactos.

Tomás sostenía la tea mientras el sirviente y él descendían la escalera a oscuras y entraban en la rosaleda en reposo. Dejando atrás las aves canoras que dormían con la cabeza escondida bajo las alas plegadas, dejando atrás los hurones y las comadrejas que buscaban comida en la oscuridad, atravesando el jardín formal por donde el romero, al agitarlo, desprendía su pura fragancia en el aire nocturno, llegaron por fin a un pequeño claro.

La fría luz de una escarchada luna en cuarto creciente dibujó la silueta amarrada al poste de los azotes. «El árbol de la verdad» de Moro, lo llamaba el obispo Cuthbert Tunstall. Tomás prefería verlo como el Árbol de Jesús.

El hombre, atado por las muñecas y los tobillos, estaba desnudo de cintura para arriba. Tenía el mentón apoyado en el pecho como si también él durmiese, al igual que el jardín de invierno. Una cuerda nudosa le ceñía con fuerza la frente. El cabello rubio le caía hacia delante, ocultando un lado de su rostro. Sir Tomás levantó la tea para inspeccionar al prisionero. Su ira, tan recientemente purgada, volvió a surgir en él. Incluso la postura de aquel hombre era un sacrilegio, como si su cuerpo desmayado conspirase en una pose semejante a la de Cristo.

–Despierta al lolardo –ordenó– para que pueda ver el error de su proceder. El aguijón del látigo puede esclarecerle la mente para que regrese así a la fe verdadera.

El sirviente levantó el látigo y, desplegándolo, lo arrolló con un golpe de muñeca alrededor del torso desnudo del prisionero. Este abrió sus ojos azules y posó una firme mirada en su interrogador.

Una voz dulce y aguda de mujer preguntó:

–Padre, ¿estáis ahí?

Sobresaltado, Tomás indicó al criado con una seña que retrocediese hacia las sombras, ya que reconoció la voz de Meg. Con un tono inusualmente áspero, respondió:

–¿Eres tú, Margaret? Ya sabes que esta parte del jardín está prohibida. ¿Dónde estás?

–En el estanque, padre –contestó ella con tono escarmentado–. Ha venido un mensajero del rey.

–Espera ahí. Ya iré yo –vociferó él. A continuación, dijo al sirviente en un susurro–: Llévalo otra vez a la garita del portero. –Señaló con la cabeza la tortuosa dirección en la que el criado debía llevar al prisionero.

–Sí, milord. Pero ha dicho el portero que le recordase que este es el décimo día y, según la ley…

–¿El portero se permite recordar la ley al consejero legal del rey? ¡Vaya sensatez la suya! Dile que conozco la ley tan bien como el que más en Inglaterra, y conforme a la ley un prisionero sospechoso de herejía puede ser interrogado. Y también un criado que simpatice con los herejes. –Tomás cruzó una mirada con el prisionero. Fue él quien primero apartó la vista–. Ponlo en el cepo otra vez –ordenó, y se encaminó hacia el estanque.

El claro de luna se reflejaba fríamente en el estanque, captando una ligera onda en el agua allí donde el viento rizaba la superficie, captando asimismo la palidez del rostro de su hija bajo su capotillo de terciopelo. La joven se envolvió con sus brazos y se estremeció bajo la luna.

–Disculpad, padre. Es que he pensado…

Él se ablandó de inmediato.

31

–Si he estado brusco contigo, es solo porque me preocupa tu seguridad. Por la noche los vigilantes dejan suelto a *Sansón*. Y de día, si lo ves, puede asustarte.

–Pero a vos no os asusta.

–Sí, hija mía, sí me asusta. Pero comprende que yo conozco bien a esa bestia. ¿Dónde está el mensajero del rey?

–En vuestra biblioteca. De hecho, han venido dos mensajeros, el primero de parte del obispo Tunstall. Ha dejado su mensaje cuando le he asegurado que yo misma os lo entregaría en mano. Pero el mensajero del rey… he pensado…

–Has hecho bien en ir a buscarme –atajó él–, pero la próxima vez manda a un mozo.

Rodeando los hombros de su hija con el brazo, la guio escalinata arriba. El rostro oscuro de la fachada de ladrillo rojo se cernió sobre ellos, con sus ventanas negras como ojos que todo lo sabían. Al acercarse a la biblioteca, Tomás vio pasearse ante el fuego al mensajero con las insignias de los Tudor. Mejor no hacerle esperar demasiado. Dio las buenas noches a su hija en la puerta y la observó con afecto mientras ella se despedía con una reverencia y, en medio del susurro de su falda de satén, se fundía en las sombras cada vez más oscuras al final del pasillo.

A Tomás le sonaba la cara del mensajero porque lo había visto a menudo en la corte. Con un parco gesto de reconocimiento, cogió el pergamino y de inmediato rompió el sello de lacre rojo del rey. Leyó las palabras por encima y se le cayó el alma a los pies.

–Esto requiere una respuesta –dijo, sin alzar la vista–. Es tarde. Reflexionaré y os la daré por escrito mañana a primera hora. –Tiró de un cordel y casi al instante apareció un sirviente–. Sam os proporcionará una cama en la casa de invitados y refrigerio… o cualquier otra cosa que necesitéis. No tendréis queja alguna sobre la hospitalidad de la Casa de Chelsea. Regresad a esta estancia después de la hora prima; os daré un mensaje para su majestad.

Con un suspiro de hastío, Tomás dejó el documento de la corte en su mesa y se acomodó en la butaca junto al fuego. Frotándose la frente arrugada con los dedos, observó las brasas. Bien, pues, por fin ha llegado. Ya no puedes eludirlo, se dijo. Habían circulado insinuaciones, sutiles y no tan sutiles, pero siempre había podido esquivar las implicaciones. Ahora estaba allí: una petición directa de Enrique VIII, Defensor de la Fe –título que sir Tomás había ayudado al soberano a obtener escribiendo la refutación de la doctrina luterana que le había valido ese honor–, para ayudar al rey con su «gran asunto».

De pronto la habitación se le antojó fría. Lo recorrió un estremecimiento, agudizándose el escozor que le causaba el cilicio. Las brasas, al moverse, dejaron escapar un suspiro, como para recordarle que si uno se negaba a cumplir la voluntad de un rey, en particular de este rey, corría grave peligro. Tomás contaba cincuenta y un años, y sentía en los huesos cada uno de sus aniversarios. Había servido bien a Enrique, pero daba la impresión de que nunca se le permitiría retirarse. ¿Cómo dar un «no» sin desatar la cólera de su monarca? Pero ¿cómo podía dar un «sí» sin incurrir en el deshonor público? Se levantó cansinamente y avivó el fuego, reagrupando las brasas. Su mirada se posó en un pequeño paquete.

Meg había mencionado otro mensaje. Reconoció el sello de Cuthbert Tunstall. Este lo rompió con más entusiasmo. Contenía un librito y varios panfletos. Si bien los dos colegas intercambiaban libros con frecuencia, Tomás examinó este con curiosidad y cierta sorpresa. ¡Era el Nuevo Testamento en inglés de Tyndale! Había oído hablar de él, aunque no había visto ninguno antes porque, como todas las obras que contenían doctrina y glosas luteranas, estaba prohibido conforme a la reciente censura del obispo.

Un trozo de papel de vitela se desprendió y cayó al suelo con un revoloteo. Tomás se agachó a recogerlo. La misiva, escrita en latín, como toda la correspondencia entre Moro y el obispo Tunstall y el cardenal Wolsey, otorgaba a Moro una dispensa específica para poseer el libro junto con una solicitud de ayuda para capturar a los «hijos de la iniquidad» que difundían la ponzoña de Lutero en Inglaterra. Por otro lado, indicaba que sir Tomás serviría mejor a dicha causa redactando una refutación del trabajo de Tyndale para su publicación y distribución y ofrecía una compensación económica.

Tomás abrió el Nuevo Testamento en inglés con interés y, entornando los ojos a la luz de la vela, lo hojeó. Tyndale era un traductor competente y sagaz. Cada página intensificaba la ira de Tomás: la elección de viles palabras anglosajonas, la sencillez de la verborrea, el uso de la palabra «congregación» en lugar de «iglesia», el uso de «anciano» en lugar de «sacerdote», negando intencionadamente el dogma cristiano de que la Iglesia es el cuerpo de Cristo en la tierra, e incluso el empleo del término «arrepentimiento» en lugar de «penitencia», eran un descarado golpe al sistema penitencial de indulgencias de la Iglesia. Luego, examinando las glosas luteranas heréticas que despotricaban contra el poder de la Iglesia, sintió crecer su rabia. *Coenum!* ¡Excrementos! ¡Esto es un documento herético inmundo!

Sentía en los dedos un cosquilleo de impaciencia por empezar a escribir.

Tomás no ayudaría a Enrique a convertir a su ramera en legítima esposa, pero esto sí podía hacerlo. Esto sí lo haría. Y de balde. Cerró bruscamente el opúsculo, ese objeto profano, de encuadernación barata, de impresión barata, e hizo ademán de arrojarlo al fuego. Pero no, el libro no. El libro era una prueba. Era el autor del libro quien debía ser entregado a las llamas. Él y todos los demás herejes apestosos e inmundos como él, deseosos de mancillar a Inglaterra con sus desechos profanos.

De algún lugar en lo más recóndito del jardín llegó el gruñido de un animal. *Sansón.* El guardián había concedido a la bestia la breve licencia de abandonar su jaula. La savia ascendía desde la tierra, y *Sansón* sentiría la agitación dentro de sí. Se golpearía el pecho, tiraría de la correa que le impedía salir del jardín tapiado, con alaridos llenos de rabia salvaje. Sir Tomás revisó las otras muestras de herejía, identificándose con la rabia de *Sansón.* Pero él no podía golpearse el pecho y gritar en el silencio de la casa dormida de Chelsea. Sir Tomás Moro era un hombre civilizado. Un gran erudito. Un hombre de formación clásica. Un hombre de honor. Y un cristiano.

Dejó el Nuevo Testamento en la mesa con vehemencia y lo aporreó con el puño. Luego se levantó y, cogiendo la capa orlada de armiño, salió del aposento. Cerró de un portazo y se encaminó hacia la garita del portero.

III

Quemando los libros de Lutero, es posible que lo arranquéis de vuestras estanterías, pero no lo arrancaréis de las mentes de los hombres.

ERASMO DE ROTTERDAM

os narcisos florecían en el alféizar de la imprenta y librería Gough, pero ni sus valientes flores amarillas ni la tenue luz del sol animaron a Kate. No había vuelto a saber nada de John desde el día en que se lo llevaron, hacía ya dos semanas. Le habría mandado un mensaje a su esposa o a ella a menos que estuviera muerto… o preso. Esperaban a diario, pensando que volvería a casa ese día o al día siguiente. El día siguiente llegó, y luego otros muchos, y continuaban sin saber nada de John.

Su cuñada se presentaba en la tienda cada mañana. Cuando la puerta se abría repentinamente al dar las nueve, Kate ni siquiera tenía que levantar la vista.

–Dime que no está muerto, Kate. Anoche soñé que veía su cuerpo envuelto en una sábana. Dime que John está bien –exigía con los grandes ojos castaños empañados y el niño de dos años retorciéndose entre sus brazos.

–No está muerto, Mary. Si lo estuviera, yo ya lo sabría –contestaba Kate, tendiendo las manos hacia el niño que alargaba sus brazos para que lo cogiera–. Eso no son más que demonios que inventa tu cerebro enfebrecido a causa del miedo.

Lo que no decía era que en ese mismo instante John podía estar sufriendo la más dolorosa tortura o languideciendo en la prisión destinada a los lolardos, un horror del que había oído hablar en susurros por primera vez siendo aún niña. Los lolardos habían padecido persecuciones durante doscientos años, desde que John Wycliffe exigió por primera vez a la Iglesia de Roma que rindiera cuentas de sus abusos y se atrevió a pedir que las Escrituras se tradujeran del latín al inglés para que todos los hombres pudieran descubrir la verdad por sí solos. Su propia familia había participado en esa lucha por la libertad casi desde entonces.

Hundió la cabeza en los rizos rubios del niño, sintiendo su suavidad al rozar el hueso del cráneo con los labios. Tan duro, y sin embargo tan frágil. El olor a bebé del chiquillo le recordó a la pequeña Madeline.

–Si lo hubiesen matado, lo sabríamos –afirmó Kate, para tranquilizarse a sí misma tanto como a Mary–. ¿Por qué iban a hacerlo si no para difundirlo y sembrar el miedo en el corazón de sus enemigos?

–Dicen que a Wolsey no le gusta matar. Que les da la opción de abjurar… pero no sé si John estaría dispuesto a…

–John abjuraría por ti, Mary. Y por su hijo –atajó Kate categóricamente al recordar la determinación de su hermano mientras quemaba los libros–. Lo haría por ti.

–Y tú no lo apruebas.

–No sé qué haría yo en su lugar. Pero sé lo que hizo nuestro padre. Murió en la prisión de los lolardos por defender firmemente sus creencias. No quiso negar que un hombre debe tener el derecho a leer el Evangelio en su propio idioma, y no declaró lealtad a una Iglesia que impartía doctrinas falsas.

–¿Y eso es lo que quieres que haga tu hermano? Tu padre no fue el único que sufrió. Y tú y John ¿qué? ¿Y tu madre? Ella no murió de una enfermedad en los pulmones. Murió de dolor. Cuando hablas de tu padre siempre veo en tu cara la misma expresión de… veneración que veo en la de John.

Al oír «cara», el niño tocó la mejilla de Kate con la mano y repitió la palabra como si jugaran al juego de siempre: nariz, mano, cara, orejas. A Kate se le encogió el corazón de afecto al sentir el contacto de su mano en el rostro.

Su cuñada insistió.

–¿Tú lo harías, Kate? ¿Te retractarías?

–He dicho que no sé qué haría, Mary –respondió, molesta por la insistencia de su cuñada–. Sería como si nuestro padre hubiese muerto por nada. Y otros antes que él. Nuestra familia siempre ha estado comprometida con la Reforma. Eso lo sabes tú. Nos criamos entre historias de martirios y heroísmo. Heredamos esas historias junto con la vieja Biblia de la familia. –Miró a Pipkin, que se revolvía entre sus brazos–. Pero yo no tengo tanto que perder como John.

Kate se complacía en pensar que sí sabía qué haría, pero ¿quién podía saberlo? Muchos hombres valientes habían sucumbido a la tortura. ¿Podía una mujer albergar la menor esperanza de resistirla?

–Elo –gorjeó el pequeño, tirando del pelo a Kate.

–Toma, coge a tu gusanito inquieto –dijo ella a la vez que se desenredaba del pelo las manos de la criatura; luego alargó el brazo hacia la capa colgada en la percha junto a la puerta y se la puso–. Estaré de vuelta a tiempo para que puedas irte a casa antes de que oscurezca. Si alguien pregunta por un texto luterano, solo tienes que decir… bueno, ya sabes qué tienes que decir.

–Diré que ya no vendemos esos libros. Son ilegales –contestó Mary, echando la barbilla al frente y fuego por los ojos.

Acaso Mary fuera un alma delicada, pensó Kate, pero tenía una vena de determinación dura como el hierro.

Como Kate no la corrigió, Mary preguntó, ya sin aspereza en la voz y con ternura en los ojos empañados:

–¿Hoy dónde buscarás?

–Quizá en los muelles. En la Liga de los Mercaderes Hanseáticos. Quizá se hayan enterado de algo.

–Ago –repitió el niño, y de pronto asintió con expresión tan solemne como las de las dos mujeres en quienes confiaba.

Pero Kate volvió la espalda. Ya no podía soportar mirarlo. Abrió la puerta y salió para iniciar su búsqueda como todos los días desde hacía dos semanas. Sintió en el cuello el cortante viento de marzo, que la obligó a levantarse la capucha forrada de piel de ardilla. No existía protección para el frío que atenazaba su corazón.

❦

Kate no averiguó nada sobre su hermano entre los Aventureros Mercaderes del Steelyard, salvo lo amplia que había sido la batida.

–¿Y qué se sabe del cargamento de Amberes? –preguntó Kate al ordenanza.

–Se perdió. Lo echaron por la borda en alta mar, pero no os preocupéis, señora. Hay más en el lugar de donde esos salieron. La impresión y el papel son baratos. Las vidas no.

–¿No habrá más cargamentos, pues?

El mercader sonrió.

–Ya hay otro en camino. Para cuando llegue aquí a finales de abril, los hombres del rey no estarán vigilando los muelles de Bristol. Ya han prendido a Garrett. El pobre está en una celda de Ilchester, en Somerset.

–Pero ¿no querrán saber quién es su proveedor?

–El rey no desea conflictos con los mercaderes alemanes. –Sonrió–. Quiere buena lana inglesa en las espaldas de los burgueses ricos de toda Europa. No tiene intención de romper el tratado comercial. A menos que actuemos con demasiado descaro, se limitará a perseguir a los contrabandistas y difusores ingleses.

–¿Quién recibirá el siguiente envío si Garrett está arrestado?

–Lo recibirán directamente algunos de los libreros. Si encontráis a vuestro hermano, y aún le quedan agallas, decidle que consulte con sir John Walsh en Little Sodbury.

–Si lo encuentro…

–No os preocupéis, señora. De momento solo han echado una red poco tupida. Dejarán escapar a los peces pequeños, tarde o temprano. Las cárceles ya están llenas. Según he oído, incluso han encerrado a algunos estudiantes de Oxford clientes de Garrett en el almacén de pescado que hay en el sótano del Cardinal College. Les meterán el temor al papa en el cuerpo a todos y los mandarán a casa.

–¿Y qué será de maese Garrett?

–Bueno, es posible que sean más reacios a soltarlo. Se lo considera un distribuidor importante… y una especie de predicador. Y ya había sido amonestado. Cuando te amonestan una vez… –Concluyó la frase con un encogimiento de hombros.

Ahora John habría sido amonestado, pensó Kate. Pero no quería ni pensar en las posibles consecuencias de eso. Antes tenía que encontrarlo.

❧

El sótano del pescado apestaba. Y no solo por lo que se desprendía de su nombre, lo cual ya de por sí justificaba de sobra el hedor, sino también por los excrementos humanos y el moho que se adhería a las paredes húmedas, y por algo más que él no acababa de identificar. Acaso fuera el miedo, le decía el sentido común, el miedo colectivo que exudaban sus propios poros y los de los otros cinco hombres del Cardinal College detenidos bajo sospecha de estar en posesión de libros luteranos. John Frith recitaba a Homero en su versión griega original –en voz alta– para no enloquecer en medio de la mugre y la oscuridad. Pero en la última semana el competente coro había empezado a fallarle.

–Válgame Dios, amigo, a ver si te tomas un descanso. Clerke está enfermo –protestó una voz desde la oscuridad.

–Ya lo sé. Lo he olido. Lo siento. Pero no podemos rendirnos. Nos soltarán. Ni siquiera el decano Higdon puede mantenernos en este sótano pestilente sin un juicio. Solo pretende intimidarnos. Para que maduremos un poco.

–Pues lo está haciendo muy bien.

Era la voz de Sumner. Era Sumner quien más le preocupaba. Estaba ya enfermo antes de que los apresaran.

–Debemos conservar la fe –dijo Frith, intentando mostrar aplomo–. El patrón de Oxford está a punto de pasar por aquí en su ronda, y entonces nos soltarán sin más pena que una amenaza y probablemente una amonestación pública en la capilla.

–¡Uf! Yo no depositaría mis esperanzas en el patrón. Tomás Moro es un cazador de herejes. Será el menos dispuesto a soltarnos. –Esa era la voz de Bayley.

–¿Y tú cómo lo sabes? –preguntó Frith.

–Me lo dijo Garrett. Cuando vino en Navidad a pasar unos días en los aposentos del maestro del coro. Según comentó, sabía que el obispo Tunstall y Moro iban tras él.

–Eso es como decir «compra mis libros y, por cierto, es posible que te cuesten la vida». Un buen momento para comunicárnoslo –dijo Frith con cierta insolencia.

–¿A ti te habría disuadido? –preguntó Bayley.

–En eso tienes razón –respondió Frith. Se quitó la capa y, tras sacudir la sal gris que la cubría, se la dio a Sumner–. Tapa con esto a Clerke. No es bueno pasar frío si se está enfermo. No podemos desmoralizarnos. Ni el cardenal ni el decano, ni siquiera Moro, querrán que se sepa que la universidad está «contaminada» por la herejía. ¿Por qué creéis que nos han encerrado aquí y no en una cárcel pública?

–Puede que las cárceles estén llenas –respondió Sumner con voz débil–. Y tal vez solo pretendan dejar que nos pudramos aquí, como ese pescado apestoso. –Señaló los toneles colocados en un rincón.

–No, Sumner, eso no. No nos pudriremos aquí. No te preocupes. Hay sal de sobra para conservarnos –dijo Frith, intentando levantarles los ánimos–. Nos soltarán cuando consideren que nuestra fiebre luterana ha bajado ya lo suficiente. Quizá mañana. Os apuesto mi Herodoto y mi Virgilio a que viviremos todos para ver a Tomás Moro y Wolsey, esos dos viejos, yacer con sus vestimentas funerarias católicas. Y ahora –como si su encarcelamiento no fuera más que una molestia que debía llevarse con ecuanimidad– tú harás de Ulises y yo de Telémaco. –E inició otra vez la recitación.

–Frith, eres un necio o un santo, no sabría decir.

Tampoco yo sabría decirlo, pensó él. Pero fuera lo que fuese, estaba ya más que maduro y su fiebre había bajado considerablemente. Y solo llevaba allí tres semanas. Apacíguate, has estado en situaciones peores que esta. Pero John Frith halló pobre consuelo

40

en las palabras de Homero, porque, a decir verdad, ¿cuándo había estado en una situación peor?

※ ※

Las sombras vespertinas ya se alargaban cuando Kate hizo la que, según creía, sería la última visita del día, la del palacio del obispo de Londres. El clérigo que abrió la puerta la reconoció y frunció el entrecejo.

—Hoy el obispo Tunstall está reunido.

—Pero ayer también estaba reunido.

—Como lo estará mañana. Mirad, señora, no quiero pareceros desconsiderado. Os aseguro que le he dado vuestro mensaje, y dice que no sabe nada del asunto. Dice que debéis acudir al alguacil mayor o al alcalde de Londres.

—Eso ya lo he hecho. Varias veces. He sobornado a los guardias de Newgate e incluso a los de la prisión de Old Compter. No saben nada de ningún John Gough.

—¿Y en Fleet?

—Tampoco en Fleet.

Kate intentó suavizar la voz. Sabía que el clérigo no cedería ante la aspereza. Era joven y tenía un rostro amable.

—Por favor. Un hombre no desaparece así, sin más. Mi hermano era un buen ciudadano… es un buen ciudadano. —Se negaba a hablar de él en pasado—. Es un librero e impresor de cierto prestigio.

Un destello pareció asomar al rostro del clérigo.

—Ah, impresor. —Adoptó una expresión más severa—. Id a ver a la Torre de los Lolardos —sugirió, y antes de que ella pudiera decirle que ya había estado en el palacio de Lambeth con su infame y temida torre cuadrada construida para albergar y torturar herejes, él le cerró la puerta en las narices. Kate había visitado la Torre de los Lolardos la primera semana, con el corazón en un puño, y casi se desmayó de alivio cuando el guardia dijo que la prisión estaba a rebosar y hacía semanas que no entraban nuevos presos. Siendo así, pensó Kate, quizá solo asustaran a John y lo soltaran. Pero ese alivio se desvaneció conforme los días transcurrían y él no aparecía.

Hizo ademán de llamar otra vez a la puerta, pero dejó caer la mano. ¿De qué serviría? Ya era tarde. Mary querría estar en su hogar cuando oscureciera. Kate debía volver a casa, pese a que temía presentarse ante su cuñada; detestaba ver sus lágrimas contenidas al oír que no había novedades. Así pues, cuando Kate se acercó al camposanto de San Pablo, con el familiar alboroto de sus campanas, no dobló por Paternoster Row en dirección a casa, sino que se fue hacia el oeste, más allá de Ludgate Hill.

Aún tenía tiempo para pasar por la prisión de Fleet.

Los efluvios del río Fleet siempre eran peores en el crepúsculo. A lo largo de todo el día los desechos y residuos humanos de las cloacas de la ciudad se vertían en el río en su ruidoso curso hacia el Támesis. El olor le produjo arcadas, pero no llegó a vomitar. No había comido desde esa mañana, y solo un bocado de un currusco de pan rancio. No había tiempo para un desayuno como Dios manda. Pero ¿cuándo habría comido John por última vez?, se preguntó al aproximarse a las puertas de Fleet y entrar en su lúgubre patio.

En la puerta de la garita se hallaba el mismo viejo guardia entrecano de la otra vez.

—Señora, ya os lo dije la semana pasada, y la semana anterior, y la otra, no me consta que haya aquí ningún John Gough —dijo incluso antes de que Kate preguntara.

—Puede que esté aquí con otro nombre. Tal vez estaba… inconsciente cuando lo trajeron. Quizá ni siquiera supieran su apellido. Permitidme describírselo al carcelero jefe.

Kate rebuscó en el bolso.

—¡Ja! ¡Como si su eminencia el carcelero jefe viniera alguna vez por aquí! Y el lugarteniente no querrá volver a veros, así que no vale la pena que malgastéis vuestros peniques intentando acceder a él. —Se inclinó para susurrarle algo a la vez que se rascaba la barba grasienta. Kate hizo acopio de valor para recibir la arremetida de su aliento e intentó pasar por alto los gritos insinuantes dirigidos a ellos desde el corrillo de presos que jugaban a los dados en el centro del patio—. Más os vale guardar los peniques para los presos comunes que mendigan tras las rejas. Ellos sabrán más que el lugarteniente. Este rara vez se ensucia las botas en las galerías.

—¿Las rejas?

El guardia señaló con la cabeza en dirección a la sección de celdas de la derecha, cuyas ventanas enrejadas daban a Farringdon

Street, donde los presos de humilde cuna mendigaban dinero a los viandantes a fin de comprar comida y paja nueva para sus celdas infestadas de piojos. Ella siempre había eludido ese extremo de la calle, desde aquella primera vez en que, al pasar por delante, tuvo que oír los abucheos y el vocerío y el golpeteo de las escudillas de hojalata contra los barrotes. Pero vio la lógica de la sugerencia del guardia.

Ármate de valor, Kate. Y hazlo.

Sacando ánimos de la imagen de decepción de Mary, así como de la certidumbre arraigada en su alma de que su hermano seguía con vida, se acercó a la primera ventana y escrutó el interior. La celda parecía más o menos cuadrada, cada uno de sus lados mediría aproximadamente el doble de la estatura de un hombre. No contenía muebles, solo un montón de harapos en el suelo frente a una chimenea donde no resplandecía ascua alguna. Su presencia ante la ventana obstruía la única fuente de luz.

La ocupante de la celda miraba por la ventana, a un brazo de distancia de los barrotes, pero Kate la veía con claridad: semejaba un animal enjaulado a la vista de cuantos pasaran por allí.

La mujer parecía ajena a la inspección de Kate. Las ojeras, la magulladura por encima del pómulo –¿o era suciedad?– inquietaron a Kate. La mujer vestía andrajos y era de una delgadez espantosa, salvo por el bulto de su vientre. Sin embargo, mendigaba como los demás, no golpeaba los barrotes ni gritaba a los viandantes. En lugar de eso, simplemente miraba ensimismada al vacío con los ojos entornados y la cara desprovista de toda expresión. Esa no la ayudaría, pensó Kate. Obviamente había enloquecido de dolor o miedo. Kate se dispuso a volverse, pero la lástima la obligó a detenerse. Aflojó los cordeles de su pequeña bolsa de cuero otra vez y sacó una moneda de dos peniques.

–Tomad, señora, lamento vuestras penosas circunstancias –dijo, y le tendió la moneda.

La mujer pareció asustarse y se apartó más de la ventana. Abrió un poco más los ojos y miró fijamente a Kate sin parpadear, pero no hizo ademán de coger el dinero. Kate se aproximó un poco más. No te acerques demasiado, se previno. Aquella mujer podía atacarla, o incluso intentar agarrarla.

Kate sujetó la moneda entre los dedos índice y medio e introdujo el brazo a través del estrecho espacio entre los barrotes.

–Venga. Cogedla. Para el niño que lleváis en el vientre.

La mujer no se movió.

Kate soltó la moneda. Cayó con un ruido amortiguado en el suelo de piedra revestido de mugre. Rápida como una serpiente, la mujer se agachó y, con dedos largos y delgados, la rescató de la paja sucia.

Al menos algo de sensatez tenía, pensó Kate, alentada.

–Señora, ¿conocéis a un preso que se llama John? Un hombre alto, rubio, de ojos azules… en la frente le sobresale una vena. Es un hombre amable y tranquilo.

La mujer se apartó de la ventana y negó con gesto vehemente. Kate apenas la veía en la penumbra.

–Supongo que no –concluyó Kate, y antes de marcharse, añadió–: Dios os bendiga, señora.

A Kate la pareció oír un gimoteo por respuesta y aguzó el oído. Pero no. Veía la silueta de la mujer en el ángulo de su campo visual. No se había movido.

–Aquí, por aquí.

El golpeteo de una escudilla de hojalata contra los barrotes de hierro acompañaron esas palabras. Era una voz masculina, procedente de la celda contigua.

–Yo conozco a un hombre que se llama John –vociferó el preso–. Puede que sea el que buscáis. Si tenéis algún penique más en esa bolsa…

A Kate le dio un vuelco el corazón. Lo dudo mucho –se dijo–. Me ha visto dar dinero a la mujer y me ha tomado por una incauta.

–John es un hombre orgulloso –comentó el preso–. Demasiado orgulloso para mendigar. O demasiado melancólico para importarle morirse de hambre. Llegó aquí bastante apaleado. –El hombre guardó silencio por un momento y de pronto asomó una mano entre los barrotes de hierro para indicarle que se aproximara a la ventana. Como ella no reaccionó, él prosiguió–: Cuando duerme, habla en sueños de una mujer que se llama Mary. ¿No será usted esa Mary?

Eso podía haberlo dicho a bulto. Había cientos de hombres que se llamaban John y aún más mujeres que se llamaban Mary. Aun

44

así… «¡Demasiado orgulloso para mendigar!» Lanzó una mirada esperanzada hacia la verja para ver si algún carcelero o centinela montaba guardia en la calle.

No había ninguno.

Valor, Kate. Se acercó a la ventana enrejada donde estaba el preso con el rostro contra los barrotes, pero se mantuvo a una distancia prudencial.

–¿Le dará un mensaje de mi parte, pues? ¿O le pedirá que venga en persona a esta ventana para reunirse con su hermana?

–¡Hermana! Supongo, pues, que no es usted Mary. Sí, podría hacerlo –contestó el hombre con un resuelto gesto de asentimiento.

No era un anciano, aunque era difícil saber su edad a través de aquel cabello negro estropajoso, un cabello tan oscuro como el ala de un cuervo. Tenía la boca ancha y recta, con unos labios tersos que se curvaban como una guadaña entre la barba oscura. Kate se sintió incómoda al verse observada por ese hombre. En sus ojos, de color azabache, se advertía una mirada audaz, escrutadora y atenta. Eran los ojos de un cazador que siempre está al acecho, pensó Kate. Un hombre peligroso –quizá incluso extranjero–, le dijo su sentido común, un hombre que siempre intentaría sacar provecho. Llevaba una camisa mugrienta con un trozo raído de encaje en el cuello y mangas largas. No era la indumentaria habitual de un mendigo. Probablemente se la hubiese robado a algún mercader rico, y tal vez incluso fuese esa la causa de su encarcelamiento.

–¿Supongo que no lo haréis por simple bondad? –preguntó ella con ironía–. Yo misma me expongo a la miseria pagando siempre por información que nunca llega.

Él se echó a reír.

–Yo no soy demasiado orgulloso para mendigar. Ni para negociar. Tengo que comer. Y no dispongo de una afectuosa hermana que vele por mí. –Su voz destilaba sarcasmo.

–¿Puede usted darme alguna prueba que confirme que ese hombre es el que yo busco? –preguntó Kate–. John es un nombre corriente. Y Mary también.

–Este John habla como un hombre culto –respondió él. Tras captar su atención, retiró la mano de la ventana. Se apoyó en los barrotes y, mordisqueándose con indiferencia una cutícula levantada, habló con total despreocupación, como si fueran dos iguales en plena charla–. Tiene manchas de tinta bajo las uñas. Tal vez sea artista, o impresor, diría yo.

El hombre alzó la mirada y fijó la vista en ella, enarcando una ceja como el ala de un cuervo.

A Kate se le aceleró el corazón. «¡Un artista o impresor!» La frase se le escapó antes de darse cuenta de que con ella daba ventaja a su adversario en la negociación.

–¿Está… está bien?

El preso se encogió de hombros, la miró y le dirigió la sonrisa sesgada de un superviviente. Unos dientes blancos y fuertes destellaron tras la guadaña de su sonrisa. Los dientes de un depredador, pensó ella. Le pareció detectar un leve destello de triunfo en sus ojos, como el de un hombre que había abatido a su presa.

–¿Que si está bien? Yo diría que eso es muy relativo. Está vivo. Y no está en el sótano.

Kate no sabía qué significaba eso, pero podía imaginárselo. En los últimos días había averiguado más cosas de las que deseaba saber sobre las cárceles, tales como la jerarquía de la justicia comprada en la de Fleet, que oscilaba entre la relativa comodidad de unas cuantas casas ruinosas situadas en la zona conocida como «Libertad», colindante a los muros de la cárcel, y las condiciones de podredumbre y pestilencia de los sótanos. Al menos John tenía acceso a esa ventana a la calle. O eso dedujo ella.

Metió la mano en la bolsa y sacó un penique. El centinela se había marchado y otro montaba guardia en la verja. Estaba vuelto de espaldas, pero la oiría si gritaba. Mantuvo la moneda casi al alcance del preso.

–¿Me lo traeréis aquí? ¿Mañana?

–Puede ser, si podéis permitiros pagar una moneda al pobre Tom Lasser. –Asintió, sonriente, pero no era una sonrisa que inspirase confianza. Asomó la escudilla de hojalata entre los barrotes. Ella echó la moneda dentro. Él la retiró y arrugó la frente al ver su valor–. O de verdad estáis muy empobrecida, o no tenéis en mucho a vuestro hermano.

–Regresaré mañana. Si mi hermano está en esta ventana, le daré dinero a él, dinero suficiente para cubrir sus necesidades… y para compartirlo con otro. Él no será ingrato con vos. –Sin aguardar respuesta, Kate se dio la vuelta–. Hasta mañana por la mañana. –Mientras se alejaba, oyó la risa de aquel hombre.

Cuando dejó atrás el hedor del río Fleet, se recordó que no debía hacerse demasiadas ilusiones, pues ¿qué fe podía depositar en las palabras de un delincuente, un sinvergüenza que incluso en ese momento se reía de su desesperación, de su credulidad? Pero al menos tenía algo que ofrecer a Mary cuando llegase a la pequeña tienda de Paternoster Row, donde las ventanas ya resplandecían débilmente en la creciente oscuridad.

IV

Oh, Margarita, en verano
eres alegre como una flor,
y al partir de la torre, suave
como el vuelo de un azor.

JOHN SKELTON,
de un poema del siglo XV

A la mañana siguiente Kate volvió a la sección de los presos comunes de la prisión de Fleet y, haciendo de tripas corazón, pasó ante las ventanas enrejadas de Farringdon Street. Casi le daba vueltas la cabeza a causa de la expectación y la ansiedad mientras procuraba hacer caso omiso de los aullidos obscenos, los gritos lascivos y las súplicas de dinero. Esto es lo que tengo que hacer, pensó, y se armó de valor para hacerlo. Pero cuando llegó a la ventana en cuestión, le bastó con una mirada para ver que esa y la contigua estaban ocupadas por otros presos. Volvió a contar mentalmente. Sí, esa era la ventana correcta. La mujer estaba en la primera, la más cercana a la entrada del patio, y el hombre en la siguiente.

Apoyado en el poste de hierro de la verja, se hallaba el mismo viejo guardia de dientes desiguales. La miró con recelo mientras ella se planteaba la mejor manera de abordarlo.

–Ayer había una mujer en la primera celda. ¿Qué ha sido de ella? –preguntó Kate.

–Los vamos cambiando. Para que todo el mundo tenga una oportunidad.

A Kate le dio un vuelco el corazón.

–¿Queréis decir que a todo el mundo le toca? ¿Cada cuánto los cambian?

–No. No quiero decir que «a todo el mundo le toque» –dijo él con tono burlón–. Solo a los que pagan por el privilegio.

–Pero esa mujer… seguro que era demasiado pobre para pagar, y no mostró el menor interés en mendigar por la ventana. Casi ni cogió la moneda que le di.

–Pagó por ella el preso de la celda de al lado. Tom Lasser, si no recuerdo mal. Le advertí que era dinero mal empleado.

¿El ladrón de pelo negro?, se preguntó Kate. No parecía un hombre propenso precisamente a la caridad, sino más bien al robo. Aun así, estaba en la celda contigua.

–¿Qué ha sido de él? ¿Sigue aquí? ¿Puedo verlo? Creo que él sabía…

–No, señora. Se ha marchado. Lo ha sacado de aquí un lord elegantemente vestido, como siempre.

–¿Lo ha sacado? –preguntó ella–. Pero… ¿cómo…?

–Ha pagado la fianza.

–¿Sabéis cómo se llama ese lord que ha pagado su fianza?

–No lo recuerdo. Es un hombre corpulento con calzones de satén y jubón de piel.

No había nada que hacer, pues, pensó, y la invadió de pronto un profundo cansancio. El viento de finales de marzo le agitó la falda, ciñéndosela al cuerpo, y le quitó la capucha de la capa. El centinela le dirigió una mirada lasciva. Kate se arregló la capa y volvió a ponerse la capucha. Retrocedió para poner mayor distancia entre ellos. ¿Por qué ese sinvergüenza de Tom o comoquiera que se llamara no le había dicho que John tenía que pagar para acercarse a la ventana? Ella le habría dado el dinero. De todos modos, lo más probable es que fuese todo mentira. Lo más probable es que ni siquiera conociese a su hermano. Se volvió para marcharse, pero una voz en su cabeza la retuvo.

«Cuando duerme, habla en sueños de una mujer que se llama Mary.» Y había algo más. Algo, detrás de aquellos imponentes muros, la atraía. Concibió la fantasía de que sentía en su propio corazón el peso de la desesperación de John. O quizá fuera solo el peso de todo el sufrimiento común que rezumaban los muros. Fuera como fuese, se volvió para hacer un último intento.

—Tengo razones para pensar que mi hermano está aquí. Si fuerais tan amable de dejarme entrar para echar una ojeada.

El hombre tosió y lanzó un salivazo por encima del hombro.

—Este lugar apestoso es un foco de enfermedades. No es un lugar adecuado para personas como vos. —Al declarar esto, arrugó la frente y fijó la mirada en ella—. Ya os lo dije. Aquí no hay nadie que se llame John Goll.

—Gough. John Gough —corrigió Kate en voz baja—. En una lista se escribiría acabado en «gh», pero se pronuncia «Gouf», acabado en «efe». —Kate dudaba de que aquel hombre supiera leer, pero confiaba en que su tono de voz comedido aplacara su mal genio—. Me consta que está aquí. Me lo describió el hombre que estaba en la segunda celda, la de al lado de la que ocupaba la mujer. Me habéis dicho que se llamaba Tom algo más. Ese mismo Tom dijo que mi hermano está aquí. Es un hombre alto y rubio. Se parece un poco a mí. Solo que él es rubio, y yo soy morena. Los dos tenemos la misma frente ancha. —Se echó atrás la capucha y se apartó el pelo con las manos para que el guardia viera claramente sus facciones.

Él la observó con atención durante lo que pareció una eternidad.

—Puede ser —asintió—. Solo digo que puede ser. Sí recuerdo a uno… tirando a callado. Cuando lo trajeron, tenía magulladuras en la espalda y sangraba. Pasó una semana en la enfermería. No hablaba mucho. Ni siquiera después de curarse. Tom me dijo que lo añadiera a la lista… Por supuesto, no pagó lo suficiente, así que no lo incluí.

Kate metió la mano en la pequeña bolsa de cuero que llevaba al cinto bajo la capa. Le entregó un chelín con una expresión interrogativa en los ojos. Él miró la moneda y enarcó una ceja. Kate sacó dos más.

El guardia se las embolsó tan deprisa que ella apenas vio el movimiento de su mano.

–Volved mañana –dijo–. Venid temprano. No puedo garantizaros que sea posible tenerlo ahí todo el día.

܀

Al principio Kate no las tenía todas consigo.

Se había levantado antes del amanecer, inquieta, y había empezado a pasearse en espera de que despuntara el alba. Finalmente se
enfundó la capa y, llevándose un farolillo de sebo, salió a la calle oscura y silenciosa. Empañaba las calles una tenue bruma matutina que
parecía posarse más que formarse, de modo que si a esas horas hubiera habido allí algún transeúnte, el farolillo humeante de Kate se
le habría antojado una luz fantasmagórica que, oscilando, avanzaba
por la calle.

En la prisión reinaba un silencio inquietante cuando se acercó
bajo la primera luz de la mañana y no había tráfico alguno, aparte
de un solitario trapero que, con su carreta, recorría la calle de camino
a una zona más lucrativa. Incluso las palomas de los tejados tenían
aún la cabeza metida bajo el ala. Todas las celdas parecían vacías.
De pronto, como si las paredes tuvieran el oído lo bastante fino para
oír sus leves pasos, uno o dos presos empezaron a golpear con sus
escudillas de hojalata los barrotes de las ventanas. Se aproximó con
cautela a la segunda ventana y miró hacia el interior, con cuidado
de no acercarse demasiado por miedo a que algún preso asomara su
brazo descarnado a través de la reja y la agarrase.

Sostuvo el farolillo en alto y escudriñó la celda oscura. Vio a un
hombre sentado en el suelo sobre una pila de harapos, recostado
contra la pared, con la cabeza hundida entre las rodillas. Grasien-
tos mechones de cabello claro le cubrían parcialmente el rostro.
Pero Kate dudó. La niebla húmeda había penetrado en la celda por
la ventana abierta. Aquellos hombros, aquella cabeza, tan desmo-
ronados en la derrota, no se correspondían en absoluto con la pose
orgullosa de John.

–¿John? –dijo, apretando la cara contra el hierro frío de los barrotes. Fue como si hablara con una estatua–. John, soy yo. Soy
Kate.

El hombre levantó la cabeza. Un rostro tan pálido como las cenizas apagadas en la chimenea de la celda la miró desde la densa

oscuridad. Era la cara de John, y a la vez no era la cara de John. Estaba tan demacrado y ojeroso que Kate tuvo que contener las lágrimas.

—Acércate a la ventana —pidió con tono persuasivo, intentando no sobresaltarlo.

Él se protegió los ojos de la luz con la mano y la miró durante un largo momento como si hubiese visto una aparición.

—¿Kate? —preguntó en voz baja, sin moverse.

—Sí, John, soy yo, Kate. Ven a la ventana para que podamos hablar.

Él se puso en pie poco a poco y dio un par de pasos al frente; de pronto vaciló como si no supiese bien qué hacer a continuación.

—Vamos, John. Acércate a la ventana para que podamos hablar —repitió ella en un susurro.

—¿Kate? —musitó él. Dio otro paso—. Dios mío, eres tú de verdad.

Era una voz más ronca, más titubeante, pero era la de John. Kate tenía lágrimas en las mejillas. Se apresuró a enjugárselas. No quería que su hermano la viese llorar. Él se acercó a la ventana y sacó las manos a través de los barrotes para agarrarla por la capa como si temiera que pudiese escapar.

—Kate, gracias a Dios. Creía que nunca volvería a verte… ni a ti ni a ninguno de vosotros… ¿Y Mary y…? —Se le quebró la voz—. ¿Están…?

Kate dejó el farolillo en el alféizar de la ventana, donde quedó en precario equilibrio, y alargó el brazo por entre los barrotes para tocarle la cara.

—Mary está bien, John. No te preocupes. Estamos todos perfectamente. Pipkin también. No para de preguntar por ti. Le decimos que su papá está de viaje y pronto volverá. Mary va a volverse loca de alegría cuando sepa que te hemos encontrado.

La llama del farolillo chisporroteaba, la mecha humeaba. Durante el resto de su vida Kate relacionaría el olor de una mecha al apagarse con ese momento, pero entonces apenas lo advirtió. El lento amanecer proporcionaba luz suficiente para que ella le viera la cara.

Le acarició una costra virulenta que se le había formado en la frente… ya habría tiempo de sobra más adelante para preguntar por eso. Recorrió con los dedos la línea de la mandíbula. Era como tocar su propia cara.

–Te noto muy delgado. ¿Es que no te dan de comer? –preguntó, procurando que no se le quebrara la voz. Él mismo estaba demasiado frágil para permitir que la viera venirse abajo.

–Gachas agusanadas dos veces al día. Las traen de las casas de beneficencia a aquellos que no tienen dinero para pagarse el sustento.

–¿Me dejarán traerte comida?

–Probablemente no llegaría a mis manos. Si les pagas, me darán de comer mejor, pero entrégale el dinero directamente al lugarteniente de los carceleros.

Ella le apartó la mano de su capa.

–Suéltame, e iré a solucionarlo ahora mismo. ¿Puedo traerte ropa?

Incluso el trapero habría despreciado los jirones mugrientos que quedaban de lo que fueran camisa y calzones de John.

–Hay pocas probabilidades de que me llegue a no ser que me la entregues en mano. Si sobornas al carcelero de la entrada, te dejarán visitarme. –Hablaba ya con voz más firme, como si ella le hubiera insuflado fuerzas–. Si te das prisa, es posible que luego aún esté aquí. –Se interrumpió por un momento–. Pero una cosa, Kate, no traigas aquí a mi mujer ni a mi hijo. No quiero que me vean así.

–Lo entiendo –respondió Kate–. Ya te verán cuando estés un poco adecentado. –Un carromato cargado de leche pasó por Farringdon Street. Kate aprovechó el chacoloteo del percherón para encubrir un sorbetón de lágrimas–. Pero no podré mantener alejada a Mary mucho tiempo, John. No sería justo hacerla esperar después de tanto como ha sufrido.

John asintió.

–No tendrá que esperar mucho. Solo un día más. Para que pueda prepararme. No quiero asustarlos. Y si alcanza el dinero, un colchón de paja. Pero solo si alcanza el dinero.

Las lágrimas acumuladas en los ojos de Kate amenazaron con derramarse.

–Hay dinero, John. Tendrás tu colchón.

—¿No han cerrado la tienda, pues? Estaba muy preocupado por cómo os las arreglaríais los tres para vivir. Gastamos mucho en el género que tuvimos que quemar.

—No han vuelto desde que te detuvieron. Mary se ha ocupado de la tienda mientras yo te buscaba. —Afortunadamente, pensó Kate, el tema de la conversación había derivado hacia asuntos comerciales. Quizá ahora le sería más fácil controlar sus emociones—. Vendemos lo suficiente para ir tirando, pero tenemos mucho de que hablar, John. En cuanto dispongamos de género nuevo, necesitaremos recurrir a una manera diferente de distribuir los libros. ¿Crees…?

John adoptó una expresión más severa, hinchándosele en señal de protesta la vena azul de su frente que, atravesada por el verdugón, parecía formar un crucifijo.

—¿Género nuevo? Si te refieres a material luterano, no puede haber género nuevo.

—Pero ¿cómo vamos a…?

—La imprenta y librería Gough no venderá más libros de contrabando, Kate. Prométemelo. —Un violento temblor sacudió sus manos.

—John, cálmate. Estamos a salvo y actuamos con cautela. No te preocupes. Todo irá bien. —Había sido una necedad por su parte hablar de asuntos tan intrascendentes—. Déjame ir a casa a buscar dinero… y decirle a Mary que te he encontrado. Recibirás una buena comida y ropa limpia. Ya habrá tiempo de hablar del futuro más adelante. Ahora lo prioritario es sacarte de aquí. Al menos no te han encerrado en la prisión de los lolardos o ejecutado. Eso significa que estarás aquí poco tiempo, ¿no? Puede que tengamos que pagar una multa. ¿De qué te acusan?

—No hay cargos oficiales.

—Pero seguramente… la ley… seguramente no pueden mantenerte aquí sin un juicio.

Él soltó una amarga carcajada, más semejante a un gruñido que a risa.

—En estos tiempos Tomás Moro y el cardenal Wolsey son la ley en Inglaterra. Pueden hacer lo que les venga en gana.

—Pero…

—He abjurado, Kate —la interrumpió él, bajando la mirada.

54

–¿Has admitido la herejía y te has retractado? –preguntó ella, prefiriendo no pensar siquiera qué debían de haberle hecho.

–No he admitido nada. Pero equivale a eso. He negado todo conocimiento de las Biblias inglesas y toda afinidad con Lutero, y he prometido que no imprimiría ni sus obras ni las de Tyndale ni las de ningún otro luterano. –A continuación alzó la vista para mirarla, y Kate vio la vergüenza en sus ojos–. Esto no solo tiene que ver conmigo –explicó.

Era un ruego de comprensión. Y Kate quería comprenderlo. ¿Quién era ella para juzgarlo? Aun así, sintió una extraña sensación de pérdida, como si de algún modo él hubiera deshonrado el recuerdo de su padre, como si su negación hubiera sido un acto de cobardía. De pronto pensó en Mary y en el niño. A John no le faltaba razón. Eso no solo tenía que ver con él.

–Has hecho lo que te ha parecido mejor –dijo ella.

–Es lo que tenemos que hacer todos. No puede haber vuelta atrás. ¿Lo entiendes, Kate? –Le dio un fuerte apretón en la mano–. La próxima vez será la hoguera.

Kate no podía discutírselo, no después de lo que él había padecido.

–Lo entiendo, John. –Tendió la mano y le acarició la larga costra horizontal que le atravesaba la frente, esa frente que tanto se parecía a la de ella. Su propia carne se estremeció por el dolor de esa herida–. Nunca más se venderán libros de contrabando en la librería e imprenta Gough –dijo–. Te lo prometo. Ahora, déjame ir, para traerte un poco de comida.

~⋈~

A mediados de mayo las circunstancias de John Gough habían mejorado. Kate no solo había encontrado dinero para un colchón, sino que había reunido una suma suficiente –vendiendo cuantos objetos venales poseían– para conseguir que lo trasladaran a la zona de «Libertad». Le salió caro: el alquiler de una habitación en una mansión ruinosa, más ocho peniques diarios, más otros doce para un vigilante que supuestamente vigilaba pero nunca lo hacía: no era necesario. En garantía de que John no abandonaría las inmediaciones de

«Libertad», ella había ofrecido la escritura de la tienda. A eso se refería el viejo guardia al hablar de la fianza.

En sus idas y venidas le pareció ver un par de veces a Tom Lasser entrar en una de las muchas tabernas y fondas que habían aparecido como setas en los alrededores de «Libertad». Pero no, ese hombre iba bien vestido y se lo veía demasiado alegre para ser un preso. Sin embargo, en una ocasión él volvió sus ojos oscuros de expresión burlona hacia Kate y a ella le pareció advertir que la reconocía. Apartó rápidamente la mirada y se sonrojó al oír su risa.

Aunque los movimientos de John se circunscribían a las tabernas y las casas de «Libertad», disponía de una habitación pequeña pero aceptable, donde disfrutaba de todas aquellas comodidades básicas que Kate podía pagar. Mary y el niño lo visitaban a diario, llevándole comida y ropa limpia. A veces Mary incluso se quedaba allí con él. Pero con la imprenta parada y la prohibición de vender material luterano, mantenerlo alojado en «Libertad» suponía para Kate un desafío diario. El alquiler era alto para aquellas casas grandes y viejas, venidas a menos y en mal estado. En general, solo los comerciantes ricos y los nobles que habían tenido la mala fortuna de caer en desgracia ante la Corona podían permitírselo. Más de un noble había acabado encerrado en Fleet tras una visita al tribunal de la Cámara Estrellada.

John recobró las fuerzas lentamente pero no su antiguo espíritu. Aunque siempre había sido un hombre callado, reflexivo y dado a la introspección, ahora se advertía en él una melancolía pensativa. Curiosamente, se ponía más de manifiesto en presencia de su mujer y su hijo, como ocurría en ese momento. Mary, como de costumbre durante sus visitas a John, parloteaba de cualquier cosa, pensando que con su alegría conseguiría de algún modo que su marido volviera a ser el de antes. John simplemente se sentaba a su lado en el camastro y miraba por la puerta, que estaba abierta para dejar entrar el sol de la primavera. El niño se sentaba en una manta que Mary extendía en el suelo y jugaba con los bloques de imprenta que Kate había llevado con la idea de despertar el interés de su hermano. Si lograba que volviera a la vida, tal vez fuera posible montar una prensa improvisada en un rincón del cuarto, al menos así podrían imprimir pliegos sueltos para vender.

John permanecía inmóvil mirando –sin ver– mientras el niño golpeaba los bloques de madera como címbalos, chillando de placer al oír el ruido sordo que producían. Kate pensó en quitárselos, por temor a que se desportillaran a causa de los continuos golpes. Los bloques de imprenta, sobre todo los mejor confeccionados –y la confección de aquellos dos en concreto era de tal calidad que habría captado la atención de cualquier impresor–, eran caros, y esos eran los últimos que John había encargado. Nunca había tenido ocasión de usarlos. Kate hizo ademán de quitárselos al niño pero se contuvo.

¿Qué más daba? John se había limitado a mirarlos apáticamente cuando ella se los enseñó.

–Fíjate, John –había dicho Kate–, mira este. Es toda una obra de artesanía. Se ven los granos de trigo en la gavilla. Y este… cada ramita de romero. Fíjate… con este podría hacerse un hermoso frontispicio para un almanaque. Y este podría ilustrar un calendario de horticultura. Podríamos montar una prensa sencilla, y si tú imprimieras unos cuantos pliegos, podríamos encuadernarlos y venderlos en la tienda. O incluso en el mercado, de uno en uno. Un cuarto de penique por hoja.

John recorrió con el pulgar la gavilla de trigo magníficamente labrada y luego apartó los bloques.

–Aquí no hay sitio para una prensa –adujo.

Kate se abstuvo de comentar que más les valdría encontrar sitio si quería seguir disfrutando de su propio alojamiento en «Libertad». Mary le suplicaba con la mirada, como si dijera: «Dale tiempo, Kate. No lo agobies con eso».

Pero Kate no sabía de cuánto tiempo disponían aún. Ya no les quedaba nada para vender salvo las prensas y los punzones. Llegado el caso, sin las herramientas del oficio, ¿cómo se ganaría el pan para alimentar a su familia?

✥

Para cuando llegó el verano, Kate estaba desesperada. Habían vendido todas las existencias y no había fondos para comprar más. John seguía languideciendo en «Libertad», sumido en tal desánimo que ya ni siquiera parecía consciente del esfuerzo que suponía para ellas mantenerlo allí. Era aún primera hora del día y la luz entraba a raudales por la ventana cuando Kate decidió preparar la prensa ella misma, al fondo de la imprenta. Tampoco tenía por qué ser tan difícil, ¿no? Se lo había visto hacer a John con frecuencia, incluso lo había ayudado a componer las formas un par de veces cuando iban con retraso.

La clave estaba en empezar por algo sencillo. Buscando un texto corto, eligió una página de un libro de poesía, uno de los tres o cuatro volúmenes del material que les quedaba. Escogió cuatro versos de un poema de amor a una mujer llamada Margaret, obra de John Skelton: cuatro breves versos. Margaret era un nombre muy corriente, y sin duda cualquier mozo enamorado que bebiese los vientos por una mujer llamada Margaret podía desembolsar un cuarto de penique por una bonita hoja con la que impresionar a su amada.

A continuación se sentó ante la caja y se puso manos a la obra, escogiendo las letras, disponiendo las líneas del texto en un componedor y encajando el texto compuesto en un molde metálico junto con una cenefa de hiedra entrelazada elegida al azar. Se echó atrás y admiró su obra acabada, una copia perfecta del bonito poema. No le había costado mucho.

El siguiente paso era más complicado, pero se acordaba de las instrucciones de John a su antiguo aprendiz, y pretendiente de ella, y si aquel inepto, haragán e inconstante logró hacerlo, sin duda ella también sería capaz. Quizá requeriría un par de impresiones de prueba, y sería un trabajo sucio que seguramente a ella le disgustaría. John nunca salpicaba ni una sola gota, pero tal vez a ella le convenía ponerse el mandil.

Cogió la forma compuesta y la llevó a la voluminosa prensa de madera situada en el rincón.

–Toma, cómete este exquisito bocado, enorme monstruo de madera –dijo mientras, con ciertas dificultades y la respiración muy afanosa, encajaba la forma en el carro de la prensa. Sabía que a continuación debía coger los tampones de almohadilla de cuero y aplicar la tinta, almacenada en un gran recipiente en la base de la prensa. Pero ¿cuánta? Removió la tinta, que se había cuajado en ausencia de John. ¿Cuánta trementina debía añadirse? Vertió un poco, la removió, vertió un poco más, y luego comenzó a empapar la almohadilla

58

de cuero. Salpicó: primero unas cuantas gotas, luego varias más, y por último un cuajarón. Tenía que haber plegado el papel sobre la forma antes de empezar con la tinta –ahora ya lo sabía para la vez siguiente–, pensó mientras se enjugaba la frente con la sangría del brazo y pugnaba por colocar la hoja de papel húmedo en el tímpano; siempre parecía muy fácil cuando lo hacía John. Pasó el tímpano bajo el plato –John lo llamaba «platina»– y, cerrando los ojos, bajó el plato para hacer presión contra la forma entintada.

El resultado fue un desperdicio de papel manchado y emborronado.

Dejando escapar un «¡maldita sea!» que le salió del alma, lo arrugó y formó una bola. Al cabo de un par de horas, y después de varios intentos, una cosa empezaba a estar clara: no era ni sería jamás impresora. Solo quedaba una solución: si quería conservar la tienda, debía conseguir de algún modo que pusieran a John en libertad.

Aún contenía las lágrimas, aún limpiaba salpicaduras de tinta, cuando sonó la campanilla en la librería. Tenía que haberse alegrado de oírla, pero ¿quién necesitaba clientela sin género? Soltó un sonoro suspiro y, secándose el sudor de la frente, fue a atender.

V

He soportado durante largo tiempo a tu marido…
y le he ofrecido mis pobres consejos paternales, pero
percibo que nada de esto lo hará entrar en razón; y
por lo tanto, Meggie, ya no discutiré ni me pelearé
con él.

SIR TOMÁS MORO a su hija Margaret con relación a la herejía de William Roper

Cuando Kate entró en la librería desde la trastienda, la campanilla tintinó por segunda vez. Se quitó el mandil manchado por encima de la cabeza, lo lanzó hacia la percha junto a la puerta y levantó el pestillo lo justo para atisbar a la mujer que esperaba allí
de pie. Era joven, más o menos de la edad de Kate, y a todas luces
noble, a juzgar por su aspecto –ricamente ataviada, con el rostro en-
cuadrado por un gorro en forma de corazón con una orla de aljó-
fares–, pero no hermosa, ni siquiera medianamente agraciada. Tenía la nariz demasiado grande y las cejas un tanto irregulares, y
los ojos demasiado separados para una simetría perfecta. Pero en
esos ojos separados se advertía un brillo de inteligencia, y tenía el
porte elegante y aplomado que solo una mujer sin encanto natural
de clase alta podía poseer. Iba muy atildada. Inconscientemente,
Kate se llevó la mano a la cabeza para atusarse su propia caballera
revuelta.

–Disculpad, milady, la librería está cerrada temporalmente en espera de existencias. Sintiéndolo mucho, estamos muy escasos de género –dijo Kate mientras se disponía a cerrar la puerta en la cara a su cliente.

La mujer apoyó una mano enguantada en la puerta y empujó con suavidad.

–En ese caso he llegado en el momento oportuno –dijo–. Porque no busco al librero, sino al impresor.

–Como os he dicho, la tienda está cerrada. El impresor es mi hermano, y no está.

–Ah, creía... –Lanzó una mirada elocuente a la ropa manchada de tinta de Kate.

–Estaba limpiando la prensa.

–¿Y cuándo volverá vuestro hermano?

–No sabría deciros.

–Entonces me parece que lo esperaré un rato –dijo la mujer, manteniendo su actitud regia. Cruzó la librería y se acomodó en la única silla–. No dejéis vuestro trabajo por mí –añadió con un gesto imperioso.

Lo acompañó de una sonrisa y un «si lo deseáis», pero el ademán irritó a Kate. ¿Cómo podía decir «no, no lo deseo» sin ser imperdonablemente grosera con quienes estaban por encima de ella? Optó, pues, por decir:

–En ese caso será una larga espera, milady. El impresor está en la cárcel.

Una expresión de sorpresa ante tan franca declaración enseguida dio paso a una genuina aflicción.

–Oh, cielos. Lo siento muchísimo.

Ante la compasión sincera que asomó al semblante de la desconocida, y después de la desastrosa aventura de esa tarde con la prensa, Kate se vino abajo y, sin darse cuenta, las lágrimas resbalaban ya por sus mejillas y palabras irreflexivas salían de su boca.

–No es justo –dijo, enjugándose una lágrima–. El sistema jurídico es una farsa: Wolsey, Moro, todos ellos, la Iglesia y los abogados del rey actúan como si fueran la ley de Inglaterra. Hablan de moralidad y virtud a la vez que arruinan las vidas de aquellos que disienten.

Debería haber tenido la sensatez de advertir la creciente severidad en la expresión de su aspirante a cliente, pero estaba demasiado alterada.

—Y el principal consejero del rey, sir Tomás Moro… basta con mencionar ese nombre en presencia de mi hermano para que empiece a temblar. Es el peor de todos. Un hipócrita devoto que se recrea en el dolor ajeno.

Kate se sorprendió ante la vehemencia de su diatriba. Su hermano nunca había mencionado el nombre de sir Tomás, ni de ninguno de sus interrogadores. Pero una vez, cuando ella propuso solicitar la intercesión del poderoso Tomás Moro, John palideció y entró en un estado de profunda agitación y no se tranquilizó hasta arrancarle a Kate la promesa de que no recurriría a él.

—Entiendo vuestra angustia –dijo la mujer con algo menos de compasión en la voz–, pero estáis equivocada. Si vuestro hermano de verdad es inocente, lo pondrán en libertad. Solo es cuestión de tiempo. En cuanto se enteren…

—Tiempo, decís. ¡No tenemos tiempo! ¡Cómo van a enterarse de nada si se niegan a escuchar! He ido a verlos a todos… Tanto el obispo como el alcalde se han negado a recibirme tantas veces que ni puedo contarlas. Incluso acudiría a sir Tomás Moro en persona si pudiese permitirme el soborno. No lo entendéis, milady…

—Margaret. –Ahora la visitante habló con frialdad, sin el menor rastro de la anterior compasión–. Margaret Roper. Señora de William Roper, hija de sir Tomás Moro.

Kate deseó que se la tragara la tierra. Ahora sí que la había hecho buena. Había complicado aún más las cosas. John nunca saldría de la cárcel. Ese comentario sobre el soborno… Dios bendito, si pudiera retractarse…

—Lo siento, señora. No tenía que haber hablado tan a las claras –balbució Kate–. No pretendía insultar a nadie. Tenía que haberme callado mis opiniones.

—Así que lamentáis solo las palabras, no el sentimiento.

—No sería sincero por mi parte afirmar otra cosa de lo que me dictan el corazón y la razón. Eso sería un insulto a milady en igual medida.

La señora Roper enarcó las comisuras de los labios en un asomo de sonrisa.

–Bien dicho. Admiro la sinceridad. Y os devolveré el cumplido siendo igual de sincera con vos. Ya sabéis que es pecado repetir la palabrería gratuita de quienes envidian la buena fortuna del prójimo. Toda Inglaterra conoce la grandeza de mi padre.

–No niego que es un hombre «grande», si la grandeza se mide por el poder. Cuenta con la confianza del rey y el cardenal. Pero si, como nos enseña nuestro Señor, la verdadera grandeza reside en la compasión, la reputación de vuestro padre deja mucho que desear.

La señora Roper se levantó de la silla y se dirigió a la ventana en medio del susurro de su falda de exquisita confección. Kate siguió su mirada hacia la calle, donde aguardaba un criado de librea, sujetando por las riendas un palafrén gris. Kate sintió alivio al ver que la mujer se marchaba, pero de pronto esta se volvió hacia Kate, decidida aparentemente a no dejar las cosas así.

–Tal vez mejorara vuestra opinión si estuvierais enterada de las muchas buenas obras por las que se conoce a mi padre. Ahora mismo vengo del asilo que financia sir Tomás. Dos veces por semana viajo por el Támesis desde Chelsea en una barca cargada de comida y pociones curativas para sus acogidos. Alimentos procedentes de las despensas de mi padre. Remedios de su farmacia.

Kate pensó que Tomás Moro debía conservar ciertos vestigios de bondad para inspirar en su hija tal amor que la inducía a tratar de ganarse la buena opinión de una persona que importaba tan poco. Kate estaba a punto de disculparse por haber hablado con tanta franqueza cuando la asaltó el recuerdo del rostro demacrado de John y su mirada perdida, y no pudo morderse la lengua.

–La caridad es necesaria en un gran hombre. Sir Tomás es un hombre de virtud pública.

Supo que la señora Roper había captado la insinuación por el asomo de irritación en su semblante, pero advirtió que enseguida recobraba la compostura.

–Cuando volvía de una visita particular a ese asilo, he decidido pasar por Paternoster Row. Soy una gran amante de los libros. Mi padre vela por que sus hijas, e incluso sus pupilas, reciban una educación clásica. Como librera, sin duda sabréis valorar eso. –Guardó silencio por un momento para ver si sus palabras tenían algún efecto apaciguador. Kate permaneció callada–. He visto fuera el cartel de la imprenta, y como necesito los servicios de un impresor, he pensado que bien podía parar.

Una historia verosímil, pensó Kate. Sabía que sir Tomás publicaba sus obras en la imprenta de su cuñado, Rastell. Probablemente la mujer espiaba para su padre.

Como no dijo nada, Margaret Roper continuó.

–Os preguntaréis por qué no acudo a nuestro impresor habitual. Veréis, en este caso se trata de mi propia traducción, y quería sorprender a mi padre con ella. Vuestra tienda me habría venido muy bien, porque paso por aquí… dos veces por semana.

Levantó un poco la voz al decir «dos veces por semana». Como si volviera a recordarle la caridad de sir Tomás.

–Lamento no poder aceptar como cliente a tan noble casa, lady Margaret, pero, como veis, prácticamente estamos en quiebra. –Abarcó con un amplio gesto las estanterías vacías–. Hay un impresor al otro lado de San Pablo. Quizá él pueda ayudaros.

–También yo lo lamento –dijo la señora Roper, encaminándose hacia la puerta–. Pero quizá pueda ayudaros de otra manera.

¿Por qué ibais a querer ayudarnos? –se preguntó Kate–. ¿Qué somos nosotros para vos? Pero tuvo la sensatez de callar. Creía conocer la respuesta a esa pregunta. Kate había puesto en tela de juicio la percepción de la grandeza de su padre. La señora Roper, apellidada de soltera Moro, no podía dejarlo pasar, tanto por amor como por llevar la contraria.

Estaba de pie ante la puerta, de espaldas a Kate, acariciando el pestillo con el dedo.

–¿Cuáles son los cargos contra vuestro hermano? –Se volvió de cara a Kate.

–No hay cargos. Fue arrestado bajo sospecha de distribuir textos luteranos.

–¿Distribuye textos luteranos?

–No encontraron ninguna prueba, ni en él ni en esta tienda, en la que basar la acusación. Nadie prestó testimonio contra él. Él no admitió nada siquiera bajo tortura. Lo retienen sin el debido proceso en la zona de «Libertad» de la cárcel de Fleet, donde su mujer y yo procuramos que disfrute de unas comodidades mínimas aun a riesgo de hundirnos en la pobreza.

–¿Tiene él afinidades luteranas?

No en vano la señora Roper era hija de un abogado. Kate guardó silencio por un momento mientras sopesaba con cuidado su respuesta.

–Milady, nadie puede saber qué esconde el corazón de otra persona. Su declaración consta en unas actas públicas.

–Entiendo. ¿Y vos? ¿Tenéis afinidades luteranas?

Kate vaciló y miró a su interrogadora a los ojos, para que su respuesta no diera lugar a dudas.

–He prometido a mi hermano que nunca venderemos textos luteranos en esta tienda. Mis opiniones, respecto a la Reforma o cualquier otro asunto, son mías y solo mías, y prefiero guardármelas.

Lady Margaret esbozó una sonrisa.

–Una respuesta diplomática, que mi propio padre admiraría. Comprendo la atracción que ejercen esos puntos de vista. También han contaminado nuestra casa. Mi propio marido ha sido seducido por el afán de reforma luterano.

–Y, sin embargo, está en libertad.

Lady Margaret asintió como si dijera: «Entiendo vuestro razonamiento».

–Hablaré con mi padre y veré de qué manera se os puede favorecer a vos y a vuestro hermano. ¿Cómo decís que se llama vuestro hermano?

–Gough. John.

–¿Y vos?

Kate vaciló una milésima de segundo y advirtió que lady Margaret lo percibía. Pero ¿qué otra opción tenía? Y en la actitud de la mujer se observaba compasión. No podía reprochársele el amor por su padre. Quizá pudiera emplear su influencia para demostrar a Kate que tenía razón a la vez que llevaba a cabo una «buena obra».

–Kate Gough –contestó con una leve reverencia–. Milady, os estaremos eternamente agradecidos por vuestra bondad.

–Haré cuanto esté a mi alcance, Kate Gough –dijo–, y rezaré para que tanto vos como vuestro hermano encontréis el camino de regreso al seno de la única Iglesia verdadera.

Al día siguiente, cuando Kate volvió de visitar a su hermano, encontró el pestillo forzado, la puerta de la librería abierta y la prensa destrozada.

Al cabo de tres días, John volvió a casa.

Fue una decepción para Kate que John no regresara a la tienda de inmediato y que prefiriera quedarse en casa con su mujer y su hijo. Necesita solo unos días de descanso, se dijo. Pero cuando le habló de la destrucción de la prensa, su reacción no fue la que ella esperaba. Permaneció ajeno a toda emoción, incluso la ira.

—Es una advertencia —dijo—. La acataremos.

—Pero ¿cómo imprimiremos sin prensa? Y dado que quemaste todo nuestro género, ¿qué venderemos?

—De momento nada, creo. En Inglaterra no corren buenos tiempos para ser impresor. No podemos imprimir sin la licencia expresa del rey, y él nunca concederá una licencia para la clase de libros que han sido nuestra seña de identidad.

Estaban sentados en la cabaña de adobe y cañas de John y Mary, ahora apenas amueblada con poco más que una cama y una mesa. Habían vendido la alacena y la mayor parte de la vajilla, e incluso el tapiz, regalo de boda de los padres de Mary, todo ello para mantener a John en la zona de «Libertad». Debían el alquiler del techo que los cubría y no podían pagarlo.

—Sin prensa, ¿de qué viviremos, John? ¿Habrá que vender ahora la cuna de Pipkin? ¿Tendremos que vivir los cuatro hacinados en mi pequeña habitación encima de la tienda? Claro que ahora, sin prensa, podríamos poner una cama en el taller, supongo —dijo Kate irónicamente—. Así y todo, necesitamos comprar comida.

Se arrepintió casi al instante del comentario sobre la cuna, pero al menos asomó a la cara de su hermano cierta expresión fugaz. Al fin y al cabo, el dolor era mejor que no sentir nada.

John no miró ni a su mujer ni a ella al contestar, se limitó a mantener la vista fija en el suelo, conforme a la costumbre que había adquirido en la cárcel.

—El padre de Mary ha propuesto que vayamos a vivir con ellos en Gloucestershire.

Ni siquiera añadió «hasta que las aguas vuelvan a su cauce» o «por el momento». La resignación lastraba su voz. Kate sintió un repentino temor, como si lo viera alejarse arrastrado por una rápida corriente, sin que él se resistiese siquiera.

—¿Estás hablando de cerrar la tienda de nuestro padre? —susurró con incredulidad—. ¿Para siempre? Trasladarte a Gloucestershire... ¿para hacer qué?

Mary, que había estado meciendo a su inquieto hijo en las rodillas, lo dejó en el suelo y rodeó los hombros de su marido con un brazo en un gesto protector.

—Será solo durante una temporada, Kate. Gloucestershire es un sitio precioso. Y allí no existen todas esas luchas por la religión. No vive un solo obispo en cien millas a la redonda. Además, aquello huele mejor que Londres, y Pipkin podrá respirar aire puro. Tú tienes que venir con nosotros. En casa de mis padres hay sitio de sobra. Me pidieron que te lo dijera. John ayudará a mi padre. Últimamente anda mal de la espalda.

Kate, sin poder contenerse, prorrumpió:

—¿John, pastoreando ovejas? —Al ver la mirada suplicante en el rostro de Mary, lamentó de inmediato sus palabras—. Supongo que el aire puro le sentará bien —añadió con poca convicción.

—Bien. Ya está decidido, pues. —Mary les dirigió una sonrisa valiente—. ¿Vendrás con nosotros?

Kate negó con la cabeza, sin poder dar crédito aún a lo que acababa de oír.

—Es un ofrecimiento muy amable por parte de tus padres, Mary, pero creo que me quedaré aquí durante un tiempo y me ocuparé de la tienda. Todavía tengo un poco de dinero y un par de cosas que vender. Puedo llegar al menos hasta el verano. A saber qué puede ocurrir de aquí a entonces.

—Pero ¿vendrás a visitarnos? John, dile que debe venir a vernos.

John levantó la cabeza y la miró. Su mirada mortecina asustó a Kate.

—Debes venir a vernos —repitió.

Resultó que lo único que le quedaba a Kate por vender era la Biblia de Wycliffe, heredada de su bisabuela Rebecca. No había llegado a conocer a su abuela Becky, pero ya de niña adoraba esa gran Biblia, adoraba la forma en que las palabras, con su extraña ortografía, se extendían por las apretadas páginas, adoraba las pequeñas ilustraciones en los márgenes. No se parecía en nada a los libros producidos por las imprentas. Este estaba escrito a mano, supuestamente por un antepasado lejano, un iluminador que vivió en Bohemia hacía más de cien años.

La mañana de julio en que John y Mary y el pequeño Pipkin –este se aferró a su tía y solo accedió a separarse cuando le prometieron un cordero– partieron, Kate sacó la Biblia de su escondrijo bajo una losa suelta de la chimenea. ¿Quién compraría una cosa así?, se preguntó al retirar el envoltorio de lino y frotar con la mano la encuadernación de cuero repujado. Pocos podían pagarla. ¿Quién se arriesgaría a tener en su poder algo así en tiempos tan peligrosos?

La abrió con cuidado, recordando el orgullo con que se la enseñaba su padre antes de su arresto, y que su madre no podía ya verla después de su muerte. Se abrió por una página que contenía una ilustración de vivos colores de Moisés recién nacido, en su cesta, flotando por las aguas azules del Nilo. Todo era en miniatura –la cara perfecta del niño, cada varilla del entramado de la cesta ejecutada con tal perfección que casi podía palparse la textura de los juncos–, y todo ello dentro de la intrincada letra capitular con volutas y florituras de intensos rojos y azules y un trazo dorado que descendía por el margen de la página. Miriam, la hermana de Moisés, contemplaba al niño en la cesta. El antiquísimo artista había capturado en la expresión de la muchacha el amor que debía de sentir por su hermano recién nacido. Era un rostro hermoso. Kate se preguntó quién habría sido la modelo. Se la veía muy distinta de las mujeres que Kate conocía: en cierto modo exótica, con una mata de pelo oscuro, ojos almendrados y tez morena reluciente.

¿Cómo iba a obligarse a vender un libro así?

Se quedó largo rato sentada en las losas frías de la chimenea, con los ojos arrasados en lágrimas. Pensó en Pipkin y su corderito, y en que debía haberse marchado con ellos, pero sabía que era incapaz porque sin duda se habría marchitado como una flor en invierno sin sus libros o compañeros de lectura, sin más compañía que Pipkin y su corderito, y lo peor de todo: viviría de la caridad ajena. Pasaba las hojas distraídamente, sin abstraerse ya en el desfile de colores, inmersa en su propia soledad gris, cuando encontró un pergamino plegado inserto entre dos hojas y tan fuertemente prendido que al principio creyó que estaba cosido junto con el texto. Tiró de él con delicadeza y se soltó.

Se enjugó los ojos y la curiosidad desplazó a segundo plano el momentáneo regodeo en la autocompasión. Desplegó el pergamino amarillento y entornó los ojos para distinguir el escrito en tinta descolorida. No contenía ningún pigmento llamativo, sino solo unas pocas palabras escritas en la misma caligrafía de la Biblia y centradas como un poema en la página.

Mi querida Ana, ten la bondad de guardar estas palabras en tu corazón hasta que creas en ellas: «Todo irá bien y todas las cosas irán bien. Pues esta es la gran obra que hará nuestro Señor, en la que Él salvará Su Verbo en todas las cosas: Él pondrá bien todo aquello que no lo está». Estas son las palabras de una santa que conocí en otro tiempo. Ahora que soy ya un anciano las comprendo mejor, aunque no plenamente. Viví tantos años sumido en la aflicción que a veces pasé por alto el tesoro que se me concedió con tu existencia. Espero que algún día comprendas tú también estas palabras. Espero que sepas que siempre te he querido. Tú fuiste el cumplimiento de esta promesa en mi vida. Tu abuelo que te quiere, Finn.

Kate miró la fecha con los ojos entrecerrados: «14 de junio de 1412»: hacía más de cien años. Sintió una repentina curiosidad por esa Ana. ¿Había encontrado bien todas las cosas? ¿Había encontrado siquiera esa nota? Desde luego ellos no la habían descubierto en todos los años que tenían esa Biblia. Había permanecido oculto durante más de un siglo, ese mensaje, ¿quizá dirigido a ella y no a la Ana a quien se nombraba en el encabezamiento?

«En la que Él salvará Su Verbo en todas las cosas», decía la nota. ¿Cómo lo interpretaría John? ¿Pensaría que la referencia al

«Verbo» era una afirmación, o lo vería como una condena? Sin duda había sobrellevado la tradición familiar de contribuir a salvar el verbo… al menos hasta fecha reciente. ¿O acaso el «Verbo» se refería a una promesa que tenía más que ver con la esperanza presente en el Verbo que en la conservación real de las Escrituras? Era un mensaje enigmático: difícil de descifrar sin conocer al autor y su Ana, esa antepasada que podía ser sangre de su sangre, carne de su carne.

Envolvió otra vez la gran Biblia y la escondió bajo la losa sobre la que luego colocó una enorme olla de hierro. También dejó allí la nota, pero separada de la Biblia; aun si vendía la Biblia, se quedaría con la nota. Era como un obsequio del pasado para infundirle valor.

–Todo irá bien –repitió en voz alta, y luego–: Él pondrá bien todas las cosas.

Pero Kate necesitaba esperanza ahora, no cuando fuera vieja. Necesitaba dinero y necesitaba a alguien a quien amar y que la amara a ella. Si Él iba a poner bien todas las cosas, ese era un buen momento para empezar.

El único lugar que conocía donde podía averiguar discretamente cómo vender la Biblia estaba en los muelles. John había tenido trato con un tal Humphrey Monmouth de la Liga de Comerciantes Aventureros. Él sabría dónde vender la Biblia. Aún había claridad suficiente para ir y volver antes del anochecer.

Al menos no había nada de malo en preguntar.

VI

¡Un purgatorio! No hay solo uno, hay dos. El primero es la Palabra de Dios, el segundo es la Cruz de Cristo: no me refiero a la cruz de madera, sino a la cruz de la tribulación. Pero las vidas de los papistas son tan inicuas que han inventado un tercero.

JOHN FRITH, en respuesta a los escritos
de Tomás Moro sobre la doctrina del purgatorio

—No te muevas, Alice —dijo Tomás Moro a su esposa dormida—. La cocinera me dará un bollo y una taza de leche tibia.

Lady Alice no se movió. Él dio una palmada al voluminoso bulto formado por la cadera de su mujer bajo la colcha de hilo.

—¿Qué pasa? Tomás…

La ceñuda expresión de ella no era algo ante lo que un hombre deseara despertar.

Era martes, uno de los cuatro días semanales en que se reunía el Consejo Real. Tomás Moro había madrugado, levantándose antes de que la casa estuviera en movimiento, y salido en busca de un barquero que lo llevara río abajo hasta Westminster. El aire fresco de la mañana le había acariciado el rostro. El verano había sido anormalmente caluroso y no sentía grandes deseos de abandonar su paraíso de Chelsea por Londres, plagado de enfermedades… ni siquiera por la grandeza de Westminster Hall. De mala gana, había vuelto a entrar para recoger sus papeles y despedirse de su esposa.

—He dicho, Alice, que no es necesario que te tomes ninguna molestia porque tu amo y señor se marcha a trabajar para ganar el pan que tú te comes.

Ella abrió solo un ojo.

—Lo único que va a trabajar será tu estómago cuando estés sentado a la mesa de su majestad, me juego lo que sea.

Tomás dejó escapar un suspiro. Ya hacía uso de su lengua viperina y ni siquiera estaba del todo despierta. Uno no podía por menos de admirar tan ágil aunque mordaz ingenio, supuso él. En una gran belleza incluso habría podido tolerarse afablemente. Pero Alice no era una belleza ni de lejos, y ni siquiera joven; lo aventajaba a él en varios años y no presentaba la menor inclinación hacia la vida intelectual. Y a pesar de esas carencias, era una esposa más que adecuada. Dejando de lado su lengua envenenada, lo apoyaba en su ambición, y sabía llevar la casa de un gran hombre. La servidumbre sentía mayor respeto por ella que por él. En las cuestiones de Chelsea, la palabra de lady Alice era la ley.

Además, si hubiese sido una doncella encantadora de muslos suaves y piel blanca como la leche y cabello lustroso —sir Tomás contrajo los omóplatos bajo el cilicio—, ¿cómo habría podido él hacer penitencia suficiente por sus pensamientos carnales, y no digamos ya por su placer?

Su esposa levantó la cabeza de la almohada, con el gorro de noche tan ladeado como el birrete del juez ebrio cuyo caso incluía la lista de ese día. Tomás reprimió una carcajada. Era peligroso mofarse de lady Alice. Ella abrió los dos ojos y clavó su nebulosa mirada azul en la de su marido cuando él se inclinó para plantar el obligado beso en su frente.

—Más vale que me digas ahora si vas a traer a alguien, como ese holandés al que tienes tanto apego o aquel retratista.

—Ojalá pudiera traer a Erasmo. O incluso a Holbein. Ofrecerían una distracción intelectual. Todos aquellos capaces de andar han huido de Londres por esa enfermedad de los sudores. Me temo, querida esposa, que tendrás que conformarte con mi pobre compañía.

Ella, indignada, se incorporó en el acto, muy erguida, y abrió los ojos de par en par.

—Eres un necio, Tomás Moro. ¿Has oído las palabras que acaban de salir de tu boca? Todo Londres huye, y tú vas como alma que lleva el diablo al corazón mismo de la pestilencia para traérsela a tu familia con orgullo, como un regalo.

—Cuidado, señora Moro, no vayas a extralimitarte –dijo él, poniéndose el abrigo. Su tolerancia ante el malhumor de su mujer menguaba siempre que ella ponía en duda su devoción familiar. Él lo hacía todo por su familia–. Un hombre debe cumplir con su deber, le convenga o no –dijo–. Además, ¿qué peste podría medrar en esa lengua ácida tuya?

Ella volvió a tumbarse y se cubrió hasta la barbilla con la sábana.

—Tú eres único para el cumplimiento del deber, eso lo admito –pero no sonó a cumplido–. Vete, pues. Si se te ha metido en la cabeza, haz lo que tengas que hacer. ¿Cuándo no lo has hecho? Puede que tus obligaciones y tus asuntos jurídicos y tus cálculos sean importantes, pero yo no depositaría mucha fe en ellos. Al final, lo que cuenta son las personas.

—Bien que te han servido mis asuntos jurídicos y mis cálculos, señora mía. No pienso depositar mi fe en las personas. –Alargó el brazo para coger su sombrero preferido–. El rey de cuyo favor ahora disfrutamos no dudaría en poner mi cabeza en el tajo si eso le permitiera conquistar un castillo. No. Depositaré mi fe en la ley, que no es voluble. Deberías hacer lo mismo.

Suspiró, hastiado de los duelos verbales en que se habían convertido sus conversaciones.

—Intentaré estar de regreso antes de la hora de acostarse –dijo.

—Como siempre, el marido consciente de sus deberes –musitó ella, y volviéndose de costado, se tapó la cabeza con la sábana.

⚓

Cuando Tomás entró en la primera de las ocho salas que debían atravesarse de camino a la Cámara Estrellada de Westminster Hall, advirtió que no había el ajetreo de costumbre. Se había habituado ya al suntuoso mobiliario, los tapices, los candelabros y tederos de oro, los techos dorados, e incluso al techo tachonado de estrellas de la adecuadamente llamada Cámara Estrellada, donde se reunía el Consejo, pero todo ello parecía aún más majestuoso sin la presencia de detritos humanos. Cuando abrió la puerta de la gran cámara de asuntos jurídicos, quedó un tanto desconcertado. Esta sala, más opulenta que las otras, con sus ricos tapices y dorados, se hallaba vacía.

Salvo por Wolsey. Estaba solo, sentado en el centro, instalado en el asiento del canciller, una bala de lana, y su hábito cardenalicio púrpura se extendía alrededor de él como las faldas de una cortesana. La expresión ceñuda en su rostro le confería el aspecto de un sapo rojo gigante, un sapo rojo gigante que sostenía una poma de naranja ante la nariz para protegerse de la enfermedad que temía que fuera a entrar en la sala de un momento a otro. Cuando vio que solo era Tomás, el ceño dio paso a una media sonrisa, y apartó la naranja erizada de clavo. Su fragancia a especias competía con el aroma de las hierbas esparcidas por el suelo, impregnando de un olor empalagoso el aire estancado de la cámara cerrada.

—Tomás —dijo el cardenal con el tono que utilizaba cuando se sentía especialmente satisfecho por un giro afortunado en los acontecimientos—. Según parece, otros no son tan diligentes como tú y yo. Como no hay quórum, he disuelto la reunión. El ujier ha enviado a todos los suplicantes y acusadores a sus respectivos vertederos. No propagarán la infección aquí. No te he enviado un mensajero porque sabía que estarías ya en camino, y además quería verte.

Se levantó de la bala de lana y se acercó a la mesa donde solían procesarse los mandatos.

—Toma asiento, Tomás —dijo afablemente. Era capaz de ser cordial cuando no se le disparaba el genio, o cuando le convenía—. Hay algo que me gustaría tratar contigo.

Tomás se preparó para lo que sabía que se avecinaba: una petición para que interviniera en el «gran asunto» del rey. El cardenal se dejó caer pesadamente en una silla al otro lado de la mesa.

—Por lo que se refiere al divorcio entre el rey y la reina Catalina, Tomás, preocupa a su majestad que no unas tu voz a su causa. Y a mí también me gustaría conocer tu opinión al respecto —dijo quitándole importancia, como si nunca hubieran abordado el tema y estuvieran sosteniendo una simple charla vespertina. Tomás sabía reconocer una trampa cuando la veía. Si decía que, a su juicio, el rey debía divorciarse, se daría por sentada su respaldo a dicha causa. Si decía que pensaba que era pecado apartar a una esposa después de veinte años de matrimonio para sustituirla por... en fin, esa vía era sin duda peligrosa.

–No tengo opinión, su eminencia, salvo una opinión jurídica. –Tomás suspiró–. Y esa ya la conocéis.

–Una respuesta cauta. Pero como no puede haber malentendidos entre nosotros –repuso Wolsey, ya sin la menor jovialidad–, dame otra vez tu opinión jurídica, ahora que estamos solos, únicamente tú y yo.

–El hecho de que vos y yo hablemos de esto en aparente privacidad no cambia mi respuesta. Falta a la ley que el rey Enrique se divorcie de la reina y se case con Ana Bolena a menos que el papa otorgue una dispensa.

Wolsey reflexionó en silencio, formando un mohín con sus labios carnosos.

–Eso no sirve, Tomás –musitó casi para sí–. Muchas fuerzas actúan contra este rey. Incluso he oído hablar de una santa monja de Kent que profetizó que si el rey se divorcia, morirá y su reino irá a la ruina. ¿Tú lo habías oído, Tomás?

–Algo me ha llegado. Son chismes de mujeres. No concedo importancia a tales delirios.

–Muy sensato, Tomás. Eso es muy sensato.

Gotas de sudor adornaban el labio superior del cardenal. Era un día caluroso para vestir el hábito cardenalicio y una estola de marta cibelina, pero Tomás pensó que Wolsey sudaría incluso en pleno invierno vestido solo con la camisa si surgiera a colación el gran asunto del rey. Todos los intentos del cardenal para conseguir la autorización del papa habían sido infructuosos. La reina española de Enrique estaba muy bien relacionada... mejor que el gran cardenal y canciller inglés, por lo visto. Wolsey se secó la frente con un pañuelo de seda.

–Todavía no te has librado del todo, Tomás. Hay otra cuestión que requiere tu opinión jurídica. Y como eres patrón del Cardinal College de Oxford, dicha cuestión tiene un interés profesional para ti.

Bueno, al menos ese era un terreno más seguro, pensó Tomás.

–Ha surgido un pequeño problema con los estudiantes; algunos académicos han caído bajo la influencia luterana. ¿Se te ha informado de eso?

–Algo he oído –contestó Tomás–. Pero pensaba que ese asunto había quedado zanjado en primavera con el arresto del librero Garrett. Supuse que los estudiantes fueron castigados y vieron el error de su proceder.

Wolsey se levantó y comenzó a pasearse lentamente, arrastrando las vestiduras por el suelo con un susurro.

–Y se les castigó. Ahí está el quid de la cuestión. En cuanto a si vieron o no el error de su proceder, eso ya es otro cantar. ¿Conoces a un estudiante llamado John Frith?

Tomás negó con la cabeza. No estaba muy al corriente de los asuntos cotidianos de Oxford, a pesar de que su cargo como patrón le proporcionaba un buen estipendio.

Wolsey volvió a hundirse en la bala de lana y fijó la mirada en la media distancia, más allá de Tomás.

–Es un académico brillante. Resulta irónico, ¿no, Tomás?, que algunos de los estudiantes más aptos de Cambridge, aquellos que reuní para llevarlos a mi nueva facultad de Oxford a modo de semilla, ahora me lo paguen con estas pequeñas incursiones intelectuales en la herejía. Ya tendrás noticia del joven Frith, dalo por hecho, si es que aún sigue vivo.

–¿Qué queréis decir con eso de que «si aún sigue vivo»?

–Es posible que el decano Higdon, en su castigo, haya ido un poco más allá de lo prudente.

–¿En qué sentido?

–Encerró a Frith y a otros cuatro o cinco en el sótano de la facultad.

–Bueno, supongo que actuó dentro de sus competencias. Son estudiantes...

–Durante tres meses.

–¡Tres meses! –Tomás repitió las palabras para asegurarse de que había oído bien al canciller–. ¿Sin el debido proceso? ¿Sin siquiera una vista? Su eminencia, me sorprende que hayáis consentido...

–Yo no lo consentí, maese Moro. Por lo visto, se olvidaron de ellos.

–¿En qué condiciones se encuentra ese sótano?

–No muy buenas. Me han dicho que se usa para almacenar pescado salado. No es un lugar muy agradable.

–Que los saquen inmediatamente de allí –dijo Tomás.

–No es tan sencillo, lamento decir. –El cardenal dio vueltas al enorme sello en torno a su rechoncho dedo–. Dos de ellos han muerto. Probablemente a causa de la enfermedad de los sudores, pero…

Los pensamientos se arremolinaron en la cabeza de Tomás. Aquello era una estupidez por parte de la facultad y del cardenal, pero repercutiría en su propia reputación, ya que el patrón de la facultad era él.

–Decidle al decano Higdon que lo comunique en el acto a las familias –dijo–. Expresad las condolencias por su muerte. Y explicad que los cuerpos, debido al contagio en la ciudad, han sido enterrados, y la facultad pagará el traslado de las familias para que visiten las tumbas, etcétera, etcétera. No reveléis las condiciones en las que han muerto.

–¿Y los otros?

–Ponedlos en libertad sin tardanza.

–Pero sin duda pregonarán a los cuatro vientos que fueron encarcelados ilícitamente y maltratados.

–¿Cuántos siguen con vida?

–Dos o tres, creo.

–¿Dos o tres? ¿Cuántos?

El cardenal bajó la cabeza como un carnero a punto de embestir, advirtiendo a Tomás que su tono era ofensivo. Apenas movió los labios al contestar:

–Frith y Betts y otro cuyo nombre no recuerdo.

Tomás desvió la mirada. Uno no interrogaba al canciller de Inglaterra con el mismo tono que adoptaba ante un delincuente común en los tribunales, se recordó.

–Su eminencia, podéis quedaros tranquilo. El asunto tiene solución –dijo con tono conciliador.

–Sabía que podíamos contar contigo al menos para esto –respondió Wolsey, apretando los labios.

Tomás pasó por alto la pulla.

—Esos estudiantes no solo han quebrantado las leyes de la universidad, sino que han quebrantado las leyes del país. Por esto último se los someterá al debido proceso: un interrogatorio oficial y luego una acusación por herejía. Cuando la ley acabe con ellos, no estarán en condiciones de propagar nada. Prácticamente puedo garantizaros que suplicarán para que se les permita besar los escarpines enjoyados del papa.

—¿Y todo conforme a la ley?

—Siempre conforme a la ley, su eminencia.

Wolsey sonrió.

—Esas tranquilizadoras palabras tuyas me han abierto el apetito —dijo, recuperada ya la cordialidad—. El rey nos ha invitado a comer en su cámara.

Tomás vaciló, preguntándose si se atrevía a dar una excusa.

—No hace falta que te sientas tan incómodo, Tomás. Su majestad no abordará el tema del divorcio, no en presencia de otros. Sondearte y convencerte para que te pongas de nuestro lado es tarea mía.

—Su eminencia…

—No digas más —atajó Wolsey, levantando la mano—, no sea que se me avive el mal genio. Eso podría estropearme la digestión. No querrás cargar con ese peso en tu conciencia, ¿verdad?

—Por nada del mundo —dijo Tomás con una sonrisa—, ya que eso me la estropearía a mí.

❧

Cuando Kate se acercaba al salón de los mercaderes, se alegró de no haberse llevado consigo la Biblia de Wycliffe. Un bulto de tal tamaño habría llamado la atención, y además pesaba mucho. Era un día caluroso. El sudor le corría ya entre los pechos y los omóplatos. Si Monmouth deseaba comprarle la Biblia, seguramente no tendría inconveniente en acercarse a la librería —la antigua librería, pensó con tristeza— para recogerla. Pero cuando preguntó en la sede, el ordenanza le dijo que sir Humphrey debía de estar en los muelles.

Se detuvo por un instante y se planteó si era prudente ir a los muelles sola. Protegiéndose los ojos del sol reflejado en el Támesis,

78

miró en dirección a las cajas de embalaje y los toneles y los sacos apilados en el muelle. Solo uno o dos hombres trabajaban el calor del tórrido mediodía, descargando lo que parecían unos sacos de grano; ocupados y sofocados como estaban, no se fijaron en ella. A lo lejos vio a sir Humphrey. Lo reconoció por su vistosa vestimenta, aunque con semejante calor esa ropa parecía más agobiante que magnífica. Pobre hombre. Kate lo había visto dos veces antes, en sus visitas para hablar con John. Su mujer lo acompañaba en una de ellas y, al igual que él, iba absurdamente arreglada. Por lo que recordaba Kate de la actitud de la mujer, quizá sir Humphrey consideraba más llevadero vestir un calzón de mucho abrigo y un jubón enguatado en plena canícula que exponerse a la afilada lengua de su mujer.

Sir Humphrey volvía del único barco atracado en el río, centelleante por efecto del sol. Por encima de su amplia gorguera, lucía una expresión de intensa satisfacción. Hojeaba un libro pequeño. Desplegó una ancha sonrisa y de inmediato escondió el libro bajo su voluminoso jubón, lo que llevó a Kate a pensar que acaso la finalidad de su excesiva vestimenta no fuera complacer a su mujer.

¡Kate Gough, qué tonta eres!, pensó. Aquel era un hombre que importaba Biblias, ¿qué necesidad tenía de otra más? En cualquier caso, ¿qué iba a decirle exactamente? Debería haberle escrito una nota pidiéndole que fuera a la tienda. Había decidido ya volver sobre sus pasos y pedir al ordenanza si podía dejarle un mensaje cuando de pronto él la llamó por su nombre.

—Señorita Gough —dijo. El bulto de sus pantorrillas se marcó bajo las medias de color azul pavo real cuando, agitando el brazo, se apresuró hacia ella—. ¿Qué se sabe de John?

—Ha salido de la cárcel —informó Kate, y sin saber qué más decir, añadió—; pero ya no es el de siempre.

—Dadle tiempo —aconsejó él—. Yo mismo conozco en cierta medida la clase de miedo que esas situaciones desatan en el alma de un hombre. El gran Tomás Moro en persona registró mi casa. Por fortuna, al igual que John, recibí aviso a tiempo y quemé las pruebas condenatorias. —Chasqueando la lengua, cabeceó—. Por lo que he oído, varios clientes de Garrett en Oxford fueron sorprendidos en la redada y algunos incluso murieron a causa de la enfermedad de los sudores mientras permanecían encerrados como delincuentes en un sótano apestoso. Supongo que John y yo nos hemos librado para seguir con la lucha.

Kate sentía el intenso calor del sol y deseó marcharse, reacia a decirle que a John ya no le quedaba ánimo de lucha.

—Sí, supongo…

—¿Necesitáis algo, señorita Gough? Con John encarcelado tanto tiempo, puede que andéis escasos de recursos. Sé que él tiene también mujer e hijo…

Se llevó la mano al interior del jubón y extrajo una pequeña bolsa de piel. Ella negó con la cabeza ante su ofrecimiento de caridad.

—Sobreviviremos. Aún nos quedan unas cuantas cosas que vender. —Respiró hondo. Esa era su oportunidad—. De hecho, sir Humphrey, tengo algo que puede interesaros. Es una reliquia de la familia. Una Biblia ilustrada. —Bajó la voz, aunque los dos estibadores solitarios parecían haber desertado en busca de sombra—. Una traducción de Wycliffe. He pensado… —Se interrumpió de inmediato al ver la expresión de sir Humphrey—. Pero ¿cómo puedo ser tan tonta? Si Tomás Moro volviese, sería lo último que querríais ver entre vuestras posesiones más preciadas. Perdonad por…

—Es igual de peligrosa para vos. Me sorprende que John haya permitido…

—Intentó quemarla junto con todo lo demás. Yo se lo impedí. Me pareció una lástima. Es hermosa y está bien escondida.

Sir Humphrey calló por un momento.

—¿Cuánto? —preguntó, y ella vio en él un asomo del comerciante negociador.

—Diez libras.

Él dejó escapar un suave silbido.

—¡La tenéis en mucho aprecio!

—Sé que se puede comprar una traducción de Tyndale por cuatro cuartos, pero esta es una Biblia para la historia. Estoy segura de que si la vierais…

Sir Humphrey dejó escapar una breve risa.

–Deberíais negociar para la Hansa, señorita Kate. –Le sonrió. Fue una sonrisa cálida y sincera por encima de su pequeña perilla gris–. Pasaré mañana por la tienda y le echaré un vistazo.

⇝⇜

John Frith despertó de un sueño inducido por alguna sustancia y vio ante sí una monja de aspecto severo, ya mayor, inclinada sobre él. En la ancha cara advirtió unos labios que se movían y una lengua que chasqueaba.

–Quedaos quieto si no queréis que os corte el cuello.

Él permaneció inmóvil, procurando contener incluso el tic del músculo del párpado mientras ella deslizaba la afilada navaja por su mandíbula. Cuando recuperó plenamente el conocimiento, cayó en la cuenta de que no yacía ya en el suelo de tierra del sótano, sino en un colchón de paja, tapado con una manta de lana razonablemente limpia. Cayó también en la cuenta, con cierto sobresalto, de que estaba desnudo debajo de la manta.

–¿Dónde estoy, hermana? –preguntó cuando ella se detuvo para sacudir de la hoja los restos de barba. Agarró con todas sus fuerzas la manta que lo cubría, sorprendiéndose de ser capaz de hacerlo. Y no solo pudo agarrarla, sino que incluso consiguió remetérsela bajo los brazos y mantenerla así con determinación.

–Esto es el hospital de St. Bart. Dado que habéis decidido abrir los ojos y echar un vistazo, creo que seguramente sobreviviréis, cosa que parecía poco probable cuando os trajeron aquí la semana pasada más muerto que vivo. Como esta mañana he visto señales de vida, he pensado que quizá os gustaría un buen afeitado. Ahora pienso que tal vez preferiríais un poco de comida de verdad.

–¿Un vaso de agua?

La monja soltó una risa atribulada.

–Sois un gran bebedor de agua. Desde que estáis aquí habéis bebido lo suficiente para dejar seco el río Fleet. Y habéis orinado casi en igual medida.

John se sonrojó pero sujetó la manta con más firmeza bajo las axilas. Ella le sirvió un vaso de agua de una jarra que estaba junto a su cama y se lo dio.

81

—Cuando acabe con esto, enviaré a alguien de la cocina con un poco de caldo y gelatina de pata de ternera, pero más vale que os lo toméis con calma.

John bebió un poco de agua y la mantuvo en la boca. Luego apuró el vaso y lo dejó. Ella siguió afeitándolo.

—Por suerte para vos, estabais tan enfermo que no pudieron llevaros con los demás a la Torre de los Lolardos.

—¿Qué interés tenían los pap… mis torturadores? –preguntó él.

—Os quieren con vida… para que abjuréis. Como los otros.

Frith no dijo nada; solo cerró los ojos. El tic del párpado había cesado por sí solo, probablemente a causa del cansancio.

Abjurar, pensó, sabiendo de sobra qué instrumentos de tortura habían empleado con sus amigos para obtener ese arrepentimiento; sabiendo también que un paso en falso después de una abjuración pública implicaba automáticamente la hoguera sin juicio previo. Si otros habían abjurado, él no sería mejor que ellos, ni más valiente, eso sin duda. Su única opción era escapar.

La monja había acabado de afeitarlo. Echó el cuello atrás y lo examinó detenidamente.

—¡Listo! Bueno, esto ya está mucho mejor. Casi parecéis un hombre otra vez. Y en cuanto se hayan rellenado esos huecos bajo los pómulos, un hombre más bien agraciado, diría yo. Bastante agraciado.

Limpió la navaja y la guardó en la pequeña funda de piel que llevaba colgada al cinto junto al rosario.

—Sería una lástima perder tan hermosa cabeza por la causa de la herejía. –Se puso en pie y cogió la palangana con los restos de la barba sucia flotando en el agua jabonosa–. Una verdadera lástima. Dicen que sois un brillante universitario. –Volvió a chasquear con la lengua–. No me explico cómo un hombre brillante puede meter el dedo en el ojo de Dios Todopoderoso.

—Pero no es en el ojo de Dios Todopoderoso –dijo él con más vigor del que creía que podía reunir su cuerpo; también con más vigor del que merecía esa mujer que lo había cuidado con tanto esmero y que aún servía a esa Iglesia–. No es el de Dios Todopoderoso. Es el de la Iglesia todopoderosa, y hay una gran diferencia. Hombres corruptos se han apoderado de ella. Si la gente puede leer la Biblia por su cuenta, verá que algunas de las doctrinas que esos hombres enseñan son falsas e interesadas.

—Bueno, incluso si yo reconociera que algo de lo que decís es cierto, cosa que no hago, un hombre sensato debería saber elegir mejor a sus enemigos. Sobre todo si es un hombre brillante con un gran porvenir.

—A veces no podemos escoger a nuestros enemigos, hermana —respondió él con hastío—. A veces nos vienen escogidos. Pero os doy las gracias por vuestro consejo bien intencionado. Os doy las gracias también por el afeitado. —Sonrió—. Sobre todo, os doy las gracias por el agua. Por toda.

—Bueno, tal vez tengáis la oportunidad de escoger. Al menos esta vez. —Se inclinó como para arreglar la manta. Bajó la voz y casi en un susurro le dijo al oído—: Creo que vendrán a buscaros mañana. El casiller vacía los orinales a las doce de la noche. Perezoso como es, suele dejar la puerta abierta hasta que acaba con todas las salas.

John tardó demasiado en asimilar lo que la monja le estaba diciendo.

—¿Y mi calzón? —dijo en dirección a la espalda que se alejaba por la sala. Pero ella estaba ya más allá de los dos últimos pacientes dormidos. Si lo oyó, no dio la menor señal.

⚘

Cuando Humphrey Monmouth fue a buscar la Biblia, no comentó nada acerca de los estantes vacíos de la librería. A Kate le escocieron los ojos por el llanto contenido cuando se la entregó. Deseaba conservar la Biblia, no desprenderse de ella, y a la vez la extrañaba ese repentino y abrumador apego sentimental. Pero es que todo aquello que le era querido y familiar parecía escurrírsele entre los dedos.

Sir Humphrey la abrió con cuidado y su expresión casi resplandeció al pasar las páginas, comentando lo mucho que había cambiado el idioma y admirando la riqueza de los pigmentos empleados en las ilustraciones.

Al menos la tendría alguien que la valoraba, pensó Kate.

—La guardaré como un tesoro —aseguró él.

83

–Espero que no os cause complicaciones.

–Es la Palabra del Señor. Debería valer lo que cuesta –dijo él, entregándole el dinero. Luego, mientras la envolvía de nuevo, añadió–: Lamento que John no esté aquí. Decidle que se prevé la llegada de un envío al canal de Bristol el 3 de septiembre. No debería representar para él el menor peligro ir a recogerlo.

Kate prefirió no responder: «No puedo decírselo a John porque no va a volver, y aunque pudiese, tampoco iría a recibir el envío». En lugar de eso, contestó:

–Desde que ha vuelto, tiene mala memoria. Por si acaso, dadme los detalles exactos para que yo pueda contestarle si me lo pregunta.

–Lord y lady Walsh, en Little Sodbury. Como siempre, ellos sabrán dónde desembarcarán la mercancía. Yo no iré. Temo que mi presencia pueda poner en peligro a los demás. Mi casa está bajo estrecha vigilancia. Pero otro de los comerciantes, un tal Swinford, sí acudirá. Ya nos acompañó una vez. Decid a John que Swinford partirá del muelle al amanecer del primero de septiembre.

–Swinford, Little Sodbury, al amanecer –repitió ella, como si de verdad fuera a transmitir la información.

Sir Humphrey cogió la Biblia y se dispuso a marchar; de pronto se volvió.

–Decid a John que venga a verme cuando lo desee. Me gustaría hablar con él. Y no os preocupéis por la Biblia de Wycliffe. Ya sabéis dónde está si algún día deseáis recuperarla. –Señaló con la cabeza la pequeña bolsa de cuero que ella sostenía en la mano–. Eso es solo un alquiler. Quizá podáis destinar una parte a comprar más género. Yo me limitaré a guardaros la Biblia hasta que llegue el día en que en Inglaterra no sea peligroso estar en posesión de un objeto tan magnífico.

Cuando sir Humphrey cerró la puerta y se marchó con la Biblia, a Kate la asaltó un impulso incontenible de llorar y romper algo. Pero, por desgracia, no quedaba nada que romper salvo su propio corazón, y estaba decidida a que eso no ocurriera. Con un corazón roto en la familia ya bastaba. Además, la sombra de una idea empezaba a cobrar formar en su mente.

El primero de septiembre. Little Sodbury. Swinford. Al amanecer. Género nuevo.

Pero se lo había prometido a John. ¿Seguía vigente la promesa ahora que John había abandonado el negocio? ¿La había abandonado a ella? ¿Y si no vendía desde la tienda? Conocía a los clientes que les compraban. Podía visitarlos directamente. O podía cambiar el nombre del establecimiento y llamarlo Papelería Gough —con eso respetaría la letra de su promesa, aunque no el espíritu— y comerciar con la misma licencia, y vender papel y plumas y lacre y demás, así como libros luteranos con un guiño y un gesto de asentimiento a sus clientes de siempre.

Seguía maquinando cuando abrió la puerta de la imprenta de la trastienda. La prensa destrozada se hallaba ahora en el rincón del taller, donde abultaba como una gran bestia achaparrada, incitándola a la acción. Tirados por el suelo, en bolas arrugadas, seguían los recordatorios de sus esfuerzos más recientes. Tras apartarlos a puntapiés con más fuerza de la necesaria, empezó a revolver en el armario del material hasta que encontró lo que buscaba. En una percha detrás de un par de viejos tampones de tinta resecos y agrietados colgaban un pantalón de hombre, una camisa vieja y un sombrero de John.

Disponía de una semana hasta el primero de septiembre, una semana para reflexionar sobre esa absurda idea. Era una fantasía descabellada, pero al menos concebir tal aventura le proporcionaba algo en que pensar aparte de la crudeza de su futuro. Se recogió el pelo en un moño y se puso el sombrero de tres picos. Le encajaba a la perfección.

VII

Fueron hombres probos y honrados quienes me informaron de que en Bristol circulaban esos pestilentes libros, algunos de ellos abandonados en las calles y dejados por la noche ante las puertas de las casas, y de que allí donde no se atrevían a poner a la venta su veneno, envenenaban a los hombres de balde por caridad.

SIR TOMÁS MORO, sobre el contrabando de Biblias

John Frith yacía en la oscuridad, luchando contra la fatiga que amenazaba con sumirlo en un plácido sueño, atento al sonido de una llave en la cerradura. Recitaba a Homero para sus adentros como había hecho antes en el almacén de pescado para mantener la cabeza activa y alerta, procurando no pensar en Clerke y Sumner, que habían muerto entre sus brazos pidiendo agua en aquel sótano fétido, procurando no pensar en su desesperación en sus últimos momentos de vida. Dios lo había rescatado del almacén de pescado y eso solo podía significar una cosa: le quedaba trabajo por hacer.

Se había obligado a permanecer despierto desde que se fue la vieja monja, intentando fraguar un plan. En vista de que no se le ocurría ninguno –había repasado en su cabeza todas las maneras en que Ulises había eludido los peligros, y ninguna parecía acomodarse a su situación– al final había decidido sencillamente ceñirse la manta de lana bajo las axilas y huir descalzo al aire fresco y dulce de la noche. Ya se preocuparía por la ropa una vez fuera. Por supuesto, si rondaba por allí cerca el sereno, como sucedería casi con toda probabilidad, no tardarían en detenerlo por demente, y en ese caso aduciría que había sido víctima de un robo, pero entonces acabaría en la sala de un magistrado prestando testimonio, y eso era lo último que necesitaba. No hago más que dar vueltas y vueltas a lo mismo, pensó, deseando dormir.

Desde hacía horas oía solo los ronquidos y gemidos de sus compañeros de sala, mezclados con los crujidos de una cama de madera cuando un alma atormentada se agitaba. En el momento en que supo que era incapaz de seguir despierto, las campanadas de las doce de la noche lo despabilaron. Poco después, tal como había dicho la vieja monja, oyó el tintineo de unas llaves en la puerta y se le aceleró el corazón.

Para cuando sonó la última campanada, el casiller había encendido dos teas de junco en los extremos de la sala y recogía el primer orinal; el golpeteo de su cubo reverberó en la sala. Bajo la parpadeante luz, el hombre era una sombra inclinada que se deslizaba entre las camas.

El casiller se acercó al camastro de John y se agachó para coger el orinal a los pies.

–Gracias –susurró Frith.

El hombre, un viejo menudo y encorvado, se irguió y lo miró con una mezcla de alarma y curiosidad.

–¿Habláis conmigo?

–Sí, solo quería daros las gracias. Es un servicio muy valioso el que realizáis.

–Perdonad que os haya despertado –gruñó el viejo.

–Me gusta estar despierto. Así sé que estoy vivo.

El hombre se puso en pie, sosteniendo el orinal entre sus brazos, indiferente en apariencia a su inmundo contenido. Obsequió a Frith una sonrisa desdentada.

–Nunca me lo he planteado así –dijo, y dio un paso hacia el camastro de Frith.

—No os acerquéis demasiado. He pasado la enfermedad de los sudores —susurró Frith.

—Eso a mí no me preocupa. Yo ya lo he visto todo. Nunca he pillado nada. Un hombre tiene que orinar y tiene que comer. Yo me llevo vuestra orina y eso me da de comer.

Frith sonrió.

—Nunca me lo había planteado así.

Frith lo observó mientras cogía el orinal de su vecino más cercano. Esta vez no fue a la puerta exterior, sino a la ventana central; la abrió y vertió el contenido. Regresó y se agachó para dejar el orinal en su sitio.

—Dejaré la ventana abierta, para que os llegue la brisa nocturna —dijo.

Y el olor que trae consigo, pensó Frith, pero supuso que el casiller ya no percibía el olor.

—Aquí hace tanto calor que podría asarse un pollo, y estáis tapado con esa manta como si fuera enero. ¿Tenéis fiebre? Podría despertar a una de las monjas.

—Se han llevado mi ropa.

—Ya. —Asintió con un gesto de comprensión—. Aquí un hombre no tiene muchas posibilidades de mantener en la intimidad sus partes pudendas. Seguramente quemé vuestra ropa. Si uno tiene una enfermedad contagiosa, le queman la ropa. Algunos casilleres se la dan a los traperos. Pero yo no. Quizá no todo el mundo sea tan resistente como yo. Me remordería la conciencia como un azote si una persona inocente se contagiara de la peste por embolsarme yo un cuarto de penique. —Bajó la voz aún más, como si la mención de la muerte pudiera angustiar a algunos de los pacientes que acaso oyeran su conversación—. Si alguien… ya me entiende… y no le han quemado la ropa, quizá yo pueda… Ahora que lo pienso, hay un cadáver al final de la sala, esperando que se lo lleven. Tenía la ropa bien apilada a los pies de la cama. Si queréis, puedo traérosla. Ese hombre parecía mucho más grande que vos, pero siempre será mejor que la manta.

Frith no podía dar crédito a su buena suerte.

—No tengo dinero con que pagaros —dijo—, pero…

—No es necesario. Ya habrá otros.

—Sois un hombre misericordioso —agradeció cuando el casiller volvió y le entregó la ropa.

—Qué va. —El casiller se echó a reír—. No soy más que un desdichado como vos. Disfrutadla con salud.

Pero pocos minutos después, antes de que el casiller fuera a la otra sala para completar sus tareas, Frith vio la sombra del viejo deslizarse hacia el extremo de la sala y oyó el inconfundible chasquido de la cerradura. Se le cayó el alma a los pies. La monja se había equivocado. Finalmente el casiller había cerrado la puerta.

¡Serás necio! ¡Es porque sabe que estás despierto! ¡Podrías haber tenido la boca cerrada! Se levantó con cuidado, pisando el suelo para poner a prueba sus piernas flojas, y se puso la camisa y el pantalón. El viejo casiller tenía razón. Le quedaba todo un poco grande, pero se enrolló el pantalón por la cintura y se ciñó la camisa de campesino con el cinturón de cuerda. Al menos tenía ropa, por si volvía a presentarse la ocasión. Quizá la noche del día siguiente. Fingiría dormir como un muerto… si es que al día siguiente estaba aún allí, pensó compungido.

Una brisa malsana entró por la ventana trayendo consigo el olor a orina y heces. Frith arrugó la nariz en un gesto de repugnancia. ¿Qué tenía que hacer un hombre para respirar aire puro en este mundo? ¡Idiota! Se dio una palmada en la frente. La ventana.

Pocos minutos después, tras mucho retorcerse y contorsionarse, John Frith —había adelgazado bastante en los últimos tres meses, pero la ventana era estrecha— se descolgó con cuidado hasta notar el contacto del suelo bajo sus pies descalzos. Tal fue su alivio al verse fuera del hospital y libre que apenas reparó en la inmundicia que corría entre los dedos de sus pies.

Con la ropa de un muerto y las piernas tan inestables como las de un potro recién nacido, se encaminó hacia el Steelyard. Recordó lo que Garrett le había contado sobre cómo entraban los libros en Inglaterra. Quizá podía pagar con su trabajo el pasaje para abandonar el país… y un par de zapatos. Los Hermanos de la Liga de Mercaderes Hanseáticos lo ayudarían a llegar al continente, donde se reuniría con su amigo y mentor William Tyndale. Tal vez por eso Dios lo había salvado del sótano.

Además, sabía qué destino le esperaba si se quedaba en Inglaterra.

⊰⊱

La lluvia azotaba la barca de remos mientras remontaba el Támesis en dirección a Reading. Kate agradeció la protección de la gruesa capa que John había dejado colgada de la percha junto a la puerta.

Había estado allí desde la noche que lo detuvieron. Durante todas esas semanas, Kate se había resistido a descolgarla, prefiriendo dejarla allí hasta que él volviera a reclamarla. Bueno, al menos serviría para esconder su silueta, pensó cuando, tras cogerla y sacudirla, la sostuvo en alto para examinarla mejor. Ella era de la misma estatura que John… tal vez si ponía un poco de relleno en las hombreras…

Había dado resultado.

A la tenue luz del amanecer, el mercader Swinford no había puesto en duda su identidad. En respuesta al saludo «me alegro de ver que sois otra vez un hombre libre, Gough», Kate había susurrado con voz ronca: «Pero no un hombre sano», y se señaló la garganta.

Un comienzo propicio y una buena señal, pensó, señal de que debía seguir adelante con el plan. De hecho, ya era tarde para dar marcha atrás. Había pasado la noche en vela atormentándose por su absurdo proyecto, hasta que al final decidió abandonarlo y dormirse. Pero en algún lugar un gallo había anunciado el amanecer y la había despertado de nuevo, así que con la primera luz del alba, disfrazada de su hermano John, había partido hacia los muelles, pensando que debía regresar, pensando que probablemente el mercader ya se habría ido y los muelles estarían desiertos, pensando que él la descubriría de inmediato.

Pero el mercader se había limitado a saludarla con la cabeza y se había subido a la pequeña barca amarrada al muelle, indicándole que lo siguiera.

—Debemos darnos prisa. Con este tiempo iremos más despacio y tenemos que avanzar contracorriente.

A continuación, se inclinó para desatar la amarra del muelle y Kate experimentó su primer momento de pánico al preguntarse si ella sería capaz de imitar los movimientos aplomados de aquel hombre.

Él mantuvo la barca estable.

–Un hombre recién salido de la celda húmeda de una cárcel se expone a contraer unas fiebres con esta llovizna. Esta vez será mejor que os coloquéis detrás de mí. Mi espalda os protegerá de la peor parte. En Reading al menos podremos dejar el río y quizá dormir unas horas. En el mismo lugar de siempre. Tenemos que recoger un carromato y caballos. Y creo que también a un pasajero.

Kate, limitándose a asentir, se agarró al poste del muelle con una mano mientras, con cuidado, apoyaba un pie en la barca. La extraña libertad de movimiento que le proporcionaba el pantalón debajo de la gruesa capa la llevó a calcular mal la distancia y la barca se meció bajo sus pies. Se sentó pesadamente en la tabla central.

Swinford apartó la barca del muelle con un remo, y Kate comprendió con desánimo que él esperaría que ella empuñara el otro remo. Gracias a Dios, había remado a menudo con John cuando eran más jóvenes, antes de que él se casara, así que al menos sabía hacerlo. Tenía que remar desde el otro lado, recordó, así que se apresuró a desplazarse a la derecha y cogió el remo. Al hundir la pala en el agua, notó el tirón de la corriente y acomodó su ritmo al de él. Por suerte, pensó, no era un hombre joven, y se interrumpía para descansar sus propios brazos en los tramos donde el río se ensanchaba y la corriente era menos potente. Pero esos respiros eran breves. Pronto la corriente empezaba a arrastrar la barca río abajo y él volvía a coger el remo.

A media mañana llovía ya a cántaros.

A mediodía le dolían los brazos. La lluvia se reducía ahora a una bruma que se adhería a la piel y al aliento. La capa de lana abrigaba demasiado para semejante esfuerzo, pero no se atrevió a quitársela. La lana la ayudaba a repeler el agua, a diferencia de la camisa de hilo. Sin la capa, la camisa y el pantalón enseguida se empaparían y se adherirían al cuerpo. La bruma se espesó, convirtiéndose en niebla, y se acercaron a la orilla para evitar las embarcaciones mayores que navegaban por el canal principal. Kate respiraba con dificultad.

Pero lo peor de todo era que necesitaba hacer aguas.

Desvió la mirada cuando Swinford se puso en pie y, buscándose a tientas la bragueta, se acercó al borde de la barca. Kate seguía ruborizada cuando él volvió a ocupar su asiento.

—Os noto un poco sofocado —comentó él—. No os conviene excederos en vuestro estado de debilidad. Puedo arreglármelas yo solo por un rato.

—Os agradecería el descanso —contestó ella con voz ronca.

Pero el respiro le proporcionó poco alivio. La ocasional ola levantada por la estela de embarcaciones mayores aumentaba su malestar. La orilla terrosa y los juncos podridos despedían un olor a turba repulsivo, pero no se mareó. Solo se sentía mojada y desdichada, e incluso un poco hambrienta. ¿Por qué no se le había ocurrido coger una galleta? Lo único que llevaba encima era la pequeña bolsa de dinero que le había dado sir Humphrey, con la intención de utilizar una pequeña cantidad para pagar parte del género recibido.

Empezó a llover de nuevo, a mares. Se formaron charcos en el fondo de la barca.

—Más vale que nos detengamos y busquemos un lugar donde refugiarnos o al menos algo con que achicar —gritó Swinford.

Asintiendo, Kate cogió el remo y lo manejó vigorosamente, ajena al dolor en la parte superior del brazo. En cuanto llegaron a la orilla, encontró un sitio discreto donde orinar. Por primera vez ese día, se alegró de la lluvia.

✴

Para cuando llegaron a Reading, las campanas de la iglesia tocaban a completas, y Kate estaba tan cansada que ni siquiera se preguntó adónde iban mientras seguía a su acompañante por una calle tortuosa hasta un callejón donde se alzaba una hilera de casas con armadura de madera. Swinford se detuvo ante la tercera casa y llamó a la puerta suavemente con los nudillos. Una mujer tocada con un gorro de dormir orlado de encaje y un mantón sobre el camisón abrió la puerta. Sostenía una vela pero cubría la llama con la mano para que la luz no se proyectara hacia la calle.

—Ya casi no os esperábamos —dijo en voz baja—. El otro ya está aquí. He puesto un par de colchones de paja junto a la chimenea en la cocina para vosotros dos. —Mientras hablaba, los conducía a la cocina, donde aún impregnaba el aire un olor a cebada y carne de ternera hervida. Al percibirlo, a Kate le gruñó el estómago. La mujer encendió las teas de junco prendidas del muro con la vela que llevaba. Las sombras oscilaron en las paredes–. Hay un poco de pan en la mesa y sopa todavía caliente en la olla. Os ayudará a entrar en calor. Buenas noches, pues.

Pero Kate estaba demasiado agotada para comer. Arrancó una corteza de pan para acallar los ruidos de su estómago. Cuando se acostó en el colchón, se preguntó si sería prudente quitarse el sombrero empapado, pero decidió que quedaría aún más raro dormir con él puesto. Se había recogido el pelo en una apretada trenza y lo llevaba cubierto con un pañuelo. Se notaba el cuero cabelludo tenso y le picaba. Al menos en la penumbra de la cocina podía quitarse la capa. Agradeció la gentileza de la mujer por dejarles un cobertor limpio y por la buena conservación de la casa; la manta olía a lejía y lavanda. Se tapó hasta la barbilla.

–Deberíais probar esta sopa. Está buenísima –dijo Swinford.

–Estoy demasiado molido para comer –contestó Kate, sorprendida al descubrir que ya no tenía que simular la ronquera porque se había quedado afónica de verdad.

Se durmió oyendo sorber la sopa a Swinford y soñó con el agua de un río negro y una oveja que balaba lastimeramente en la orilla. En la cabeza llevaba el sombrero de tres picos de John empapado.

⚜

Kate despertó temprano. Entumecida por dormir en el suelo y con el brazo dolorido de remar el día anterior, se puso la capa y el sombrero y salió a orinar bajo la luz del amanecer. Ya no llovía, pero las gotas de agua seguían adheridas a la hierba y a las rosas de floración tardía en el pequeño jardín. En cuanto hubo hecho sus necesidades detrás de un cobertizo al fondo del jardín, dio un paseo por la calle.

Conque esto es Reading. Había oído a John hablar de Reading. No se parece en nada a Londres, pensó, mirando alrededor con avidez. Lamentaba no haber podido ver mejor la orilla el día anterior por culpa de la niebla, ya que nunca había remontado el río más allá del magnífico palacio nuevo del cardenal Wolsey en Hampton Court. Allí no había magníficos palacios. Aquello era solo una pequeña aldea dormida, le pareció, aunque le constaba que había una abadía cerca con un abad que simpatizaba con la causa luterana.

Si lo ocurrido la noche anterior era señal de algo, también los aldeanos simpatizaban, y acogían en sus casas a los contrabandistas de Biblias, arriesgando con ello sus propias vidas y propiedades. Se preguntaba a qué distancia de allí estaría la abadía cuando vio volutas de humo en algunas de las chimeneas. El aroma de las fogatas de las cocinas se mezcló con la fragancia a tierra húmeda, y confió en que la hospitalidad de la casa incluyera el desayuno. Esa idea y la intensidad de la luz le indicaron que era hora de regresar. Swinford estaría impaciente por ponerse en marcha.

Cuando volvió a entrar en la cocina, la recibió un agradable olor a carne frita en salmuera. Esta vez no esperó a que se lo ofrecieran, sino que cogió un trozo del tocino apilado en el centro de la larga mesa de madera de pino y una rebanada del pan de la noche anterior. También había en la mesa una jarra de leche y tazones. Se sirvió un tazón y lo bebió apresuradamente, y a continuación cortó en dos un trozo de pan, puso la carne entremedias y se lo metió en el bolsillo de la capa. A saber cuándo volvería a comer.

Mientras se limpiaba la boca con la manga de la capa, Swinford regresó. Lo acompañaba un hombre poco más o menos de la edad de Kate. Parecía vestido con ropa de viaje, pero le quedaba demasiado holgada, como si, al igual que Kate, se la hubiera cogido prestada a un hermano mayor.

—Tenemos que ponernos en marcha, si estáis preparado –dijo Swinford, mirando a Kate–. El carromato está enganchado y los caballos esperan.

—Estoy listo –intentó decir Kate, pero descubrió que la voz ni siquiera le salía. Las palabras surgieron en forma de áspero susurro. Al menos no tendría que fingir.

—Os presento a John Frith. Vendrá con nosotros a Bristol. Es uno de los estudiantes que encerraron en los sótanos de Oxford por comprar libros a Garrett. Acaba de salir del hospital. –Sonrió y luego añadió–: En circunstancias un tanto precipitadas, por lo que he oído.

—Encantado de conoceros, Gough. Veo que tenemos mucho en común –saludó el desconocido–. Me parece digno de elogio el hecho de que hayáis vuelto a la lucha. Voy al continente, donde espero ayudar a Tyndale. Yo también soy traductor. Estoy impaciente por contarle con qué valor vos y los demás como vos dais apoyo a su labor.

Se cree que soy John. Y elogia mi valentía, pensó Kate, advirtiendo que Frith, pese a su juventud y aparente vigor, estaba anormalmente pálido. La mano le tembló ligeramente cuando se la tendió. Ella intentó estrechársela con firmeza, como se la habría estrechado su hermano John en otro tiempo.

–Veo que nos haremos buenos amigos –dijo él, y sonrió.

Era la sonrisa más encantadora que Kate había visto en su vida. La bañó en su calidez.

VIII

*¿Os opondréis a Dios?… ¿Acaso no ha creado Él
[Dios] la lengua inglesa? ¿Por qué no le permitís,
pues, hablar la lengua inglesa, además del latín?*

WILLIAM TYNDALE,
La obediencia del cristiano

Con toda la masculinidad que pudo aparentar, Kate se encaramó a la parte trasera del estrecho carromato, rezando mientras se
acomodaba en el rincón frente a John Frith para ser capaz de mantener las apariencias. Aún tenían por delante varias horas de viaje.
El día anterior, en el trayecto río arriba, Swinford iba sentado delante
de ella y, como estaba nublado, la escasa luz no le había permitido
reparar en que la piel tersa de la mejilla de su acompañante no había conocido el roce del filo de una navaja ni presentado jamás el
menor asomo de barba. Pero John Frith se hallaba sentado muy
cerca, tanto que ella veía la sombra de una barba oscura en su tez
pálida y percibía el olor a humo de leña adherido a su ropa. Saetas
de intensa luz traspasaban las nubes, invitando a una observación
más detenida. Mientras procuraba olvidarse de la incómoda tirantez de su cabello trenzado y tapado, se caló el sombrero de tres picos de John hasta las cejas para eludir la mirada inteligente de Frith.

No tenía por qué preocuparse. Frith le dirigió una alegre sonrisa, dijo: «Os deseo un buen viaje, Gough» y se quedó dormido en cuestión de minutos, con la cabeza caída sobre el pecho. Ni siquiera las sacudidas y vaivenes del carromato por los caminos surcados de roderas interrumpieron sus rítmicos ronquidos. Dos horas más tarde, aún dormía, con lo que Kate pudo disfrutar del paisaje sin el desasosiego de verse obligada a mantener la postura.

Al mediodía el calor apretaba y la luz del sol jugaba al pilla pilla con los cúmulos de nubes. Swinford se detuvo para dar un descanso a los caballos. Kate orinó en una arboleda cercana, confiando en que sus compañeros de viaje no eligiesen el mismo lugar. Pero cuando volvió a subir al carromato, Frith no se había movido y Swinford sujetaba las riendas.

—Sois muy pudoroso, Gough, todo hay que decirlo —comentó Swinford, y soltó una carcajada.

—Ando flojo del vientre. No querría ofender vuestra sensibilidad —contestó Kate con aspereza, pensando que un hombre debía responder a una pulla con otra. Señaló con la cabeza a Frith y preguntó—: ¿No deberíamos despertarlo? Quizá le convendría estirar las piernas.

—No, dejadlo dormir. Lo ha pasado mal, el pobre. El sueño le sentará bien. Ya volveremos a parar. Y si no, puede mear desde un lado del carromato.

Mientras Kate intentaba apartar de su cabeza la idea de Frith «meando desde un lado del carromato», Swinford sacudió las riendas y el carromato se puso en marcha bruscamente. Llevándose la mano al bolsillo de la capa, sacó el trozo de pan con carne y masticó distraídamente. Contempló a su compañero dormido. Dormido, se lo veía inocente, incluso infantil, pese al asomo de la barba cada vez más oscura en su cara, y muy pálido. Su cuello largo y blanco parecía a punto de partirse bajo el peso de la cabeza desplomada. Sobre su frente caía un bucle de pelo castaño, en contraste con su tez clara. Kate resistió el impulso de formar un rebujo con un trozo de arpillera y colocárselo detrás del cuello a modo de almohada.

Era un rostro inteligente —al menos la parte que ella veía—, con una mandíbula resuelta y una frente noble. Era traductor, había explicado, simpatizante luterano, que iba al continente para reunirse con Tyndale. Y si bien no lo había dicho, o no a las claras, Kate dedujo que era un fugitivo. Dudaba que los prelados soltaran a los estudiantes sin más. Este sin duda se había fugado del hospital. Antes de tiempo, a juzgar por sus escasas fuerzas.

Frith se revolvió y se desperezó.

–Perdonad por ser tan mal compañero de viaje –se disculpó–. Es que… bueno, ¿para qué hablar de eso? Me alegro de haber salido de ese apestoso sótano.

–Debió de ser terrible –comentó ella, tapándose la suave barbilla con la mano.

Él restó importancia a sus palabras con una sonrisa.

–El precio no ha sido alto, ¿no os parece? Somos hombres al servicio de la Palabra, vos y yo, Gough. Hermanos –dijo, rodeándole el hombro con el brazo y dándole una leve sacudida.

Kate sintió un temblor por todo el cuerpo, un temblor que no tenía nada que ver con el brusco traqueteo del carromato. Se sonrojó de vergüenza. Qué poco se parecía ese hombre a su hermano, aunque habría sido su amiga gustosamente, y quizá algo más. Su encanto natural y su valor le llegaron al corazón. Habría deseado conocerlo mejor. A John también le habría caído bien, lo sabía. O al menos al John de otro tiempo.

–¿Estáis bien, Gough? –preguntó Frith–. Parece que alguien acabara de pisar vuestra tumba. –Habló con desenfado, cordialmente, pero Kate vio preocupación en sus ojos oscuros y sintió un escozor en los suyos al recordar las palabras de Frith cuando le dio la enhorabuena a su hermano por su valor.

–Es que se me ha metido arenilla en el ojo –gruñó ella, y de pronto deseó con toda su alma que llegaran a tiempo a su destino para que ese tal John zarpara en su barco y consiguiera escapar.

⚜

Cuando llegaron a Little Sodbury, las largas sombras habían desaparecido detrás de unos amenazadores nubarrones. Si bien el compañero de Kate ya no dormía, se había sumido en un estado pensativo y parecía poco predispuesto a hablar. Una expresión de padecimiento sustituía ahora la actitud alegre que Kate había visto en el desayuno. El dolor empañaba sus ojos oscuros.

Pero a esas alturas Kate tenía su propio malestar del que preocuparse. Había empezado alrededor de una hora antes, con un dolor en el bajo vientre, y a cada vaivén y sacudida del carromato se propagaba por su espalda. Debía de haberlo provocado el traqueteo del viaje o quizá el desasosiego que le producía lo que ahora se le antojaba un plan muy absurdo. Pero al margen de cuál fuera la causa que había precipitado la intempestiva llegada del mes, no estaba preparada para hacerle frente. De nuevo se alegró de llevar la capa oscura y gruesa de John. En cuanto llegaran a Sodbury Manor –Te ruego, Señor, que lleguemos pronto a Sodbury Manor–, ya buscaría la solución. Al fin y al cabo, ¿qué podían hacerle, aparte de reprenderla, si descubrían que era una impostora? Seguramente compartirían el género con ella en consideración a John, eso como mínimo.

Un relámpago iluminó la capa baja de las amenazantes nubes. El carromato dio un bandazo, y un leve gemido escapó de sus labios. Lanzó una mirada a Frith, que tenía la cabeza apoyada en un lado del carromato y los ojos cerrados. Si a él lo prendían, tendría que enfrentarse a algo mucho peor que un momento de bochorno y una ligera reprimenda. No parecía haberse percatado del relámpago ni de su quejido.

–Ya hemos llegado –anunció Swinford, levantando la voz–. Y no demasiado pronto. Vosotros dos apeaos, yo llevaré los caballos a la cuadra.

En respuesta se oyó el gruñido de un trueno, acompañado de una ráfaga de viento. Kate se levantó, intentó saltar al suelo pese a la flojera en las piernas, sintió el flujo caliente entre los muslos e instintivamente los apretó para contenerlo. John Frith la siguió, con paso casi igual de inestable que el de ella. Sin duda las puertas del paraíso no le serían más gratas que la entrada de esa hermosa casa solariega con el resplandor de sus lámparas encendidas en la ventana.

Lord y lady Walsh esperaban en la puerta.

–Pasad, y bienvenidos seáis. No hay tiempo que perder –dijo él.

–Pero sí podéis tomar un refrigerio antes de ir a recoger el envío –añadió ella.

Las velas de unos candeleros, colgados de las altas vigas y de la pared, combatían la penumbra de la inminente tormenta. De vez en cuando un rayo iluminaba un par de vitrales situados a considerable altura a ambos lados de una gran chimenea, aunque los posteriores sonidos de los truenos quedaban ahogados por las gruesas paredes revestidas de yeso. Las velas parpadearon cuando Swinford entró sacudiéndose unas gotas de lluvia de los hombros.

En una mesa situada en el centro del salón habían servido lonchas de carne asada y pan recién salido del horno. Un cesto de manzanas y peras rojizas resplandecía bajo la luz de unas velas encendidas en un candelabro de plata. Kate advirtió que estaba famélica, pero el dolor en la zona lumbar y el vientre le recordó que tenía asuntos más apremiantes que atender antes de aplacar el hambre.

–Milady, ¿puedo hablar un momento con vos?

Lady Walsh la miró con rostro expectante.

–En privado, por favor –balbució Kate, sintiendo un repentino y creciente calor y rubor en la piel, no ajena a la expresión de desconcierto en el rostro de Swinford. John Frith, que parecía demasiado cansado para darse cuenta, se desplomó en un banco frente al fuego.

–Naturalmente –respondió la dama, acercándose a Kate, que permanecía un poco aparte.

Kate le susurró algo al oído. El semblante de lady Walsh traslució sorpresa solo por un momento.

–Por favor, caballeros, servíos de estos alimentos mientras aguardamos a que amaine la tormenta. Lord Walsh os pondrá al corriente acerca de las actividades de esta noche. El joven maese Gouth y yo regresaremos enseguida. –La mujer dirigió una afectuosa sonrisa a Kate y le indicó que la siguiera.

Nadie se dio cuenta de que John Frith se había sumido en un estado de inconsciencia, cayéndosele la cabeza sobre el pecho.

～✁～

–Arriad la vela mayor –ordenó el capitán al avistar Sand Point. Se oyó un correteo de pies hacia el palo mayor mientras *El canto de la sirena* entraba en silencio en el canal de Bristol en dirección al promontorio y de pronto se aflojó su gran vela cuadrada.

Llegaban antes de lo previsto. La claridad del día no permitía aún ver las almenaras encendidas de Worleburg Hill y en cambio sí permitía ver el nombre del barco pintado a estribor. Ordenó que dejaran colgar los cabos por la borda descuidadamente para camuflar las letras recién doradas de *El canto de la sirena*.

–Soltad el ancla aquí –vociferó. El barco se meció suavemente, con la vela de mesana ahora también oculta, a menos de una legua de los bajíos de la ensenada. Un barco de pesca más allí fondeado, que rondaba las prolíficas aguas del canal, y no el barco más rápido en aguas inglesas: eso verían los hombres del rey. Pero, a decir verdad, la pequeña carabela de treinta toneladas con su tripulación de diez hombres y cuatro velas negras podía superar en velocidad a cualquier buque que le diese caza, excepto a un galeón español, y quizá también si el perseguidor llevaba demasiados cañones. Era una embarcación hermosa y rápida, y le pertenecía.

Y por eso Tom Lasser la amaba.

Pero, a pesar del solitario cañón oculto detrás de la portilla de aspecto inocente y la velocidad de navegación, lo ponía nervioso estar allí inmóvil como un gran cisne negro a la vista de cualquier agente de aduanas curioso. Peor aún, en el cielo de poniente, detrás de ellos, se acumulaban grandes nubarrones, formando una línea curva sobre la ensenada y extendiéndose tierra adentro. Su muñeca, fracturada hacía unos años en una escaramuza de la que no había podido huir, le dolía aún cuando amenazaba tormenta. Era más certera que cualquier augur.

En ese momento le dolía.

Un temporal de principios de septiembre que se acercaba por detrás podía dejar encallado *El canto de la sirena* en la ensenada, quizá incluso empujarlo hacia tierra hasta hacerlo embarrancar permanentemente en las aguas poco profundas. Pensó en soltar los botes y descargar la mercancía antes de tiempo con la idea de esconderla en la ensenada, y en cualquier otro momento es lo que habría hecho.

A lo lejos resonó un trueno. La mujer muda que cuidaba de su camarote salió a cubierta. El segundo de a bordo le lanzó una mirada de desaprobación y, mascullando entre dientes, empezó a juguetear con el cabo del ancla. Lasser lo miró con expresión ceñuda

101

y el hombre calló. Más de una vez había tenido que poner orden entre la tripulación para que aceptara la presencia de una mujer a bordo, sobre todo por tratarse de una mujer a quien los buenos hombres de su aldea habían cortado la lengua. Pero el capitán Lasser pagaba lo suficiente a sus hombres para que pasaran por alto sus supersticiones, y a bordo todos habían firmado o marcado con una X su conformidad con la presencia de ella.

La tormenta debía de haberla atraído a cubierta. Por norma, permanecía en el camarote, sin dejarse ver. En su día, cuando el capitán la encontró desangrándose y gimiendo a la vera de un camino, no sabía si la mujer realmente tenía poderes adivinatorios –quizá era cierto que veía visiones en las aguas quietas–, pero sí sabía que estaba muerta de hambre y lloriqueaba. Los hombres la habían usado para su placer antes de castigarla por tratar con el diablo, al parecer sin preocuparles que, si de verdad era una bruja, pudiera dejarles los testículos reducidos al tamaño de guisantes.

Él la había llevado a su posada, donde le dio de comer y había llamado a un médico para cauterizarle el muñón sangrante de la lengua. Unas semanas después, cuando la mujer ya estaba curada y él le dijo que se marchara, ella se negó a irse. Debieron de ofrecer todo un espectáculo en el muelle: él ahuyentándola como uno intentaría espantar a un gato callejero, y ella manteniéndose en sus trece, dando un paso cada vez que él daba un paso, como si estuvieran unidos por los tobillos. Al final, él levantó los brazos y se alejó.

Ella lo siguió hasta el barco.

Al principio el capitán Lasser no le prestó la menor atención. Pero pronto, al encontrarse con la ropa blanca y la cámara limpia, la comida realmente comestible, acabó aceptando su presencia con algo parecido a la gratitud.

–¿Qué te dicen tus bolas de bruja, Endor? –Endor, como él la llamaba, porque al parecer era analfabeta además de muda y no sabía escribir su nombre–. ¿Habrá tormenta?

Ella señaló el horizonte. Un relámpago zigzagueó en el cielo.

–Cierto. –El capitán se rio–. A mí me parece una señal.

El segundo de a bordo habló, contrayendo la boca nerviosamente. Tom no sabía qué lo ponía tan nervioso, si Endor o la tormenta.

–Podríamos atar bien el cargamento y dejarlo a flote. La mayoría de los barriles llegarían a la costa –propuso.

Tom sabía que, según el manifiesto del barco, llevaban grano y paño de Flandes, y algunas especias, pero lo que había realmente en la bodega era vino español y Biblias en inglés. Había previsto descargar parte de aquello en uno de los pequeños fondeaderos tranquilos de Greenwich o incluso antes –la costa del mar del Norte ofrecía muchas calas a trasmano donde, con la marea baja, la tripulación podía llevar la carga a pie hasta la orilla–, pero un inspector de aduanas se había subido a bordo en Gravesend para asegurarse de que no se cometía ninguna irregularidad y los había acompañado hasta Londres. Una vez allí no habían tenido la menor oportunidad antes de llegar al canal de Bristol. En principio, allí también debían recoger un cargamento: sarga, tejida y exportada sin pagar impuestos por las numerosas industrias artesanas de Gloucestershire. Ya había pagado un soborno de treinta libras en el establecimiento Mother Grindham, en el muelle de Bristol, para que los agentes de aduanas estuvieran ausentes cuando él recogiera la tela. Simplemente lo había añadido a los gastos de transporte, que seguían siendo inferiores a los impuestos de exportación que los artesanos habrían pagado a la Corona.

Las aguas de la ensenada quedaron en una calma absoluta. El cielo había oscurecido al acercarse las nubes, adquiriendo estas un color azul muy oscuro debido a su pesada carga. Treinta libras era poco dinero para evitar el riesgo de verse atrapados allí. Su segundo lo miró con inquietud, señalando el horizonte hacia el oeste.

–Basta con que deis la orden, capitán.

Tom negó con la cabeza.

–No, creo que pasará de largo. Dentro de una hora ya será de noche. Cuando veamos la almenara, enviaremos los botes a la orilla con la carga.

Pero Tom no creía que la tormenta fuera a pasar de largo. El problema era que no solo tenía que pensar en la carga. Había prometido a Humphrey Monmouth que recogería a un pasajero, y Monmouth le había salvado el pellejo demasiadas veces para que Tom lo dejara en la estacada si podía evitarlo. Además, hacían muchos negocios juntos, y el capitán Lasser tenía fama de ser fiable en las entregas. Existían otros barcos y otros patrones a los que

103

Monmouth podía recurrir a su antojo. Un comerciante ya había construido su propio «barco de cabotaje», el *Dorothy Fulford*, jactándose de que lo rentabilizaría en menos de un año solo con los beneficios del contrabando. El capitán Lasser no quería que a Monmouth se le metiera esa idea en la cabeza.

Lanzó una mirada hacia el lugar junto a la barandilla donde un momento antes estaba Endor, pero ella había bajado con el sigilo de una sombra.

–Decid a los hombres que aseguren los aparejos y se preparen para hacer frente a una tormenta –ordenó.

IX

El rey, en este mundo, no tiene ley; y puede actuar
bien o mal a su antojo, y solo rendirá cuentas a Dios.

WILLIAM TYNDALE,
La obediencia del cristiano

—Vuestra majestad, me cortejáis con demasiado ímpetu, siendo como soy una simple doncella.

Riendo, Ana Bolena se apartó de los brazos del rey, con la esperanza de aplacar su ardor sin inflamar su mal genio. Era siempre muy consciente de que con él andaba por una cuerda floja.

Era un magnífico día de finales de verano en Hampton Court, un día colmado de posibilidades y esperanza. En un día como ese, en el que los pajarillos gorjeaban entre las ramas podadas de los setos, Ana casi creía que podía llegar a ser la reina de Enrique. En un día como ese, en el que el aroma del sol y las rosas perfumaban el aire, casi creía que Enrique era un hombre sincero.

Una brisa agitó las cintas de su corpiño, que el rey se había afanado en desatar. Con esa misma brisa llegó el sonido cristalino de risas de mujeres desde algún lugar en el exuberante corazón del laberinto.

Enrique no pareció oírlas.

–Tu pelo huele a mil flores y tus labios son cerezas maduras… cerezas maduras… déjame probarlas –musitó Enrique, y ella sintió su aliento húmedo y denso en el cuello. Sus dedos volvieron a pugnar con los cordones–. Tus… pequeños pechos… son firmes como granadas. Catalina los tiene… tan caídos.

Ella se apartó, dándole una suave palmada en los dedos y besándolos con delicadeza para atenuar el rechazo. ¿Cómo podía una eludir a un rey? Se estremeció ante su propia temeridad.

–Mi señor, deberíamos salir del laberinto y buscar más compañía para que no me sienta tentada por el encanto y el ardor de vuestra majestad. –Se anudó los lazos del corpiño con mano no tan experta como la de él al desatarlos–. El cardenal puede presentarse aquí en cualquier momento. O peor aún, uno de los espías de la reina Catalina. Mientras no sea vuestra esposa legítima, conservaré mi virginidad. Cualquier otra cosa sería inadecuada para llegar a ser vuestra reina y permitiría poner en tela de juicio la verdadera ascendencia de vuestro futuro heredero.

Enrique apretó los labios en un afectado mohín, que a ella le recordó la mueca de un niño mimado al verse privado de su juguete preferido.

–Ella no es mi reina –dijo él–. Era la reina de mi hermano. Yo solo era un muchacho cuando él murió e ignoraba que fuese pecado llevarla a mi cama. Pero es un pecado que puede remediarse con gran facilidad. Si esa vaca española no tuviese tan buenos contactos en las cortes papales, se habría concedido la anulación hace ya mucho tiempo.

Y vuestra hija María sería una bastarda. ¿Cómo se anula a una niña? Pero Ana se mordió la lengua. La otra única solución sería vivir como amante del rey, y a eso no estaba dispuesta. ¿Qué más daba si su padre era solo un caballero? Algo de la sangre de los Howard corría por sus venas, y el rey podía conceder el rango de noble de un plumazo. ¿Acaso no había nombrado a Charles Brandon, su amigo de la infancia, duque de Suffolk? Una reina con ideas reformistas sería beneficiosa para Inglaterra. La princesa María se había criado en el catolicismo, e Inglaterra estaba más que harta del papismo. El rey necesitaba un heredero, uno que no se criara en el catolicismo.

De nuevo unas risas se filtraron entre los setos. Esta vez se oyeron más cerca.

–Vamos, pues –exclamó Enrique con un gruñido–. De todos modos, con tanto hablar de Catalina has echado a perder el momento. Supongo que no negarás a tu rey tu casta compañía. –Pronunció la palabra «casta» con los dientes apretados.

Ana siguió las musculosas piernas enfundadas en medias de seda por entre los setos, esforzándose por no rezagarse.

–Me atenderás en la cámara privada del rey… con compañía, ya que insistes –dijo él, apretando el paso–. Ya han llegado los dibujos para mis nuevos tapices belgas. Al menos estos serán del agrado de mi señora. Y es un placer para mí exhibirte ante Wolsey. Le entra tal indignación solo de oír tu nombre que su gorda cara parece un jamón hervido.

–He observado que el cardenal no me aprecia –comentó Ana mordazmente.

Enrique se detuvo de pronto y se echó a reír. Ana respiró aliviada. Por lo visto, los nubarrones habían pasado. El rey se quedó inmóvil, en jarras, con las piernas un poco separadas, en lo que Ana consideraba siempre su pose para el campo de batalla, hasta que ella lo alcanzó.

–Eres una maestra del eufemismo. No es que le caigas mal a Wolsey. Es más bien que para él eres una fuente continua de vergüenza porque ha sido incapaz de servir a su soberano en este importante asunto. En realidad sería sir Tomás quien conspiraría contra ti, si se atreviera.

Habían salido del laberinto y cruzaban los vergeles. Más allá, docenas de hombres cavaban amplios estanques. Cuando el rey se acercó, palearon con más brío. Enrique se detuvo al borde de un estanque para mirar. El sol vespertino proyectaba las sombras de los perales y los manzanos sobre los trabajadores, como si las ramas fueran manos nudosas extendidas para atraparlos. Enrique se sentó en un banco y, con unas palmadas en el asiento, indicó el espacio junto a él.

–Imagino que esto es lo bastante público para que tu virtud no quede en entredicho, mi señora.

Ana pasó por alto el sarcasmo; sus pensamientos seguían anclados en el último comentario de él.

—Me temo que me habéis puesto en una situación peligrosa, majestad. Según parece, me he granjeado la enemistad de hombres muy poderosos.

Él dejó escapar una especie de resoplido.

—¿Te refieres a Tomás? No te preocupes por Moro. Está demasiado ocupado quemando herejes para concederle gran importancia a cualquier otra cosa. —Le dio una palmada en la rodilla—. Es a mí a quien tienes que complacer, Ana, solo a mí.

—Sospecho que sir Tomás podría considerarme objetable en todos los sentidos —dijo en voz baja. Titubeó por un momento, dudando, y por fin decidió que de nada servía contar con la atención del rey si no la aprovechaba—. Tengo algo que enseñaros. No tan extraordinario como vuestros tapices, pero creo que os conviene verlo.

—Vaya, eso me despierta curiosidad. ¿Es un nuevo poema que mi señora ha escrito, o quizá una pequeña joya, o una sedosa prenda de su amor?

Ana se sonrojó.

—No es nada de eso. Ya habrá tiempo para esas cosas cuando nuestras… circunstancias cambien. No, es solo un sencillo panfleto impreso.

—¿Un libro? —Soltó una carcajada tan estridente que uno de los excavadores miró hacia él y enseguida desvió la vista—. Mi reina no será solo hermosa sino también erudita. Soy un hombre afortunado. Sir Tomás Moro no será el único hombre de Inglaterra con mujeres doctas en su casa.

—Me temo que es un libro que ni sir Moro ni el cardenal aprobarían. —Se llevó la mano al bolsillo oculto cosido en la falda y le entregó el opúsculo—. Pido a vuestra majestad que tenga la bondad de examinarlo en privado y no divulgue la procedencia… si es esa vuestra voluntad, claro.

Él adoptó una expresión severa.

—¿No será una obra luterana herética? Te advierto…

—No es una obra luterana. Pero sí es obra de un hombre no muy querido por maese Moro. Es un libro de un tal Tyndale. Se titula *La obediencia del cristiano*.

–¿Dónde ha adquirido mi señora un libro así? –preguntó él con severidad.

–Llegó a mis manos cuando estuve de visita en el continente. Lo traje a Inglaterra antes de que se publicaran las actuales leyes para el control de licencias. Como la ley indica, lo entrego… os lo entrego a vos. –Le hizo una profunda reverencia.

–Muy sensato. Espero que todas vuestras decisiones sean igual de cautas. Si tus enemigos encontraran esto en tu poder, le sacarían mucho partido. Pero podías haberlo quemado.

–Pensé que quizá desearais leerlo antes.

–¿Tú lo has leído?

–Sí, mi señor, lo he leído.

–¿Y bien? ¿Qué te ha parecido?

Ella vaciló. Enrique tampoco era amigo de los luteranos. Al fin y al cabo, había redactado la refutación contra Lutero –siendo obra tanto de Tomás Moro como de él, sospechaba– que le valió el favor papal y el título de «Defensor de la Fe». Tragó saliva.

–Razona bien, pero tiene algunas influencias luteranas.

Enrique golpeó el libro contra su rodilla como para castigarlo.

–Entonces lo arrojaremos al fuego con los demás.

–Pero también contiene ideas sobre el derecho de los reyes que quizá den voz y peso a los propios pensamientos del rey.

–Los pensamientos del rey no requieren peso ni voz de más –replicó él con expresión ceñuda.

Ana respiró hondo.

–Siendo así, coincidís más de lo que pensáis con maese Tyndale. Eso es precisamente lo que afirma ese libro. Declara audazmente el derecho divino de los reyes por encima de todos los demás.

Él enarcó una ceja.

–¿Incluso del papa?

–Leedlo y lo veréis. El rey solo rinde cuentas a Dios.

Enrique le quitó el libro de la mano y lo examinó por un momento. Finalmente, se lo deslizó bajo la amplia manga de seda.

–Entonces lo leeré –dijo.

Desde un tejo por encima de ellos un par de cuervos eligieron ese momento para manifestar una estridente protesta. Él se rio.

—Tengo la impresión de que los del hábito negro ya protestan. —Y cogiéndola de la mano, añadió—: Vayamos a ver los dibujos para mis tapices.

Cuando salieron de los vergeles, el excavador más cercano dejó escapar un suspiro de alivio y se apoyó en su pala.

❧

El cardenal Wolsey estaba solo en el centro del gran salón, contemplando el techo de vivos colores: azul, rojo y oro y la armadura de vigas atirantadas. Una profunda tristeza se abatió sobre sus hombros revestidos de púrpura. Hampton Court, el mayor palacio de toda Inglaterra… y estaba a punto de cederlo. Qué necio había sido en su pretensión de eclipsar al rey, aunque, como bien sabía Dios, no había escatimado esfuerzos para mitigar la posible envidia de Enrique aludiendo a su posesión personal como uno más entre los palacios del rey.

«Desde vuestro palacio de Hampton», había firmado en toda su correspondencia a Enrique mientras residía allí. Pero a partir de esa noche sería propiedad del soberano con todas las de la ley. En un último esfuerzo por salvar la cabeza, si no el cargo, el canciller Wolsey entregaba al rey la posesión de su magnífico palacio a orillas del Támesis, donde había recibido y sobornado a no pocos prelados romanos y príncipes extranjeros. Un gesto generoso pero vacío, reflexionó. El rey podía adueñarse de cualquier palacio con un golpe de pluma, pero entregándolo voluntariamente Wolsey esperaba eludir el golpe de pluma y un golpe de otra clase.

Recorrió con la mano los surcos de los paneles de madera de las paredes, cuyas tallas imitaban los pliegues de unas colgaduras de tela. Sus aposentos privados tenían ese mismo revestimiento. Desde las ventanas emplomadas de su gabinete veía los jardines y el sinuoso río. Este palacio había sido, para el hijo de un humilde carnicero, la culminación de un sueño. Ahora lo había perdido todo: el palacio de Hampton, el sello de canciller… y no quería ni pensar en qué más podía perder. ¿Y por qué? Por una mujer, y ni siquiera una mujer hermosa según los parámetros de la corte. Era como si ella hubiese embrujado al rey, que no hablaba de otra cosa más que de su deseo de contraer matrimonio con ella. Estaba dispuesto a arriesgarse

110

a la ira del papa e incluso al fuego eterno por lo que pudiera encontrar entre sus piernas. La palabra «brujería» había corrido entre los partidarios de la reina. Pero Wolsey sospechaba que las artes oscuras de Bolena, fueran cuales fuesen, tenían más que ver con las dotes de Eva que con el diablo.

Sus espías le dijeron que ese día ella había estado en el laberinto con el rey. Incluso era posible que esa noche se sentara con él a la mesa del rey. Enrique la exhibía abiertamente mientras su vieja reina lloraba y pedía a su sobrino Carlos, el emperador del Sacro Imperio Romano, que impidiera que su marido la desplazara. De momento estaban en tablas, pero era solo cuestión de tiempo. Wolsey lo veía en la expresión de lascivia que asomaba a los ojos de Enrique siempre que miraba a Ana y en la seguridad que se reflejaba en los ojos oscuros de ella. Si Ana aguantaba lo suficiente, sería reina. Y Enrique habría desafiado a un papa. Thomas Wolsey no tenía cabida en semejante corte. Pero no le apetecía volver a York. En otro tiempo pensaba que a esas alturas estaría ya en Roma, sentado en el trono papal, pero ese sueño se había truncado.

La luz oblicua que entraba por las ventanas le indicó que ya casi era la hora. Los criados ya venían a colocar los tableros. Esa podía muy bien ser su última cena en aquel magnífico salón. El rey ya estaba decorando las paredes. Pronto le pedirían a Wolsey que entregara su sello de canciller. Al día siguiente partiría rumbo a casa, rezando para que sus enemigos no fueran tras sus pasos. Que los chacales se pelearan por el gran sello. Thomas Cromwell o Tomás Moro. Eso a Wolsey le importaba tanto como un cubo herrumbroso lleno de mierda de burro. Aunque compadecía al hombre que luciera la gran cadena. Para Wolsey no había sido más que una carga desde que Enrique decidió arrinconar a su reina española.

–¿Dónde ponemos el escudo de armas del rey, su eminencia?

Wolsey se quedó inmóvil por un largo momento, contemplando su propio emblema en el otro extremo del salón. Símbolos sagrados pintados sobre un fondo rojo bajo el capelo: la cruz y las llaves del reino descansando sobre el lema: *Dominus mihi adjutor*.

–El Señor es quien me ayuda –murmuró, meditando sobre la ironía.

–¿Su eminencia?

–Ponlo allí –dijo con aspereza, señalando su propio emblema–. Embala ese y envíalo a York. Y utiliza las telas de oro para los tableros –ordenó–. Para que el rey tenga un buen concepto de nosotros.

Abandonó el salón para una última visita a las cocinas y la bodega. Elegiría el vino personalmente.

Tomás Moro entró en las cocinas de Hampton Court con un cometido. Arrugó la nariz ante la terrible agresión a sus sentidos. Aquello apestaba a chimeneas humeantes, grasa quemada y a la sangre de animales recién sacrificados. Cielo santo, solo el ruido bastaba para desquiciar a un hombre: golpes de sartenes, vocerío. Sintió un escozor en la nariz a causa del olor acre a humo. Tosió. Aquello era como entrar en el infierno. Pero a través de la neblina azul suspendida sobre la cocina más amplia, donde un carnicero ensartaba un ciervo muerto en un espetón, avistó a su presa y se abrió paso a empujones entre los trabajadores agobiados y sudorosos –algunos con librea, algunos con andrajos– que trajinaban en el laberinto de recocinas. Unos cuantos lo reconocieron y se separaron ante él como las aguas del mar Rojo ante Moisés.

Hampton Court no era el lugar preferido de sir Tomás Moro, ni la cocina ni los suntuosos aposentos de los pisos superiores. Si bien era cierto que a Tomás le gustaba estar rodeado de objetos agradables –cuadros, libros, una mesa bien surtida–, veía en el exceso una aparente falta de orden que lo inquietaba, y la sobreabundancia de riqueza era el sello característico de la corte. El palacio entero, desde los magníficos jardines hasta la recargada capilla, exhalaba los ponzoñosos hedores de la intriga y la angustia. Al entrar en aquel caos donde se preparaban comidas dos veces al día para las hordas de aduladores que cruzaban sus puertas, se le tensaron los nervios tanto como las cuerdas de un arpa. Anhelaba estar de regreso en Chelsea, en su biblioteca después de una comida sencilla con su familia, pero el rey lo había emplazado esa noche en Hampton Court y por consiguiente había decidido dar un buen uso a la velada.

Localizó al hombre que había ido a ver, que en ese momento manipulaba un leño tan grande como el tronco de un árbol. Tomás rebuscó en la memoria el nombre de aquel que lo había llevado una o dos veces en barca desde Hampton hasta Chelsea.

Albert… Alfred… no, era una letra más avanzada del alfabeto… James… Paul… Peter…

—Robert —llamó, y se apresuró a avanzar en dirección al trabajador.

El criado arrojó el leño a las gigantescas fauces de la chimenea que se extendía de pared a pared al fondo de la cocina y se dirigió con un brazado de leña pequeña hacia los hornos dispuestos en la pared contraria. Alzó la vista al oír su nombre, deteniéndose lo justo para enjugarse el sudor de la frente con el brazo.

—¡Sir Tomás! Me sorprende veros aquí. Aquí abajo, quiero decir.

—Y yo de verte a ti. Como no estabas en el muelle, he preguntado y me han dicho que mirara en las cocinas. ¿Te han trasladado de puesto permanentemente?

—Cuando el rey viene a cenar, nos obligan a todos a prestar servicio, so pena de perder la licencia de barquero. Pero en cuanto acabe aquí volveré al muelle, por si necesitáis un barquero que os lleve a casa esta noche.

—Me alegro, Robert. Te cuentas entre los barqueros más rápidos del río. Pero no es esa la razón por la que he venido a buscarte. ¿Podemos hablar en privado en algún sitio?

Robert lanzó un vistazo a los hornos.

—No será más de un minuto, te lo prometo.

—La antecocina seguramente estará vacía.

—Ve tú delante, yo te seguiré —ordenó Tomás, siguiéndolo hasta una pequeña habitación donde dos pavos reales, asados y revestidos nuevamente con su vistoso plumaje, aguardaban en una repisa a que los fueran a buscar para llevarlos a la mesa del rey. Bandejas con tartas en forma de corona, guarnecidas con polvo de oro auténtico, esperaban también a que las sirvieran. Sin duda, una de dichas tartas sería colocada ante él en la cena. Esperaba que el rey no mirara cuando él retirara el oro con el tenedor. Los metales preciosos eran para llevarlos como adorno, no para comérselos.

El hombre, incómodo, empezó a moverse.

—Iré al grano para que puedas volver enseguida a tu trabajo. La última vez que remaste para mí, me hablaste de un tal Harry

Phillips, y me dijiste que trabajabas en casa de su padre. «Un tarambana», creo que lo llamaste, un hombre que haría cualquier cosa si el precio fuera el adecuado. ¿Sabes dónde puedo encontrar a ese hombre?

El criado parecía atónito, aunque Tomás sabía que no se atrevería a preguntar directamente por qué él, en su posición y reputación, buscaba a alguien así.

—Tengo pendiente un trabajo de limpieza en Chelsea. La clase de trabajo que solo aceptaría un hombre desesperado por dinero. Excede un poco las posibilidades de mis criados. Si no recuerdo mal, ese tal Harry era un hombre culto con ciertos vicios lamentables pero caros. Esa clase de individuo suele estar desesperado.

Robert se enjugó de nuevo con el brazo. Las gotas de sudor resplandecían entre el vello de su antebrazo. Desde las amplias habitaciones de detrás de la antecocina, en medio del estrépito de sartenes, les llegó una voz:

—¿Dónde está Robert? Necesitamos más leña para los hornos del pan.

—Vuelve al trabajo. No queremos que el pan del cardenal quede a medio cocer.

—No, desde luego. —Robert sonrió.

—Estaré en el muelle después del banquete. Si consigues que llegue a casa a tiempo para que pueda desayunar con mi señora, te compensaré la pérdida de sueño. Ya volveremos a hablar de ese Harry Phillips, y de si es o no adecuado para el trabajo. No es nada importante.

—¡Roberrrt!

—Ya voy —prorrumpió el criado en dirección a la voz desconocida, y luego dijo a sir Tomás—: Allí estaré, milord, si consigo escaparme.

—Se lo comentaré al cardenal en la cena. Pediré que ponga a mi disposición a mi barquero preferido.

Pero Tomás no tuvo que esperar hasta la cena. Cuando salía de las cocinas, pasó por el descansillo desde el que descendían unos peldaños hasta la sala donde se hallaban los toneles de vino, dispuestos como crisálidas gordas y redondas en ordenadas hileras. Entre los toneles vio la sobrepelliz y el capelo de color púrpura de

114

Wolsey: inclinado, observaba mientras el bodeguero mayor abría un agujero en un tonel, introducía un cucharón y se disponía a servir vino en una copa. Al oír el suave susurro del calzado de Tomás, Wolsey alzó la vista.

–Tomás –dijo, haciéndole señas–, ven a probar esto. A ver si te parece digno de la mesa del rey.

El bodeguero agitó el vino tinto en la copa para que desprendiera su intensa fragancia. Tomás tomó un sorbo. Era un vino afrutado, con mucho cuerpo, y se apreciaba un ligero resabio del roble en el que se había criado, como una mujer recién levantada de la cama que aún conservara la fragancia de sus sueños en la piel.

–Es un vino excelente, su eminencia, un buen borgoña.

–Tienes buen olfato, Tomás. –La parca sonrisa de Wolsey puso de manifiesto su satisfacción por el hecho de que Tomás aprobase el vino–. Eso es lo que proporciona a un hombre su alta cuna. La capacidad para valorar las cosas buenas.

Siempre será el hijo de un carnicero, pensó Tomás. No del todo seguro de su propio gusto. Siempre eligiendo la azucena dorada en lugar de la magnífica flor de la naturaleza. Eso explicaba en gran medida los excesos del palacio de Hampton.

–Este vino fue un regalo del duque de Borgoña en su última visita –prosiguió Wolsey. A continuación bajó la voz y musitó como si hablara consigo mismo–. Hombres poderosos han deambulado por las salas de este gran palacio. –Y entonces pareció recordar que no estaba solo–. Pero nunca antes había encontrado a uno en mis cocinas. ¿Qué te trae a esta región subterránea cuando todos los demás pasean por los jardines? ¿Algún plan secreto?

–Os habréis enterado, supongo, de que uno de los estudiantes de Oxford se ha fugado. Es probable que ya esté de camino al continente –respondió Tomás.

–Sí. –El cardenal, todavía preocupado por el vino, volvió a olfatearlo y devolvió la copa al bodeguero–. Este servirá –dijo, y le indicó que ya podía irse–. Sácalo una hora antes de servirlo para que respire. El decantador con piedras preciosas incrustadas para la mesa del rey; el de plata para los caballeros.

–¿Y para los demás? –preguntó el bodeguero.

—Elige tú. —El cardenal lo despachó—. Ahora déjanos solos un momento.

Despidiéndose de sir Tomás con una inclinación de cabeza, el bodeguero abandonó la sala.

—Lástima no haber puesto al joven Frith bajo vigilancia. Según he oído, es amigo de William Tyndale. Así podrías haber descubierto el paradero de tu hombre rápidamente, maese Moro. Podrías haberlo seguido como un sabueso sigue a un zorro.

—¿Mi hombre? Su eminencia, creía que vos más que nadie…

—Sí, sí, claro. Pero pocos persiguen la herejía con la misma pasión que tú, cosa un tanto extraña teniendo en cuenta que no eres clérigo, sino un… abogado.

Tomás interpretó la palabra «simple» en la pausa del cardenal.

—Por eso precisamente —contestó Tomás, percibiendo la aspereza en su propia voz, sin importarle si Wolsey la percibía también o no—. Frith y Tyndale y los de su calaña quebrantan la ley. La ley del propio rey. Yo me limito a cumplir con mi obligación.

—Sí, sí, claro, Tomás. —Agitó los ensortijados dedos con displicencia—. Es muy sensato por tu parte cumplir bien con tu deber. Es la manera de ascender. Y pronto habrá dos cargos libres. Uno es el de Maestro de Retrete: una función importante. Porque ese hombre controla el acceso al rey en sus momentos más íntimos. Pero por alguna razón no te veo como el hombre adecuado para limpiarle el culo al rey. —Se rio—. ¿Qué te trae por mis cocinas?

Si bien Wolsey era famoso por su temperamento explosivo, esa noche estaba de un talante extraño. Tomás decidió que debía hablar con cuidado.

—Buscaba a uno de los barqueros que tenéis a vuestro servicio, con la idea de que me llevara a casa.

—¿Has bajado aquí en busca de un barquero?

—En el muelle me han dicho que estaría aquí. Es un remero excepcionalmente rápido. Le prometí a lady Alice que estaría en casa para el desayuno.

—¿Cómo se llama ese barquero?

—Robert, excelencia.

—Ah, ese. Tiene los hombros de un buey. Y es muy parlanchín.

—Eso ayuda a pasar el rato en el viaje de vuelta —dijo Tomás con cautela.

—¿Habláis de algún tema en concreto?

La voz de Wolsey traslucía cierto recelo. Su paranoia había ido a más tras su incapacidad para proporcionarle el divorcio al rey. Tomás decidió hablar a las claras.

—Me mencionó a un tal Phillips, un hombre tan desesperado que sería capaz de realizar un trabajo poco corriente. Se me ha ocurrido que necesitamos a un hombre en el continente que busque a Tyndale. Conviene saber dónde están nuestros enemigos en todo momento.

El cardenal apretó los labios y miró a Tomás con los ojos entornados. Luego esbozó una sonrisa de complicidad.

—Una observación astuta.

Tomás asintió para llenar el silencio. Wolsey se apoyó en uno de los toneles.

—Estoy cansado, consejero. Empiezo a sentirme viejo. Ya nos veremos esta noche en el banquete. —Atravesó la sala, dejando a Tomás en medio de los tapones de vino. Al llegar al umbral, se volvió—. El otro cargo del que te he hablado… —dijo en voz tan baja que Tomás tuvo que aguzar el oído—. Creo que me ha llegado el momento de retirarme a York. La cancillería pronto quedará vacante. Cuentas con el favor del rey. Dice que eres un hombre íntegro —masculló—. Aunque, ahora que lo pienso, puede que tampoco seas adecuado para el cargo porque también en este anda por medio el enorme culo peludo del rey. —Se rio e hizo una pausa para mayor efecto—. Tienes que limpiárselo o besársclo. Por alguna razón, no te veo haciendo ni lo uno ni lo otro. Eso parece más bien el punto fuerte de tu rival.

—¿Mi rival, eminencia?

—Maese Cromwell. Seguro que has sentido su aliento caliente y ambicioso en la nuca. Es tan implacable como tú, pero quizá tenga menos principios. Será interesante ver a quién prefiere el rey: al fervoroso cazador de herejes o al reformista luterano al acecho entre la maleza.

Tomás se sorprendió ante la franqueza del cardenal, aunque no por su anuncio. Toda la corte sabía que Wolsey estaba en apuros porque había sido incapaz de obtener un divorcio, pero esos comentarios suyos podían considerarse traición. Tomás deseó no haberlos oído. ¡Y Thomas Cromwell, por favor! Casi se habría echado a reír solo de pensar que aquel parásito y cazador de fortunas de mirada aquilina pudiera ascender en la corte más allá de ayudante de Wolsey. Su ambición saltaba a la vista, pero él era torpe en sus maquinaciones. Tampoco era una novedad el hecho de que en privado simpatizara con la Reforma. El cardenal debía de haber soportado a esa víbora en su seno por el lazo común que los unía. El hecho de que el hijo de un carnicero se complaciera en la promoción del hijo de un cervecero dándole prioridad sobre el hijo de sir John Moro no debería sorprender a nadie.

Debía protestar formalmente por las indiscretas palabras del cardenal. A saber quién podía estar escuchando detrás de la puerta.

—Su eminencia…

Wolsey le indicó que callara con un gesto.

—A propósito, consejero, esta noche asistirá al banquete la ramera del rey. Tendrás tu primera oportunidad para ejercitar el beso en el culo.

X

Me asombra vuestra necedad por enredaros, o hasta comprometeros, con esa muchacha estúpida en la corte. Me refiero a Ana Bolena.

Cardenal Wolsey a lord Percy,
según palabras del criado del cardenal Wolsey

Sonaron las trompetas. El maestro de ceremonias levantó su báculo blanco y, bramando con la boca tan abierta que enseñaba las amígdalas para hacerse oír por encima del estruendo general de la música, los gruñidos de los perros, las risas y el ruido de sillas y bancos arrastrados, anunció:

—Su majestad el rey.

Se hizo el silencio entre los cortesanos allí reunidos cuando lady Ana Bolena entró en el gran salón de Hampton Court cogida del magnífico brazo de Enrique *Rex*. Ana arqueó la espalda y levantó el mentón en la pose altiva que contradecía su bajo rango como simple hija de un caballero entre los duques y condes que la observaban dirigirse al estrado.

Pero Ana no se subió al estrado con Enrique. Después de convencerlo finalmente de que un gesto tan prematuro no haría más que provocar a sus enemigos, se detuvo junto a la mesa situada justo debajo, donde el rey la dejó en manos de George, el hermano de Ana, que, cohibida, intentó retirar la mano cuando el beso ceremonial se prolongó más de la cuenta. Pero Enrique, como un niño sorprendido con la cuchara en el tarro de la miel, le dedicó una sonrisa traviesa y se negó a soltarla. Se regodea aireándolo ante las narices de todos, pensó ella.

Era consciente de que en la sala todos tenían la mirada puesta en ellos, haciendo cábalas sobre el gesto público de afecto del rey. Se alegró de haberse puesto el vestido de brocado amarillo y las mangas de satén verdes forradas de armiño. La piel le daba calor en el salón caldeado en exceso, pero la diadema a juego de terciopelo negro con esmeraldas e hilo de oro realzaba el brillo de sus ojos oscuros. Era el vestido preferido de Enrique, y el tocado y las mangas se los había regalado él.

Enrique se subió al estrado y se acomodó en la silla de respaldo alto, justo delante de Ana. Más ruidos de sillas y pies, y los cortesanos ocuparon sus asientos. Ya está. Ha pasado la peor parte, pensaba ella mientras dirigía una sonrisa tranquilizadora a Enrique, como si le dijera: «¿Lo ves? Así es mejor». Él le devolvió la sonrisa por un instante, esa mueca pícara, de niño mimado que generalmente era un mal augurio para alguien. Ana se preguntaba quién sería el blanco de sus maquinaciones esta vez –quizá los archienemigos de ella– cuando él levantó su copa y, con la mirada fija en Ana, gritó:

–Maestro de ceremonias, un brindis por la hermosa Ana Bolena, que nos honra con su presencia.

Ana, aunque sintió que se sonrojaba de vergüenza, lo miró a su vez, resistiéndose a bajar la vista en una hipócrita actitud de pudor virginal. Él siempre decía que le gustaba su temple; bien, pues ella se lo mostraría. Se levantó e hizo una profunda reverencia con un elegante floreo, casi rozando el suelo con los codos. Un tímido aplauso surgió de los cortesanos. Sin apartar la mirada de ella, Enrique levantó su copa y la apuró, y luego rio con la misma exuberancia con que había bebido.

Llenad ese vientre majestuoso, Enrique, pensaba ella, ya que sabía que al final de la velada él solicitaría su presencia, y cuanto más comiera y bebiera, menos le costaría a ella refrenar sus insinuaciones amorosas. Lo más probable era que lo venciera el sueño a medio cortejo y ella se ahorrase así las maniobras evasivas, cada vez más incómodas e incluso peligrosas.

Cuando los músicos empezaron a tocar y los criados sirvieron el vino en las otras mesas, Ana miró a sus enemigos en el estrado. Con los párpados entornados, observó a Wolsey, el hombre a quien más odiaba en el mundo, el hombre que había expulsado a su amante de la corte, que a su vez la observaba a ella desde su lugar en el estrado con una peculiar mezcla de desaprobación e incredulidad en el semblante. Ana reparó asimismo en la indiferencia con que lo trataba el rey.

¿Qué se siente, mi señor cardenal, al perder el favor del rey? Si llego a tener la más mínima influencia, perderéis algo más que el favor. Y tendré influencia. Expulsasteis con deshonor a mi amado Percy, lo mandasteis de regreso junto a su padre, con el rabo entre las patas como un cachorro gemebundo, que en nada se parecía al joven magnífico de mis sueños. Veamos, mi señor arzobispo, ¿quién es ahora el estúpido? Si esta estúpida hija de un caballero no puede tener a un lord, quizá tenga a un rey.

Tomás Moro se hallaba sentado a un lado del aborrecido cardenal. En el brindis en honor de ella, había levantado la copa pero no se la había llevado a los labios. No había sido por descuido, de eso Ana estaba segura. Pero al otro lado del cardenal se hallaba el secretario Thomas Cromwell, con una expresión muy distinta del estoicismo reflejado en los rostros de sus compañeros. Casi sonreía. En la corte se rumoreaba que en secreto era simpatizante luterano, lo que explicaría su excepcional falta de animadversión hacia Ana. O tal vez fuera otro de los muchos aduladores que siempre reían los actos del rey. En todo caso, Ana, a modo de tanteo, estaba cultivando una alianza con él; procuraba granjearse su aprobación sonriéndole y pidiéndole su opinión.

Su hermano George interrumpió sus pensamientos.

–A nuestro padre le complacería ver la casa de Bolena bañada en favor real –susurró–. Una gran fortuna para todos nosotros, gracias a ti, gracias a ti, querida hermana. Brindo por eso –añadió, levantando su propia copa para que se la llenase un camarero que pasaba a su lado.

—Calla, George. Te jactas demasiado descaradamente. El favor de un rey puede ser tan voluble como sus deseos. De poco le sirvió a nuestra hermana. Lo único que obtuvo de su alianza con el rey fue un bastardo. Ándate con ojo y averigua quiénes son tus enemigos.

—Vamos, Ana, tú eres más astuta que Mary. Ella se entregó demasiado fácilmente. Hay más placer en la persecución que en la captura. Toma, come un poco de este confit. Es el mismo primer plato que se ha servido en la mesa del rey. Se nos da un trato incluso más preferente que a lord Suffolk, el compañero de justas de su majestad. —Le golpeó el hombro con el suyo y dejó escapar un resoplido de desdén—. Míralo. Está pinchando su ensalada reseca como si fuera la comida de un campesino.

—Afortunado es de estar sentado donde está. Enrique no lo tiene en muy buena consideración desde que…

—Lady Ana. —La voz majestuosa atronó desde el estrado con potencia suficiente para que la oyeran todos en el salón. La música se interrumpió de repente—. ¿Es de tu agrado el primer plato?

Ella se puso en pie, esta vez realizando una reverencia expeditiva, consciente de las muchas miradas clavadas en ella.

—Está delicioso, vuestra majestad. Gracias por invitarnos.

—Entonces siéntate y come, por favor. Haz compañía a tu hermano. —Estaban sirviendo las tartas en forma de corona, guarnecidas con polvo de oro—. ¿Esto es para comérselo o para ponérselo? —se burló Enrique con voz estridente, y quitándose la corona de oro que lucía, la sustituyó por la tarta.

George, junto a Ana, pareció vacilar y por fin tendió la mano hacia la pequeña tarta en forma de corona. Ella apoyó la mano encima de la de él, negó con la cabeza y susurró:

—El rey no respeta a aquellos a quienes pone en ridículo.

En el salón flotaron unas risas nerviosas mientras algunos seguían su ejemplo, pero Ana previno a George con la mirada. Enrique se deleitaba con su farsa, induciendo a los más vacuos entre los presentes a imitarlo para poder después mofarse de ellos.

—Trovador, querríamos una canción de amor para las señoras. Toca.

El rey se quitó la tarta de la cabeza y la agitó en el aire. Simuló dar un bocado mientras, sonriente, recorría las mesas con la mirada para ver quién lo emulaba. Soltó una carcajada estentórea cuando la mitad de los cortesanos hincaron el diente a las tartas que a esas alturas probablemente estaban plagadas de piojos; luego llamó con señas impacientes a su escanciador para que le llenara la copa. Aunque la noche aún era joven, se lo veía bastante ebrio, pero Ana nunca estaba del todo segura. A veces simulaba ignorancia o embriaguez para inducir a sus enemigos a la falta de cautela.

Ana esperaba que estuviese demasiado borracho para advertir que sir Tomás Moro se había mantenido indiferente a toda esa mascarada a la vez que retiraba escrupulosamente el dorado de su tarta, como si fuera un veneno inmundo, y luego se la comía. En la expresión de su rostro se adivinaba que censuraba el sentido del humor del rey o las tartas doradas o las dos cosas. No es que le importara mucho si sir Tomás incurría o no en la desaprobación del rey, pero a saber hasta dónde podía llegar esa escena. Bien podía acabar con ella en el centro de una disputa, como un hueso del que tiraban un par de perros enzarzados en una pelea debajo de las mesas.

El músico empezó a tañer una vez más su laúd y los acordes iniciales de una conocida melodía se propagaron por el salón.

−¿Te gustan las canciones de amor, lady Ana? −prorrumpió Enrique con voz atronadora.

Ana volvió a levantarse. Empezaba a molestarla tener que levantarse y sentarse una y otra vez como un bufón de corte en una caja. Enrique lo hacía adrede. Estaba de malhumor porque ella, contra sus deseos, no se había sentado a su lado.

−A todas las damas nos gustan las canciones de amor, vuestra majestad. Yo no soy distinta −respondió ella con toda la delicadeza posible pese a su malestar, confiando en atenuar la irritación del monarca con la docilidad de su tono.

−En ese caso te ruego que digas si esta pieza es de tu agrado o no. La ha compuesto tu rey y ahora la hace cantar para tu deleite.

−Mi familia se siente muy honrada, vuestra majestad. −Volvió a realizar una profunda reverencia, viendo cómo se reflejaba favorecedoramente la luz de las velas en los pliegues de su vestido amarillo.

Estaba muy atenta a sus propios movimientos, procurando hacerlo todo con gracia. No era una gran belleza para los gustos de la corte, donde se preferían el cabello rubio y los ojos azules –como no se cansaban de señalar sus detractores–, y ella lo sabía. Pero sabía también cuáles eran sus encantos y cómo realzarlos. Se había levantado los pechos pequeños y redondos muy por encima del escote cuadrado ceñido con cinta y sabía que él se los veía desde su asiento, especialmente cuando ella hacía una honda reverencia. Empezaban a cansársele las rodillas con tanta genuflexión pero, incluso a varios pasos, casi sentía el calor del deseo de Enrique.

El cantante inició la balada. Los quejumbrosos versos flotaron en el salón.

–Ay, mi amor, me maltratas rechazándome de manera tan poco cortés…

Ana sintió que se le encendía el rostro. El rey la cortejaba abiertamente, con descaro, delante de toda su corte, pese a que ella lo había prevenido. Catalina tenía numerosos partidarios en ese salón, aparte de los muchos católicos a ultranza que temían la creciente influencia de una favorita con tendencias reformistas. Como Wolsey. Como Tomás Moro. Percibía el rencor que ellos no se atrevían a mostrar a las claras tan resueltamente como su propio odio hacia el cardenal.

Mantuvo la postura durante toda la canción, escuchando la letra. Deseó estar otra vez en la corte francesa, riéndose con las damas de honor o montando a caballo por los campos floridos del castillo de Hever, o acurrucada con su preceptor en los Países Bajos, hablando de teología, o, lo mejor de todo, besando furtivamente a su amado Percy delante del vestidor de la reina, deseó estar en cualquier parte menos allí, convertida en un espectáculo.

–Esas mangas verdes son mi único deseo –entonó el cantante.

Ana sentía que la cara iba a agrietársele a causa de la falsa sonrisa. Tenía las extremidades inferiores casi entumecidas. A continuación siguió el estribillo.

–Si pretendes así despreciarme, mayor es mi embeleso.

¿Y qué pasará cuando sea vuestra reina? Pensó en Catalina arrodillada durante horas en su capilla papista, rezando por el regreso de su esposo.

124

La canción de amor concluyó y los cortesanos prorrumpieron en aplausos y gritos de «bravo» y «hurra». El rey pidió silencio con un gesto.

–Lady Bolena, ¿qué te ha parecido la ofrenda musical de tu rey?

Ana oyó una honda inhalación en la mesa contigua, e imaginó las miradas de complicidad y los codazos, los cuchicheos detrás de manos ahuecadas.

Alzó la cabeza, echando la barbilla al frente con audacia.

–*Sire,* creo que sois un hombre de dotes excepcionales. Este no es más que un ejemplo.

Él la miró con expresión ceñuda. Fue como si la numerosa concurrencia hubiese desaparecido y estuviesen solos.

–Por la sangre de Cristo, mujer, ¿qué significa eso? Ponte en pie y habla a tu rey a las claras. ¿Te ha gustado la canción *Mangas verdes* o no? –preguntó a voz en grito, pronunciando cada palabra con cuidado y empleando un tono perentorio.

Ana se irguió con la mayor gracia posible, sorprendida de que las piernas aún la respondiesen. Una expectación rebosante de regodeo impregnaba el silencio del salón. Ana casi veía los ojos detrás de ella entornados en expresión de éxtasis, oía los pensamientos que se arremolinaban en torno a ella. ¿Era ese el momento en que la amante del rey recibiría por fin su merecido? No levantó la voz. Que los aduladores aguzaran el oído hasta que se les cayeran las orejas.

–Todo lo que vuestra majestad hace es de mi agrado. Esos versos llegan a mi oído como ninguna otra música que haya escuchado o vaya a escuchar en mi vida… a menos, claro está, que vuestra majestad nos conceda otro obsequio.

Él la miró con la frente arrugada como si intentara desentrañar el sentido de lo que ella acababa de decir. De pronto desplegó una ancha sonrisa y rio sonoramente.

–Escanciador –llamó–, vuelve a llenármela. Mi musa ha hablado y yo debo tonificarme.

Algunos de los allí presentes reaccionaron con risas ahogadas. Otros expresaron su conformidad de manera vacilante.

Durante el resto de la cena Ana no tuvo que volver a levantarse, pero se entretuvo con la comida en silencio, escuchando a medias a George, que parloteaba a su lado acerca de sus ambiciones en la corte. Hacía cada vez más calor. Deseó quitarse las mangas de piel, pero sabía que sus enemigos se aprovecharían de eso. Casi oía sus lenguas chismosas, sus risas insidiosas: «Tan pronto como el rey cantó una canción de amor a su Dama Mangas Verdes, ella se las quitó».

Enrique por fin se levantó. Una vez más se oyó el roce de las sillas y el movimiento de los pies cuando los cortesanos lo imitaron. Con un sonoro eructo, el rey abandonó el estrado, con un mozo a cada lado para sostenerlo. Moro y Wolsey lo siguieron poco después, pero salieron por arcos distintos.

En la mesa del rey solo quedó Thomas Cromwell. Cuando Ana alzó la vista descubrió su mirada especulativa posada en ella. Como ella no apartó la vista, Cromwell levantó su copa y sonrió.

El rey no la llamó en dos días. Pero el secretario Cromwell, sí.

❧❦

Kate contó solo cuatro personas en el pequeño grupo reunido en la playa de guijarros. Tenían que ser cinco las personas que esperaran junto a la almenara, pero John Frith, afiebrado y enfermo y apenas capaz de tenerse en pie, se había quedado en la cama por insistencia de lady Walsh pese a sus protestas.

–Pero debo ir a recibir el barco. Sir Humphrey lo organizó todo. Tyndale me espera –dijo, intentando levantarse con grandes esfuerzos–. Si me quedo aquí, os pondré a todos en peligro.

Lady Walsh cruzó una mirada con su marido, que apoyó una mano en el hombro de Frith, obligándolo a tenderse.

–Habrá otros barcos. Así no podéis marcharos. No resistiríais el viaje.

–William nos consideraría responsables si os ocurriera algo. Se lo debemos a él –añadió lady Walsh–. Tenemos que velar por vos al menos hasta que recuperéis las fuerzas para viajar.

Kate agradecía el calor del fuego. El frío nocturno traspasaba la fina tela de su falda y su ligero chal, pero se alegraba de volver a llevar un vestido.

–La decisión es vuestra, querida, naturalmente, pero no veo razón para que no actuéis con vuestra propia identidad en representación

126

de vuestro hermano –había dicho lady Walsh mientras sacaba un vestido sencillo de suave lana gris–. Tomad. Creo que tenéis la misma talla que mi hija –agregó, sacudiendo la falda y luego cogiendo una gorra de encaje y un pañuelo–. Os aseguro que no seremos las dos únicas con faldas que vayamos a recibir el barco. Las lugareñas dan de comer a sus hijos vendiendo el paño que tejen en sus casas y no están dispuestas a pagar el impuesto de exportación al rey.

Kate aceptó el vestido con gratitud –así como los trapos limpios y el cinturón proporcionados por la amable anfitriona– y se reunió con el pequeño grupo de contrabandistas un tanto inquieta. Pero fuera lo que fuese lo que lady Walsh había dicho a Swinford y Walsh, ellos la trataron como si hubieran sabido desde el principio que era la hermana de John Gough. Kate se preguntó si Frith también había sido informado de que su compañero de viaje no era quien él pensaba. Pero ¿qué más daba lo que él pensase de ella? En todo caso, pasada esa noche, ya nunca volvería a verlo. Aunque era una lástima. Frith le inspiraba simpatía, y mucha. No pudo evitar preguntarse si se habría comportado igual si hubiera sabido que era ella en lugar de su hermano John. ¿Habría actuado con la misma naturalidad, desplegando esa misma sonrisa encantadora con la que mostraba predisposición a la amistad?

Lord Walsh y Swinford atendían el fuego del que se elevaban sibilantes volutas de color naranja, recortándose contra el cielo nocturno. Pese a las espirales de humo, el aire poseía ese olor a limpio que queda después de una tormenta. Había dejado de llover, y las nubes, aunque iluminadas de vez en cuando desde atrás a lo lejos, ya se dispersaban. La luna llena flotaba entre ellas, como el barco fantasma cuya sombra veían deslizarse sobre el mar iluminado por la luna.

–¿Creéis que nos ven? –preguntó Kate, esforzándose por disimular la agitación en la voz, olvidando la incomodidad del período.

–¡Que si nos ven! ¡Cómo no iban a vernos, con esa gran esfera plateada suspendida sobre nosotros! Seguramente también nos ven los aduaneros.

–Todo irá bien –les aseguró lord Walsh–. Este capitán sabe lo que se hace. Con toda probabilidad ha sobornado a los de aduanas para que hagan la vista gorda.

La luna se escondió detrás de una nube, y el mar y el barco desaparecieron, solo el suave murmullo del oleaje en la orilla permaneció. El mundo se redujo a Swinford, lord y lady Walsh y ella misma dentro del pequeño círculo de luz de la fogata.

—¿Creéis que maese Frith se recuperará? —preguntó Kate.

Lady Walsh le dirigió una sonrisa de complicidad.

—Yo no me preocuparía, querida, es joven. Se…

Pero antes de que pudiera acabar de pronunciar esas palabras tranquilizadoras, la luna volvió a aparecer en el gran cielo negro y tendió su manto diáfano para mostrar que el barco se había detenido. Un bote avanzaba hacia ellos, muy hundido en el agua. Cuando se acercó, Kate distinguió las siluetas de dos hombres que remaban con movimientos rítmicos.

Se preguntaba cómo cuatro personas, siendo dos de ellas mujeres, iban a transportar la pesada carga que lastraba el bote cuando a sus espaldas oyó un susurro entre el follaje. Apareció un carro de heno tirado por cuatro percherones. Las ruedas estaban envueltas en harapos, como lo estaban también los cascos de los caballos, para que se desplazaran sin hacer ruido por el prado hasta la playa. En el carromato iban el carretero y otros tres hombres fornidos. Y en efecto, tal como había anunciado lady Walsh, se presentaron allí tres mujeres, cada una con un enorme fardo en el regazo. El carretero sofrenó a los caballos con las riendas a un paso del círculo de luz de la fogata. Los animales relincharon suavemente, como para indicar que conocían el lugar.

El bote llegó a la playa y el fondo crujió contra los guijarros cuando los dos hombres desembarcaron y lo arrastraron hasta la orilla. Los ocupantes del carromato saltaron a tierra e iniciaron la descarga del bote y luego la carga del carromato, teniendo ya planeado y ensayado meticulosamente cada movimiento para mayor celeridad y eficiencia. Sintiéndose incómoda y sin saber exactamente dónde encajaba ella en semejante baile, Kate miró a lady Walsh en busca de alguna indicación. Pero esta hablaba con el hombre alto que poco antes ocupaba la parte delantera del pequeño esquife. Kate solo alcanzaba a oír palabras sueltas, pero le bastó para deducir que era el capitán y lady Walsh le explicaba que al final no iba a llevarse a su pasajero.

Vio que los demás formaban una fila entre el carromato y el bote y pasaban de mano en mano la carga hasta el carretero, que la apilaba en el carromato. Kate ocupó su puesto en el extremo, el más cercano al bote, desde donde el remero de popa entregaba los fardos. Empezaron por los bultos más ligeros de la parte de arriba, y cuando llegaban ya a las cajas más pesadas –que, suponía Kate, contenían los libros, pese a que llevaban el rótulo de especias–, lady Walsh se colocó frente a ella y entre las dos realizaron el trabajo de un hombre fuerte.

El capitán se quedó al margen, hablando con lord Walsh. Intercambiaron papeles y lord Walsh le dio una bolsa, que el capitán sopesó con una sonrisa y un gesto de asentimiento. Algo en su actitud aplomada, en la manera en que la luz de la luna destellaba en los dientes blancos que asomaban tras la amplia curva de la sonrisa, bordeó los contornos de la memoria de Kate. Estaba segura de que lo había visto antes. Pero no, imposible. ¿Dónde podría haber conocido a un capitán de barco, y para colmo un capitán de barco contrabandista?

Descargaron la última caja, una pequeña, marcada con la letra «B». Kate y lady Walsh acababan de cogerla –por el peso, Kate dedujo que también contenía libros– cuando el capitán se acercó y se la quitó de las manos para dársela a lord Walsh.

–Cuidado con esta. Es para lady Ana. Me han dicho que os ocuparéis de que se entregue personalmente en el castillo de Hever.

–Os han dicho bien. Esta no la trasladaremos a la iglesia de Worle. Me la llevaré a Little Sodbury.

Detrás de ellos, los caballos lanzaron resoplidos de impaciencia.

–Tienen prisa por dejar atrás el trabajo de esta noche y volver a las cuadras –comentó el capitán–. Y más nos vale hacer lo mismo. Decidle al pasajero que volveré la próxima luna llena, si puede esperar.

–Estaremos deseando veros –dijo lord Walsh–. Este es un trabajo peligroso, Tom, pero muy meritorio.

El capitán restó importancia al cumplido con un encogimiento de hombros.

–Recibo compensación más que suficiente. La Liga se ocupa de eso. Y en cuanto al peligro… –Sonrió y se tocó el espadín que llevaba al cinto–. Tengo un compañero a mi lado más constante que la mayoría.

Apoyó la mano en él con delicadeza, casi acariciándolo. Kate se estremeció, imaginando con qué facilidad él sería capaz de hundirlo en la carne de un hombre. El puño de la camisa envolvió la empuñadura de plata en espuma blanca de encaje, cubriendo la mano a medias, dejando a la vista solo los largos y delgados dedos sobre el metal. ¡El puño de encaje! Los dedos largos y delgados envolviendo con delicadeza el metal. De pronto Kate supo dónde había visto aquella sonrisa indolente, aquel porte arrogante, y un puño de encaje, aunque un tanto sucio, no de un blanco níveo como ese. Ahogó una pequeña exclamación de sorpresa.

Él la miró.

–¿Estáis bien, señora?

–Perfectamente, señor, gracias –contestó ella, bajando la mirada con la esperanza de que no la reconociera.

–¿Nos hemos visto antes?

–Juraría que no –respondió Kate, encaminándose hacia el carromato.

–Mmm –musitó él con cara de concentración. De repente volvió a exhibir el destello de sus dientes blancos y avanzó hacia ella. Poniéndole el dedo bajo la barbilla, le levantó la cabeza para verle bien la cara. Fue un gesto atrevido y poco respetuoso, pero ¿qué podía esperarse de un hombre así?

–¡Mary! No… ¡Mary no! –dijo él. Y a continuación echó atrás la cabeza, se rio y, como si fuera un viejo amigo que hubiera coincidido con ella en una reunión social, y no un forajido (de hecho, los dos eran forajidos) que tentaba a la suerte bajo una luna propicia para los contrabandistas, preguntó–: ¿Cómo está vuestro hermano, el impresor? ¿Está bien?

Ella sacudió la cabeza como si espantara una mosca. Él bajó la mano.

–Me llamo Kate –dijo–. Mi hermano ha salido de la cárcel, pero ya no es impresor. Se ha retirado al campo con su mujer y su hijo.

El capitán soltó una carcajada. Había un asomo de burla en su risa.

–Bien, Kate, pues es más listo de lo que yo creía. Me temía que en su personalidad pudiera haber algo de eso que empuja a un hombre al martirio como si fuera un gran honor.

–¿Y vos no tenéis esa personalidad? ¿Cuál es la pena por el contrabando de Biblias?

–La misma que por el de especias y vino. Para mí todo es contrabando: contrabando y beneficio.

–Así que ¿juraréis cualquier cosa si os cogen?

–No tengo intención de dejarme atrapar –contestó él, y se alejó de ella.

–No os dejéis engañar por el capitán Lasser, señorita Gough. No es tan mercenario como parece. Lo he visto correr riesgos que ningún hombre normal asumiría para servir a una causa más honorable que el beneficio –afirmó lord Walsh.

El capitán dio una palmada en la espalda al lord como si fueran iguales.

–No hay ninguna causa más honorable que el beneficio, amigo mío –dijo, a la vez que saltaba al pequeño esquife y empuñaba los remos. Ahora el bote flotaba mucho más; el paño es bastante menos pesado que las Biblias. Se despidió con la mano e hizo una seña al otro remero para que apartase el bote de la orilla.

–Existe el riesgo que beneficia al alma y no al bolsillo –dijo lady Walsh, levantando la voz en dirección al esquife que se alejaba.

–Nunca discuto con una dama respondió el capitán–, ni siquiera cuando tengo tiempo.

–Dios vele por *El canto de la sirena*, Tom –se despidió lord Walsh, y luego se volvió hacia el pequeño grupo de la orilla–. Mejor será que también nosotros nos pongamos en marcha. El sacerdote de la iglesia de San Martin en Worle pensará que no vamos y se marchará a casa.

Kate observó cómo el bote enfilaba la estela plateada de la luna poniente, oyó las olas lamer el casco. La empuñadura del espadín del capitán brilló bajo la luz de la luna. Arrugó la frente, recordando el contacto de sus dedos en la barbilla, y se la limpió con el chal.

131

Para cuando los contrabandistas volvieron a Little Sodbury, el horizonte de levante había empezado a clarear. Agotada, Kate siguió a lady Walsh hasta sus aposentos, preguntándose dónde y cuándo podría sumirse en un estado de bendita inconsciencia. Habían subido las cajas y los fardos por la escalera de la torre octogonal de la pequeña iglesia de Worle, y allí «descansarían» durante unos días, entre las vigas del tejado, hasta que llegara el momento de sacarlos en secreto, paquete a paquete, barril a barril, para entregarlos a los diversos distribuidores y compradores que acudirían a por ellos.

Lo único que conservaron fue la pequeña caja marcada con una «B», que lady Walsh escondió debajo de su cama.

—Es para lady Bolena —susurró—. Y no es la primera —añadió—. Rebuscando en su armario, sacó una enagua de hilo limpia y se la entregó a Kate—. Dicen que tiene tendencias muy reformistas.

—Pero os referís a…

—Sí. Y puede que un día sea reina, si el rey se sale con la suya. A saber adónde podría llevarnos eso. —Encendió dos velas con el candil que había junto a su cama y dio una a Kate—. Te he asignado la alcoba donde el propio maese Tyndale se alojaba cuando era el preceptor de nuestros hijos. Ya no tenían edad para necesitar preceptores, pero las ideas de él eran muy estimulantes, y realizaba un excelente trabajo en esa pequeña habitación. Es muy acogedora. Allí estarás cómoda.

Guio a Kate por el pasillo y después por una tortuosa escalera hasta una pequeña habitación sin más mobiliario que una cama, un escritorio y una silla. Una tenue luz gris penetraba por una estrecha ventana, mostrando una pluma y un tintero en el escritorio, probablemente los mismos que utilizaba Tyndale cuando se alojaba allí.

—Ahora te dejaré descansar, querida. Ya hablaremos mañana —dijo. Luego, con una sonrisa en la que se traslucía su agotamiento, añadió—: Supongo que ya es mañana. Me temo que me estoy haciendo mayor para estas pequeñas aventuras. Voy a echar una cabezada, yo también, en cuanto vea cómo se encuentra maese Frith.

Kate se desplomó en la cama y apagó la vela de un soplido. Tendida bajo la claridad gris, escuchó el ajetreo de los criados que se levantaban para llevar a cabo sus primeras tareas del día, y temió que el cansancio no le permitiera dormir. En conjunto habían sido, pensó,

132

el día y la noche más emocionantes de su vida, y anhelaba contárselo todo a su hermano. Pero probablemente él no haría más que reprenderla y recordarle su promesa. Quizá al día siguiente maese Frith se encontrase bastante recuperado para describirle la gran aventura que se había perdido.

Ahora al menos tendría género que llevarse a Londres y vender. Al principio lo haría discretamente, pero si la favorita del rey era simpatizante luterana, con toda seguridad podría dejar de vender en la clandestinidad tarde o temprano. Tal vez entonces John y Mary regresarían y él pondría de nuevo en marcha la imprenta. Si eso ocurría, su hermano se alegraría de que ella no hubiera abandonado la tienda. Las cosas podían volver a ser como antes.

Pero cuando la venció la fatiga, la última imagen que asomó a su mente no fue la de maese John Frith ni la de su hermano John, sino la del capitán Tom Lasser, con sus ojos oscuros y su risa burlona. Nunca había conocido a un hombre tan temerario ni tan arrogante, decidió, tan desprovisto de honor, pese a lo que lord Walsh había dicho. Compadecía a su esposa –si tan desafortunada mujer existía–, porque sin duda lo esperaba la horca al final de sus aventuras.

XI

Los turcos, el lúpulo, la cerveza y la herejía,
llegaron todos a Inglaterra el mismo día.

THOMAS TUSSER (siglo XVI),
El campo de lúpulo de Tusser

A la mañana siguiente un suave golpeteo en la puerta despertó a Kate, y a continuación apareció una criada con un aguamanil humeante sobre el que llevaba en equilibrio una toalla y jabón. Kate se incorporó en la cama y se frotó los ojos, al principio sin saber dónde estaba. De pronto se acordó: Little Sodbury Manor. Había despertado en la misma habitación que en otro tiempo ocupó William Tyndale, el hombre cuyo nombre había visto en tantos libros.

–Buenos días –saludó Kate a la criada.

La muchacha parecía casi una niña. Dirigió a Kate una parca reverencia y luego vertió el agua en la palangana situada junto a la cama.

–Buenos días, señorita. Soy Tildy. Milady me ha pedido que os proporcione cuanto necesitéis –anunció, sacando de uno de los dos amplios bolsillos de su mandil primero un peine y un espejo de mano con el envés de plata y luego un puñado de hierbas secas que echó al agua tras desmenuzarlas previamente. El aroma dulce de la lavanda se elevó junto con el vapor. Del otro bolsillo extrajo varias tiras de tela limpias y las dejó bajo el espejo sin hacer comentarios. Después, también en silencio, cogió el rebujo de trapos sucios de Kate y se lo metió discretamente en el bolsillo ahora vacío.

–Milady me ha encargado que os diga que esta tarde estará en el taller de cerveza y que le gustaría hablar con vos. Cuando os vaya bien.

–¿Qué hora es? –preguntó Kate, más para disimular su bochorno por el hecho de que alguien se ocupara de algo suyo tan íntimo que por una verdadera necesidad de saber la hora. Supuso que así eran las cosas cuando uno pertenecía a la nobleza. En fin, ella personalmente habría preferido tirar sus propios trapos sucios si hubiese tenido dónde hacerlo.

–Han dado ya las once –contestó la criada, y se agachó a coger el orinal de debajo de la cama–. También debo deciros que si vais a la cocina, la cocinera os preparará algo para aguantar hasta la hora del almuerzo. –Desapareció un momento y regresó con el orinal vacío. Lo dejó otra vez en su sitio–. ¿Puedo serviros en algo más?

–¿Qué sabes del joven que llegó aquí con nosotros? –preguntó Kate–. ¿Tienes idea de si se encuentra bien?

–No lo sé, señora, pero sí puedo deciros que el caballero mayor que vino con vos se ha marchado esta mañana a primera hora.

–¡Se ha marchado! Pero ¿adónde? Yo tenía que volver a Londres con él.

–Lo siento. No sé adónde iba. Solo sé que se ha llevado el carromato. No creo que piense volver esta noche, porque he visto a la cocinera darle unas provisiones. ¿Queréis que lo averigüe?

–No. Ya se lo preguntaré yo misma a lady Walsh –dijo Kate.

La criada se quedó allí como si esperara más instrucciones. Por fin dijo:

–¿Os ayudo a vestiros?

–No, gracias –contestó Kate–. Ya me las arreglo yo sola. –La muchacha pareció defraudada–. Es que estoy acostumbrada a hacer esas cosas yo misma –añadió, pensando que había conseguido no solo abochornarse ella sino avergonzar también a la sirvienta.

—Milady ha dicho que debo cuidar de vos mientras seáis su invitada.

—Eso es muy amable por tu parte, Tildy, y por parte de lady Walsh, pero no pienso quedarme aquí mucho tiempo. Tenía la intención de marcharme hoy.

La muchacha se despidió con otra pequeña reverencia y, caminando de espaldas, salió de la habitación. Kate se quedó preguntándose por qué Swinford se había marchado sin ella, si es que se había marchado sin ella. Tal vez solo habían ido a recibir otro cargamento, pero en tal caso le habría gustado acompañarlo.

No obstante, su primer objetivo era buscar algo para comer —de pronto le entró un hambre canina—, y después intentaría averiguar cuál era el pronóstico para el joven cuya huida de los cazadores de herejes se había visto aplazada tan desafortunadamente. Mientras se recogía la desgreñada mata de pelo bajo el gorro que lady Walsh le había proporcionado, se le ocurrió que podía informarse en la cocina sobre el estado de maese Frith y pedir indicaciones de cómo llegar al taller de cerveza. Pero primero tenía que encontrar la cocina.

᯽

Después de comer un huevo pasado por agua y beber un vaso de leche dulce, una leche tan fresca como jamás había probado en Londres, y enterarse por mediación de la cocinera de que maese Frith había desayunado —eso era buena señal, pensó—, Kate preguntó dónde se hallaba el taller de cerveza.

—Por el camino que sale del huerto y luego a la izquierda. Lo distinguiréis por el manojo de cerveza que cuelga al lado de la puerta.

—¿Un manojo de cerveza?

La cocinera chasqueó la lengua.

—No sois de campo, ¿verdad? —Y a modo de explicación añadió—: Es la escobilla utilizada para revolver el mosto. La levadura que queda en la escobilla sirve para iniciar el trabajo de la siguiente tanda. Así que la cuelgan junto a la puerta hasta que vuelven a necesitarla.

La cocinera debió de darse cuenta de que Kate no había entendido nada de nada de lo que acababa de explicar.

—Reconoceréis el taller de cerveza por el olor. Simplemente dejaos guiar por el olor.

Tenía razón. Cuando Kate se acercó a la pequeña cabaña, el humo que salía del tiro en el centro del tejado despedía un olor extraño, que se hizo más intenso cuando abrió la puerta. Entró e inhaló el vapor de dos enormes tinas de cocción suspendidas encima del fuego encendido en un hoyo en el centro del taller. Lo cierto era que, aunque empalagoso y acre, no resultaba un olor desagradable. Inhaló el aroma un poco más. La invadió una sensación de sueño, de letargo, lo que la llevó a preguntarse si la cerveza que elaboraban allí era tan fuerte como para causar mareo solo con respirarla. Procuraría no aspirar el aire muy profundamente.

Lady Walsh no parecía afectada por los efluvios. Con el pelo recogido bajo un pañuelo holgado y la cara lustrosa por el vapor, supervisaba la clasificación y colocación de unos pequeños conos parduzcos en sacos de arpillera poco tupida colgados de las vigas más bajas del techo.

—Mira, estos están maduros —dijo, pasando un saco a uno de los criados—. Añade unas dos libras.

Con una seña, indicó a Kate que entrara.

—Estamos clasificando la cosecha de lúpulo de este año. Lo cultivamos nosotros mismos a partir de las semillas que lord Walsh trajo de Flandes. —Guiñando un ojo y asintiendo, añadió—: Lord Walsh es muy exigente con la cerveza: la prefiere fuerte y espesa. Es para nuestro propio consumo personal, y el de nuestros arrendatarios y criados, naturalmente. Cualquier otra cosa sería… ilegal.

Kate no pasó por alto la ironía de esa afirmación.

—Has venido en el momento oportuno. Necesito un descanso. Espero que hayas dormido bien —comentó lady Walsh quitándose el delantal y dejándolo en la mesa de clasificación. La tela presentaba manchas de un polvo amarillento, y ella tenía las manos cubiertas de esa misma sustancia amarilla. Se las limpió en el delantal con el descuido de una mujer que nunca tenía que preocuparse por lavar la ropa o quitar manchas.

—Volveré dentro de un par de horas para ayudaros a retirar la primera agua —dijo a los cuatro criados que atendían las tinas—. Vamos, agitad con brío. —Hizo un gesto exagerado de rotación con las manos–. Cantad. Así no os dormiréis. –Y mientras cerraba la puerta al salir, explicó a Kate–: Los vapores de la malta son soporíferos. Me consideraré afortunada si al volver no me los encuentro a todos dormidos y el mosto quemado.

Mientras regresaban a toda prisa a la casa solariega, Kate tuvo que caminar «con brío» para no quedarse a la zaga. Aquella mujer contaba al menos cincuenta años. ¿Cómo podía conservar semejante brío?

–Milady –dijo Kate al alcanzarla, procurando disimular su respiración agitada–. Os estoy muy agradecida por vuestra amable hospitalidad. –Estaba tanteando el terreno, buscando la mejor manera de sacar a relucir el comentario de la criada sobre la marcha de Swinford–. Pero me… es decir, la criada ha dicho…

–Quieres saber cuándo puedes coger tus libros y volver a Londres. –Habían llegado a la maciza puerta de roble de la entrada trasera, y lady Walsh se sentó en un banco de roble ante un primoroso jardín–. Descansemos aquí un momento, disfrutemos de este magnífico sol otoñal –propuso, dando unas palmadas en la madera junto a ella. Unas cuantas hojas amarillas y rojas se habían amontonado entre los parterres de hierbas aromáticas. Las apartó con la puntera del zapato y el romero desprendió su aroma.

–Tildy te ha dicho que Swinford se ha ido, ¿no? Esa chica tiene la vista muy fina… y la lengua muy suelta –dijo Lady Walsh, y un amago de irritación asomó fugazmente a su rostro–. Necesita aprender cómo ha de comportarse en una gran casa. Pero al menos la información ha sido correcta. Me he tomado la libertad de permitir que Swinford volviera a Londres sin ti. Tenía que irse temprano a recoger otro cargamento para sir Humphrey en el camino de regreso, y sabía que tú necesitarías descansar.

–Pero ¿cómo…?

–Espero que no te haya molestado. Comprendo que ha sido una presunción por mi parte. Pero puedes volver a Londres mañana. Te proporcionaré una escolta de confianza. Una joven dama no tiene por qué viajar en un carromato como una simple fregona. Es peligroso y no es… apropiado.

–Pero no quiero abusar de vuestra hospitalidad, y ya estoy en deuda con vos –adujo Kate.

–No abusas, te lo aseguro. Hay mucho movimiento entre Londres y esta casa. Hace tiempo que no padezco el mal que te aqueja en estos momentos, pero sé que te sentirás mejor para viajar dentro de unos días. Puedes irte ya mañana si lo deseas. –Guardó silencio por un instante, como si no supiese cómo continuar–. Pero sí hay algo que podrías hacer esta tarde, si te sientes recuperada.

–Lo que sea, milady.

–¿Te importaría sentarte junto a la cama de maese Frith durante unas horas? Está muy grave. Gilbert, el criado de mayor confianza de lord Walsh, lo ha velado toda la noche, pero necesita dormir unas horas, y yo por fuerza he de estar presente en el taller de cerveza.

–Pero me ha dicho la cocinera que maese Frith ha desayunado –observó Kate, sin saber muy bien por qué la afectaba tanto la noticia–. He deducido que estaba mejor.

–El desayuno se lo ha comido Gilbert. Tenemos la intención de decir a los sirvientes que ya se ha recuperado lo suficiente para marcharse.

–Siendo así, haré lo que esté en mis manos, por supuesto. Parece un hombre muy agradable, pero no sé gran cosa de cuidar enfermos.

Lady Walsh pareció sentir alivio. Tenía ojeras. Kate se preguntó cuántas horas habría dormido.

–Es muy amable por tu parte. Gilbert ya se ha ocupado de las necesidades personales de maese Frith. Tú solo tienes que quedarte allí por si despierta para darle agua o tranquilizarlo. Según parece, tiene fiebre en la sangre, probablemente debido a los malos tratos recibidos en el sótano. Me temo que su fuga y el posterior viaje han sido un esfuerzo excesivo para él en su estado de debilidad.

–Pero sobrevivirá, ¿no? ¿Habéis llamado a un médico o un barbero cirujano?

Lady Walsh sonrió.

–Lamentablemente, querida, nos hallamos ante un pequeño dilema. Su presencia aquí debe mantenerse en el mayor secreto posible. En el pueblo hay quienes no dudarían en entregar a las autoridades a un amigo de William Tyndale. Este se granjeó más de un enemigo entre el clero de la zona. Y dado el clima de persecución…

Kate asintió. Lo entendió perfectamente: quizá no lo habría comprendido unos meses antes, pero ahora, después del suplicio de John, sí lo entendía.

–Por eso te estoy tan agradecida por tu ofrecimiento de ayuda. En una casa tan grande… bueno, ya has visto cómo se van de la lengua los criados cuando se enteran de algo, incluso sin mala intención. Cuanta menos gente conozca la presencia aquí de maese Frith, tanto mejor. Por eso no podemos pedírselo a otro criado… en fin, ya has visto lo propensa al chismorreo que es Tildy.

Tampoco es que tengas prisa porque alguien te espere, dijo una voz en la cabeza de Kate. La asaltó la imagen de John Frith, débil y pálido, su cabeza desplomada hacia delante mientras dormía en el carromato, sus pestañas negras en contraste con las mejillas blancas, la radiante sonrisa que había dirigido a «John Gough», a quien consideraba un «hermano». Casi sin darse cuenta, Kate respondió:

–Puedo quedarme un día o dos más para relevar a Gilbert, si creéis que eso puede ser de ayuda.

Lady Walsh, sin darle tiempo para desdecirse, le cogió la mano.

–¿De verdad, querida?

Mientras Kate pensaba en la necedad de su ofrecimiento, cayó una hoja de color carmesí, y luego otra, y otra más, hasta formarse una pequeña guirnalda que adornó los arbustos de romero. Planteándose rectificar su promesa, respiró hondo. El aire arrastraba un leve aroma a humo de leña impregnado del perfume amargo del lúpulo. Lady Walsh se puso en pie con una sonrisa, convencida de que el asunto estaba zanjado.

–No lo lamentarás, querida. Te compensaremos por el retraso. No hay nada como un otoño inglés en el campo –dijo lady Walsh. Sus ojeras parecieron perceptiblemente menos oscuras–. Y ahora, si ya has descansado lo suficiente de nuestra pequeña aventura de anoche, puedes empezar de inmediato con tus obligaciones, y yo acabaré de preparar la cerveza. –Cogió la mano de Kate y tiró de ella ligeramente para ayudarla a ponerse en pie–. Te acompañaré hasta donde está tu paciente.

Serán solo uno o dos días –repitió Kate para sus adentros–. Solo uno o dos días, como mucho. ¿Qué hay de malo en eso?

XII

Omnia vincit amor: et nos cedamos amori.
(El amor todo lo puede: rindámonos al amor.)

VIRGILIO, *Églogas*

Allí estaba, inaccesible, una luz parpadeando en la cueva del Cíclope ciego, y él avanzó como pudo hacia ella, pero el monstruo llamado fatiga tiraba de él, como siempre. La misma voz que lo había hecho volver a la conciencia una y otra vez suplicaba: «Maese Frith... por favor, os he visto mover los párpados. Sé que estáis ahí», y aun así, él se hundía más y más profundamente, hasta que la voz, apagándose y expandiéndose como una música lejana, se hundía justo por debajo de su conciencia.

Pero notó que ella lo tocaba, ligera como una gasa, humedeciéndole la frente con agua fría. Otra voz, una voz masculina, fuerte y gutural, resonó desde lo alto de la cisterna seca donde yacía su voluntad, enroscada y quebradiza como la hoja de un árbol en invierno.

–Tres días. Un hombre no puede vivir sin agua. Mojad los dedos en el agua. Ponédselos entre los labios.

Envía a Lázaro para que moje en agua la punta de sus dedos.

Pero aquel no era Lázaro. Esos dedos eran pequeños y suaves y frescos como perlas, y los notó húmedos en su lengua caliente. Si se los hubiera tragado, seguramente nunca más habría tenido sed.

–¡Está sorbiendo las gotas de agua! Deprisa, empapad el borde del paño en agua.

Ella retiró los dedos de entre sus labios y él habría llorado por semejante pérdida si hubiera tenido lágrimas que derramar. Mordisqueó el paño, al principio de manera vacilante. Sintió el roce de su textura áspera en los labios resecos. No era suave y terso como lo anterior… pero contenía más agua. Sorbió con avidez, como un recién nacido famélico que se aferra al pecho de su madre por primera vez.

–Así. Podéis hacerlo.

Cuando ella se inclinó, su cabello acarició la mejilla de Frith. Olía a lavanda. Él succionó con más vigor.

Un hilillo de agua bajó por su garganta, y se atragantó. Ella lo ayudó a incorporarse. Jadeando y tosiendo para recobrar la respiración, abrió los ojos el tiempo suficiente para ver el rostro del ángel que lo tenía entre sus brazos.

–Deprisa. Id a decirle a milady que se ha despertado –la oyó decir él. Y a continuación, volviéndose, le posó la mano en la frente al tiempo que le musitaba sonidos tranquilizadores al oído.

El lugar donde vive esta criatura celestial sin duda debe de ser el paraíso, pensó, y anheló quedarse. Pero con la luz le dolían los ojos y le martillaba la cabeza. Intentó obligar a su lengua estropajosa a formar las palabras para preguntarle si era real o solo un sueño forjado por un cerebro afiebrado, pero el monstruo lo absorbió hacia el fondo hasta que ya no pudo ver aquella cara ni oír aquella voz.

Habría llorado por semejante pérdida si hubiera tenido lágrimas que derramar.

～❈～

Kate despertó sobresaltada. Tenía el cuello agarrotado de dormir en la silla. La vela se había consumido, pero había claridad en la habitación, así que debía de haber amanecido. Indiferente al hormigueo

142

en las piernas, se levantó y se inclinó sobre su paciente para tocarle la frente con la palma de la mano.

Él abrió los ojos.

–Sois mucho más bonita que Lázaro –susurró.

–¡Maese Frith, estáis despierto! –exclamó ella, fijando la mirada en los grandes pozos oscuros de sus ojos–. Y os ha bajado la fiebre. –Sintió que se le relajaba el rostro en una sonrisa.

–Llevo ya un rato despierto. Estaba observándoos mientras dormíais –dijo él–. Era tal la paz que destilabais que yo mismo me sentía en paz. –Hablaba con voz baja y ronca. A ella le dolía oírlo, pero vio un asomo de sonrisa animar aquel rostro pálido, suavizando las mejillas hundidas.

Ella se sonrojó y, consciente de pronto de su aspecto desgreñado, se apartó el pelo revuelto de la frente.

–No ha debido de ser una visión grata para una persona que vuelve de las puertas de la muerte –comentó ella–. En cualquier caso, se suponía que era yo quien debía velar vuestro sueño.

–Pues esta vez me ha tocado a mí, ¿no? –Él se aclaró la garganta y su voz sonó más nítida–. Esa visión ha bastado para ayudar a un hombre a volver de las puertas de la muerte.

–Debéis de estar famélico. Hace tres días que no coméis ni bebéis nada. –Le sirvió medio vaso de agua y se lo acercó a los labios–. Bebed despacio.

Él tomó dos tragos y ella apartó el vaso.

–Recuerdo unas gotas de agua en la mano de un ángel. Por eso he dicho que sois más bonita que Lázaro. Ya sabéis, como en la Biblia, donde el rico está en el infierno y pide que Lázaro le lleve unas gotas de agua.

–El nombre de Lázaro es más aplicable a vos que a mí, creo –rebatió Kate, y le acercó otra vez el vaso a los labios–. ¿Os sentís capaz de tomar algo de alimento? ¿Quizá un poco de caldo?

–En realidad, yo… –Intentó incorporarse, pero cayó sin fuerzas sobre la almohada.

–Estáis demasiado débil para levantaros. Basta con que digáis lo que queréis.

Un rubor asomó al rostro ceniciento de él y de pronto ella comprendió.

143

—Es una buena señal después de tanto tiempo sin agua. Llamaré a Gilbert. Es él quien os ha estado ayudando. Yo solo os he cuidado cuando él no podía.

Cuando Kate alargó la mano hacia el cordón de la campanilla, él dejó escapar un leve suspiro de alivio.

—Así pues, es a vos a quien debo agradecer mi regreso de las proximidades de la muerte y ni siquiera sé vuestro nombre.

—Es a lord y lady Walsh a quien debéis dar las gracias. Y yo me llamo Kate Gough.

—Sois la esposa del hombre que vino aquí conmigo, pues.

Ella titubeó por un instante, volvió a llenar el vaso de agua y lo sostuvo ante sus labios.

—Si no tenéis náuseas, quizá podáis beber un poco más para que la naturaleza… se inspire.

Él negó con la cabeza y se recostó en la almohada, con su rostro de pronto inexpresivo. Por favor, no permitas que lo perdamos otra vez, pensó. Pero tenía la respiración acompasada. Cerró los ojos y pareció dormirse.

Kate oyó entrar a Gilbert en la habitación arrastrando los pies.

—Me habéis llamado, señorita —dijo él, frotándose los ojos. Gilbert dormía en la alcoba contigua. Habían abierto un agujero en la pared e instalado un cordel con una campanilla para que Kate pudiera llamarlo cuando lo necesitara. Cuando no dormía, montaba guardia ante la puerta.

—Nuestro paciente se encuentra mejor —dijo ella—. Voy a la cocina a ver si consigo un poco de caldo mientras atiendes sus necesidades íntimas.

Si John Frith la oyó, no dio la menor señal.

～✤～

—Toca otra vez *Mangas verdes* —dijo Ana Bolena al laudista que entró con ella en el herbario de Hampton Court—. Es una melodía agradable.

Agradable ahora, aunque no tanto cuando la oyó por vez primera tres días antes. Pero Enrique le había enviado un pergamino que envolvía un collar de rubíes con la letra de la canción escrita de su puño y letra y una posdata pidiéndole perdón si le había causado bochorno. Ana advirtió con satisfacción que la ventana que daba al herbario estaba entreabierta.

—Tañe las cuerdas con vigor, para que el sonido llegue a otros que quizá lo disfruten —ordenó ella.

Recogía lavanda antes de que se marchitara con las heladas del invierno. Su doncella le había sugerido que la colocara entre las capas de vestidos en el baúl de su habitación y se había ofrecido a ir a buscarla, pero Ana había dicho que iría ella misma. El herbario se hallaba justo debajo de la ventana del gabinete del cardenal Wolsey. Este partiría hacia York a la mañana siguiente, y debía de estar recogiendo sus libros y papeles: una tarea sin duda triste. La complació pensar que la imagen de ella actuando como si estuviera en casa en lo que ya no era el herbario de Wolsey sería para él uno de los últimos recuerdos del palacio que tanto amaba, que su recuerdo de su etapa allí quedaría por siempre empañado, como lo estaban los recuerdos de ella de sus tiempos al servicio de la reina Catalina. Se había pasado el día llorando después de la marcha de Percy.

Percibió que el cardenal la observaba y, alzando la vista, le dirigió una falsa sonrisa de cortesana y lo saludó con la mano. Él cerró la ventana. Ana no habría sabido decir con certeza si él se había apartado —por como llegaba la luz, solo veía el río reflejado en sus cristales emplomados—, pero le pareció que no. Cuando vio pasar al secretario Cromwell, le hizo una seña en atención a quien los observaba desde la ventana.

—Venid a sentaros conmigo un momento, maese secretario. Vuestra compañía me resulta grata —dijo en voz alta.

—Será un honor, milady.

Se sentaron los dos en el banco y charlaron del tiempo, el inminente invierno, los usos de la lavanda. Ana partió una ramita y la acercó a la nariz de él, coqueteando desvergonzadamente y en ese momento se le ocurrió que, en efecto, sí tenía algo de qué hablarle.

—Maese Cromwell, la última vez que conversamos, mencionasteis vuestras simpatías por ciertas ideas reformistas, que, como os aseguré, yo comparto. Hicisteis alusión a unos jóvenes defensores de la Biblia que murieron en el sótano del pescado. ¿Sabía el cardenal que habían sido encarcelados sin el beneficio de una vista judicial?

145

–Son pocas las cosas que se le escapan al cardenal, milady. No me cabe duda de que fue informado al respecto.

–Y me hablasteis de los «interrogatorios» de sir Tomás. ¿También de eso estaba informado el cardenal?

–Diría que sí.

–¿Llegaríais al punto de afirmar que el cardenal Wolsey daba su aprobación a esas prácticas?

Cromwell entrecerró los ojos.

–En mi opinión, al abstenerse de impedirlo, podría decirse que daba su autorización tácita, sí.

Ana fingió bajar la voz hasta reducirla a un susurro de complicidad.

–Maese Cromwell, ¿no sería la privación del debido procedimiento una flagrante violación de la ley inglesa, aun tratándose del canciller?

–Si pudiera demostrarse…

–Ya veo –dijo ella–, pero ¿cómo pudo crearse un cardenal un enemigo tan poderoso como para tomarse tantas molestias? –Se puso en pie y siguió recogiendo lavanda, dejando que su fragancia impregnara el aire. A continuación, manteniendo un tono desenfadado, como si acabara de ocurrírsele, añadió–: ¡Qué lástima lo de esos jóvenes en el sótano del pescado! ¡Y ese párroco de Honey Lane! Supongo que perdió su medio de vida a pesar de haber abjurado. Estaría bien poder hacer algo para ayudarlo, y también a los otros, al menos a los que han sobrevivido. –Hizo una pausa para mayor efecto; después levantó la mirada y la fijó en la del secretario–. Maese Cromwell, creo que necesito un capellán privado. Quizá podríais averiguar si el párroco de Honey Lane estaría dispuesto.

Cromwell pareció sorprenderse pero se recuperó enseguida.

–Lo averiguaré, milady. Claro que el rey tendría que dar su consentimiento.

–¿Y qué me decís de los otros? ¿Cómo se llaman?

–Uno Betts, el otro Frith.

–¿Qué ha sido de ellos?

–Betts todavía está recuperándose, aunque no sabría deciros si de la estancia en el sótano del pescado o del interrogatorio. Frith ha desaparecido.

–¿Desaparecido, decís? –Ana soltó una carcajada–. Bueno, bravo por él.

–No tan bueno. Me consta que sir Tomás rastrea la campiña para localizarlo. Probablemente Frith intentará huir, pero tienen vigilados todos los puertos. Es un joven brillante, pero dudo que lo consiga.

–¿No podemos hacer algo para ayudarlo?

–Me temo que no, milady. Ha quebrantado la ley. Si lo cogen, lo encarcelarán e «interrogarán» hasta que abjure.

Un estremecimiento recorrió el cuerpo de Ana.

–Pues entonces rezaré por él –dijo. Se había olvidado por completo de quién la observaba desde la ventana y no vio alejarse dos sombras.

Durante la semana siguiente, el paciente de Kate recobró fuerzas a diario, fuerzas suficientes para que ella se marchase, pensó. Cuando lo planteó, lady Walsh dijo:

–De acuerdo, querida, como quieras. Has sido muy amable. Sé que no era tu intención quedarte tanto tiempo, pero maese Frith está muy inquieto encerrado en esa habitación. Tu compañía es para él un dulce esparcimiento. Pero la decisión es tuya, naturalmente.

Así que cada día pensaba: quizá mañana, hasta que pasó otra semana. No era fácil marcharse. Cuando estaba en compañía de él, se olvidaba del incierto futuro que tenía por delante.

–Habladme de vuestra vida –dijo Frith–. ¿Cómo entrasteis vos y vuestro esposo en esto del contrabando?

Así que ella le habló de la imprenta y la redada, de los libros de contrabando que tuvieron que quemar y ahora debían sustituirse. Pero no le contó que John Gough había capitulado ante sus enemigos, ni que era su hermano, no su marido. Eso no haría más que inducirlo a preguntarse por qué ella no lo había sacado de su error la primera vez que él dio eso por supuesto, y ella no sabía por qué no lo había hecho: solo recordaba la naturalidad con que él le había rodeado los hombros con el brazo al tomarla por John. No había deseado empañar ese momento íntimo de afecto y amistad, no había

147

deseado empañar la admiración de Frith por su hermano. No había necesidad de ello. Maese Frith zarparía pronto rumbo al continente, y Kate volvería a Londres. Seguramente sus caminos nunca volverían a cruzarse.

Al principio hablaban de cosas serias: de la amenaza que pesaba sobre ambos, de sus enemigos comunes, de su fe, de los planes de él para reunirse con Tyndale y traducir y escribir desde una distancia prudencial. En una ocasión Frith gritó en sueños, y cuando ella le preguntó si deseaba contarle su pesadilla, él le habló del sótano del pescado. Kate lo abrazó mientras él lloraba por la muerte de sus camaradas, y ella lloró también.

Maese Frith le contó relatos de Virgilio y Homero, y fue animándose conforme recuperaba las fuerzas, e incluso se reían, se reían mucho. Lady Walsh les proporcionó un tablero de ajedrez y jugaban durante horas; Kate había olvidado su propio afán competitivo. A medida que él recobraba el apetito y se le pidió a Kate que participara en el subterfugio de proporcionar comida a Frith sin delatar su presencia, conspiraban como niños, y una noche, pasadas las doce, llegó al punto de salir furtivamente de la alcoba para hacer una incursión en la cocina mientras Gilbert montaba guardia. Kate no había sentido tal júbilo desde hacía mucho tiempo.

—Kate Gough, vuestro marido es un hombre afortunado —dijo él un día cuando ella por fin logró vencerlo al ajedrez, y los dos rieron ante la exultación de ella por la victoria. Él alargó el brazo y le tocó la mano, el espontáneo gesto de afecto de un amigo, pero se apresuró a retirarla, como si el contacto le quemara la piel—. Me pregunto si sabe qué tesoro tiene con vos —añadió en voz baja.

Kate deseó decirle la verdad, pero para entonces habría sido un motivo de bochorno entre ellos y no habría servido de nada.

Ya no podía evitar pensar en su regreso a la librería vacía y su solitaria habitación en el piso de arriba. Ahora le parecería más vacía. Pero estarían los libros con los que volvería, y aún conservaba las diez libras que había recibido por la Biblia de Wycliffe para comprar plumas, papel y tinta que poder vender. Tal vez Winifred y su hija fueran a visitarla otra vez y se hicieran amigas.

Cuando apartó la mirada del tablero, Frith se había recostado en la cama y había cerrado los ojos. Parecía dormir.

Kate salió de puntillas de la alcoba.

~∗~

Transcurrió otra semana, y Kate allí seguía, pese a que era obvio que su paciente ya no la necesitaba. La última noche había aparecido en su ventana una luna creciente, recordándole que pronto llegaría *El canto de la sirena* y John Frith desaparecería de su vida. Lord y lady Walsh lo habían declarado en condiciones para emprender el viaje.

Apenas hacía tres semanas que lo conocía, y era como si hubiesen estado juntos toda la vida. Debido al ágil ingenio y la risa fácil de él, le resultaba cada vez más difícil marcharse. Se sentía viva cuando estaba en su compañía, viva como no se sentía desde hacía mucho tiempo. Cuando él le sonreía, era como sentir el sol en la cara después de un largo invierno.

Pero ese día no quería pensar en su marcha. Ese día John Frith, lady Walsh y ella disfrutarían de un picnic en el jardín privado de los Walsh. Fue idea de lady Walsh: aprovechar el sol del final de la estación, dijo, y animar a maese Frith, a quien últimamente se lo veía más pensativo. Lady Walsh había preparado una cesta con pollo asado frío y mermelada de cereza y pan recién hecho con queso cremoso fermentado.

—La cocinera empieza a sospechar, creo —dijo Kate mientras extendía un mantel en la pequeña mesa que había instalado Gilbert—. Me ha mirado levantando una ceja y ha hecho un comentario sobre mi gran apetito en los últimos tiempos. —Se rio, obviamente complacida por el hecho de haber impedido que el secreto se propagase por el pueblo—. Tildy ha cogido ya la costumbre de traerme una ración doble sin siquiera pedírsela —añadió Kate—. No sé qué deben de pensar de mí en vuestra cocina.

—Yo no me preocuparía por eso, querida. Pensamos que eres maravillosa, ¿no es así, maese Frith?

Pero maese Frith no parecía escuchar su parloteo. Tenía los ojos cerrados y permanecía repantigado en el asiento, en una postura de indiferencia. Al oír su nombre, abrió los ojos.

—Disculpad, ¿cómo habéis dicho?

—Maese Frith, ¿os encontráis bien? ¿Hace demasiado frío? ¿Volvemos adentro? —preguntó Kate.

—No. El sol me resulta agradable. Perdonad. Solo estaba distraído. Tonto de mí, cuando debería aprovechar una compañía tal que hasta los dioses me envidiarían. ¿Qué decíais?

—No hay necesidad de disculparse, John. No es cosa fácil dejar atrás el hogar para casi exiliarse. Solo comentaba lo maravillosa que nos parece Kate.

Él esbozó una débil sonrisa.

—Sí, es realmente maravillosa. Me sorprende que su marido acceda a tenerla lejos tanto tiempo.

Había hablado con voz tensa, casi brusca. Kate se preguntó si había hecho algo que pudiera ofenderlo, y de pronto cayó en la cuenta de que lady Walsh no debía de conocer el error de percepción de Frith. El detalle de su inicial disfraz había caído en el olvido tan deprisa en medio de la crisis de cuidar de él que su anfitriona y ella no habían vuelto a hablar del tema. Intentó captar la mirada de lady Walsh para prevenirla, pero en ese momento ella estaba agachada, trajinando con el pequeño brasero que Gilbert había colocado en previsión de que refrescara un poco.

—¡Marido! —Lady Walsh soltó una risita—. ¿De dónde habéis sacado esa idea, John? Kate es soltera —dijo al erguirse y centrar la atención en vaciar la cesta—. Es una ciruela madura en su punto para que un hombre afortunado la coja. —Alzó la vista, primero hacia Kate, luego hacia Frith. La mano que sostenía la bandeja de pollo asado quedó inmóvil a medio camino—. Cielos —exclamó, y su sonrisa pícara desapareció—. Parece que he hablado más de la cuenta.

Tras un espantoso silencio, Kate dijo con un tartamudeo:

—Cre… creo que maese Frith… quizá haya supuesto… lo cual desde luego es comprensible dadas las circunstancias…

—¿John Gough no es vuestro marido? —preguntó él con aspereza.

—No, no lo es. No estoy casada. John Gough es mi hermano.

—¿El hombre que viajó conmigo en el carromato es vuestro hermano?

Lady Walsh tosió suavemente.

—Queridos, creo que esta comida requiere sidra caliente. Empezad sin mí. Enseguida vuelvo.

Y de pronto se quedaron solos en el jardín, envueltos por el olor del humo de la leña, la luz oblicua del otoño y el engaño de Kate. Esta percibía la mirada de él, pero no alzó la vista para afrontarla cuando dijo en voz baja:

—En el carromato no había ningún hombre con vos.

—¿No había ningún hombre en el carromato? Pero yo no estaba tan enfermo como para tener alucinaciones. Había un hombre en el carromato. Incluso hablamos de nuestras penurias comunes. Recuerdo su voz ronca de…

—El hombre en el carromato era yo. Me vestí con la ropa de mi hermano y me hice pasar por él.

Frith la miró con incredulidad. Ella jugueteó con el contorno de su mantón y, fijando la vista en sus dedos, les ordenó que se calmaran.

—Es que se me ha metido arenilla en el ojo —dijo con el susurro ronco que había utilizado al pronunciar esas mismas palabras dirigidas a él. Trató de hablar con desenfado, en tono de broma.

Al ver que él no reía, Kate levantó la cabeza para calibrar su reacción. ¿Estaría atónito, quizá incluso furioso, por su engaño? Su rostro era inescrutable. No la miraba a ella, sino que mantenía la vista en la distancia media, absorto en alguna visión forjada en su propia cabeza. Pero claro que lo estaba, pensó ella con alivio. Tenía cosas más importantes en que pensar que el absurdo malentendido entre ellos. Era lo que lady Walsh había dicho. Debía de ser muy difícil dejar atrás todo aquello que a uno le resultaba familiar, más difícil aun que sentirse perseguido por sus enemigos. Envidió su viaje al continente, pero no le envidió el exilio.

—Ha dicho lady Walsh que empezáramos sin ella —dijo él, arrancando un trozo de pan. Lo untó con mermelada de cereza y dio un bocado, luego se lo tendió a Kate. ¿Un gesto de perdón?

Ella lo probó. Sabía a lana mojada.

—Siento no haberos corregido cuando disteis por supuesto… pero me pareció más fácil… y qué más daba…

Él la miró fijamente, observando su rostro como si intentara memorizar todas sus facciones. Ella se sintió cada vez más incómoda ante tal examen.

151

–Tenéis ahí un poco de mermelada de cereza –dijo él, y alargó el brazo para limpiarle la comisura de los labios con un dedo. Luego se llevó el dedo a la boca y la probó–. Ahora está más dulce.

Fue un gesto tan íntimo, tan cargado de implicaciones, que ella casi se desvaneció de tanto como se le aceleró el corazón. Se marcha con la marea de la luna llena, pensó. Esto solo traerá pena. Era muy injusto. Sintió el escozor de las lágrimas detrás de los párpados. Tonta, se reprendió, dentro de una semana se habrá olvidado de ti y tú de él.

Él se inclinó y le rozó los labios delicadamente con los suyos. Se marcha con la marea... se marcha con la marea.

–Cásate conmigo –susurró él.

A Kate se le cortó la respiración.

–¿Cómo? –dijo por fin, tartamudeando.

–Cásate conmigo. Te pido que te cases conmigo, Kate Gough –repitió él–. Te pido que te cases conmigo. Vente conmigo al continente.

XIII

¡Eh, que nones, que nones!
¡Son necios aquellos que desean morir!
Bien está bailar y cantar
cuando suena el toque de difuntos.

Canción del siglo XVI, recogida en un
manuscrito de la catedral de Oxford

Maese Frith me ha pedido que me case con él –dijo Kate, esforzándose por mantener la compostura–, cosa que naturalmente es imposible.

Estaban en la alcoba de lady Walsh. Como la señora de la casa había tenido el tacto de no regresar al jardín y se había levantado el viento, Kate había instado a su paciente a retirarse a descansar a su pequeña habitación del desván.

–Habéis estado muy enfermo –había dicho ella, intentando apelar a la sensatez, que de pronto parecía haberse esfumado por completo–. Estáis nervioso. No es un momento adecuado en vuestra vida para andar proponiendo matrimonio a mujeres a las que apenas conocéis.

–A una. A una mujer –había dicho él, levantando un dedo–. Una mujer muy hermosa, muy deseable. Mi ángel.

Ella simplemente cabeceó apenada y, con manos trémulas, recogió los restos de su festín intacto. Pese a las protestas de él, ella le entregó la cesta del picnic y le ordenó que disfrutara de la comida en el calor de su alcoba.

Luego huyó en busca de lady Walsh, que pareció encantada con la noticia.

—¡Lo sabía! —exclamó, dando palmadas—. ¡Le dije a lord Walsh que hacíais una pareja excelente! Excelente. Pero ¿por qué es imposible? Ah, claro. —Pareció desanimarse—. Ya estás comprometida.

—No, no. No es eso. Es que…

—Pues entonces, querida, cualquier otro obstáculo puede superarse, eso sin duda. Conozco a un sacerdote en Reading que os casará sin publicar las amonestaciones… cuando sepa las circunstancias.

—Pero… pero lady Walsh, ¡John Frith es un fugitivo! Se marchará con la próxima luna llena. ¡Dentro de una semana! Yo tendría que abandonar mi casa, abandonar Inglaterra. Y él ni siquiera me conoce, en realidad no. No sabe nada de mí, de mi vida. No sabe que no tengo dote. No sabe qué va a hacer ni lo que en realidad siente. Probablemente actúa así sobre todo por gratitud. Cree que le he salvado la vida. Me llamó su «ángel de la gracia».

—¿Y eso es malo? —Lady Walsh se echó a reír y, ahuecando las dos manos en torno al rostro de Kate, la atrajo hacia sí—. ¿Y tú qué, querida? ¿Tú qué sientes?

—Esa es la cuestión. No lo sé. Siento un gran afecto por él. Un gran afecto, lo admito. Es tierno y encantador y muy inteligente. ¿Sabéis que lee en griego, latín, alemán y hebreo? Será difícil encontrar a otro como él. Pero solo lo conozco desde hace tres semanas. ¡Tres semanas!

—Una mujer nunca llega a conocer a un hombre de verdad hasta que se ha casado con él y le da hijos. Tú eres afortunada. La mayoría de las muchachas no pueden elegir. Mis hijas se casaron con hombres escogidos por su padre. La Fortuna, o Dios… no siempre sabemos distinguirlos… ha elegido por ti. ¿Qué le has contestado a maese Frith?

—Le he dicho que necesita reflexionar sobre el hecho de que ha estado muy enfermo, de que comprensiblemente se siente inseguro y temeroso, y que no le tomaré la palabra por una propuesta tan precipitada.

—Muy sensato por tu parte. ¿Y él qué ha dicho?

—Me ha dicho que no se marchará a menos que yo lo acompañe.

Lady Walsh se echó a reír.

—Pues ahí tienes, querida, su vida está en tus manos.

A la mañana siguiente, como cada mañana, Kate apartó el desayuno de su paciente de la bandeja que Tildy le había llevado. Para ocultarlo de las miradas curiosas, metió en un amplio costurero los huevos pasados por agua —los tres—, dos lonchas de tocino entreverado y dos rebanadas de pan con un tarro de mantequilla azucarada de la vaquería de Little Sodbury. Kate no había comido nada de eso, limitándose a fingir que mordisqueaba el pan mientras Tildy la observaba con expresión cauta. Después de lo que se le antojó una eternidad, la criada terminó de limpiar y se marchó. Al mirar la comida, Kate sintió un nudo en la garganta. Su estómago, al igual que su corazón, parecía haber perdido la función que le correspondía.

No había pegado ojo en toda la noche.

En su cabeza revivía una y otra vez las palabras de Frith y su beso. Pero era un disparate, se dijo. Desde luego. La locura de un joven. Un disparate impetuoso. Seguramente él ya se había arrepentido. ¿Cómo no iba a arrepentirse? En fin, ella les ahorraría a él y a sí misma el bochorno de tener que retractarse de una proposición apresurada. Se limitaría a dejar el costurero a Gilbert e informaría a lady Walsh de que se marchaba a casa. Ese mismo día.

Pero cuando llamó con delicadeza a la puerta, no fue Gilbert quien abrió.

—Os verá alguien —lo reprendió.

—Me da igual —contestó el paciente—. Mejor dicho, no me da igual, pero me preocupaba tanto haberte asustado que he olvidado la prudencia.

—Haceos a un lado, por favor, y cerrad la puerta. —Su brusco tono de voz reflejó agitación y nerviosismo.

Cuando él aceptó el costurero, Kate posó la mirada en el camastro vacío de Gilbert junto a la puerta.

–Gilbert no está. Le he pedido que se marchara.

–Puede que lo lamentéis. Veo que habéis preparado el tablero de ajedrez.

Frith desplegó una sonrisa traviesa.

–He pensado que podíamos jugárnoslo. Si yo gano, tú te casas conmigo. Si ganas tú, yo me caso contigo. Así los dos ganamos.

¿Es así como admite su disparate? ¿Un torpe intento de aliviar el bochorno presentándolo como una broma?

–Es posible que finalmente sí necesitéis la compañía de Gilbert –dijo ella–. He venido a deciros que hoy me marcho a casa.

Kate escrutó el semblante de Frith atentamente en busca de una expresión de alivio, pero él dejó el costurero en el suelo y se mesó el cabello. De pronto la miraba con total seriedad, ya sin sonreír.

–Ya veo. Es lo que me temía. Sí te asusté. No tenía que haber sido tan… brusco. Pero es que nos queda tan poco tiempo… y cuando supe que no estabas casada… –Se interrumpió, abriendo mucho los ojos como si de pronto cayera en la cuenta–. Pero hay otro, claro. ¿Cómo no iba a haberlo?

Al oír la decepción en su voz, a Kate se le cortó la respiración y por un momento deseó echarle los brazos al cuello y decirle que sí, que se casaría con él, que lo seguiría al fin del mundo, pero eso habría sido una estupidez. Kate no era estúpida. Si al menos dispusieran de más tiempo. Si al menos…

–No. No lo hay… Es solo que… es imposible. Sencillamente.

–Si no hay nadie más, ¿por qué es imposible?

Kate cerró los ojos, para no verle la cara, buscando en su cabeza las palabras adecuadas.

–Te lo prometo… seré un buen marido. No te pegaré… –Se echó a reír pero su risa se apagó enseguida–. Sí, de acuerdo, ha sido un chiste malo. –A continuación, casi en un susurro, añadió–: Puede que incluso aprendas a amarme.

Ella abrió los ojos para fijarlos en los de él, sorprendida al descubrir tal franqueza en su mirada. ¿Cómo podría no amarte una mujer que tenga corazón?, pensó.

–Veo que ahora sentís afecto por mí, maese Frith, pero temo que sea un afecto nacido de… las circunstancias. Es posible que con el tiempo os arrepintáis de vuestra decisión, considerándola precipitada y poco reflexiva. Eso yo no lo resistiría.

Él la atrajo hacia sí. Kate oyó el ruido del tablero de ajedrez al caer al suelo como si estuviese lejos, no justo al lado de ellos. Pero cuando él la besó, ella solo oyó el rumor de la sangre en sus propios oídos. Sin saber de dónde, sacó fuerzas para apartarlo. Cuando él la soltó, ella tomó aire intencionadamente y esperó a que se le acompasaran los latidos del corazón. Enrojecido, él se agachó para coger el tablero y lo colocó en la mesa; luego recogió las piezas desperdigadas y las dejó en el tablero de cualquier manera.

—No tengo dote —dijo ella.

—¡Dote! ¿Crees que me preocupa una dote? ¿Qué tengo yo que ofrecerte a ti? —Cogió sus manos entre las suyas, ejerciendo una suave presión para que no las retirara—. Solo te pido que te lo pienses, Kate. Dices que he tomado una decisión precipitada. Eres tú quien corre el peligro de tomar una decisión precipitada. No desperdicies la ocasión de que seamos felices sin meditarlo debidamente. Al menos quédate hasta que llegue el barco. Haz eso por el hombre a quien has salvado la vida.

—Yo no os he salvado la vida.

—Me has inducido a querer vivir. Eso es lo mismo.

Kate no podía pensar racionalmente, no con él tan cerca, no con él mirándola así. Retiró las manos e, inclinándose, recogió dos piezas de ajedrez perdidas. Puso el rey en su correspondiente casilla, pero él le cogió el peón, sopesándolo mientras hablaba.

—Somos algo más que peones, Kate. Tenemos libertad para tomar decisiones. Los reyes y los obispos no determinarán eternamente el destino de los hombres libres.

—Huis de la ira de un obispo, ¿no es así? ¿Y no os pisan los talones los soldados del rey? ¿Cómo no vais a ser un peón en un juego peligroso?

—Esa es mi decisión, Kate. Mi decisión es no jugar conforme a las reglas del obispo. Un hombre con espíritu libre jamás será un peón en el juego de otro hombre, sean cuales sean las consecuencias de su decisión. Mi lugar está junto a William Tyndale y tu lugar estará a mi lado, si tú así lo decides. Pero en cualquier caso la decisión será tuya.

Dejó el peón sin rostro en el tablero frente al rey con su intrincada talla. Unas palabras valientes, pensó ella. Todo el mundo sabía dónde residía el poder en una configuración así; todo el mundo, por lo visto, excepto John Frith. O era un necio, o era el hombre más valeroso e inteligente que ella había conocido jamás. Pero también su hermano había hablado así, e incluso su padre. Ahora ella lloraba por ambos. Uno había perdido la vida y el otro ese mismo espíritu libre del que también se había jactado.

—Sois un hombre excepcional, John Frith. Me habéis concedido el mayor honor de mi vida. La mujer que se case con vos será afortunada. Pero no estoy segura… de que yo tenga el valor necesario para ser esa mujer. —Y no puedo pensar racionalmente si me miráis así, se dijo—. Necesito la debida distancia para reflexionar sobre lo que habéis dicho. ¿Queréis que vaya a buscar a Gilbert?

Él negó con la cabeza.

—Si me veo privado de tu compañía, prefiero estar solo.

—Muy bien —contestó ella mientras abría la puerta lo justo para echar un vistazo al pasillo.

—¿No te irás sin despedirte, pues?

Kate sintió que le acariciaba la nuca con los dedos, alisándole un mechón de pelo que había escapado del gorro de hilo. Notó frío su contacto en la piel caliente.

—No me marcharé sin desearos suerte. Lo prometo.

✢

—*El canto de la sirena* volverá dentro de cinco días según el calendario lunar —anunció lady Walsh más tarde ese mismo día mientras Kate la ayudaba a marcar las fechas en los barriles del sótano—. Debes darle una respuesta. Si lo retrasas mucho más, el tiempo tomará la decisión por ti.

—Lo sé. Lo sé. —De pronto, el sótano le pareció claustrofóbico y el aire húmedo, cargado del olor acre de las manzanas en fermentación; le produjo una sensación de mareo y ahogo—. Pero incluso si… ¿Y qué será de la tienda…? ¿Y de mi hermano? No puedo marcharme del país sin decirle a mi hermano adónde voy. No puedo abandonar la imprenta que nos dejó nuestro padre.

158

–Lord Walsh puede enviar a un agente para que se ocupe de la propiedad. ¿Dónde está tu hermano? Podemos mandar a un mensajero, pero quizá consideres que necesitas su permiso.

–Está en Gloucestershire, en la granja Clapham. No muy lejos de Gillingham Manor.

–Vaya, eso está en el condado de al lado, a un día de viaje de aquí si sales temprano. Aunque es posible que quieras pasar allí la noche, claro. Imagino que tenemos tiempo para eso. Ve a ver a tu hermano mañana, querida. Te quedarás más tranquila. Sé que no sería fácil exiliarse dejando asuntos pendientes. Enviaré a alguien que te acompañe.

A Kate no se le había ocurrido pensar que estaba tan cerca. ¿Qué diría John si le hablaba de Frith? ¿Le aconsejaría que se fuera? ¿O se quedaría callado con aquella mirada perdida que tenía desde que salió de la cárcel? Al menos podría verlos a él, a Mary y a Pipkin antes de irse. ¿Irse? Es absurdo, Kate. Lady Walsh ha dicho «exilio».

–Si es posible visitar a mi hermano, y no es mucha molestia, os estaría muy agradecida. Incluso si… incluso si…

–No es ninguna molestia. ¿Sabes montar a caballo?

–Me temo que no. Siempre hemos vivido en Londres. He tenido pocas oportunidades…

–No importa. Enviaré un carruaje con un cochero. Tardarás un poco más, pero será más cómodo para ti. Ahora mismo voy a pedirle a lord Walsh que lo organice.

Y sin dar tiempo a Kate de protestar, lady Walsh salió como una exhalación del sótano y subió por la escalera, dejándola allí a solas entre los toneles de roble. Marcó el último barril con tiza y luego se marchó también ella, habiéndose decidido al parecer su siguiente paso.

☙❧

«Eh, que nones, que nones…», cantaba Mary Gough mientras sacaba agua del pozo. Era la primera vez que le apetecía cantar desde su llegada a la casa de sus padres. Pero era una hermosa tarde, fresca y tonificante; sentía en la cara el calor del sol, que había asomado brevemente, y Pipkin brincaba en torno a sus faldas, haciéndola reír con su monótona aportación a la melodía: «nones… nones… nones».

Las últimas semanas habían sido difíciles. Se había sentido herida en su orgullo por tener que volver en la indigencia al hogar de su infancia, llevando consigo a un marido y un niño pequeño, dependiendo de la caridad de sus padres hasta para el mismo pan que comían. Regresar a la casa de su madre, hacer las cosas a la manera de su madre, tragarse sin rechistar los consejos no solicitados de su madre siempre que Pipkin se contrariaba, tener que salir continuamente en defensa de John por una circunstancia que sus padres, buenos católicos, no podían entender en modo alguno: todo ello la había despojado de toda alegría.

Más de una vez había oído hablar entre dientes a su padre mientras masticaba una ramita roída de sauce. «Un hombre ha de ser tonto para perderlo todo así. ¿Y por qué? Solo para que unos cuantos ridículos advenedizos puedan leer la Biblia por su cuenta. Y no podrían entenderla aunque la leyesen, muy posiblemente. ¿No es para eso que se paga a los sacerdotes?» Con cara de exasperación, su madre miraba en dirección a Mary mientras esta amasaba o cosía o daba el pecho a Pipkin, quien, según su madre, debería estar ya destetado, y quizá así fuera, pero Mary sentía un gran consuelo al estrecharlo contra su seno. Dios bien sabía el poco consuelo que recibía de John de un tiempo a esa parte. Era poco el afecto que fluía entre ellos en el reducido espacio de aquella casa de cuatro habitaciones.

De hecho, John había mostrado poco interés por lo que lo rodeaba. La mayoría de los días no hacía más que quedarse mirando el fuego, como si estuviera solo en la sala, respondiendo con monosílabos cuando su padre intentaba entablar conversación con él, hasta que el viejo desistió. Pero esa tarde la pauta cambió. John se levantó del taburete junto al fuego y anunció que era necesario reabastecerse de leña antes de que el invierno se recrudeciera. Sus padres habían cruzado una mirada como para decir «por fin».

–Voy –había pedido Pipkin levantando los brazos.

–No, Pipkin –había respondido Mary, esperando que el niño no se echara a llorar–. Papá tiene que trabajar. Ven conmigo. Puedes ayudarme a sacar agua del pozo.

Así pues, John se marchó solo, llevándose un hacha y un saco vacío al hombro, y si bien no cantaba, como mínimo se advertía en su andar el aplomo de otros tiempos, un sentido de la finalidad que últimamente había perdido. Ahora Mary y Pipkin iban por su vigésima canción y su décimo cubo de agua –de aquí para allá–, acelerando el paso él con sus pequeñas piernas para no quedarse rezagado y ella con la espalda dolorida de agacharse para que el niño pudiera «ayudarla» a llevar el agua, y luego levantándolo con un brazo para que pudiera verla caer en la cisterna del agua de lluvia junto a la puerta de la cocina.

Cada vez, Pipkin chillaba y batía palmas y gritaba «flop». Cada vez que volvían al pozo, el niño tiraba de la cuerda con sus manos regordetas mientras ella subía el cubo con la polea chirriante. Mary estaba agotándose, y aún tenía que ayudar con la cena. Pero también estaba agotando a Pipkin. Quizá el niño se echara una siesta y ella disfrutara entonces de un poco de tranquilidad. Su madre contemplaría afectuosamente al nieto dormido y haría algún comentario sobre su aspecto de querubín –solo lo llamaba así cuando dormía– y John volvería a casa, con un gran brazado de leña. La apilaría junto a la chimenea con una sonrisa de satisfacción en el rostro. Su madre quedaría complacida. Su padre quedaría complacido. Y su marido se habría cansado lo suficiente realizando un trabajo honrado para poder dormir toda la noche de un tirón. Todos se sentarían a la mesa sin que ella, por una vez, sintiera un nudo en el estómago.

Suspiró ante esta escena de dicha doméstica imaginada que acababa de construir en su cabeza, consciente de que era solo eso y nada más.

–Creo que ya hay suficiente para la colada. Mejor será que dejemos un poco de agua a los gnomos que viven en el fondo del pozo.

Pipkin la miró con los ojos desorbitados.

–Ya te hablaré de ellos después de la cena si me prometes portarte bien y no tocar la rueca de la abuela. –Hizo hincapié en la palabra «no». Últimamente la rueca era un punto especialmente delicado.

Después del flop del último cubo vaciado en la cisterna, Mary dejó al niño en el suelo y, arqueando la espalda para relajarla, levantó la cara para sentir la brisa del atardecer, fría, ahora que el sol estaba tan bajo. Se quitó el chal, envolvió al niño con él y lo acercó a sus piernas, disfrutando del calor de aquel cuerpo pequeño y duro que se revolvía contra ella. Unos cirros, arracimados en el cielo más allá de los montes, resplandecían ya con la inminencia de la puesta de sol. Le habría gustado quedarse allí para verlos adquirir una coloración rosada y malva y dorada, pero tenía tareas pendientes.

John llegaría de un momento a otro. Seguramente había ido a la alameda al otro lado del prado. Dirigió la mirada hacia el camino por si aparecía, pero solo vio un coche tirado por cuatro caballos. Allí, tan lejos del camino principal, el tráfico era escaso, así que le sorprendió ver el distinguido carruaje, con una divisa que no reconoció, y se sorprendió aún más cuando de pronto el cochero vestido con una elegante librea se detuvo delante de la granja. Las gallinas que se hallaban junto a la entrada dejaron de picotear y, cacareando en señal de protesta, huyeron revoloteando en medio de una nube de plumas y polvo. Mary agarró a su hijo del brazo mientras, con la otra mano, se protegía los ojos del sol enorme para ver mejor a los visitantes. Tal vez pudiera escabullirse por la puerta de la cocina y llegar al dormitorio que compartía su pequeña familia antes de que la vieran. Dio unos pasos en esa dirección, manteniendo aún a Pipkin bien cogido de la mano.

En ese momento oyó que alguien la llamaba por su nombre. Se volvió. Aun deslumbrada por el sol, Mary vio la curiosidad en la mirada inteligente de su cuñada cuando esta bajó del coche con toda la gracia de una dama nacida en una casa señorial.

De repente las ruidosas gallinas, el sendero embarrado que llevaba a la entrada de la casa, los bueyes en el campo arado y las ovejas apiñadas en el corral junto al ruinoso establo se mostraron en toda su miseria. Qué sórdido debía de parecer aquello a quien lo viese por primera vez. Pero esa era Kate, se recordó. No había por qué avergonzarse. Al fin y al cabo, los padres de Mary gozaban de una posición acomodada en comparación con los campesinos. Pero Kate siempre había vivido en la ciudad. Uno se acostumbraba a su propia clase de pobreza y tendía a no verla.

Debía salir corriendo a saludarla, pensó, debía dar la bienvenida a la hermana de John en su llegada a la granja Clapham, pero se quedó clavada al suelo, lamentando no haberse cambiado el delantal y no haber puesto un calzón limpio a Pipkin. Pero Pipkin decidió por ella. Soltándose, salió disparado y se abalanzó hacia Kate. Una risa entrañable y familiar resonó cuando Kate cogió a su sobrino en brazos.

–¡Pipkin, temía que te hubieras olvidado de mí!

Cuando Mary vio la amplia sonrisa de Kate y oyó su voz, una sensación de calor se propagó por su alma. Sin embargo, al correr hacia su cuñada para saludarla, advirtió que no llevaba equipaje.

Y eso fue un alivio. Aquella casa no soportaría más tensión en su fino tejido de paz doméstica.

～❦～

–¿Dónde está John? –preguntó Kate después de entrar en la casa, después de conocer a los padres de Mary, después de beber el vaso de suero de leche frío que le ofreció la madre de Mary a modo de refrigerio, cuando estaban ya a solas en el pequeño dormitorio. Mary se hallaba sentada con Pipkin en la mecedora que su padre había hecho, y Kate, en el borde de la cama.

–No debería tardar –contestó Mary–. Ha ido a cortar leña. Seguramente se lo ha tomado con calma. A él esto se le hace muy cuesta arriba, estar aquí encerrado todo el día con mis padres, y más ahora que ha llegado el frío.

–Pero las cosas van bien, ¿no? Tienes buen aspecto. A Pipkin se lo ve contento. –Pero Kate había reparado en ciertos detalles, como lo reducida que era la vivienda y su apariencia gris y triste. Incluso las ovejas que pastaban en el pequeño cercado parecían más solitarias que apacibles. Era difícil imaginar allí a su hermano. Pero Kate procuró ocultar la inquietud en su voz cuando preguntó–: ¿John está mejor?

Mary desvió la mirada, dirigiéndola hacia la ventana, donde la luz crepuscular teñía el cielo de un intenso color violeta, y contestó:

–Estamos bien. Esto a Pipkin le encanta. Le gustan las ovejas. Las llama «beebee». –Dio una palmada al niño sentado en su regazo quien, tras el saludo inicial, ahora se mostraba tímido ante Kate, como si su presencia allí lo desconcertara. Se acurrucó y hundió la cabeza en el pecho de su madre, negándose a mirar a Kate, hasta que

163

por fin se durmió–. Y John está… –Se interrumpió al oír la voz de John en la habitación contigua y a su madre, que los llamaba a cenar–. Bueno, ahora lo verás con tus propios ojos. –Tendió la mano y tocó la manga de Kate con actitud suplicante–. Por favor, Kate, no menciones nada sobre… ya sabes… mis padres no lo entienden, y John justo ahora empieza a…

–Maaary. –El tono de su madre era insistente.

Alzando la mirada con cara de frustración, Mary dejó al niño dormido en la cama. Kate sintió que se le encogía el corazón un poco al darse cuenta de lo mucho que lo había echado de menos. Y si se marchaba con John Frith, quizá nunca más lo viera. Quizá nunca vería a ninguno de ellos. Rozó con los labios la frente del niño y siguió a Mary al amplio espacio que hacía las veces de lugar de reunión y comedor.

John apilaba la leña junto a la chimenea. Kate pronunció su nombre.

Él se irguió y la miró. Seguía sosteniendo un leño con la mano izquierda. Con la derecha se echó atrás el cabello rubio –más largo y ralo de lo que ella recordaba–, un gesto que solía hacer cuando se sentía confuso. Ella tuvo que contener las lágrimas al ver sus marcadas patas de gallo y las arrugas de preocupación en su frente, cruzándose con la cicatriz sobre la sien derecha. ¿Cómo podía envejecer un hombre tanto en tan poco tiempo? Kate desplegó los labios en una sonrisa. No quería que él advirtiese su compasión.

–¿Kate? –saludó él con tono de asombro, como si, al igual que Pipkin, considerara fuera de lugar su presencia en ese entorno. Por un momento Kate se sintió de nuevo junto a la prisión de Fleet. Al recordarlo, la asaltó un vértigo de desesperación. Al lado de aquello, la granja era el paraíso.

–Hola, John.

–¡Kate! –El leño cayó con un golpe sordo en la chimenea cuando él salvó la distancia entre los dos de un solo paso. La abrazó con una fuerza que sorprendió y complació a Kate–. Nos tenías preocupados, allí sola en Londres. ¿Estás bien? –Y a continuación, manteniéndola a un brazo de distancia, añadió sin aguardar respuesta–: Desde luego se te ve bien. Me han dicho que teníamos visita. He visto el coche y he pensado que sería algún señorón cuyo caballo había perdido la herradura o algo así. ¿Cómo has…?

–Me lo ha prestado una amiga. Solo para esta visita.

–¿Una amiga de la nobleza? Y yo que estaba tan preocupado pensando en cómo se las arreglaría mi hermanita.

El ligero tono burlón de su voz recordó a Kate al hermano que ella conocía antes de torcerse las cosas.

–Cenemos antes de que se enfríe la comida –ordenó la madre de Mary, sirviendo en los platos cucharones de algo que olía a salvia y cebolla–. Padre, ve a buscar la silla de nuestro dormitorio para la invitada.

El anciano, servicialmente, dejó la ramita de sauce que masticaba.

–¿Dónde está Pip? –preguntó John.

–Duerme, y tú reza para que siga así y nos deje cenar en paz –dijo Mary en un susurro a la vez que tomaba asiento.

–Aquí tenéis, señorita.

El padre de Mary se colocó detrás de la silla que había acercado y esperó a que ella se sentara como si fuera la reina y no la hermana del hombre a quien parecía apenas tolerar. Era asombroso el poder que tenía la divisa de un noble, pensó Kate.

–Muchas gracias, pero no quiero abusar de vuestra hospitalidad. Seguramente el cochero estará impaciente…

–Hay comida de sobra también para el cochero –la interrumpió la madre de Mary y llenó un plato de aquel guiso humeante y añadió una gran rebanada de pan crujiente a un lado. Se lo entregó a John para que se lo llevara al cochero–. Y ahora sentémonos todos y comamos.

Kate tomó asiento. Era difícil resistirse a la madre de Mary, y Kate debía admitir que el estofado de conejo y verduras tenía un olor delicioso.

John no tardó en volver.

–No te preocupes por el cochero, Kate. Le he llevado una manta para los hombros y le he dicho dónde podía dar de comer y beber a los caballos. Ya está servido durante un rato.

–¡Durante un rato! –La madre de Mary enarcó las cejas en un gesto de indignación–. No pensaréis volver esta noche, ¿verdad?

Con tantos bandoleros como rondan por ahí. También se han visto lobos por los alrededores. Podéis compartir la cama con Mary, y John puede prepararse un camastro junto a la chimenea.

—Sí, por favor, Kate. Sería una crueldad por tu parte marcharte y no darnos oportunidad de charlar —dijo Mary—. Mi madre tiene razón. El cochero puede acomodarse en la buhardilla del establo con el mozo de cuadra. Seguro que lo prefiere a correr riesgos en los caminos de noche. Y vuestra amiga posiblemente prefiere que su coche y sus caballos tampoco se expongan a ningún peligro.

—Esto está delicioso, señora Clapham —comentó Kate para cambiar de tema.

John dejó el cuchillo y la miró con severidad.

—El cochero debería volver sin ti. Londres no es lugar para una mujer sola, y menos una mujer cuyo hermano fue arrestado por sus tendencias luteranas…

—Queremos que nos hables de tu amiga. ¿Verdad, John? —interrumpió Mary.

Kate lo entendió. Mary no solo deseaba eludir las conversaciones sobre asuntos religiosos. Mary no la quería allí permanentemente, a pesar de que ya desde muy al principio, cuando John la llevó por primera vez a la pequeña librería de Paternoster Row, se habían llevado bien.

Él la había conocido en Reading en una feria y a partir de entonces no hizo más que hablar de su dulce voz y sus amables modales. John había ido allí a vender libros y comprar material, y su puesto estaba junto al de un vendedor de canciones donde Mary y su madre se habían detenido a comprar un pliego. Desconociendo tanto el título de la canción que quería como la letra completa, Mary había cantado unos pocos versos al vendedor. Desde ese mismo momento John quedó hechizado.

—Mi hija no se casará a los quince años —había dicho su madre. Aun así, debieron de pensar que John era un partido aceptable, porque los dos veranos siguientes permitieron a su hija realizar largas visitas a su tía, que regentaba una posada en Reading.

John encontró numerosas excusas para viajar a Reading y, al final del segundo año, llevó a Mary a su casa como esposa. Kate y ella congeniaron como hermanas, aunque Kate intuyó que dos mujeres en una misma casa eran demasiadas. Se ofreció a trasladarse al pequeño almacén situado encima de la tienda.

Y si dos mujeres era una cifra que debía evitarse, con tres la convivencia sería imposible, pensó mientras la señora Clapham se acercaba para servirle. Kate negó con la cabeza para indicar que no quería repetir. Decidió ayudar a Mary en su táctica de distracción.

–El coche es de lord y lady Walsh, de Little Sodbury. Me lo han prestado para venir aquí de visita.

John enarcó las cejas.

–¿Lord Walsh de Little Sodbury? ¿El que se dedica a la importación de…?

–El mismo –interrumpió Kate lanzando una mirada a Mary. Kate notó que se le tensaban los hombros a la vez que los de Mary–. Fui a recibir el envío que tú no pudiste recoger.

–Dios mío, Kate, ¿eres consciente de…?

–No echemos a perder esta excelente cena con una discusión –atajó Kate–. Además, tengo una buena noticia, John. Al menos espero que a ti te parezca buena. Voy a casarme. La semana que viene a estas horas seré la esposa de John Frith.

¿Habían salido de verdad esas palabras de su boca?

–¡A casarte! –Mary se levantó de un salto y abrazó a su cuñada, casi volcando una jarra de leche–. ¡Kate, qué maravilla! ¿Y quién es? ¿Cuándo?

–Me temo que ha sido todo muy repentino. John… –Qué extraño le resultaba llamarlo por su nombre de pila con tal familiaridad, cuando siempre había pensado en él como maese Frith–. John parte hacia el continente dentro de una semana y me ha pedido que lo acompañe.

–Pero ¿a qué vienen tantas prisas? –A Mary se le ensombreció el rostro por un momento, y luego bajó la voz como si divulgara un secreto vergonzoso–. ¿No estarás…?

–No, Mary, no. John Frith es…

–Ya sé quién es –replicó su hermano con voz inexpresiva, empujando un trozo de carne hacia la cuchara con el cuchillo–. Era toda una promesa en Oxford. Nos hablaba de él a menudo nuestro proveedor, Thomas Garrett. ¿Lo recuerdas, Kate? ¿Aquel que detuvieron a la vez que a mí? –No pareció advertir la ceñuda expresión en

167

el rostro de su suegro, o tal vez sí, y precisamente por eso lo dijo, ya que sin duda sabía que Kate recordaba a Thomas Garrett–. Frith es un traductor de la Biblia, como William Tyndale, y amigo de Tyndale. Seguramente va a reunirse con él. O eso o es un fugitivo.

A la señora Clapham se le cortó la respiración y, sorprendida, los miró con los ojos desorbitados.

Llegó un llanto desde el dormitorio.

–Vaya, es Pipkin –exclamó Mary con perceptible alivio–. No se callará hasta que consiga lo que quiere. Y yo soy la única que puede dárselo.

–Yo ayudaré a recoger –dijo Kate.

–Ni hablar. Nada de eso. Sois una invitada. Id a sentaros junto al fuego y hablad con vuestro hermano. A saber cuándo volveréis a verlo. –La señora Clapham dirigió un elocuente gesto a su marido–. El señor me ayudará.

El «señor» se mostró un poco sorprendido pero enseguida se recuperó y masculló:

–Exacto.

Cogió un plato sucio y lo miró con cara de perplejidad antes de volver a dejarlo en la mesa.

John se levantó y, agachando la cabeza para esquivar la viga de baja altura que en cierto modo separaba las zonas de comedor y descanso, indicó a Kate que ocupara la silla de madera de sauce alabeada más cercana a la chimenea. Él tomó asiento junto al fuego, ante un jamón ahumado colgado en el rincón del hogar, y esquivó una sarta trenzada de cebollas y manojos de hierbas secas al echar otro leño. Las llamas lo absorbieron ávidamente.

–Así que eres el guardián de la llama –comentó Kate, intentando alejar la conversación de aguas peligrosas.

–Y no mucho más –contestó él.

Kate percibía los cuchicheos de la señora Clapham y algún que otro gruñido del «señor».

John y ella hablaron de trivialidades: el tiempo que hacía cuando se marchó de Londres, lo hermosa que estaba la campiña. «Bucólica» fue la palabra que empleó; «solitaria» habría sido una palabra más exacta, pensó.

–Vendí la Biblia de Wycliffe a Humphrey Monmouth –dijo cuando ya no se oían murmullos en la cocina y se había apagado el farol, después de irse a la cama discretamente sus anfitriones.

–¿Cuánto sacaste?

–Diez libras.

–¡Diez libras! Bendito sea Humphrey Monmouth. Me alegro de no haberla quemado.

–Gasté parte en comida –explicó ella–, pero iba a emplear el resto en la compra de material para mantener la tienda abierta. Supongo que ahora lo usaré como dote, si tú no tienes inconveniente, claro está.

–Tilín, tilín, eres mi chiquitín –entonó Mary con su dulce voz de soprano.

La leña se desplazó en la chimenea. Kate aguardó a que él contestara. John volvió a avivar el fuego, y se elevó una lluvia de chispas.

–¿Tengo tu permiso, pues?

–Y si dijera que no, ¿qué pasaría? Es una vida peligrosa la que has elegido, Kate, ligar tu destino a un hombre así. Pero no más, supongo, que intentar ganarte la vida tú sola con el contrabando.

–¿Y esta es, pues, la vida que tú has elegido? Después de meses de vida rural, te das por satisfecho con permanecer enterrado en este rincón perdido, todos aquí apiñados como encurtidos en un tarro. –Cuando podrías estar haciendo tantas cosas por la causa que llevó a tu padre a la muerte… pensó, pero esto se lo calló. ¿Qué derecho tenía ella a poner en duda la decisión de su hermano?

–¿Satisfecho? Si el alma de un hombre no está satisfecha, en realidad da igual dónde viva. El padre de Mary nos ha prometido un trozo de tierra. Hay una excelente alameda a un trecho de aquí por el camino. Cuando llegue la primavera, debería tener ya madera suficiente para las vigas del tejado y la estructura. Las cosas irán mejor cuando dispongamos de nuestra propia casa.

–¿Planeas dedicarte a la agricultura, pues?

Él dejó escapar una especie de risa.

–Qué va. No soy granjero. Pero en la zona hay un número considerable de campesinos analfabetos. Soy un escribano aceptable.

169

Nos las apañaremos con eso y con lo que podamos sacar de la granja.

—Me alegro por ti, John. De verdad —dijo ella, pensando que se conformaba con muy poco.

El fuego empezaba a apagarse. No llegaba el menor sonido de la habitación de Mary. Probablemente Pipkin se había dormido, hecho un ovillo en la cuna demasiado pequeña junto a la cama o acurrucado contra el cuerpo cálido de su madre, esperando a que su padre se reuniera con ellos. La escena formó una adorable imagen en la imaginación de Kate. Quizá en realidad John no se conformaba con poco, pensó, de pronto extenuada y un poco asustada. ¿Cómo sabía ella lo que le esperaba en el continente? Apenas conocía a John Frith. Aquí al menos había una casa y un fuego caliente. Aquí había amor e intimidad. Pero no podía pensar en eso ahora. Lo único que deseaba era abandonarse al sueño.

—¿Seguro que dormirás bien aquí? —preguntó Kate.

—Estaré bien. —John señaló una manta y una almohada en el rincón—. De todos modos, duermo aquí casi todas las noches, si es que a eso puede llamarse dormir. No quiero molestar a Mary con mi agitación.

—¿Y por qué estás tan agitado? —Pero ella ya lo sabía.

—No es lo que tú crees —respondió él con repentina vehemencia—. Hice lo correcto negando todo lazo con el luteranismo. El apóstol san Pedro negó una vez a Nuestro Señor. Tres veces. Y tres veces lo perdonó Jesucristo. «Alimenta a mi rebaño, Pedro», le dijo. —Se miró las manos—. Estoy intentando averiguar cómo puedo «alimentar el rebaño».

—No pienses que te juzgo por tu decisión, John. ¿Qué derecho tengo? Cuando pienso en lo que has sacrificado por los dos que ahora duermen en esa habitación. Lo que pasa es que siempre has sido mi héroe.

—Por lo que se ve has encontrado un nuevo héroe —dijo él sombríamente—. Y ruego por que John Frith nunca tenga que hacer frente a esa misma decisión.

Kate abrió la boca para hablar pero en realidad no supo qué decir. Él se levantó.

—Iré a ver al cochero para asegurarme de que no tiene frío y está bien resguardado de la lluvia en el establo –anunció.

Al ver que su hermano no regresaba, Kate pasó de puntillas ante el fuego para entrar en la habitación contigua, se desvistió quedándose en enaguas y se acostó al lado de su cuñada. Permaneció despierta largo rato escuchando la rítmica respiración de Mary, atenta a los ruidos que indicasen el regreso de su hermano. Finalmente se adormeció intentando evocar la cálida sonrisa de John Frith para ahuyentar sus temores.

XIV

*Cuántos hombres hay cuyos hijos en la infancia
muestran gran predisposición a la pintura, la talla,
el bordado, o cosas semejantes… y en cuanto lo men-
cionan, su deseo es recibido con disgusto y se los ata
por tanto a oficios como el de sastre, tejedor, corta-
dor de telas y a veces zapatero remendón.*

SIR THOMAS ELYOT acerca de la falta
de artistas en Inglaterra, de su libro
The Boke Named the Governor

Después de su tercera visita a Hampton Court en igual número de semanas, Tomás Moro se alegró de estar de regreso en
Chelsea. Era viernes y había acabado su ritual de primera hora de
la mañana, guardado el instrumento de penitencia en su caja y hecho acopio de fuerzas para hacer frente a otra clase de azote: la lengua de lady Alice.

–¿De qué sirve tener un marido en la corte si es tan reservado?
–había protestado ella en el desayuno cuando él declaró no haberse
fijado en la indumentaria de lady Bolena, ni en su aspecto, ni en ninguna de esas trivialidades que interesaban a las mujeres.

–El cotilleo es pecado, Alice –había replicado él con tono de
honda resignación–. Y los cotilleos de la corte son especialmente
perniciosos.

Pero incluso su malhumorada compañía y sus incesantes preguntas eran más deseables que hallarse en el pozo negro que era la

corte de Enrique. Era preferible padecer la lengua mordaz de Alice a ver al rey de Inglaterra lisonjear a su ramera luterana de ojos negros mientras su buena reina católica languidecía en Greenwich. Tomás entró en el santuario de su estudio y, cogiendo el libro de su escritorio, dejó escapar un profundo suspiro. Lo aguardaba otra desagradable obligación.

La mañana que Tomás se marchaba de Hampton Court, el vicario general lo había llevado aparte discretamente. Un miembro de la familia de un jurista del Tribunal Supremo había quebrantado la ley a sabiendas. Por suerte, antes de que Tomás pudiera emitir comentario alguno acerca de semejante escándalo, el vicario general le había plantado ante las narices el pequeño códice y preguntado:

—¿Qué os parece esto, maese Moro?

Echando un vistazo, Tomás vio que el delgado volumen era una traducción inglesa del *Tratado sobre el padrenuestro,* de Erasmo. ¡Y lo había traducido su propia hija, Meg! El preceptor de esta, Richard Hyrde, un hombre al servicio de Moro, había escrito el prefacio. Pero el vicario general señaló —incluso mientras el corazón de Moro se henchía de orgullo por el logro de su hija— que la autora, Margaret Roper, de soltera Moro, había pasado por alto solicitar la licencia eclesiástica para publicarlo. El vicario general golpeteó la portadilla donde debería estar, y no estaba, el imprimátur *cum privilegio a rege indulto.*

—Vuestra hija ha quebrantado la ley —dijo el clérigo.

—Yo nunca… nunca había visto este libro —aseveró Tomás con un tartamudeo—. Sabía que estaba trabajando en esto, pero no tenía ni idea de que casi lo había terminado. Os aseguro que se retirará en el acto si no obtiene autorización para publicarlo. Mi hija ha cometido este delito por ignorancia, y os suplico…

—Resolvedlo de inmediato. No desearíamos llamar la atención del rey al respecto. No ahora. No cuando contáis con el favor real.

Ahora, en la paz de su gabinete, Tomás hojeó el libro, reparando en la limpia sintaxis, la prosa clara. Si al menos ella se lo hubiese enseñado antes. Sin duda un hombre «con el favor real» habría obtenido autorización para que su hija publicara un opúsculo devoto, incluso en inglés. O quizá no. Asaltó su mente la imagen de Wolsey, que en otro tiempo también había disfrutado del favor real, recogiendo las cosas de su gabinete para abandonar su querido Hampton Court. Tomás lo había interrumpido cuando estaba junto a la ventana del gabinete. El cardenal observaba el jardín, donde la ramera del rey coqueteaba con el secretario Cromwell.

–Vigila a esos dos, Tomás –había dicho el anciano–. Últimamente hacen muy buenas migas.

El pretexto de que el cardenal se retiraba a York para centrarse más en sus responsabilidades de arzobispo no era más que una estratagema para salvar las apariencias. En la corte se rumoreaba que Enrique ya no lo soportaba. Wolsey había acumulado demasiado poder, y había fracasado en el gran asunto del rey. Era solo cuestión de tiempo que se solicitase al canciller que entregase el sello. Se rumoreaba asimismo –más cotilleos perniciosos– que incluso podía ser que el Parlamento lo acusara de violar el Estatuto de *praemunire* porque era un legado de Roma. Wolsey era legado de Roma por su propia ambición –su corazón de cardenal albergaba sin duda la ambición de ser papa algún día–, pero también lo era porque Enrique se lo había pedido. A veces, en la sombra más oscura de su alma, Tomás temblaba al pensar en las complicaciones en que se había metido.

–Ten cuidado con el favor real, maese Moro –había musitado el anciano–. Se pierde con mayor facilidad que la virtud de una mujer.

Un criado entró de puntillas en el gabinete de Tomás con un cubo de carbón y se agachó ante la chimenea para avivar el fuego.

–Barnabas, ve a llamar a la señora Roper –ordenó Tomás al criado, de espaldas a él–. Dile que su padre quiere hablar con ella por un asunto de máxima urgencia.

❧

Margaret Roper no alzó la vista cuando el criado de su padre apareció en la puerta. Estaba vaciando las cajas llegadas de la imprenta. Por fin. ¡Los libros! El pájaro alado que era su corazón sin duda le reventaría la caja torácica a fuerza de batir las alas. Acarició con las manos la encuadernación en piel, que le había costado su buen dinero. Tendría que ponerse la capa y el casquete del año anterior para poder pagarla. Pero merecía la pena, pensó al abrir un ejemplar por la portadilla y reseguir con el dedo las letras: «*Tratado sobre el padrenuestro*, de Desiderio Erasmo, traducido al inglés por Margaret Roper». Qué contento se pondría su padre cuando lo viese.

—¿Qué pasa, Barnabas? —preguntó Margaret, sin alzar la vista.

—Vuestro padre desea veros, señora.

—Dile que acudiré sin tardanza.

Tal vez no debería haber impreso tantos, pensó. A lo mejor la muchacha de la librería de Paternoster Row vendería unos cuantos cuando volviese a abrir. Tenía las estanterías bastante vacías. Quizá se alegrara de tener material en depósito.

Barnabas tosió con discreción.

—Sir Tomás ha dicho que es urgente.

—Pues en ese caso iré ahora mismo —dijo ella, estrechando un libro contra el pecho, impaciente de pronto por ver la expresión de su padre. Fuera cual fuese ese asunto «urgente», sin duda eso le arrancaría una sonrisa.

Pero cuando entró en el gabinete de su padre al cabo de unos minutos, lo encontró de un humor extraño. Tenía un semblante ceñudo que casi nunca mostraba ante ella; ante otros quizá, pero no ante ella.

—¿Qué pasa, padre?

Él sostuvo un libro en alto. Ella reconoció la tapa con consternación.

—Ah —exclamó—. Ya lo habéis visto. Esperaba sorprenderos…

—Pues lo has conseguido admirablemente —dijo él con sequedad—. Debo añadir que no ha sido una sorpresa grata.

—No entiendo…

Tomás dejó el libro en el escritorio con un golpe, haciendo temblar los tinteros y las plumas allí en formación como pequeños soldados. Para Margaret fue como un bofetón en la cara.

—Me lo ha enseñado el vicario general. Por lo visto, hija mía, has quebrantado la ley.

—¡He quebrantado la ley! Pero ¿cómo…?

Tomás abrió el libro por la portadilla, acercándolo tanto a la cara de Margaret que ella tuvo que apartarse para verlo.

—Mira. ¿Ves algo mal aquí?

Margaret intentó centrar la vista en las letras. ¿Qué podía estar mal? Había reconocido debidamente la autoría. El título de la obra estaba bien escrito. Negó con la cabeza a la vez que contenía unas lágrimas de mortificación.

Él sacó un libro de la estantería, lo abrió por la portadilla y la golpeó con un nudillo.

—Aquí tienes, aquí. No has solicitado el permiso del rey. Es la ley, Margaret. No puedes publicar sin el permiso de la Iglesia y el sello real.

—Lo siento mucho, padre. No sabía… Pero ¿cómo es posible que haya llegado a sus manos? Acabo de… El primer ejemplar es para vos. ¿Qué le habéis dicho al vicario general?

—Tienen espías en todas partes. Le he dicho que ya nos ocuparíamos. Tendremos que destruirlos si no conseguimos la licencia.

Todo ese trabajo, todo ese gasto.

—¿Incluso las preciosas tapas de piel?

Margaret ya no podía contener las lágrimas.

Tomás dejó escapar un hondo suspiro.

—Cálmate, Margaret. —Su ceñudo semblante se suavizó un poco—. Podemos salvar las tapas de piel. El impresor podrá coser una nueva portadilla. Creo que puedo conseguir la licencia. Todo se reduce a seguir el procedimiento debido. La obra de Erasmo no contiene ningún elemento teológico al que la Iglesia pueda hacer objeciones. Es una obra dirigida solo a estudiosos. Incluso en inglés, los suyos no son textos que puedan interesar al hombre de a pie.

—Padre, lo siento. Pensé que os complacería. Pensé que estaríais orgulloso de mi erudición. Nunca pensé que…

Él le cogió las manos y le dio un fuerte apretón antes de soltárselas.

—Estoy orgulloso de ti. Pero debemos andarnos con cuidado. La ley puede ser una herramienta valiosa o un arma temible. Ahora vuelve a tus tareas. Ya me ocuparé yo de esto —concluyó con un gesto de despedida.

—Estaba sacando los libros de la caja —dijo ella tristemente.

—¿Cuántos tienes?

–Cuatro docenas.

–Devuélvelos por medio de Barnabas. Asegúrate de que no quede aquí ni un solo ejemplar.

Margaret estaba a punto de marcharse cuando se le ocurrió una idea.

–Padre, ¿os acordáis de la imprenta de Paternoster Row de la que os hablé?

–¿Qué imprenta era esa? –preguntó él distraídamente. Estaba examinando el libro con una media sonrisa en la cara, apaciguado ya al parecer su arrebato de mal genio ahora que tenía un plan de acción. A su padre nada se le daba mejor que los planes de acción.

–El dueño se llama Gough. Estuvo en la cárcel por vender libros de contrabando. Te pedí que lo ayudaras.

–Sí, ya me acuerdo –dijo Tomás, pasando la hoja–. Di orden de que lo pusieran en libertad.

–¿Sabes qué fue de él? El otro día, de camino a la casa de beneficencia, pasé por delante y la tienda estaba cerrada a cal y canto. Había una gruesa cadena en la puerta.

–Probablemente la tienda ha cerrado para siempre. Di orden de que destruyesen la prensa a modo de castigo.

–¡A modo de castigo! Pero ¿no lo habían castigado ya más que suficiente?

Él apartó la vista del libro y fijó en ella sus ojos de color avellana.

–La ley es muy estricta, Margaret. Recuérdalo.

–Sí, padre –respondió ella, escarmentada. Pero al salir en silencio del gabinete pensó que si era tan fácil que un miembro de la familia de Tomás Moro cometiera un delito, ¿qué posibilidades tenía un hombre inferior?

❧

–Maese Frith, ¿me atendéis? –El clérigo lo miraba con enojo.

–Os ruego que me perdonéis –dijo John.

Pero lo cierto era que apenas había oído una sola palabra de lo que decía el hombre, algo sobre la consanguineidad, pensó. Estaba demasiado alterado para concentrarse. ¿Y si Kate lo rechazaba? ¿Y si no regresaba antes de que llegara el barco? Había pensado

177

que estaba atada a otro hombre, y al averiguar que no era así, había jurado no partir sin ella. Ninguna otra mujer lo había conmovido tanto, ni siquiera en su juventud en Seven Oaks, donde había coqueteado desvergonzadamente con las chicas de Kent y bailado alrededor del mayo con la hermosa Lottie, la de las mejillas como manzanas. Pero cuando Kate Gough sonreía, el cielo se despejaba. Oírla era un consuelo para él; al tocarla se le alteraban los sentidos. Aunque sabía que estaba mal por su parte pedirle que se uniera a un fugitivo, que abandonara el país y todo lo que valoraba y conocía, no podía evitarlo.

Esbozó una sonrisa de disculpa y tranquilizó al fraile que había viajado desde Reading.

–Os escuchaba. No. Os aseguro que no estamos emparentados en modo alguno. Como los dos somos forasteros en esta comunidad, publicar las amonestaciones no sería más que una formalidad. Perdonad si os parezco distraído. Es solo que la mujer de la que hablamos no me ha dado aún la respuesta definitiva y apenas puedo pensar en otra cosa.

–Ah, yo tenía entendido… Lady Walsh dijo…

–Lady Walsh es una buena amiga. Es muy optimista. Quería que estuvierais aquí… por la urgencia… en caso de que la señorita Gough…

–Pues hombre, por el amor de Dios, haced venir a esa mujer y pedidle que se decida ya. Ayer mismo nos llegó noticia por medio de lady Ana Bolena de que los hombres del rey os buscan en todos los puertos. Es de la máxima urgencia que os vayáis. Ni siquiera lord y lady Walsh podrán protegeros cuando se promulgue una orden de busca y captura.

¡Me buscan en todos los puertos! Y si la cogían con él, ¿qué sería de ella? Qué necio había sido exponiéndola a semejante peligro.

–Lamentablemente, no está aquí –respondió. Y antes de que el fraile pudiera expresar lo que manifestaba su frente arrugada, John se apresuró a añadir–: Pero espero su regreso de un momento a otro. Ayer fue a despedirse de su familia y recibir su bendición.

Los interrumpieron unos discretos golpes en la puerta de la alcoba, y apareció Gilbert.

–Maese Frith, la señora Gough ha vuelto –anunció–. Lady Walsh ha pedido que vayáis a verla a sus aposentos. Yo os acompañaré. –A continuación dirigió un gesto de asentimiento al fraile–: La cena os espera en vuestros aposentos, padre. Lady Walsh me ha encargado que os dé las gracias por vuestra paciencia y que os pregunte si seréis tan amable de oficiar las vísperas en la capilla. –Guardó silencio por un momento para dar mayor énfasis–. Ha dicho que el acto será muy privado.

–¿Habrá testigos…? ¿Si los necesitamos?

¿Estaban diciendo lo que a John le parecía que estaban diciendo? ¿Había vuelto ya Kate y dado su respuesta a lady Walsh? La debilidad física que creía haber vencido amenazaba con volver en forma de mareo. ¿Estaba actuando debidamente? Si de verdad la amaba, ¿la pondría en tal peligro?

–Pero, hombre, no se quede ahí parado –apremió el sacerdote, dirigiéndole una parca sonrisa–. A menos que yo esté tristemente equivocado, creo que estáis a punto de casaros.

❧

Kate se reunió con el novio en el altar de la pequeña capilla. Se hallaban delante de una mesa bajo una sencilla cruz luterana. Detrás de ellos, solo estaban lord y lady Walsh y Gilbert, sentados en cuatro bancos pequeños dispuestos en parejas.

Al ver la severa expresión en el rostro del sacerdote, Kate deseó huir. Apenas podía respirar. De pronto John le tendió la mano y tiró de ella hacia delante, musitando:

–Temía que no volvieras cuando ya no estuvieras al alcance de mis muchos encantos.

Ella respiró hondo.

–Tus encantos llegan muy lejos –respondió, también en voz baja, y el sacerdote se aclaró la garganta.

–¿Quién entrega a esta mujer en matrimonio? –entonó el sacerdote, ante lo que lord Walsh dio un paso al frente y colocó la mano de Kate en la de John. Este sonrió y, en silencio, formó las palabras «te amo». A Kate le temblaba tanto la mano que cuando John alargó el brazo para ponerle el anillo, una preciosa sortija de granates donada por lady Walsh, tuvo que sostenérsela. A ella le pareció detectar cierto temblor en la mano que sujetaba la suya, pero decidió que no. El novio parecía tan sereno como si hiciese aquello a diario.

¡Quizá así sea! ¡Quizá lo haya hecho ya antes! ¡Quizá tiene ya una esposa! En definitiva, ¿qué sabes de él? Fijó la mirada en la cruz situada sobre el altar para no desvanecerse. Jesús de mi vida, te ruego que esto sea lo correcto. Tomó aire con un suspiro entrecortado y se le pasó el mareo.

Ocurrió todo muy deprisa. El sacerdote masculló algo en latín que Kate no entendió y alzó la Sagrada Forma, y Kate cayó en la cuenta de que estaba celebrando su primera comunión con su nuevo marido. ¡Su marido! Su mente apenas alcanzaba a comprenderlo.

Estaba casada. Era la señora de John Frith. Y al día siguiente abandonaría Inglaterra, quizá para siempre.

Pero antes tenía que superar esa noche.

⚜

Después de disfrutar los cuatro de una ligera cena en la intimidad de la solana, servidos únicamente por Gilbert —Kate no percibió el sabor de nada de lo que se llevó a la boca, ni siquiera el dorado pudin de crema que John le dio de comer con una cuchara—, ella y lady Walsh se retiraron a los aposentos de esta. Un intenso resplandor bañaba la habitación. Kate nunca había visto tantas velas encendidas al mismo tiempo.

—Esta será tu cámara nupcial, querida.

Kate abrió la boca para protestar ante tal generosidad.

Lady Walsh le puso un dedo en los labios para obligarla a callar.

—Puedo soportar los ronquidos de lord Walsh una noche si es por una buena causa. Gilbert montará guardia ante la puerta para que no entre ningún criado. —Metió la mano en un arcón de madera y sacó una delicada enagua de batista—. Toma. Este es mi regalo para ti.

Kate acarició con los dedos el intrincado encaje de la diáfana tela.

—Lord Walsh me la trajo de Venecia. Diría que hace bastante tiempo que no me mira con mucha atención, y probablemente sea

180

mejor así. Me queda un poco estrecha de cadera. –Se echó a reír–. Pero tú parecerás una ninfa. Aunque tampoco la llevarás puesta mucho rato.

Kate sintió que le flaqueaban las rodillas. Se agarró a la columnilla de la cama para sostenerse.

–Ten, déjame ayudarte –dijo lady Walsh a la vez que empezaba a desatarle el corpiño, y juntas retiraron el vestido.

Le dio un paño humedecido con agua de lavanda para que se refrescara y discretamente se volvió de espaldas para que Kate lo utilizara. Kate su puso la prenda. Parecía de gasa, y con ella se sintió desnuda. Se le puso carne de gallina.

–Sé que estás nerviosa, querida –indicó lady Walsh, y le pellizcó las mejillas para darles color. Le dio un ramillete de perejil–. Toma, mastica esto para refrescarte el aliento. –A continuación sacó unas preciadas gotas de un frasco de perfume y se las aplicó a Kate en las sienes–. Todas las novias están nerviosas la primera vez. Pero como no tienes una madre que te aleccione y alivie tus temores, permíteme que sea yo quien lo haga.

–Nunca olvidaré vuestra bondad –dijo Kate, sintiéndose de pronto llorosa, pensando en su propia madre, desaparecida hacía ya mucho tiempo.

–Venga, métete en la cama y te cepillaré el pelo hasta que brille como el cobre. El novio será incapaz de resistirse. Aunque no creo que necesite mucha ayuda. Parece ya bastante hechizado por ti. Eres una chica muy afortunada.

Kate subió a la gigantesca cama con dosel por el escabel de madera, preguntándose qué lado preferiría John. Como no lo sabía, se colocó a la derecha. No necesitaba mucho espacio. Esa cama era el triple de grande que el camastro al que se había acostumbrado.

Se tapó con la colcha bordada hasta las axilas y, mientras lady Walsh le cepillaba el pelo, contempló las sinuosas parras que decoraban las columnillas labradas de la cama y se entrelazaban en el dosel. Desde el centro de este se extendía lo que parecía un árbol enorme. Al pie del árbol había dos figuras, y la mujer, cubierta solo por la larga melena ondulante, sostenía una manzana ante un hombre cuyo torso quedaba medio oculto por el tronco del árbol.

–En cuanto al acto marital en sí, no tienes por qué preocuparte –prosiguió lady Walsh–. Maese Frith no parece ni mucho menos un hombre bruto. Habla de ti con mucha ternura. –Su voz seguía el ritmo de los movimientos del cepillo–. Y tú de hecho no tienes que hacer nada más que quedarte ahí tendida y relajarte. Es el hombre quien debe hacer todo el trabajo.

¡Quedarte ahí tendida y relajarte! Lamentó no haberse bebido el vino que le habían ofrecido en la cena. Intentó recordar el beso en el jardín otoñal, el sabor de los labios de John. Intentó distraerse mirando las parras curvas ascender por las columnillas hasta reunirse en la base del manzano.

–La primera vez puede que te duela un poco y después… –dejó escapar una risita tímida– incluso puede ser bastante… agradable.

Llamaron a la puerta con unos golpes amortiguados. Kate dio un respingo, como si hubiese recibido un aguijonazo. Lady Walsh dejó el cepillo y le ahuecó el pelo, extendiéndolo por la blanca almohada de hilo.

–Los caballeros están aquí –anunció Gilbert en voz baja.

–Diles que pasen –contestó lady Walsh, dando una palmada tranquilizadora a Kate en el hombro–. La novia está lista.

⁓⋇⁓

–Pensaba que no se marcharían nunca –dijo John cuando salieron lord y lady Walsh y la puerta se cerró.

–Supongo que así es como hace las cosas la nobleza –comentó Kate, y contuvo una risa nerviosa.

No sabía qué hacer con las manos. Las mantenía cruzadas rígidamente sobre el pecho. Tampoco sabía qué hacer con los ojos. No podía mirar a John. Todo el proceso había sido un suplicio: lord Walsh ayudando a John a desvestirse, luego a acostarse, y a continuación quedándose los dos allí de pie, uno a cada lado de la cama, hasta que la pareja estuvo debidamente «acostada».

–Creo que tiene algo que ver con los herederos legítimos y la primogenitura y…

John se inclinó sobre ella y le tapó la boca con un beso…

–Pero ahora ya se han ido y por fin estamos solos –dijo.

Kate se aferró al cubrecama. Él le cogió las manos entre las suyas y apartó con delicadeza la manta. Por un breve momento ella sintió el frío de la habitación a través de la sutil tela de la enagua, pero no se estremeció. Tenía la piel caliente a pesar del frío ambiental. Pero él la tapó rápidamente y se recostó en la almohada. No la miró; se limitó a fijar la vista en el dosel de la cama, con las manos detrás de la cabeza.

–John, ¿pasa algo…? –preguntó con un hilo de voz. Apenas consiguió articular las palabras.

–No, no pasa nada, Kate.

–Entonces no lo entiendo.

Intentaba no llorar. Había sido un día muy largo: el viaje desde la granja Clapham y luego la precipitada ceremonia. Ni siquiera había estado a solas con él desde su regreso.

–Eres hermosa –dijo él en poco más que un susurro. Los dos sabían que Gilbert estaba justo al otro lado de la puerta–. Y he soñado con estar así contigo, pero no puedo… no podemos… hasta que sepa que entiendes plenamente a qué te estás comprometiendo. A los ojos de la Iglesia, nuestro matrimonio no será válido hasta que se consume. Puedes anularlo cuando me vaya.

–¿Eso es lo que quieres, John? Dijiste que no te marcharías sin mí cuando me cortejabas. ¿Era la persecución lo único que te estimulaba?

John se apoyó en un codo y se volvió hacia Kate, acercando tanto el rostro que ella percibió el olor del hidromiel que permanecía aún en sus labios.

–Lo que pasa es que no quiero que te arrepientas. Estás casándote con un fugitivo, Kate. –Tendió la mano y le tocó el pelo; le recorrió el centro de la frente con el dedo, acariciando la vena azul que ella siempre había detestado–. No sé qué nos deparará el futuro, pero sé que lo determinará, para bien o para mal, el propósito que me impulsa.

–¿Has olvidado la razón por la que vine aquí inicialmente? Los dos compartimos esa causa –recordó ella en voz baja.

–No es solo eso. Cuando hui de Oxford, dejé atrás todos mis bienes… y no eran muchos… pero no estamos… no estoy en la indigencia. Mi padre me ha hecho llegar veinte libras por mediación de lord Walsh, y lady Walsh me ha entregado una carta de presentación para unos amigos suyos que regentan una casa de huéspedes para viajeros ingleses en Amberes. Creo que tengo recursos suficientes, Dios mediante, para que vivamos bajo techo y tengamos un plato en la mesa incluso en un país extranjero. —Se interrumpió, escrutando el semblante de ella en busca de algún indicio de vacilación—. Te quiero tanto que estoy dispuesto a marcharme sin ti si tienes alguna duda.

Ella le dirigió una sonrisa de alivio. Era tan tierno, casi infantil en su absoluta sinceridad, que si ella albergaba alguna duda, se disipó en ese momento.

—¡Espero que no te hayas cansado tan pronto!

John abrió la boca para contestar. Ella puso un dedo en sus labios para acallar sus protestas.

—Me darás unos hijos hermosos, marido mío —dijo—. Y tengo diez libras para añadir a tus veinte, así que no estamos ni mucho menos en la ruina. Ahora acabemos con esto para poder dormir. Ha sido un día muy largo.

Una vela parpadeó en el candelero de la pared y se apagó, con lo que quedó solo la llama que ardía cerca de la cama, pero daba luz suficiente para que Kate le viera la cara.

—No temas, Kate. No te haré daño —dijo él—. Pararé cuando quieras.

Habló con una seriedad tan conmovedora que a causa de eso, o del nerviosismo, Kate estuvo a punto de echarse a llorar. Él le tocó el pelo, la cara, deslizó la mano por su garganta. Sin duda percibía los fuertes latidos bajo su piel, pensó ella.

—Eres hermosa —repitió él, con la voz empañada por la emoción. Y luego murmuró algo en latín que casi pareció una oración, pero no era de ninguna liturgia habitual y ella no reconoció las palabras.

Él ahuecó una mano en torno a uno de sus pechos, y se lo masajeó con delicadeza. Su contacto quemaba como un hierro al rojo vivo a través de la fina batista de su enagua. Kate ya no podía controlar la respiración.

Con la otra mano, él le levantó la enagua y, colocándose encima, se unió a ella con un rítmico movimiento ancestral que el cuerpo de ella pareció reconocer y al que respondió.

Hasta sus huesos se derretían.

Cuando él la penetró, Kate se sorprendió de que existiera aún una parte sólida en ella contra la que presionar, pero una lancinante punzada de dolor le indicó que no quedaba nada de su resistencia virginal. «Y los dos serán una sola carne.» Por primera vez entendió el significado de eso, lo entendió de verdad.

… una sola carne… una sola carne…

Kate percibió su aliento húmedo en el cuello mientras él pronunciaba su nombre y decía después «ángel mío». Una sola carne… una sola carne… pensaba ella. «Mi ángel de la gracia», repetía él. Una sola carne… Y de pronto sintió derramarse la fuerza vital de John dentro de ella.

Ya se ha acabado. Somos una sola carne, pensó mientras él se apartaba. John dejó escapar un suspiro y luego, musitando su nombre de nuevo, la besó por última vez en la mejilla, un beso sin pasión pero lleno de afecto.

Ahora soy una mujer casada. Su semilla está dentro de mí. Puede que me haya dado un hijo.

Él le cogió una mano y, poniéndose de costado, la atrajo hacia sí hasta que ella se enroscó alrededor de su cuerpo. Mientras Kate yacía escuchando la respiración rítmica de su marido, pensó que lady Walsh tenía razón —en todos los sentidos—, pero no había mencionado la deliciosa lasitud posterior al acto marital. Kate flotó complacida hacia ese pequeño espacio entre la vigilia y la inconsciencia. Lamentó que John se hubiera dormido tan pronto. Le acarició el pelo con delicadeza y susurró su nombre. Él no se movió.

La vela se había apagado, pero una luna llena empezaba a dejarse ver justo delante de la gran ventana doble con parteluz, bañando la cama con su claridad. Iluminó el rostro de John. Kate levantó la manta para impedir el paso de la luz.

Locura lunar. Eso ocurría, según decían las viejas comadres, si la luna iluminaba el rostro de una persona dormida.

185

Quizá él estuviera ya un poco loco. Quizá los dos lo estaban. Pero ella era feliz en su locura. Se acurrucó contra el peso sólido de él, allí dormido a su lado, y se sintió segura por primera vez en mucho tiempo.

La vegetación labrada en el poste de la cama se entrelazaba y curvaba en su ascenso hacia donde se hallaban Adán y Eva bajo el Árbol de la Vida. Cuando cerró los ojos y sucumbió al sueño, Kate no vio la cabeza de la pequeña serpiente que coronaba la parra más grande, oculta entre las sombras de la rama más frondosa.

XV

La desnudez de la mujer de tu hermano no descu-
brirás; es la desnudez de tu hermano.

Levítico 18:16 (empleado por Enrique VIII
como justificación para anular su matrimonio
con Catalina de Aragón)

om Lasser oteó el horizonte mientras dirigía su buque hacia la ensenada. No había nada a la vista. Aun así, la mayor amenaza
la representaba siempre lo que no se veía. Llevaba ya mucho tiempo
navegando y reconocía a un agente de aduanas en cuanto lo veía, y
aquel día los muelles de Bristol, por lo general tan libres, estaban
plagados.

—Como abejas en un panal —había dicho Tom al dueño de la taberna donde acababa de pedir una cerveza y empanada de carne.

—Esta vez lo que buscan es a un hombre —explicó el tabernero
mientras secaba la jarra con un paño sucio—, no contrabando.

—Si eso es para mí, usad un paño limpio, por favor —exigió Tom.
Luego añadió—: Para atraer a tantos agentes, ese hombre debe de haberle robado la bolsa al arzobispo. ¿Adónde creen que va a escapar
desde el lado oeste de Inglaterra? Desde Anglia oriental solo nece-
sitaría cinco chelines y un par de horas para atravesar el canal del

mar del Norte y llegar al continente. Desde aquí, son quinientas millas bordeando por el sur. Habría que ser tonto para elegir el canal de Bristol.

–O astuto como un zorro –replicó el tabernero, todavía secando la jarra–. La marisma de Romney y toda la costa oriental es un hervidero de informadores. Según los observadores, Moro y el arzobispo quieren a este hombre a toda costa y están dispuestos a pagar. Creen que los llevará a ese traductor de la Biblia. Os aconsejo que no aceptéis a pasajeros desconocidos, capitán. –Sostuvo la jarra en alto al trasluz–. ¿Así está bien para vos?

–Bastante bien, amigo mío, bastante bien –contestó Tom, y echó media corona a la mesa, una compensación ciertamente generosa por una pinta de cerveza y un paño limpio, pero no era fácil encontrar fuentes de información fidedignas, y un paño limpio, menos aún.

Así que ese era el pasajero al que debía recoger *El canto de la sirena*, pensó mientras dirigía el barco entre las boyas del canal. Monmouth, prudentemente, no se lo había dicho, explicándole solo que un pasajero con destino al continente deseaba marcharse de Inglaterra a causa de las presiones de «ciertos sectores». Tom había preferido no saber nada más. Hasta ese momento. Había mucho más en juego, por lo visto. Hombre prevenido valía por dos.

Ahora, mientras oteaba la península de Sand Point, algo en la apariencia demasiado tranquila de la costa lo inquietaba. Era mediodía y el mar estaba sereno como un espejo. Nada, ni siquiera restos flotantes, salpicaba la bruñida superficie. Tampoco se veían las aves marinas carroñeras que solían seguir a los barcos, volando en círculo y abatiéndose para atrapar restos. La península también estaba desierta. Ni rastro de su pasajero. Volvió la vista hacia el mar abierto. Allí había algo, estaba seguro. Miró a lo lejos hasta que le pareció ver una mota insignificante en el horizonte, pero bastó para que se le erizara el vello de la nuca. Dos tripulantes lo avistaron casi al mismo tiempo y señalaron:

–¡Capitán!

–Ya lo veo. Cambiad de rumbo –ordenó Tom a voz en cuello, y atravesó el puente al trote–. Izad la vela a barlovento. Navegad rumbo al sur, bordeando Sand Point. –Aflojó los cabos del esquife sujeto a estribor–. Es posible que salgan en nuestra persecución e intenten abordarnos. No protestéis. Probablemente buscan a un hombre, no contrabando.

–Pero ¿y si preguntan por vos, capitán? –quiso saber el segundo de a bordo en cuanto adivinó lo que Tom se proponía.

–Diles que estoy en mi camarote, con fiebre –respondió, subiéndose al esquife y haciendo una señal al segundo para que lo bajara–. Enséñales los manifiestos y la carga. Ofrécete a acompañarlos a verme. No querrán. Nos reuniremos en Burnham, donde desemboca el Severn. Desde allí este barco podrá dejar atrás a cualquier embarcación de aduanas.

–Sí, capitán. –El segundo de a bordo sonrió. Le encantaban las persecuciones–. Llevaré el barco hasta allí.

–Más te vale –vociferó Tom cuando el esquife cayó en el agua ruidosamente, mojándole la camisa. Lanzó el cabo hacia el barco para que lo recogieran–. Si no lo haces, te daré caza y te colgaré del penol.

Se rio para suavizar sus palabras. Pero sabía que el segundo percibiría la amenaza, al igual que cualquier otro tripulante que estuviera oyéndolo.

Tom juró entre dientes cuando se sentó en la proa del bote y empuñó los remos. El contrabando era una cosa. Uno podía salir del paso fácilmente si lo atrapaban. Pero algo muy distinto era un pasajero prófugo de la ley. No sabía cuál era la pena por sacar a un fugitivo de Inglaterra, pero dudaba que se redujera a una simple multa. El trabajo de ese día le permitiría descargarse de gran parte de su deuda con sir Humphrey Monmouth, pensó mientras remaba hacia la orilla.

Varó el esquife y, tras esconderlo detrás de un afloramiento de rocas, se dispuso a aguardar a su pasajero. No tuvo que esperar mucho.

Desde las sombras de los árboles donde se hallaba, los vio a los cuatro. Diantres. Caminaban por la playa con la misma despreocupación que si pasearan una tarde por la orilla del mar. El sol se reflejaba en el espadín que lord Walsh llevaba al cinto. Para eso, bien habría podido anunciar su presencia a trompetazos. ¿No podían haber dejado que aquel hombre esperara allí solo, sin acompañarlo cogido de la mano a riesgo de llamar la atención? Lord Walsh era un buen hombre, pero quizá estaba demasiado seguro de que su rango nobiliario lo protegería. Aquello no era un juego inocente. Aquello no era como vender vino en el mercado negro o libros ilegales de Amberes, delitos menores por los que le pondrían una multa o le confiscarían la carga y luego se la revendería un funcionario corrupto. Por algo así, podía perder el barco. Nunca más. Le diría a Humphrey Monmouth que en adelante solo llevaría carga.

Al acercarse los cuatro, intentó evaluar a su pasajero. Las otras dos personas llevaban faldas, así que el del cabello castaño ondulado debía de ser su hombre. Parecía joven y, con su gorro y su sencilla zamarra rústica, tenía aspecto más de campesino que de erudito. Dijeron que había estado muy enfermo, pero se lo veía bastante vigoroso. Avanzaba al mismo paso que lord Walsh, en tanto que las dos mujeres iban un poco rezagadas, enfrascadas en su conversación.

Cuando llegaron a donde él estaba, Tom salió de entre los árboles que bordeaban la playa de guijarros.

—Por Dios, capitán, que susto nos habéis dado. —Lord Walsh se echó a reír–. ¿Dónde está vuestro barco?

—Lejos de aquí, milord. Como deberemos estar nosotros cuanto antes. —Intentó disimular la irritación en la voz.

—Sí, claro. Pero no hay necesidad de sulfurarse. La playa se ve bastante desierta.

—Las apariencias pueden engañar –respondió Tom, tendiéndole la mano al joven–. Soy el capitán Tom Lasser. Sois el pasajero, supongo.

—John Frith. –El joven desplegó una sonrisa espontánea–. Pero me temo que somos dos.

—¡Dos! Pero sir Humphrey no me…

—Sir Humphrey no lo sabía. Veréis, me he casado, y quiero llevar a mi esposa conmigo.

Airado ante la presunción del joven maese Frith, Tom miró de soslayo a la mujer que permanecía a cierta distancia junto a lady Walsh.

—Me temo que es imposible. Vuestra esposa tendrá que hacer el viaje por tierra. Fácilmente podrá embarcar en Yarmouth, y a un precio más barato. A ella nadie la busca.

–Lo siento. Eso también es imposible. No pienso marcharme sin ella. Si no podéis acomodarnos a los dos, iré por tierra con ella. Partiremos los dos desde Yarmouth.

–No seáis necio, hombre. Os cogerían incluso antes de llegar a Yarmouth. –Tom intentaba contener el mal genio. Para colmo, aquel insolente se hacía el héroe delante de la novia.

La mujer dio un paso al frente y Tom la vio bien por primera vez cuando ella dijo:

–Si es una cuestión de dinero, puedo pagar…

La voz. La frente ancha con la tenue línea azul bajo una piel tan fina que era casi transparente. Ya de sobra conocida.

Ella lo miró fijamente, con un ligero desafío en la inclinación de la barbilla.

–Ya lo ha hecho, señorita Gough –admitió él, con un suspiro–. Un penique más intereses.

–Señora Frith –corrigió ella, cogiendo a su marido de la mano. Y levantando la voz lo suficiente para que Tom la oyera, susurró al oído del desconcertado novio–: Ya te lo explicaré, John.

–No es solo una cuestión de dinero –dijo Tom con aspereza–. Podría hacerlo por simple «bondad humana».

Ella tuvo la elegancia de sonrojarse. Desde luego, le favorecía. Como también la tozudez con la que perseguía aquello que deseaba. ¿Tom se había fijado antes en lo atractiva que era? Solo la había visto bajo una luz gris junto a la celda de su cárcel y otra vez entre las sombras de una fogata. Le había parecido bastante guapa. Ahora, a plena luz del día, se le antojó que era de una belleza notable, con aquel cabello luminoso y la mirada inteligente de aquellos ojos, de color verde mar. Comprendió a regañadientes por qué Frith era reacio a dejarla.

–Vamos –ordenó con brusquedad, sacando el bote de detrás de las rocas.

Las dos mujeres se abrazaron con lágrimas en los ojos. Tom entregó un remo a Frith.

–Tomad, novio, podéis ayudarme a remar, si las fuerzas os lo permiten.

El rey Enrique siempre reflexionaba mejor a lomos de un caballo, y el camino de vuelta desde Greenwich, donde acababa de visitar a la viuda de su hermano: así era como pensaba en Catalina de Aragón ahora, nunca como su esposa, nunca como su reina. Para él, ya era del todo evidente.

Durante dieciocho años, había yacido con la esposa de su hermano en un intento de dar un heredero a Inglaterra. Cada acto de copulación era un pecado grave, cada acto era una obligación más penosa que el anterior, hasta que lo asombró el hecho mismo de ser capaz de cumplir. Y de eso no había salido ningún heredero varón –la señal más clara de que Dios no estaba complacido–, sino solo una niña, María, una niña que podría llegar a ser reina y casarse con un príncipe español o, que Dios no lo quisiera, incluso con un francés. Sus descendientes heredarían. Los enemigos de Inglaterra conquistarían, sin gastar un ducado de oro florentino ni derramar una gota de sangre, la soberanía por la que los monarcas ingleses anteriores a él habían luchado.

Su padre le había impuesto a Catalina a la tierna edad de dieciocho años, en gran medida porque no quería devolver la dote que el padre de ella, el rey Fernando, había pagado por su matrimonio con Arturo. Desde el primer día, Enrique había pensado en cumplir con su obligación y se había propuesto firmemente considerarla una esposa adecuada. Pero a medida que el pecado se enconaba en su alma, lo mismo ocurría con su rechazo a ella. Desde hacía meses, la idea de cualquier relación física con ella le repugnaba. Le inspiraba cada vez más aversión: sus pechos caídos, su sangre española, el hábito de la orden franciscana que llevaba bajo la vestimenta oficial, su exceso de devoción en general. Nunca reía. Ni siquiera con Will Somers, el bufón de la corte, capaz de hacer reír a una estatua. Ni siquiera por las bromas de Enrique, cosa que sin duda haría una esposa sensata. Una mujer más sensata no respondería a las chanzas de su marido con esa sonrisa resignada que destilaba tolerancia y condescendencia.

Aunque debía admitir que la reina no carecía de virtudes, cosa que sus partidarios nunca se cansaban de señalar. Era inteligente, culta –amante del nuevo saber procedente de las universidades– y podía estar a la altura incluso del gran sir Tomás en una conversación teológica y política. Y era más que obvio que adoraba a su marido, incluso le toleraba algún que otro escarceo como el que había tenido con María Bolena. Lo toleraba pasando más horas de rodillas rezando por él. Por alguna razón eso le quitaba las ganas a cualquier hombre, saber que mientras él practicaba un poco de «deporte» viril, su esposa estaba en casa rezando por él.

Esa mañana él la encontró arrodillada. La saludó llamándola «cuñada».

–Soy la reina Catalina, esposa del soberano rey de Inglaterra, Enrique VIII –dijo con su pronunciado acento español, sin alzar la vista ni una sola vez–. Lo que Dios ha unido que no lo separe el hombre.

–No sois mi legítima esposa, Catalina. Nunca habéis sido mi legítima esposa. Sois la esposa de mi hermano.

–¿Cómo decís, majestad, que no soy legítima cuando os casasteis ante Dios y el arzobispo? El tribunal de Black Friars no declaró ilícito nuestro matrimonio.

–Ante vuestra deplorable actuación, el tribunal no se vio capaz de pronunciar un veredicto conforme a derecho. Una reina arrodillada como un vulgar mendigo.

–Vuestra expresión de amor por mí ante el tribunal en aquel momento… ¿no fue sincera, pues?

Seguía sin mirarlo, manteniendo la vista fija en su devocionario, examinando la tapa con piedras preciosas incrustadas como si fuera a encontrar allí la respuesta. Era el *Libro de Horas* y lo sostenía con manos trémulas. Enrique sintió una repentina compasión por ella y temió arredrarse. Con un suspiro, desvió la mirada de aquellas manos temblorosas.

–Sincera o no, poco importa. Os casasteis con Arturo, Catalina. Ese matrimonio fue anulado a petición de mi padre. La anulación del matrimonio de mi hermano nunca debería haberse producido. Nuestro matrimonio nunca debería haber ocurrido.

–Mi matrimonio con vuestro hermano se anuló porque no llegó a consumarse. Vos, mi rey, sois el único marido que he tenido y que tendré.

Las lágrimas anegaban sus ojos y rodaban por sus mejillas, enormes gotas de agua, como grandes joyas. Una vez, en Flandes, Enrique había visto un retrato decorado con esa clase de lágrimas.

Incapaz de mirarla, fijó la vista en la figura del Cristo agonizante que pendía sobre la cabeza de ella.

—¿En qué momento, mi señor, he actuado con falsedad ante vos o dejado de servir a Inglaterra? —Tenía la voz empañada por el llanto contenido—. ¿Habéis olvidado la victoria en Flodden contra los escoceses, lo orgulloso que dijisteis estar cuando os envié desde los campamentos de nuestros ejércitos el tartán del rey escocés manchado con su propia sangre? ¿Acaso una esposa así, una reina así, no merece un destino mejor? ¿Cuándo he sido otra cosa que una reina amante y leal?

Tenía razón, claro, salvo por un detalle. Enrique a veces se preguntaba si su lealtad a España no era mayor que su lealtad a Inglaterra. Fernando no podía tener mejor espía en la corte inglesa. Pero eso no lo dijo. No tenía pruebas.

Catalina se sorbió la nariz y Enrique advirtió cómo se le tensaban los hombros pese a que mantenía agachada la cabeza, como si hiciese acopio de valor.

—El papa nunca anulará este matrimonio. No convertirá en bastarda a nuestra hija —dijo ella—. Si mi marido no preserva mi honor, Dios lo hará. Habéis caído bajo un maleficio. Dios os hará volver a mí o perderéis el trono. Así se ha profetizado. Nuestra hija reinará en cuestión de meses si tomáis a Ana Bolena por esposa.

—¿Dónde habéis oído ese chisme traicionero?

—Me lo han dicho mis ayudantes. La Virgen se lo ha revelado a la santa Doncella de Kent.

Enrique suspiró, procurando no perder la paciencia. Catalina no estaba siendo razonable.

—Si Dios hubiese bendecido nuestra unión —dijo con toda la delicadeza posible—, habríamos tenido un hijo varón. Soy rey por derecho divino. Negarme un heredero varón implica que Dios no ha bendecido esta unión. Hemos vivido en pecado durante dieciocho años, y ya os lo dije el año pasado: no pienso seguir haciéndolo. Con la anulación del papa o sin ella.

En ese momento Catalina alzó la vista; su rostro bañado en llanto rebosaba dolor, pero se advertía en él otra emoción. En sus grandes ojos –ojos de vaca española, como él los llamaba, al principio en broma, cuando aún quedaba cierto vestigio de armonía entre ellos, antes de encontrar consuelo en otros ojos–, Enrique vio un acero tan duro como el metal de su espada. Fue la voz de un rey la que declaró:

–Ni el papa, ni vos, ni vuestro padre, y desde luego no vuestro sobrino el sacro emperador romano, me obligarán a persistir en este pecado un solo día más, Catalina. Sois mi cuñada viuda. No sois mi esposa.

Ella se puso en pie de cara a él, con el rostro manchado y enrojecido, pero sus ojos grandes e inteligentes no vacilaron en ningún momento.

–Id a buscar el placer donde os venga en gana, señor mío, pero sé que soy la reina Catalina de Inglaterra. Nunca volveré a España. No huiré a un convento. Soy la esposa verdadera y leal de Enrique rey de Inglaterra y seguiré siéndolo hasta el día de mi muerte.

En ese momento Enrique ya se había marchado, alejándose sin despedirse siquiera.

–¿Cuándo volveré a veros, esposo? –preguntó ella, levantando la voz.

–Ni en todos los días de mi vida –dijo él entre dientes, disolviéndose toda su compasión ante el fuego de la determinación de Catalina.

Montó en su caballo y se alejó con un vigoroso trote. El caballerizo real había ordenado prudentemente a los jinetes que lo acompañaban, Neville y Brandon, que lo siguieran a distancia.

Caballo y jinete se detuvieron junto a un arroyo. La montura de Enrique relinchó suavemente y sacudió el arnés dorado.

–Bebe hasta saciarte, *Dominico*.

Enrique dio unas palmadas al corcel negro en el cuello y levantó la mano para indicar a los cortesanos y al caballerizo real que se detuvieran.

El caballo, hijo de una yegua española, regalo del rey Fernando, era uno de los preferidos de Enrique: al menos la corte española había producido algo fértil. Había puesto ese nombre al caballo él

195

mismo por la ubicua presencia de los frailes negros. En su momento le pareció un buen chiste, aunque no lo vio así el prior de la abadía dominica, un hombre con tan poco sentido del humor como Catalina.

Lo irritaban los cuchicheos de los inquietos cortesanos a sus espaldas, los nerviosos relinchos de los caballos, el tintineo de las campanillas de los arneses, todo ello haciéndose eco del desasosiego de su propia mente. Debería haber dedicado ese día a la caza del jabalí en New Forrest, escuchando el reclamo del cuerno de caza, los aullidos de los perros, en lugar del lloriqueo de una mujer poco razonable. ¿Qué tenía que hacer un hombre, un rey, para estar solo? Sintió el feroz impulso de espolear a *Dominico* y salir a galope tendido a través del bosque a su izquierda, la capa volando al viento, prendiéndose su sombrero en la rama más baja de un árbol, quedándole el pelo al descubierto. Tal vez podía coger el camino del castillo de Hever, dar una sorpresa a Ana —esa sí era una mujer capaz de valorar una buena chanza—, pero sabía que los otros lo seguirían ruidosamente. Entre ellos eran muchos los que no veían a Ana con buenos ojos, muchos los que permanecían leales a Catalina.

Dominico levantó la cabeza y aguardó, temblándole ligeramente los cuartos traseros, en espera de la orden de su dueño. Enrique dio una ligera sacudida a las riendas y vadearon el arroyo. Hizo una seña para que su séquito lo siguiera. Cuando llegasen al pabellón de caza, mandaría a su paje en busca de Ana para emplazarla en Hampton Court. Ella estaría allí a su regreso al día siguiente.

~⊰⊱~

—La devoción favorece a una reina —dijo una voz familiar a espaldas de Ana—, pero no si es excesiva.

El corazón le dio un vuelco. Antes de ponerse de pie, hizo una genuflexión ante el pequeño altar improvisado: un crucifijo sencillo, un devocionario sin adornos y un reclinatorio en el rincón de sus aposentos. Se volvió e hizo una reverencia.

—Su majestad —saludó, y a continuación preguntó—: ¿Habéis ido a ver a la reina? —Y antes de que pudiera contestar, porque Cromwell ya le había dicho que él iría a verla, añadió—: ¿Cómo está la reina Catalina?

–Muy triste, lady Ana. Muy triste. También ella estaba ante su altar, probablemente rezando para que tú cojas la viruela. –Habló en voz baja porque la puerta de dos hojas de sus aposentos, los mismos que habría usado la reina Catalina si hubiese ido a Hampton Court, se hallaba abierta.

–No, vuestra majestad. La reina siempre fue amable conmigo cuando estuve a su servicio. Recuerdo cuando… –Se interrumpió y se abstuvo de decir «cuando Wolsey echó a mi querido Percy»–. Una vez, estando yo muy enferma, me trató casi como una madre. Me aflige pensar en el papel que yo desempeño en su tristeza.

Una luz gris –ya que había sido un crudo día otoñal, anuncio del inminente invierno– se filtraba por la ventana con parteluz situada encima del altar y confería un frío resplandor a la habitación. Cayó una gota de cera de una vela solitaria que parpadeaba bajo el crucifijo, como una gota de sangre, sobre el paño de hilo blanco del altar. Enrique rascó la cera con una uña bien cortada. Su sello de rubí proyectó un prisma rojo, morado y amarillo.

–Tu altar es tan sencillo como un altar luterano, lady Ana.

–Es para mis devociones privadas, mi señor.

–¿Y en privado desprecias la liturgia y los ornamentos de la misa?

–No lo llevo en secreto. ¿Os apetece sentaros, vuestra majestad? Pediré un refrigerio.

Parecía anormalmente cansado. Llevaba aún las botas de montar.

–No, venid a dar un paseo conmigo por el laberinto.

–Sopla un aire frío. El rey podría resfriarse.

–El rey desea estar a solas contigo para hablar en privado.

No sonreía. Había ido a ver a la reina y ahora quería «hablar en privado».

–Trae mi capa –ordenó Ana a la doncella, que permanecía con el lacayo del rey al otro lado de la puerta abierta, pero la doncella ya había descolgado la capa de la percha y avanzaba hacia ella.

Él no la tocó mientras paseaban entre los altos setos, ni siquiera la cogió de la mano, aunque sin duda estaban solos en el laberinto. Nadie se habría entretenido allí en un día así. ¿Sería eso una mala señal? ¿Había decidido finalmente reconciliarse con Catalina?

¿Renunciaba al divorcio? Pues ella no estaba dispuesta a ser su amante. Jamás sería su amante. Sería reina o nada. Tenía las manos en los bolsillos para darse calor.

—Leí el libro que me diste —dijo él.

—¿Qué libro era, vuestra gracia?

—El libro de Tyndale, *La obediencia del cristiano*.

—¿Qué os pareció?

—Me pareció un libro que nos conviene leer a mí y a todos los reyes.

—Exactamente, su alteza. William Tyndale es un hombre brillante. Su presencia en la corte os sería útil.

Siguieron caminando. Solo se oía de vez en cuando el roce de las hojas de boj contra sus brazos hasta que él rompió el silencio.

—Admito la brillantez, pero hay en su texto muchos detalles inquietantes.

—¿Inquietantes, su alteza? ¿Y eso?

Ana sabía qué iba a decir antes de que abriese la boca. Era lo mismo que decían cuantos se oponían a la Reforma.

—Sir Tomás dice que es tan herético como Lutero: su énfasis en la salvación por medio de la gracia, el rechazo del purgatorio, y su insistencia en que el individuo solo responde ante Dios y no ante la Santa Iglesia. Si nos paramos a pensarlo, resulta extraño que Moro y Tyndale sean enemigos. Parecen tener mucho en común en todos los demás aspectos: los dos son pensadores brillantes, los dos admiran a Erasmo, los dos están consagrados al nuevo saber de muchas maneras. Dos ramas del mismo árbol, parecería. Incluso sé que sir Tomás llegó a hablar de la necesidad de una reforma. No entiendo por qué considera que Tyndale solo sirve como yesca.

—Es la Biblia —dijo Ana, notando que le moqueaba la nariz a causa del frío. Se la sorbió con delicadeza para no ofender y lamentó no llevar un pañuelo. ¿Era para hablar de eso que la había hecho salir? Se mordió la lengua para no preguntar por su visita a Catalina cuando dijo—: Sir Tomás niega la primacía de las Sagradas Escrituras por encima de la Santa Iglesia. Quemaría las Sagradas Escrituras y a su traductor en una hoguera que llegara hasta el infierno solo para que ningún campesino pueda leer la verdad que contiene.

–El campesino no tiene necesidad de leer las Escrituras. Es demasiado ignorante. Las malinterpretaría. Nos invadiría un millar de falsas doctrinas. Cada hombre sería su propio sacerdote. Pero coincido plenamente con Tyndale en que el rey solo rinde cuentas ante Dios. Eso significaría, claro está, que ni siquiera el papa tiene jurisdicción sobre el rey. Eso me ha inducido a pensar en una nueva táctica respecto a Catalina.

¿Una nueva táctica? Obviamente eso no podía querer decir que iba a romper relaciones con el papa y acogerse al luteranismo. Eso sería desde luego un cambio radical de rumbo en «el defensor de la fe». Pero fuera cual fuese la táctica, pensó Ana con alivio, significaba que no desistía de la idea del divorcio pese a la oposición de la Iglesia.

–¿No vais a rendiros, pues?

–No. Mi matrimonio con Catalina es un pecado. Y he vuelto a transmitirle mi determinación de ponerle fin. Si Tyndale está en lo cierto, y el rey solo rinde cuentas ante Dios, es incluso mayor mi responsabilidad de procurar que el matrimonio se disuelva y conseguir la bendición de Dios y un heredero varón para Inglaterra. Me propongo convertirte en mi legítima reina. Tú serás la madre de mi hijo.

Con el corazón acelerado, Ana se recordó que no era la primera vez que él le hacía esa promesa, por norma, seguida inmediatamente de insinuaciones y exigencias físicas, exigencias a las que a ella cada vez le costaba más resistirse. Al fin y al cabo, solo era una mujer. Y él podía ser en extremo encantador: el pavo real más magnífico del jardín.

–En cuanto a maese Tyndale –continuó ella, intentando desviarlo de su conducta habitual–, ¿creéis que sería posible permitir su regreso a Inglaterra? Sería una ventaja tener a un hombre tan brillante en vuestro Consejo. Y hay otro. Un joven estudioso llamado John Frith. Wolsey lo mandó encarcelar injustamente, y creo que ha huido de Inglaterra para reunirse con Tyndale. Algunas de vuestras cabezas más brillantes languidecen en el exilio, majestad. Hacedlas volver. Inglaterra las necesita. Vos las necesitáis. –Y a continuación, a sabiendas de que a él le gustaban los desafíos, añadió–: Si es que podéis encontrarlos, claro está.

—Dad por hecho que los encontraré.

Al percibir la frialdad con que lo dijo, se le encogió un poco el corazón.

—No por mediación de sir Tomás, mi señor. No solicitéis su ayuda en esto.

Enrique se echó a reír por primera vez, con una de esas risas entrecortadas, repentinas y volubles que a ella siempre le ponían los nervios a flor de piel.

—No. Este desde luego no es un trabajo para sir Tomás. Imagino que si él pudiera encontrar a William Tyndale, este ya estaría encadenado y acusado de herejía. Tengo a un agente en el continente. Un tal Stephen Vaughan. Es un buen hombre. Él dará con maese Tyndale y...

—Frith —apuntó ella—. John Frith.

—No te preocupes por sir Tomás —dijo él—. He concebido otro plan para persuadirlo.

—¿Otro plan?

—Tengo la intención de nombrarlo canciller en sustitución de Wolsey. Así podré captarlo delicadamente para nuestra causa.

A Ana se le cayó el alma a los pies. En toda Inglaterra no había enemigo mayor de su causa y de ella misma que sir Tomás Moro. Era el principal defensor de la reina Catalina, y un hombre más entregado a la antigua fe que cualquier clérigo. Dudaba mucho que sir Tomás se dejara captar tan fácilmente.

Enrique se detuvo entre los setos cubiertos de escarcha y la atrajo hacia sí.

—Ahora, mi señora, dale un beso a tu rey, un beso casto en los labios, porque debemos ser pacientes si queremos proporcionar un heredero legítimo a Inglaterra.

Ana no supo si sentir alivio o decepción ante este cambio en Enrique, pensó mientras él le alzaba la cara y rozaba sus labios con los suyos.

XVI

El clero no los convierte en herejes ni los quema… el clero los denuncia. Y los poderes temporales [las autoridades seculares] los queman, como bien merecen. Y después del fuego de Smithfield, los recibirá el infierno, donde esos miserables arderán eternamente.

SIR TOMÁS MORO, sobre el proceso
de quema de herejes

Al principio Kate no reconoció a la mujer que les servía la mesa en la cámara del capitán: poco más que un armario bajo el alcázar, abarrotado de diversos mapas e instrumentos, entre los que Kate solo reconoció el sextante. Una vez había visto una ilustración de uno en un libro impreso por su hermano. Pese a que la mujer que los servía parecía vigilarlos por debajo de los párpados entornados, mantuvo la cabeza gacha, sin pronunciar palabra, mientras retiraba la sopera vacía y la sustituía por una bandeja de capón asado y pan crujiente.

–La sopa de puerros estaba deliciosa, y caliente. ¿Cómo lo has conseguido? –preguntó Kate.

La mujer se dio por aludida con un gesto de asentimiento pero no contestó, limitándose a darles la espalda mientras ordenaba el resto del pequeño camarote, con lo que Kate se quedó con la duda de si no sería extranjera.

201

–Tiene una estufa en la proa que hace las veces de horno razonablemente. Es como uno de esos braseros con los que se calienta una habitación, solo que más grande. Lo usa para hacer milagros, con los que nos deleitamos mi tripulación y yo. –Tom dejó escapar un peculiar sonido, medio risa, medio gruñido–. La tripulación casi se amotinó cuando la traje a bordo. Pero después de probar sus guisos durante unos días, decidieron que una mujer a bordo traía más suerte que las galletas duras.

–Me hago cargo –dijo John mientras cortaba un trozo del ave con el cuchillo y lo servía en el plato de Kate–. Es muy generoso por vuestra parte, capitán, cedernos vuestro camarote.

El capitán Lasser parecía mostrar poco interés en la comida. Kate deseaba que se despidiera de ellos. Estaba agotada después del largo recorrido en el pequeño bote abarrotado –sentada precariamente sobre el baúl que lady Walsh había obligado a llevar al recalcitrante capitán–, durante el cual se había preguntado adónde iban, si de verdad los llevaban al barco o si tal vez el capitán los había traicionado. Pero John parecía tomárselo todo con calma.

John clavó el tenedor en otro trozo y se lo puso en su plato.

–No había pensado… Quiero decir que había dado por supuesto que habría un camarote privado para los pasajeros.

–Esto es un barco mercante, maese Frith –contestó el capitán con aspereza–. En cuanto a mi «generosidad»… en fin, ¿qué alternativa me queda? Vos y vuestra hermosa esposa no podéis instalaros con la tripulación.

Echó atrás la silla, bruscamente.

–Endor se ocupará de atender vuestras necesidades –dijo, señalando a la mujer que preparaba el camastro; era poco más que un banco–. Es muda, pero no sorda. Entenderá lo que le digáis. –Después, con una parca sonrisa en los labios, añadió–: Perdonad por el tamaño de la cama. No está concebida para dos… pero sin duda os las arreglaréis.

A Kate le ardió la cara de vergüenza.

–Al menos no es una litera suspendida de las vigas –dijo John alegremente como si no hubiera percibido el doble sentido en el comentario del capitán, o si lo había percibido, no lo considerase inapropiado–. Nos las arreglaremos perfectamente, capitán.

La mujer, delgada, de complexión menuda, con la expresión más triste en los ojos que Kate había visto en su vida, regresó a la mesa y, señalando al capitán, levantó las manos con las palmas hacia arriba a la vez que se encogía de hombros.

—Pregunta si queremos algo más —explicó el capitán.

—No… ya está… —empezó a decir Kate.

—¿Podría encender el farol de la pared? —la interrumpió John—. Me preocupa que mi esposa despierte a oscuras en un lugar extraño y se asuste.

Vamos, John, va a pensar que soy una niña desvalida, se dijo Kate, y enseguida se recordó que debía alegrarse de tener un marido tan considerado, y en realidad ¿qué más daba lo que pensara Tom Lasser de ella?

La mujer cogió el farol y echó un poco de aceite en su base. Luego volvió a colgarlo en la abrazadera de la pared con sus dedos delgados, casi como garras. Acudió a la memoria de Kate el día que estaba junto a la prisión de Fleet: la mendiga hurgando en la paja sucia en busca de la moneda que Kate había echado en su celda tenía unas manos como esas. Sin duda no…

—¿Esa mujer es…?

El capitán enarcó una ceja.

—Me sorprende que os acordéis. Me temo que, al ser muda, no le fue tan bien como a mí: eso y el hecho de que estuviera en prisión acusada de practicar artes adivinatorias.

Kate nunca había visto a John tan indignado como en ese momento.

—¿Es adivina? Pero eso está…

—¿Está prohibido? —Tom desplegó una amplia sonrisa, la misma que Kate había visto cuando él se burló de ella desde el interior de la cárcel de Fleet pese a estar mendigando su pan—. Es más inofensivo de lo que parece: no es brujería, ni algo que ella haga intencionadamente. No invoca al diablo ni nada por el estilo, maese Frith —explicó, encontrando cada vez más cómico el malestar de John—. Es más bien un don. Os lo demostraré.

La habitual sonrisa espontánea de John se había convertido en un pequeño mohín.

—Realmente, no es necesario, capitán. De hecho, preferiría…

—Ella solo ve visiones en el agua quieta. —Hizo una señal con la cabeza a la mujer, que parecía incómoda por ser el centro de la conversación–. Endor, ven aquí. Trae esa sopera y ponla en la mesa.

Kate de pronto sintió curiosidad, y temió que la actitud de John pudiera resultar ofensiva, no tanto para Tom Lasser, se dijo, como para la mujer que los había servido tan atentamente.

—¿Qué hay de malo, John? ¿No sientes al menos un poco de curiosidad?

—Eso, maese Frith –dijo el capitán con un tono desafiante y otra sonrisa burlona–, ¿no sentís un poco de curiosidad?

—Bueno, supongo que daño no hará. –John se encogió de hombros y dejó escapar una risa nerviosa y forzada, imponiéndose sus modales a sus objeciones.

Con un floreo de los puños de encaje de sus mangas, el capitán exclamó:

—Nuestros tortolitos querrían ver su futuro, Endor, si eres tan amable.

John se revolvió inquieto cuando la mujer asintió y, solemnemente, limpió la sopera vacía por dentro y la colocó en el centro de la mesa. La llenó hasta el borde con el aguamanil del aparador e, inclinándose, agarró la mesa como para mantenerla firme, o para sujetarse ella, y cerró los ojos. John manifestó su desaprobación ante todo aquel procedimiento levantando las cejas y apretando los labios, pero Kate agradeció que no expresase oralmente sus protestas.

El capitán sonrió. Está disfrutando con los remilgos de John, pensó Kate, y se disponía a decir que había cambiado de idea cuando la mujer abrió de pronto los ojos y fijó la mirada en la sopera.

El barco se meció suavemente con el paso de una ola.

Endor, tras un ligero cabeceo, volvió a cerrar los ojos.

—En realidad, capitán… —Pero el capitán se llevó dos dedos a los labios para pedir silencio.

Todos esperaron a que el agua volviera a quedarse quieta. Nadie habló. Solo se oían los crujidos de la madera por encima de ellos a causa del trajín de los marineros y correteos bajo el suelo: ratas en la bodega. Kate se estremeció. En todos los barcos había ratas, ¿o no? De pronto se alegró de que John hubiera pedido la luz.

De repente, como un títere sujeto de un cordel, Endor abrió los ojos y fijó de nuevo la mirada en la sopera. Kate se preguntaba cómo podía mantenerlos tan abiertos sin pestañear cuando, de improviso, la mujer dejó escapar un gruñido de preocupación, gesticuló enérgicamente y apartó la sopera de un manotazo. Parte del agua se derramó en el mantel blanco de hilo. Cabeceó vigorosamente y, sin esperar permiso, abrió la puerta que daba a la cubierta principal y salió corriendo del camarote. Al cabo de un momento oyeron unas rápidas pisadas por encima de ellos.

El capitán Lasser soltó una breve risa nerviosa.

–Supongo que su don no puede invocarse a voluntad. No saquéis conclusiones equivocadas. Solo se ha avergonzado de no haber visto nada en el agua.

Pero Kate advirtió que la sonrisa burlona había desaparecido.

–Sí, seguro que ha sido solo eso –convino John. Parecía sentir alivio al ver que aquella estúpida farsa había terminado.

–¿No le pasará algo? ¿No deberíamos ir a buscarla? –preguntó Kate–. Estaba alterada.

–No. Ha subido a la cubierta de popa para respirar un poco de aire fresco. Es su sitio preferido.

Pero Kate no se quedó muy convencida. Deseó hablar con la mujer, preguntarle qué la había alterado exactamente. Se inclinó y miró el agua quieta, pero lo único que vio fue el reflejo de su semblante preocupado. El barco se meció y esa imagen desapareció también. Pero Kate sintió un malestar en el estómago.

No sabía si la sensación de mareo la causaba el movimiento del barco o la reacción de Endor a lo que había visto en el agua. Pero sí lamentaba la última cucharada de sopa de puerros.

~⚓~

Durante el resto de esa primera noche en el mar, y durante buena parte de la siguiente, Kate, postrada en el estrecho camastro, se quería morir. Durante las primeras horas, John le sostuvo la cabeza mientras ella vomitaba en una palangana, no solo la sopa de puerros, sino todo lo que había comido en la última semana.

–No quiero que me veas así –gimió ella la primera vez. Al llegar a las arcadas secas, ya no le importaba. Cuando ya no le quedaba nada que echar, se tendió, agotada, en el camastro, mientras John subía a cubierta para retirar del pequeño camarote el fétido contenido de la palangana. Cuando John regresó, ella empezaba a pensar que ser capturada quizá no fuera tan malo si al menos así podía pisar tierra firme. Él volvió con un tazón de algo caliente y humeante.

–Dice el capitán Lasser que esto te sentará bien –informó, sosteniéndolo en alto.

–Eso dice, ¿eh? Si tú también estuvieras mareado, sospecharía que nos ha envenenado. –Apoyándose en los codos, Kate levantó la cabeza y los hombros, sin atreverse a incorporarse del todo–. ¿Qué es?

–Infusión de jengibre –contestó él–. Según el capitán, si lo que tienes es un mareo, esto te calmará –añadió, acercándoselo a los labios.

A Kate se le cerró el estómago, pero tomó un sorbo de aquel brebaje, de sabor intenso y penetrante, más por complacerlo que por fe en el propio remedio.

–Vamos, esa es mi chica –la alentó–. Dice el capitán Lasser que debes bebértelo todo. Dice que te ayudará a adaptarte al movimiento del barco.

No me trates como a una niña, John, se dijo.

–No quiero adaptarme al movimiento del barco. No tengo intención de volver a moverme. –Y entre sorbo y sorbo, añadió–: ¿Cuánto tiempo dijiste que tardaremos en llegar a Amberes?

–Cuatro o cinco días, según el viento.

–Dos horas –gimió ella–. Se tarda dos horas en cruzar el canal. Si hubiésemos ido por allí, ya habríamos llegado.

–O estaríamos en la Torre –dijo él, muy serio–. Vamos, bebe. Estaremos instalados en nuestra nueva casa y tendremos amigos nuevos antes de Navidad. No pondrás los pies en un barco nunca más.

Kate bebió la mezcla picante y dulce. Tenía que reconocer que sentía alivio en las entrañas. Se reclinó y cerró los ojos. Pero si el estómago se le había asentado, sus pensamientos seguían revueltos. La Navidad en un país extranjero al otro lado del mar con su marido reciente. Todo parecía irreal. Kate sabía alguna que otra cosa de Amberes: sabía que era una gran ciudad del Sacro Imperio Romano –probablemente incluso mayor que Londres– y la capital de la publicación en Europa. Muchos libros de Tyndale llevaban el imprimátur de Amberes. Gracias a Dios, lady Walsh les había dado los nombres de un contacto que los ayudaría.

–John, ¿sabes dónde…?

–Chist. No empieces a preocuparte. Tengo un plan. Tengo amigos allí. Te gustarán, y tú a ellos. Ahora descansa.

Al cabo de unos cinco minutos, ella notó que John le rozaba la frente con los labios.

–¿Estás mejor?

Kate consiguió asentir con la cabeza.

–Creo que subiré al alcázar y le daré el parte al capitán. Parecía deseoso de ayudar. La verdad es que no es mala persona, ¿sabes?

Kate no abrió los ojos, pero lo despidió con un gesto. Ahora el camarote estaba en silencio. El mar se había calmado de nuevo. Y también su estómago.

No se despertó siquiera cuando John regresó al camarote en penumbra al cabo de una hora.

~☙~

Kate no despertó hasta la mañana siguiente. El camarote estaba vacío. Advirtió que era ya una avanzada hora de la mañana por la luz que entraba a raudales a través del único ojo de buey. Se levantó con cuidado, sorprendida al descubrir que el mareo y las náuseas habían desaparecido. Pobre John. Debía de haber dormido en la manta que había hecha un rebujo en el suelo. La invadió una repentina emoción al recordar lo afectuoso y tierno que había sido con ella. ¿Cómo podía haber encontrado un marido tan perfecto?

Una palangana de agua fresca y una pastilla de jabón castellano –por lo visto, al acaudalado capitán le gustaban los pequeños lujos– aguardaban en la mesa donde se había servido la cena la noche anterior. Apartó de su cabeza la imagen de la sopa humeante, por miedo a que se le sublevara el estómago. Pero pensaba que realmente le convenía comer algo cuando Endor entró con otro tazón del brebaje de jengibre. Kate cabeceó con un gesto de protesta, pero la mujer señaló el tazón y asintió vigorosamente. Luego levantó dos dedos y destapó unos cuantos panecillos y un poco de queso ocultos bajo un hule.

—No lo entiendo.

Endor señaló primero el tazón, imitando a la vez el gesto de beber, y luego el pan.

—¿Quieres que beba esto y que después me coma el pan?

Endor asintió.

En fin, la primera vez le había sentado bien, se dijo. Bebió el líquido, sorprendida al ver que no era tan repugnante como le había parecido la noche anterior. Endor cortó un trozo de queso y, juntándolo con el panecillo, se lo entregó.

Kate dio un bocado y masticó despacio, aliviada al comprobar que su estómago no se quejaba.

—¿Te acuerdas de mí? —preguntó Kate, lamiéndose las migas de los dedos.

La mujer asintió.

—Me alegro de que estés a salvo. —Y en ese momento la asaltó una duda. ¿Cómo sabía que esa mujer estaba a salvo? Era a todas luces una criada, pero ¿qué otras obligaciones tenía para con el capitán?—. Mejor dicho, ¿estás aquí por propia voluntad?

La mujer esbozó una sonrisa de complicidad y, asintiendo, entrelazó las manos y se las llevó a los labios.

Está enamorada del deslumbrante capitán, pensó Kate, compadeciéndola. Se adivinaba en la expresión suave y brumosa de sus ojos. De pronto recordó otro detalle que había observado cuando la mujer se hallaba en la cárcel de Fleet: estaba visiblemente embarazada. Se preguntó si la criatura era del capitán y qué había sido de ella.

—Yo me llamo Kate y tú… ¿Endor?

De nuevo la mujer sonrió y asintió y señaló la luz del sol que entraba por el ojo de buey. Luego señaló a Kate y le indicó una escalera de mano, medio oculta detrás de unos trastos apilados, en la que ella no se había fijado antes. Había supuesto que la única manera de subir a cubierta era por la puerta empleada por Endor la noche anterior.

—¿Eso lleva directamente a la cubierta superior? ¿Mi marido está allí?

Un rápido gesto de asentimiento sirvió de respuesta a las dos preguntas. Extendiendo los brazos, Endor abarcó la mesa con un amplio movimiento, trazó rápidos círculos con las manos ante el estómago y simuló que tiraba tres veces del cordel de una campanilla. Kate lo entendió perfectamente.

–El aviso para la cena es tres campanadas. Estaremos listos. –Quería preguntar por la criatura–. Cuando nos conocimos, estabas preñada. ¿Puedo preguntar…?

Pero la mujer ya había cogido el orinal y salía apresuradamente por la puerta. O bien no oyó a Kate, o bien previó la pregunta y con toda intención decidió pasarla por alto.

Cuando sacó una enagua de hilo limpia de su ajuar, compuesto básicamente de prendas desechadas por lady Walsh –aunque sin duda superiores en cuanto a tejido y confección a cualquiera de las que Kate había dejado atrás en su pequeña vivienda encima de la tienda de Londres–, el aroma de la lavanda seca se mezcló con el olor salobre del mar, y pronto se sumó al perfume del suave jabón blanco. Se puso la enagua limpia por la cabeza, dio una buena sacudida a su segunda mejor falda y se la ciñó. Cuando se pasó el peine por la maraña de rizos, desistió tras el primer tirón y se dejó el pelo suelto bajo un sencillo gorro de tela.

El sol la llamaba a cubierta y se sentía renovada, sin el menor rastro de mareo. Benditos fueran Endor y su elixir mágico: tal vez se había adaptado finalmente al movimiento del barco. Se llevó otro panecillo dulce a la boca y se metió otro en el bolsillo, este para John. Mientras subía por la escalera como buenamente podía, estorbada por la falda, sintió un fugaz deseo de llevar puesto el pantalón que había dejado atrás.

🙢🙠

El joven cortesano se quedó consternado cuando fue emplazado por el rey en York Place. Cuando a uno lo emplazaban en la corte, siempre se le formaba un nudo en el estómago, y más aún cuando la corte estaba en York Place. El palacio de Londres era propiedad del cardenal Wolsey, arzobispo de York, pero a menudo lo utilizaba el rey, y ser emplazado allí venía a ser como una invitación a la Cámara Estrellada de Westminster. Cuando Stephen Vaughan entregó su caballo al mozo en la torre de entrada, repasó mentalmente su comportamiento de los últimos tiempos por si había insultado u ofendido a alguna persona poderosa. No encontró a nadie.

Estaba dando palos de ciego. Como él bien sabía, el rey era capaz de obligar a un hombre a viajar largas distancias por un simple capricho, para jugar una partida de ajedrez o escuchar su última canción. O podía ser algo tan sencillo como desear que Stephen organizara una mascarada para la corte o un torneo. Pero hacía tiempo que su majestad no lo llamaba, y Vaughan había supuesto que el rey disponía de otro factótum. Y mejor así. Detestaba estar entre tantos hipócritas y parásitos, por no hablar del desasosiego de vivir siempre preguntándose si lo llamaban para rendir cuentas de alguna fechoría percibida o inventada, o con el temor de fallar –Dios no lo quisiera– en el cumplimiento de la obligación, cualquiera que fuese, para la que el rey lo había emplazado.

–Su majestad ha solicitado mi presencia –dijo a los cortesanos que mataban el rato ante la sala de recepción. Jugaban a los dados, y ni siquiera levantaron la vista–. Lo encontraréis en la cámara del cardenal.

–¿El cardenal está con él?

–¡Con él! –resopló uno de ellos–. El cardenal está en York, lamiéndose las heridas.

–¿Lamiéndose las heridas?

–¿No os habéis enterado? –Su interlocutor alzó la mirada y añadió–: Claro, ¿cómo ibais a enteraros? Hace tiempo que no venís por aquí, Vaughan. ¿También vos habéis caído en desgracia?

Stephen pasó por alto el tonillo de desprecio en su voz. Los otros se echaron a reír, con cierto nerviosismo, pensó Stephen.

–Su majestad debe de estar ocupado tomando medidas para los tapices nuevos –masculló uno de los jugadores de dados con cierta sorna–. He oído que tiene pensado cambiar el nombre a York Place: en adelante se llamará Whitehall. Suena bien. ¡Lo que daría por verle la cara a Wolsey cuando se entere!

Los dados repiquetearon en la mesa.

–Ojos de serpiente. Mirad, ¿queréis ver la cara de Wolsey?

El perdedor echó un soberano de oro con el retrato del cardenal en dirección al ganador, que sonrió y agitó la moneda en el aire.

–La cara y la cabeza. Estampadas en oro en la moneda del reino. Hay que ver cómo caen los poderosos.

–Aún no ha caído lo bastante bajo ese canalla arrogante. –Pero resultaba difícil saber si el perdedor se refería a Wolsey o a su compañero de juego hasta que gruñó–: Si ese malnacido, ese hijo de un carnicero de Smithfield, conserva la cabeza es solo gracias a la misericordia de su majestad. –Y de pronto, como si recordara la presencia de Stephen, asintió bruscamente–. Subid. Su majestad nos ha pedido que estuviéramos atentos a vuestra llegada. Está con su armero, pero ha dicho que os dejemos pasar igualmente.

Stephen subió los peldaños de dos en dos, acompañado del ruido de su espadín al dar contra la balaustrada de la escalera.

–Entra, Vaughan –dijo la voz, como un bramido de toro.

Era la voz del rey, y no era un bramido alegre.

Pero, para su alivio, enseguida descubrió que el principal blanco del enojo del rey era el armero.

–Mira esto, Vaughan –vociferó el rey, y golpeó la bragueta de armar de una majestuosa armadura completa tras la que se ocultaba, amedrentado, el maestro artesano–. ¿Te parece esto una manera adecuada de cubrir la virilidad de un rey, esta… esta mísera bragueta? No debes tener en mucho la hombría de tu rey, armero.

–Ha sido un error, vuestra majestad. –El armero se retorcía las manos, visiblemente agitado–. El aprendiz debió de interpretar mal las… magníficas proporciones del rey. Es un necio ignorante. Me encargaré de que se lo azote.

–¿Y tú qué? ¿Quién se encargará de azotarte a ti por no inspeccionar la armadura antes de traer semejante ofensa ante nuestra presencia?

El armero se quedó pálido como un cadáver.

–Vuestra majestad, os lo ruego…

–Bah, apártate de mi vista. Y llévate esto. –El rey dio una patada a la armadura con el tacón de la bota. El sonido reverberó en las vigas. El armero se encogió como si el golpe lo hubiera recibido él–. Arréglalo –gruñó el rey–. Y llévala a mi palacio de Richmond dentro de quince días. Y no me decepciones.

–Sí, vuestra majestad. Me ocuparé de que así sea –dijo, retrocediendo–. Será tan majestuosa como vuestra…

—Vamos. ¡Vete ya! —El rey lo despidió con un gesto—. Deja la espada.

Cogió el mandoble y lo blandió por encima de la cabeza a derecha e izquierda. Stephen compadeció a su adversario. El «Gran Harry», como lo llamaban, era conocido por su destreza con el mandoble.

—Un buen peso. Abrirá en canal a un francés o a un armero insolente.

Rápido como el rayo, lanzó la espada a Stephen, quien por fortuna la atrapó por la empuñadura dorada y no por la afilada hoja. Stephen la dejó a un lado con sumo cuidado.

—Ya ves de qué necios estoy rodeado, Stephen. —El rey dejó escapar un suspiro, pero le sonrió afectuosamente, ajeno al artesano que forcejeaba con la ofensiva armadura para sacarla por la puerta.

Stephen no supo qué contestar, ni si aquella sonrisa era de fiar. Inclinó la cabeza.

—¿Me habéis llamado, vuestra majestad?

—Sí… ¿Qué era? —Enrique se paseó de un lado a otro el tiempo suficiente para ponerle a Stephen los nervios a flor de piel y por fin, haciendo un gesto como si acabara de caer en la cuenta, se acomodó en un sillón. Indicó a Stephen que se sentara en el banco junto a la chimenea—. Tengo un pequeño recado para ti, maese Vaughan.

Stephen tomó asiento en el banco, alegrándose del calor, ya que ese día hacía frío y York Place, pese a todo su esplendor, no era tan acogedor como su vivienda de dos habitaciones en Cheapside. Procuró concentrarse con toda su alma y escuchó mientras Enrique perfilaba su plan para traer de regreso a un erudito exiliado, a fin de que sirviera en la corte, preguntándose qué papel desempeñaría él en dicho proyecto.

—Se llama William Tyndale. Es un hombre brillante. Por escribir ciertos textos luteranos incumplió la ley y contrarió a sir Tomás, pero creo que es posible convencerlo de que vuelva. A Inglaterra y a la verdadera Iglesia. Esa será tu misión, Vaughan. Dile que su rey, su país, lo necesitan. Si accede a las condiciones que he redactado, recibirá un perdón absoluto.

–Pero ¿está en el continente, decís? –preguntó Stephen, aparentando solo la mayor satisfacción por servir a su rey–. ¿Cómo lo encontraré, vuestra majestad?

El rey se encogió de hombros como si solo estuviera pidiéndole a Stephen que se acercara a Lincoln's Inn o que realizara una pequeña búsqueda en las tabernas locales.

–Se cree que está en Amberes. De allí proceden la mayoría de sus textos ilegales. Podríais empezar por un impresor que se llama Johannes van Hoochstraten. Usa el alias Marburg para las obras de Tyndale.

Se puso en pie y, revolviendo en un baúl, sacó un paquete bien envuelto en un paño con el sello real. Se lo entregó a Stephen.

–Aquí dentro encontrarás fondos suficientes para mantenerte mientras estás fuera del país e instrucciones concretas, así como el perdón para maese Tyndale, si se aviene. Espero un informe tuyo cada dos semanas. Puedes informarme por mediación de maese Cromwell en el Tesoro. Indica en tu correspondencia: «Solo para el rey».

–Sí, vuestra majestad. Encontraré a ese hombre. –Stephen deseó sentir el mismo aplomo que aparentaba–. Concededme un par de días para poner en orden mis asuntos.

Fue como si Enrique ni siquiera lo hubiese oído.

–Partirás inmediatamente. No esperes la marea ni vayas a los muelles. Es nuestro deseo que solo nosotros estemos al corriente de tu misión. Un barquero real te llevará hasta un buque. Solo tienes que enseñar al capitán el sello del rey plasmado en ese paquete y decirle que eres su mensajero. Ningún capitán puede rechazarte. Mañana estarás en Amberes.

¡Partir inmediatamente! Por el breve instante en que una flecha tarda en llegar a su blanco, Stephen se planteó protestar. Tenía asuntos que atender. A saber cuánto tiempo estaría ausente. Encontrar a un hombre que no quería ser encontrado en una ciudad como Amberes –en el supuesto de que realmente se hallara en Amberes– no era tarea fácil. Pero no pidió más tiempo. Se limitó a asentir y, mientras retrocedía alejándose del rey, prometió hacer cuanto estuviera en sus manos.

—Una cosa más, maese Vaughan. Casi me olvidaba –dijo el monarca, a la vez que llamaba con la campanilla al criado que acompañaría a Stephen a su barco–. Es posible que en Amberes haya otro erudito, un amigo de Tyndale. También es un fugitivo, pero ha encontrado una defensora en lady Bolena. Se llama… Frith, creo. Si lo encuentras, inclúyelo también a él en el perdón real. Dile que vuelva a Inglaterra. Aquí tiene amigos.

Stephen movió la cabeza con un gesto de asentimiento, pero se apresuró a salir, por si acaso al rey se le ocurría añadir otro nombre a su carga.

XVII

Con ardides sutiles [el clero] se presenta como mere-
cedor de la obediencia que debería rendirse a la au-
toridad de Dios.

WILLIAM TYNDALE,
La obediencia del cristiano

Tom Lasser contempló a la mujer apoyada en la barandilla del alcázar, su orgulloso perfil inclinado hacia los rayos del sol, el cabello brillante al viento. Debería estar en la proa, pensó, como la Bella Helena, el rostro por el que mil barcos se hicieron a la mar.

—Veo que ya os habéis adaptado al movimiento del barco —comentó él.

Ella dejó de mirar el mar y, sonriendo, se volvió hacia él.

—Siempre y cuando disponga del brebaje mágico de Endor.

—Creo que nos habéis traído suerte y vientos favorables –dijo, señalando las velas hinchadas.

—Ha sido Dios quien ha traído los vientos favorables, capitán, no yo.

Tom supuso que ella tenía razón. Un hombre se forjaba su propia suerte, pero no podía dominar los vientos. Habían circundado la punta de Inglaterra en dos días. Tras otros dos días con sus noches, habían llegado al estrecho de Dover, el camino más corto a Calais a través del Canal de la Mancha y lo bastante cerca de la costa inglesa para oír las golondrinas anidadas en los acantilados blancos. Solo habían corrido peligro una vez, cuando se acercaban al recodo que llevaba a Rye, pero la marea y el viento les habían dado ventaja y el barco había podido dejar atrás el pequeño buque de aduanas.

—¿Ese ancho estuario es la desembocadura del Támesis? —preguntó ella, señalando el lugar donde el mar confluía con las aguas salobres del río.

—Así es —contestó él, girando vigorosamente el timón para dirigir *El canto de la sirena* hacia el este, en dirección al continente. Estaba de un buen humor impropio de él. Una brisa constante producía un ligero oleaje en el mar y henchía las velas. Inglaterra seguía al oeste y se requería aún vigilancia, pero con un brusco giro al este deberían llegar a los muelles de Amberes al anochecer: entonces sería como cualquier otro buque mercante legítimo entre los centenares que accedían al puerto diariamente. Pero todavía no estaban allí. Puso buen cuidado en navegar por el centro del canal, eludiendo el litoral inglés.

—Londres está río arriba —comentó—. Si olfateáis el viento, probablemente oleréis la ciudad.

Habían alcanzado el estuario del Támesis con la marea baja. Otro golpe de suerte, pensó él: demasiados bajíos para que los agentes de aduanas londinenses se tomasen la molestia.

—Huele a casa —dijo ella con un asomo de tristeza en la voz.

Tom sintió el súbito impulso de alisarle las pequeñas arrugas de aflicción que se formaron en torno a su boca. Buscó algún comentario trivial para que ella alzara de nuevo el rostro al sol en aquella postura que él había admirado, pero en ese momento su marido se reunió con ella junto a la barandilla.

Una momentánea sensación de disgusto invadió a Tom al ver a John Frith deslizar el brazo en torno a la cintura de su mujer con la misma naturalidad que si ese fuese el lugar que le correspondía… como así era, se recordó.

—*El canto de la sirena* ha cumplido bien su misión, capitán. Ha sido un buen viaje. Os estamos agradecidos a vos y a vuestro excelente barco. Ulises no lo habría hecho mejor.

Tom se echó a reír. No pudo evitarlo. Le caía bien ese hombre, le gustaba su elegancia natural y aquel optimismo suyo, tal que se diría que nunca le había ocurrido nada malo. Asombroso. Y eso a pesar de todo aquello por lo que había pasado, y bien sabía Tom por lo que había pasado. Habían tomado unas cuantas cervezas juntos e intercambiado anécdotas suficientes para que Tom lo recordara como una compañía agradable… a él y a la mujer, cayó en la cuenta al observarla.

—¿Puedo haceros una pregunta, capitán Lasser? —dijo ella, tensando la amplia boca en un gesto de concentración, como si no supiera bien lo que realmente quería.

—Adelante —contestó él, pensando que iba a preguntar algo sobre el funcionamiento del barco, o los lugares que había visitado. Ella, desde que se había adaptado al movimiento del barco, lo interrogaba sin cesar.

—¿Qué fue del hijo de Endor?

Eso lo cogió desprevenido. También a su marido, a juzgar por la expresión de sorpresa en su rostro.

Como Tom, en un primer momento de estupefacción, no contestó, ella prosiguió:

—Me pareció ver… es decir, cuando la vi en la cárcel de Fleet…

—Visteis bien —admitió Tom, interrumpiéndola para ahorrarle el bochorno—. Dio a luz antes de que yo pudiera sacarla de allí. El niño nació muerto. Era un varón.

—Ah. —La cara de desconcierto de Kate se contrajo en una mueca de dolor—. Qué triste.

—Probablemente fue para bien —dijo él con brusquedad, quizá con demasiada brusquedad, pero deseaba aliviar la evidente aflicción de ella y la suya propia por ese asunto. Su respuesta no consiguió ni lo uno ni lo otro. El semblante de Kate se endureció, llenándose de ira.

—Es una crueldad decir algo así de un niño… o de su madre.

—Es posible. Pero es la cruda realidad. La vida puede ser cruel. A menudo lo es.

La expresión de Kate no se alteró.

Tom suspiró, sorbiendo el aire salado.

—Endor fue violada. El niño no habría conocido a su padre.

217

Solo los hechos escuetos y fríos, pensó él. No se sentía capaz de decir nada más. Incluso eso le hizo hervir la sangre, y un sabor amargo subió a su boca. Ira y vergüenza. Contempló el mar, observando una gaviota zambullirse entre las olas y elevarse con un pez retorciéndose en su pico. El depredador y la presa: así era todo.

–Un niño es un don de Dios –insistió ella, indignada, con fervor, como si fuera un abogado ante el Tribunal Supremo hablando en defensa de la vida del niño.

Pero Tom no iba a echarse atrás. Más valía que ella conociera la amarga historia completa. Seguramente la vida no trataría bien a una mujer que se había casado con un refugiado.

–Este niño fue un don de un hombre, uno de entre los muchos que la violaron, le cortaron la lengua y la abandonaron para que muriera desangrada en una cuneta. –Kate se llevó las manos a la boca y, horrorizada, lo miró con los ojos muy abiertos. Tom casi se arrepintió de sus brutales palabras, pero no pudo detenerse–. ¿Por qué, señora Frith, querría una mujer conservar semejante «don»?

Kate dejó escapar una exclamación. Su marido la estrechó.

–El capitán la salvó, Kate –dijo John con delicadeza–. La llevó a un médico y le cauterizaron la lengua sangrante.

«El muñón sangrante de lengua.» Tom aún oía sus gritos. Y cuando aquello acabó, la dejó en una posada con un poco de dinero. Sola. Para que se valiera por sí misma. No precisamente lo que cabría esperar de un «buen samaritano» después de su primera buena acción.

–Aun así, perder al niño… –dijo Kate, diluida ya parte de su ira y sumida de nuevo en la pena–. Era su hijo. Habría podido consolarla.

–No lo creo –respondió Tom con toda la suavidad posible ante semejante ingenuidad–. Lo más probable es que hubiera visto morir de hambre a su hijo.

–No habría muerto de hambre –respondió Kate con tono ecuánime–. Creo que vos no lo habríais dejado morir de hambre, capitán.

–No os apresuréis a convertirme en el héroe de una leyenda romántica, señora Frith. Entre nosotros hay pocos hombres que sean auténticos héroes.

–Discrepo, capitán. –Esta vez fue el marido quien objetó–. Vuestro comportamiento fue encomiable. La acogisteis.

Pero eso él no lo aceptó, no pudo.

–Cuando arrestaron a Endor conmigo… En fin, cuando yo estaba en Londres, me seguía por todas partes. Decían que esperaba en los muelles la llegada de *El canto de la sirena*. Yo le daba un poco de dinero, le pagaba una comida… El caso es que estaba conmigo cuando me arrestaron por entrar vino francés de contrabando. Buen vino francés. De ese vino era la botella que disfrutasteis anoche. Yo acababa de perder en una partida de cartas y no llevaba dinero encima para el soborno. Así que me metieron en la cárcel de Fleet, y a Endor conmigo. De no haber sido por Humphrey Monmouth, seguiríamos allí. Cuando ella salió, estaba tan débil que la traje a bordo solo para pasar la noche. Debíamos levar anclas al día siguiente. –Dejó escapar una triste risa–. Como ya habréis visto, se ha instalado aquí como en su propia casa. Ha sido cosa de ella. No mía.

–Así y todo, es un acto heroico –afirmó John, y, con una amplia sonrisa, añadió–: ¿Conocéis a sir Humphrey, pues? ¿Sois uno de los nuestros?

–¿Uno de los vuestros? Ah… –Rio–. No. Siento decepcionaros, pero no soy seguidor de Lutero.

–No os comportáis precisamente como un buen católico –señaló Kate con frialdad.

–¿Acaso un hombre debe ser lo uno o lo otro? Yo soy capitán de barco. No pretendo ser teólogo… y a excepción hecha de vuestro simpático marido, nunca he conocido a nadie de ninguna confesión con quien me interesase pasar siquiera una hora.

–Entonces ¿por qué arriesgaros…?

–Un poco de riesgo le sirve a uno para saber que está vivo. Además, sir Humphrey era amigo de mi padre. Yo nací hijo segundo y estaba destinado a acabar en la Iglesia… bueno, como habéis dicho… –Señaló hacia el mar, allí donde el sol rielaba en el agua creando una lluvia de diamantes en cada ola–. ¿Habéis visto alguna vez una catedral más magnífica que esto? Sir Humphrey me prestó el dinero que me faltaba para comprar *El canto de la sirena*. Trabajo para él, y como resulta que él trabaja para… los luteranos o los herejes o como queráis llamarlos.

John, en lugar de contestar, dejó vagar la mirada por el mar. De pronto señaló la orilla inglesa que dejaban atrás.

—Capitán, ¿eso es algo que debería preocuparnos?

Tom lo vio al instante. Una barcaza de un lemán del puerto salía del estuario y enfilaba el canal principal a buena velocidad.

—Es posible que vaya hacia ese galeón que navega al sur de nosotros, supongo.

Pero la barcaza no viró hacia el sur. Siguió derecha hacia ellos.

—Todos a cubierta —ordenó Tom—. Izad la vela mayor. —Se oyó de inmediato ruido de pies, manos y codos mientras desplegaban la vela mayor—. La lateral también —bramó. Si viraban un poco hacia el norte, podían dejarla atrás fácilmente. Pero en ese preciso momento el gran Eolo contuvo la respiración y el viento se extinguió. Ni siquiera un hipido. La vela quedó colgando flácida.

Ocho remeros tripulaban la barcaza, que reducía la distancia respecto a *El canto de la sirena*.

—Lleva una especie de bandera —observó Kate.

—Son los colores verde y blanco de los Tudor. Tendremos que permitirles que suban a bordo si lo desean. Bajad al camarote.

—Pero…

—Bajad —gritó Tom—. No sabemos qué buscan. No necesitáis despertar su curiosidad.

Estando ya tan cerca, pensó mientras la barcaza se situaba junto a ellos. Estando ya tan cerca.

—Petición de subir a bordo, capitán —vociferó un hombre de pie en la proa.

—¿Quién presenta la petición?

—El rey Enrique de Inglaterra. Traemos a un pasajero para vos.

Tom gimió para sus adentros. Lo que me faltaba. Otro pasajero.

—Permiso concedido —contestó.

Probablemente no era más que un cortesano que no deseaba esperar la marea. Llegarían a Amberes al anochecer y se libraría por fin de todos ellos, incluso de esa mujer que se encontraba hasta en la sopa y empezaba a aparecer en su cabeza espontáneamente en los momentos más inesperados. Era la esposa de otro hombre, con un poco de suerte no volvería a verlos nunca más.

◆

Llamaron a la puerta y Tomás Moro no levantó la vista de su escritorio. Llevaba encerrado en su gabinete desde primera hora de la mañana, trabajando denodadamente en el polémico texto de su respuesta a *La obediencia del cristiano* de William Tyndale. Era la obra más herética e insidiosa del traductor aparte del Nuevo Testamento con sus viles glosas luteranas.

–¿Qué pasa, Alice?

–Te he traído algo de comer –respondió ella, y abrió la puerta empujándola con su amplia cadera para entrar con la bandeja.

–Déjalo ahí –dijo él lacónicamente. No alzó la vista. La oyó poner la bandeja en la mesa bajo la ventana detrás de él, pero no iba a dejarse distraer tan fácilmente. Al cabo de un instante sintió en el cuello el roce del gorro de ella, que curioseaba por encima de su hombro.

–¿Qué te tiene tan atareado? Supongo que habrá que acostumbrarse a estas preocupaciones ahora que llevas la gran cadena del cargo. –Su generoso pecho se hinchó de orgullo hasta el punto de amenazar con reventar las costuras del corpiño–. No tapes lo que escribes. Tengo derecho a verlo, a menos que sea un asunto secreto de Estado del que no debas hablar.

–No me hace falta taparlo. Tu latín no es gran cosa. Ni hay razón alguna para esconderlo.

–Entonces ¿qué dice?

–Es la respuesta a la última herejía de Tyndale. Dice que William Tyndale y los otros como él son herejes. Dice que sus pérfidos textos, con los que pretende convertir a cada hombre en su propio sacerdote, alimentarán las llamas que consuman sus despreciables cuerpos si regresan a las costas de Inglaterra. Dice que los sacaremos de sus madrigueras y los traeremos aquí para rendir cuentas de sus pecados imperdonables.

–¡Esa es la pesada carga que atiende el canciller! No la guerra con Francia ni los nuevos tributos ni… –Alice enarcó las cejas grises en un gesto de indignación, ahondándose las arrugas de su

221

frente–. Con razón no tienes apetito. Distingo algunas de esas palabras. Mis hermanos las escribían en sus pizarras cuando el preceptor no miraba. Es el lenguaje de los hombres de baja cuna, escasamente noble para el discurso del canciller de Inglaterra. En cualquier caso, ¿por qué ha de importar tanto?

Tomás cogió la pluma y, hundiéndola en el tintero, suspiró.

–No lo entiendes, Alice. Esto es más importante que el hogar de un hombre, más importante incluso que un reino. Esta herejía que vierten en Inglaterra ese hombre y sus amigos con su Biblia inglesa podría poner fin a la Iglesia. Debilitarla es destruirla. Ni yo ni ningún buen cristiano podemos quedarnos de brazos cruzados y permitirlo. La Iglesia debe ser protegida a cualquier precio.

–No soy luterana, pero no alcanzo a comprender cómo es posible que leer la Biblia…

La obligó a callar con un gesto.

–No lo entiendes, Alice. Allí donde la Biblia se lee en lengua vernácula, los campesinos malinterpretan sus doctrinas. Los incita a la rebelión asesina. Debe haber disciplina y orden en todas las cosas. Sin orden se produce la clase de caos y agitación que aquejan a Renania. La Iglesia es el orden establecido. Su verdad se ha transmitido hasta el día de hoy ininterrumpidamente durante mil quinientos años. Si no ves la importancia de defender eso, que Dios te asista.

Ella se molestó al oír el tono que empleaba, como siempre que él le decía: «No lo entiendes». Y se lo había dicho dos veces. Debería haber sido más prudente en la elección de las palabras en interés de la armonía familiar.

Alice dio un ligero empujón al manuscrito.

–Cualquiera diría que se trata de la Iglesia de Tomás Moro y no de la Iglesia de Jesucristo. En mi opinión, el buen Dios es capaz de proteger a su Iglesia, si es que hay necesidad de protegerla, sin que tú sacrifiques tu cena.

–Es que tú no lo…

Ella, furiosa, salió del gabinete antes de que él pudiera repetir aquellas palabras ofensivas, pero volvió cuando él todavía no había escrito dos líneas y plantó un pergamino enrollado y sellado ante él. Llevaba el sello de Cuthbert Tunstall, obispo de Londres. Tomás lo abrió y le echó una ojeada mientras ella abandonaba el gabinete sin pronunciar palabra.

El estudiante John Frith, a quien sir Tomás deseaba interrogar, por lo visto había escapado del cerco. Todas las pesquisas habían sido infructuosas. El obispo especulaba con la posibilidad de que se hubiese reunido con su antiguo maestro, William Tyndale, en el continente. ¡Lástima no haber puesto un espía sobre sus pasos!

¡Lástima! ¡Vaya torpeza! Tomás lanzó la pluma a la mesa airadamente, emborronando la última palabra. No podía ocuparse de aquello él solo. El cilicio le arañaba la espalda, que tenía aún irritada por la flagelación de esa mañana. Se levantó con cuidado, se acercó a la ventana y contempló el paisaje. Se avecinaba el invierno. Los árboles ya estaban deshojados y la noche anterior había helado. Pronto empezarían en la corte las celebraciones navideñas. ¡Dios santo, cómo las aborrecía! Quizá pudiera pretextar unas fiebres. Pensó en el cardenal Wolsey, proscrito de la corte, y se preguntó cómo sobrellevaría su exilio. Tomás no pensaba que Enrique hubiese arremetido contra un hombre tan poderoso por propia iniciativa. Tenía que ser influencia de esa Bolena.

Levantó la tapa de la fuente humeante de la bandeja colocada ante él. Lampreas.

No le gustaban las lampreas.

Tapó de nuevo las anguilas guisadas y volvió al escritorio. De todos modos, no tenía tiempo para comer. Aún le quedaba mucho trabajo pendiente, y esa tarde lo visitaría Holbein para trabajar en el retrato del nuevo canciller de Inglaterra en el orgulloso seno de su familia.

❧

Las lampreas también formaban parte del menú en la vivienda del arzobispo en York, en el norte de Inglaterra. A diferencia de Tomás Moro, al cardenal Wolsey le gustaban mucho las anguilas, sobre todo acompañadas del mejor vino francés. Aunque debía reconocer que su placer se veía disminuido por el entorno en el que debía consumirlas. Sus aposentos en York no eran ni mucho menos tan lujosos como los que había perdido en Londres. Pero él no era de los que se recreaban en sus penas. Al menos conservaba la cabeza.

Puede que ya no fuera canciller de Inglaterra, pero aún era cardenal, y si jugaba bien sus cartas quizá aún consiguiera un puesto en Roma. Se había quedado sin Inglaterra, sí, pero ¿qué era Inglaterra si no una pequeña isla provinciana con un déspota de miras estrechas por soberano, aficionado a las rameras? El cardenal tenía la vista puesta en un trofeo mayor.

Mientras se llevaba las lampreas con su espeso caldo a la boca, pensó en sir Tomás Moro, a quien, según los informes de sus espías, le habían ofrecido la gran cadena del cargo de canciller. En fin, le deseaba lo mejor, aunque dudaba que la mente jurídica más brillante de Inglaterra poseyera la clase de astucia que requería el puesto. Si el cardenal Thomas Wolsey había tropezado en el gran asunto del rey, casi con toda seguridad tropezaría también él. Sería interesante observar la evolución del proceso, pero si su plan surtía efecto, para entonces él ya estaría lejos.

A las lampreas siguieron unas tartaletas de manzana y nata y un excelente queso cremoso, pero después de estallar el primer bocado de la dulce nata de las tartaletas y el suave queso en sus papilas gustativas, masticó distraídamente. Antes de acabárselo, pidió material de escritorio y un mensajero. Con un ruidoso eructo, apartó el queso a medio comer, se limpió la boca con el borde del mantel y cogió la pluma.

A su santidad, el papa Clemente VII,
del leal siervo de Dios en Inglaterra, el cardenal Wolsey:
En lo que se refiere a la grave amenaza que pesa sobre la
Iglesia Romana Apostólica en Inglaterra…

Cuando acabó la carta, le puso el sello de cardenal y se la entregó al mensajero.

—Esto solo puede verlo Carpeggio. Debes aligerar el paso.

❧

El capitán Lasser debió de deducir que el pasajero no representaba amenaza alguna, pensó Kate, o no lo habría invitado a cenar con ellos en el camarote del capitán. Era demasiado mercenario para morder la mano de Humphrey Monmouth traicionándolos. Aun así,

Kate sentía aprensión. ¿Cómo evitarlo? Su mundo cambiaba a tal velocidad que últimamente la aprensión era una compañía continua.

En el transcurso de una semana había pasado de ser una mujer soltera y sola en la vida, sin perspectiva alguna, a estar casada. ¡Casada! Con todo un mundo nuevo de aventuras abriéndose ante ella. Se le antojaba un sueño imposible. Pero sabía lo rápido que podía perderlo todo. La imagen del sufrimiento en la cárcel de Fleet no era fácil de olvidar. Con un aleteo en el pecho, observó a su marido abrir la puerta del camarote que había sido su alcoba de recién casados durante las últimas cinco noches: no era tan suntuosa como los aposentos de lady Walsh, pero su intimidad propiciaba ciertos placeres.

Debía reconocer que el pasajero desde luego no parecía una amenaza. Era un hombre más bien joven, mayor que John pero menor que el capitán. Su cuidada barba rojiza no presentaba el menor asomo de gris, aunque cuando se quitó el sombrero se puso de manifiesto que tenía el pelo algo ralo en la coronilla.

—Soy Stephen Vaughan, emisario del rey Enrique —dijo en tono cordial al tender la mano a su marido.

—John F…

—Gough —interrumpió el capitán—. De Amberes. Maese John Gough y su esposa, Kate.

Así pues, quizá el capitán no se fiaba plenamente de él.

—John y su esposa se dedican a las exportaciones. Vuelven a casa después de una visita a la familia.

Con qué facilidad mentía, pensó Kate. Casi se lo creyó ella misma.

Endor tocó al capitán en el hombro y tendió la palma abierta hacia la mesa, indicando con su gesto que la comida estaba lista.

—Venid a sentaros —dijo él—. Me muero de hambre.

—Muy amable, capitán Lasser —respondió el recién llegado mientras se congregaban en torno a la pequeña mesa—. No esperaba…

—Sois bienvenidos. Y ahora comamos.

Endor había conseguido preparar sabrosas empanadas de carne y un puré de nabos en su pequeño horno: probablemente la última comida de los pasajeros a bordo. Era una gentileza por parte del capitán compartirla con ellos, pensó, y la idea la sorprendió. Pero John

225

parecía disfrutar de la compañía de Lasser, y ella había aprendido a sobrellevarla, pese a su ocasional sarcasmo. A Kate le gustaba su ingenio ágil, y cuando la conversación se dirigía inevitablemente hacia sus aventuras en el mar, nunca le resultaba aburrido ni vanidoso. Él poseía una visión del mundo y su propio papel en él, cínica, pero honrada. Y por otro lado estaba Endor. Kate tenía aún sus dudas acerca de la participación de Lasser en ese asunto, pero, mal que le pesara, debía reconocer cierta admiración por él.

—¿Gough? —El recién llegado adoptó una actitud pensativa mientras tomaba un sorbo de sidra servida por su anfitrión—. ¿No había una librería junto al cementerio de San Pablo con ese nombre?

Kate advirtió un destello en sus ojos de color avellana, como si se tambaleara al borde del descubrimiento.

—Somos parientes lejanos… muy lejanos. Apenas nos conocemos —se apresuró a decir ella.

Notó que se ruborizaba. El capitán pareció verle el lado cómico.

Yo no miento tan fácilmente como vos, deseó decir ella, pero se limitó a desviar la vista, un poco enojada por la expresión en el rostro de Tom, pero agradecida cuando él intervino para cambiar de tema.

—Sois, pues, agente del rey, maese Vaughan —dijo el capitán—. Debe de ser un trabajo emocionante. —Hundió el cuchillo en el centro de la empanada de carne y se elevó una pequeña nube de vapor aromático.

—Emocionante, sí, pero a veces un poco molesto. Como hoy. Me han llamado sin previo aviso.

—Debe de ser un asunto urgente, pues.

—Todos los asuntos del rey son urgentes.

—Del máximo secreto, supongo. —John intervino en la conversación con perceptible avidez.

—Esta vez no tanto —respondió Vaughan entre bocado y bocado—. Debo hacer ciertas averiguaciones, y bien podría empezar ya. Por eso he tropezado mentalmente con vuestro nombre. —Se interrumpió para beber un trago. John y Kate cruzaron una mirada y enseguida apartaron la vista por miedo a que él se diera cuenta—. El hombre a quien busco… o, para ser más exactos, los hombres a quienes busco son estudiosos y probablemente guardan relación con el negocio de los libros. Uno se llama William Tyndale, y el otro es un joven erudito llamado… Firth… no, no era eso… Frith. Sí, Frith, así se llama.

A Kate se le cerró la garganta. No miró a John. No miró al capitán, sino que bajó la vista al regazo.

—He pensado que quizá los conocierais. Se cree que están en Flandes, ya que son hombres de libros y Amberes es un gran centro de impresión. Al menos eso me han dicho. Yo personalmente no leo mucho… No me gusta el olor de la tinta.

La mesa se meció ante Kate, y el puré de nabo de pronto se convirtió en lana en su boca y el aroma de la empanada de carne le resultó nauseabundo.

El desconocido no pareció darse cuenta al coger otro bocado, exclamando:

—Esto está delicioso, capitán. He salido con tales prisas que ni siquiera he tenido ocasión de comer. El rey puede ser un amo muy exigente. —Y antes de llevárselo a la boca, añadió—: Si os cruzáis con alguno de los dos, William Tyndale o ese John Frith, podéis dejarme un mensaje en la sede del gremio de guanteros.

—¿Así que sois guantero en vuestro tiempo libre, cuando no estáis al servicio del rey? —preguntó el capitán Lasser.

Kate se maravilló de su aparente despreocupación. Aunque, naturalmente, él arriesgaba mucho menos. Solo incurriría en el disgusto de un cliente. John perdería su libertad, quizá incluso la vida, si no abjuraba. Abjurar. Al pensar en esa palabra se le cortó el aliento. Recordó el dilema de su hermano con comprensión más apremiante.

—Es un negocio familiar —explicó el desconocido, y a Kate su voz se le antojó cada vez más distante, como si se la llevara una ola—. Mi padre era guantero. Mi hermano mayor lleva el negocio, pero yo soy un viajante del gremio.

—¿Para qué quiere el rey a esos hombres? ¿Han cometido algún delito? —preguntó John.

Kate esperó que Vaughan no advirtiera el tono entrecortado de su voz, que sonaba débil y lejana, en la misma ola que la otra. El bocado que acababa de comerse amenazó con volver a salir.

El capitán hizo un gesto a Endor para que llenase la copa vacía de Vaughan, y añadió con naturalidad:

—Los Gough se dedican a la lana. No es probable que se muevan en los mismos círculos.

Kate se levantó, vacilante. Por lo visto, no estaba del todo bien adaptada al movimiento del barco.

XVIII

Es y ha sido mi más firme deseo devolver la religión de Cristo a su pureza primitiva y dedicar todo el talento y los recursos de que dispongo a extinguir la herejía y dar libre curso a la Palabra del Señor.

El joven Enrique VIII en una carta a Erasmo

Para cuando *El canto de la sirena* se acercaba al estuario, Kate ya empezaba a sentirse bien y pudo apreciar la puesta de sol. Sería la última de su travesía, y sorprendentemente eso la entristeció. El resplandor reflejado bañaba en luz roja, malva y anaranjada, las velas parduscas de docenas de barcos y teñía la superficie del mar de un sinfín de colores. Ante tal espectáculo, casi se le cortó la respiración.

–Parecen mariposas gigantes suspendidas por encima del mar –dijo a John.

–El río –la corrigió John–. Amberes en realidad está a orillas de río Escalda, y no del mar del Norte, del mismo modo que Londres está en el Támesis.

–El río Escalda –repitió ella, intentando envolver la lengua en torno a la palabra.

Maese Vaughan se reunió con ellos en el alcázar.

–El puerto más hermoso, y más concurrido, de Europa –comentó–. Debéis de alegraros de volver a casa, señora Gough. El color ha vuelto a vuestro hermoso rostro. Celebro que os encontréis mejor.

–Mucho mejor, gracias –respondió Kate.

Y no era mentira. Porque, al parecer, el espía del rey se había creído su historia. Por lo visto, lo habían conseguido, y eso, comprendió, se debía en gran medida al capitán Lasser. Lo observó dirigir el barco hacia el canal fluvial y luego río arriba hacia el puerto, con su rostro iluminado por una ligera sonrisa mientras rastreaba las aguas del canal en busca de las boyas indicadoras. Este sí es un hombre que ha encontrado su vocación, pensó, fijándose en todos los detalles: la forma en que sus amplias mangas se agitaban con la brisa marina, de color blanco azulado en contraste con el ocre de su jubón de ante; su postura de capitán, con los brazos extendidos sobre el timón, las piernas abiertas para mantener el equilibrio. Intentó imaginárselo con una sotana, el pelo moreno tonsurado en lugar de recogido y sujeto con una cinta, y casi soltó una carcajada. Si existía algún hombre poco apto para la Iglesia, ese era Tom Lasser. Probablemente tenía una mujer en cada puerto.

Endor había salido de su habitáculo para ver también ella la llegada al puerto. Orientó el rostro hacia la fina espuma que levantaba el barco en su estela, y Kate se alegró y sorprendió al ver su expresión de satisfacción, casi de dicha. Es feliz, pensó. Pese a sus circunstancias, es feliz. Kate casi envidió esa satisfacción en la mujer maltrecha. ¿Eso era efecto del sufrimiento?, se preguntó. ¿Le causaba a uno tal dolor que cuando este menguaba la satisfacción llegaba más fácilmente? O acaso le bastara con estar en presencia del hombre amado.

Se arriaron las últimas velas del barco y redujo la marcha, meciéndose suavemente en las estelas creadas por el tráfico fluvial. Minutos después topó contra el atracadero con un crujido y un gran chirrido de cabos en las poleas mientras el ancla caía y la pasarela descendía hacia el muelle. La luz crepuscular había menguado, dibujando en el cielo vetas de vivos colores naranja y morado y sumiendo en la sombra los almacenes del puerto. La gente iba apresuradamente de aquí para allá, vociferando en un idioma que ella no entendía y trajinando entre los carromatos y carretas que aguardaban

230

la carga y descarga. Por todas partes los caballos chacoloteaban y relinchaban y los carreteros los maldecían impacientemente. Los sonidos del comercio la abrumaron.

Voces extrañas.

Edificios extraños.

Sintió una repentina añoranza de su casa, de algo, cualquier cosa que le resultara familiar. Aunque fuera el reducido camarote en el que había pasado las últimas cinco noches, acurrucada con John como dos cucharas en una alacena.

John se inclinó para coger el baúl de Kate, que ella tenía a sus pies.

—Yo me encargo de eso, caballero —se ofreció uno de los marineros, y antes de que John pudiera darle las gracias, se cargó al hombro el pesado baúl y empezó a cruzar la pasarela. Esa era la señal para que lo siguieran. Ha llegado la hora, pensó ella, y la invadió momentáneamente el pánico.

En su inquietud, se olvidó por completo de Endor hasta que la mujer se acercó a ella y, buscando a tientas la mano de Kate, le puso algo en la palma. Kate, sorprendida, bajó la vista y vio la tosca medalla de hojalata que Endor llevaba siempre colgada del cuello por medio de un cordel. Reconoció el emblema: una puerta con dos mujeres, una mayor, de pie, detrás de otra más joven que sostenía a un niño en su regazo. La madre de la Virgen María. La abuela de Jesús. Santa Ana. La santa patrona de las mujeres sin hijos. Kate experimentó un tirón atroz en el corazón. Un amuleto sagrado para una mujer que había perdido a un hijo, un obsequio a una mujer que deseaba un hijo. ¿Cómo podía ella conocer ese deseo? Kate no se lo había dicho. Pero era raro que una mujer no deseara hijos. Quizá Endor actuara solo basándose en una suposición.

—Gracias, Endor, pero no quiero dejarte sin medalla. Estarás perdida sin ella.

Endor, frunciendo el entrecejo, imitó el gesto de colgarse el collar al cuello y señaló a Kate.

—Ponéroslo —dijo el capitán—. Quiere que os lo quedéis. No estará contenta hasta que lo aceptéis.

Conque él había estado observando. Kate se mordió la lengua para no preguntar si él conocía la importancia de esa santa en

231

concreto para una mujer pobre y sin hijos como Endor, pero naturalmente no podía hacerlo delante de Endor. Se la puso.

–La guardaré como un tesoro y recordaré siempre la amabilidad de la mujer que me la regaló –dijo–. Ahora me siento protegida.

Endor asintió con semblante sombrío, como si acabara de toparse con una catástrofe y se diera por satisfecha con haber hecho lo que estaba a su alcance. Esa expresión de satisfacción recordó a Kate la noche que Endor había salido corriendo del camarote después de mirar el agua en la sopera. El obsequio fue un claro recordatorio de que acaso necesitara protección –como si le hiciera falta un recordatorio estando tan cerca del agente del rey– y su peso tenía algo de tranquilizador. No era que se sintiese protegida por aquel trozo de hojalata sin ningún valor, sino que se sentía reconfortada por aquella mujer que tenía tan poco y parecía preocuparse tanto.

–Bien, capitán, muchas gracias por vuestra… –John no podía expresarse debidamente teniendo a Vaughan tan cerca–. Por vuestra amabilidad y hospitalidad.

Tendió la mano al capitán y se la estrechó efusivamente, como si intentara decir con ese apretón lo que no podía manifestar con palabras.

–Sí, capitán Lasser, os estamos muy agradecidos –añadió Kate, intentando decir con la mirada lo que no podía decir de viva voz.

–Visito este puerto con frecuencia. Si en el futuro necesitáis viajar alguna vez, buscad *El canto de la sirena* o preguntad en los muelles.

Lo dijo con naturalidad, como de pasada. A modo de cumplido. Una respuesta cortés. Como si fueran solo dos pasajeros que quizá él volviera a encontrar en adelante o quizá no… y, de hecho, eso eran.

Al notar la presión de la mano de John en la espalda, Kate se dejó guiar hacia la pasarela.

–Ahora camina con cuidado –recomendó él–. No es la mejor época del año para nadar.

En su voz no apreció el menor rastro de la inquietud que ella sentía. Como tampoco vio rastro alguno, al pisar muelle, del hombre que había cargado con su baúl. Recorrió a la muchedumbre con la mirada. Era un individuo de pelo castaño, ¿no? Sí, pelo castaño.

Y llevaba un pañuelo azul en la cabeza en lugar de gorra. Seguía sintiendo la mano de John en la espalda, su presión firme e insistente cuando él apretó el paso.

Vaughan gritó en dirección a ellos:

—Maese Gough, si llegáis a ver a Frith o Tyndale, no os olvidéis de decirles que tengo un ofrecimiento de perdón del rey.

—Sigue adelante —susurró John a la vez que avanzaban apresuradamente hacia la parte más concurrida del muelle—. Haz como si no lo hubieras oído. Lo próximo será preguntarnos dónde vivimos.

Alguien la zarandeó y le pisó el dobladillo de la falda. Kate notó que se le rasgaba pero mantuvo el paso.

—John, ha dicho «perdón»... —señaló ella con la respiración entrecortada—, un ofrecimiento de perdón del rey... tal vez debamos volver y...

—O quizá no sea más que un truco —dijo él—. Sigue caminando.

Al cabo de unos minutos, volvieron la vista atrás y vieron que Stephen Vaughan había desaparecido entre el gentío, pero John no aflojó el paso. Kate empezaba a tener flato, pero pronto olvidó la molestia. Se detuvo bruscamente y él casi tropezó.

—Mi baúl, John —gimió ella—. Todas nuestras pertenencias. ¿Qué ha sido del hombre con el baúl?

—No te preocupes por el baúl. Puede que hayamos sido afortunados de salir con vida.

Había oscurecido rápidamente y la temperatura había bajado tanto que amenazaba con helar. El tráfico peatonal también había disminuido. Incluso los estibadores habían desaparecido, deseosos sin duda de encontrar el calor de una chimenea. Kate se ciñó la capa y gimió para sus adentros: todas aquellas cosas tan bonitas. Ya era bastante malo empezar una nueva vida entre desconocidos, y ahora encima sin nada más que lo puesto. Deja de lamentarte, Kate. Intentó mostrarse más valiente de lo que se sentía.

—¿Sabes cómo encontrar la casa a la que vamos? —quiso saber ella.

—Iba a preguntárselo al capitán —dijo él con tristeza, y mirando alrededor al menguante número de transeúntes, añadió—: Esta zona no debe de ser segura de noche.

—¿Qué significa *Antwerpen Grote Markt?* —preguntó Kate, señalando un indicador con esas palabras marcadas a fuego.

—Plaza Mayor. Allí están los edificios de los gremios. Allí pediremos indicaciones.

Estaban a unos doscientos pasos de los muelles. Los tenues contornos de los buques se mecían a lo lejos. Kate ya no sabía cuál era *El canto de la sirena*, pero en realidad daba igual. Doblaron siguiendo la dirección de la flecha indicadora, dejando atrás el río. Al final de una calle estrecha y tortuosa, donde los olores de los fuegos de las cocinas y la carne asada se mezclaban con los olores nocturnos del río, los atrajo un farol colgado de un poste.

Cuando fueron hacia allí, Kate oyó unos pasos al mismo ritmo que los suyos.

—John...

—Ya lo sé. Yo también lo he oído. Acelera.

—No puedo caminar más deprisa.

Y de pronto:

—Maese Frith, esperad. Tengo vuestro baúl. —Era la voz del marinero que se había llevado el baúl.

—Intentaba alcanzaros. El capitán me ha ordenado que os siguiera y me asegurara de que llegabais bien a vuestro destino. He estado a punto de perderos.

Si a Kate le hubiese quedado aliento, habría dejado escapar un suspiro de alivio.

✧

Endor se agitaba mientras dormía en su catre en el pequeño espacio de la proa del barco. Siempre soñaba lo mismo.

Corría por Rottenhouse Row, un callejón estrecho. Corría desaladamente. Sin aliento y asustada. La perseguían, la alcanzaban, los pasos de ellos se oían cada vez más y más cerca, mucho más cerca, resonantes, atronadores. Como los latidos de su corazón. Eran cinco.

Antes, detrás de la taberna adonde ella había ido a entregar el pan, había un sexto hombre. Vio la hoja del cuchillo que lo degolló, oyó el gorgoteo de la sangre, lo contempló paralizada por el terror mientras la sangre manaba a borbotones de su cuello.

«No lo diré. No lo diré», gritó cuando ellos la atraparon. «No lo dirás. Zorra, claro que no lo dirás.» Uno le dobló el brazo por detrás de la espalda. «Por favor, por favor, dejadme ir. No lo diré.» Pero

234

la violaron uno tras otro, asfixiándola con sus cuerpos brutales, lastimándola hasta que quedó allí ahogándose, atragantándose en su propia vergüenza y su vómito, y entonces el último le metió el puño en la boca y le tiró de la lengua hasta que ella temió que se la arrancara de cuajo. Pero no era ese su plan. Un tosco tajo y otro y otro más –mientras ella forcejeaba para zafarse de quienes la sujetaban–, y todo con el mismo cuchillo que habían utilizado para matar a aquel hombre. Al final, el universo entero desapareció menos el sabor del metal oxidado y la sangre, y un sufrimiento que le traspasaba el cerebro igual que un metal al rojo vivo traspasa la carne.

Siempre despertaba intentando pedir ayuda a gritos con palabras que no cobraban forma: eran solo gemidos desvalidos y llenos de vergüenza.

Siempre pasaba un minuto, un minuto terrible y agónico hasta que caía en la cuenta de dónde estaba, hasta que sentía primero las tablas debajo de ella y luego las suaves mantas de lana. No estaba en la vera de un camino, pues, ni yacía en su propia sangre, mientras el mundo se desvanecía alrededor, ni se preguntaba cuándo se había confesado por última vez. Pensaba que iría al infierno porque ¿cómo iba a confesarse sin lengua? Pensaba que estaba ya en el infierno. Durante un largo minuto pensó que su corazón no volvería a latir hasta que por fin se acordaba. Estaba a salvo. Estaba en el espacio que Él le había construido. Era un lugar bendito: el único rincón que le había pertenecido.

Allí ese sueño no volvió a asaltarla hasta transcurrida una semana. Pero al menos al despertar se sentía mejor. Él le había proporcionado una hamaca como la de algunos de los tripulantes, pero ella prefería el nido de cálidas mantas de lana en el suelo. A lo largo de su vida había dormido siempre en el suelo o en la tierra, pero se alegraba de tener aquella litera colgante. Hacía las veces de estante para guardar sus cosas. Pese a que no las veía en la oscuridad, era agradable saber que estaban allí: un cepillo para el pelo con empuñadura de hueso, obsequio de su hermana Meggie antes de que la mandaran a trabajar en las cocinas de la casa grande; una segunda enagua; una blusa de repuesto; y una capa que Él le había regalado para los días fríos. Sus pertenencias –incluso los paños que empleaba para el mes bien doblados en el cubo de hojalata que empleaba para lavarlos–, donde nadie las tocaría. Un lugar privado. Un lugar seguro. Con una puerta que podía cerrarse por dentro.

El barco, aún al abrigo del puerto, se mecía suavemente de vez en cuando. Tapándose la cabeza con la manta, se hizo un ovillo, pero sabía que esa noche ya no volvería a dormirse. Buscó a tientas el amuleto que siempre la reconfortaba después del sueño, y de pronto se acordó. Santa Ana ya no estaba con ella; se la había regalado a la muchacha. El agua quieta le había anunciado que ella la necesitaba más. Dios ya había concedido a Endor un protector.

Endor. Ese era el nombre que Él le había puesto cuando lo siguió hasta el barco. «Dime tu nombre», había dicho Él, y naturalmente ella no pudo decirlo: «Ella. Me llamo Ella». Él, dirigiéndole su peculiar media sonrisa, dijo: «Te llamaré Endor». Ahora ella misma consideraba que su nombre era Endor. Endor tenía un protector. Ella no. Ella había muerto.

Era una noche serena y fría. Descorrió el pasador y abrió la puerta para que entrara el calor de la estufa, que se hallaba a unos pasos. Las brasas amontonadas entre las cenizas jamás se apagaban. Le daban calor incluso en las noches más frías. En el barco reinaba el silencio. Los hombres habían ido a las tabernas de la ciudad. Mejor así. Aliviarían su lujuria en los burdeles. Ninguno de ellos se acercaba a ella, pero en las travesías largas a los puertos orientales a veces advertía sus miradas ávidas. Sabía que los marinos creían que ella traía mala suerte y solo la toleraban porque Él los obligaba… y porque ella hacía buen pan con la excelente harina de los toneles de la bodega, harina destinada a las cocinas de los nobles y los poderosos.

Por la rendija de la puerta veía el cielo negro reflejado en el mar negro. No sabía distinguir dónde acababa el uno y empezaba el otro. Envolviéndose en su manta, salió a cubierta. Esas eran las noches que más le gustaban, sin luna, frías y claras. Grandes acumulaciones de estrellas salpicaban el cielo negro. Dios debía de vivir en una de ellas, pensó. La noche que Ella murió no había estrellas. Dios no miraba.

En aquel silencio parecía oírse más el correteo de pequeñas patas en las entrañas del buque, donde se hallaba la carga en cajas. Pero las ratas no la asustaban ya como cuando era niña. Solo eran criaturas hambrientas. Siempre que alguna se aventuraba a entrar en su cubículo, ella la golpeaba con su zueco de madera hasta que el roedor volvía a su sitio. Todo tenía un sitio. El cubículo era el suyo, y ella no permitía la entrada de intrusos. El sitio asignado a las ratas era la bodega, entre los toneles de madera llenos de género caro para los ricos que no pagaban tributos al rey. Si cerraba los ojos, las oía roer inútilmente. No conseguirían entrar en los toneles con flejes de hierro, y necesitarían roer mucho para acceder a los sacos de lona cosidos. La mayoría tendría que conformarse con los pequeños granos desparramados.

Así eran siempre las cosas.

Pero el sonido la entristecía de todos modos. Le recordaba a Jemmy. Su hermano solía atrapar las ratas en los muelles de Londres y las llevaba a casa en una jaula que él mismo había confeccionado. El dinero que obtenía vendiéndolas al servicio para la prevención de las plagas del ayuntamiento lo empleaban para comprar pan. Cuando no había pan, se comían las ratas.

Jemmy siempre había cuidado de ella. La llevaba cogida de la mano cuando iban por la calle. Lo primero que ella vio en el agua quieta fue el presagio de la muerte de Jemmy. Siendo solo una niñita, sin más de cinco o seis primaveras, miró en un charco después de llover y vio la soga del patíbulo. Al cabo de una semana habían ahorcado a Jemmy con otros dos cortabolsas. Ella había llorado dos días seguidos, y había descubierto que las imágenes en el agua nunca mentían. Endor se preguntó cuánto tiempo tardaría la muchacha o el hombre –no había distinguido cuál de ellos, ya que solo había visto la hoguera– en encontrar su destino.

✥

Kate arrugó la nariz cuando la mujer abrió la puerta del piso superior: una pequeña sala de estar, un retrete y un dormitorio, y todo ello bañado por aquella magnífica luz diáfana que flotaba sobre la ciudad.

–Huele a trementina –dijo a John–, pero supongo que ya nos acostumbraremos. Está limpio y desde luego la cama es más grande que la que veníamos usando.

–Eso es lo único que la hace indeseable. –Él sonrió–. No me gusta la mera idea de que pueda haber tanto espacio entre los dos.

–Chist –dijo Kate, sonrojándose al mirar a la austera mujer que les enseñaba el piso, utilizado antes como taller de pintura.

Era la hermana del antiguo propietario, quien, según la señora Poyntz, la dueña de la casa a la que habían ido la noche anterior, había muerto en esa misma habitación hacía menos de un mes.

–No sé si me gustará vivir en el taller de un muerto –había empezado a protestar Kate cuando la señora Poyntz le habló del piso horas antes esa misma mañana, pero la señora Poyntz intentó tranquilizarla.

–Lo he visto. No me cabe duda de que estaréis a gusto, querida. Es un piso amplio y bonito, con buena luz. El hermano era un artista conocido. Y Catherine dijo que pondría un colchón de plumas. Será un alojamiento provisional, hasta que alguien se marche de la Casa de los Mercaderes Ingleses, y estos nunca se quedan mucho tiempo. No podéis seguir durmiendo en un camastro en el salón como anoche.

Kate contempló la bonita alcoba, pensando que tal vez pudiera quitarse la idea de la mente. Era una habitación agradable, más que la suya de encima de la imprenta, más incluso que la que había ocupado durante su estancia en casa de los Walsh.

–Apartaremos la cama de la ventana hacia el caballete, donde están los esbozos de esa mujer tan fea –dijo John.

–¡John! La casera va a oírte. No podemos permitirnos ofenderla –reprendió Kate en voz baja por la comisura de los labios–. Lady Poyntz ha dicho que los alquileres están muy caros aquí, y esta mujer se acomoda a nuestras posibilidades.

–No te preocupes. Seguro que solo habla flamenco. –Luego, en voz más alta, mirando por encima del hombro de Kate, añadió : Nos lo quedamos –dijo en inglés, y acto seguido lo repitió en el idioma de la mujer.

Ella contestó algo que a Kate le resultó incomprensible y él se rebuscó en el bolsillo.

–¿También hablas flamenco? –preguntó Kate, asombrada.

–En cierto modo. Solo es bajo alemán, no muy distinto del holandés. –Entregó a la mujer una de sus preciadas monedas.

Kate se sentó en el banco bajo uno de los ventanales y acarició los cojines de vivos colores.

–Deberíamos volver a la Casa de los Mercaderes Ingleses a por nuestro baúl, supongo.

Advirtió una mancha de pintura en el ribete de damasco. También se fijó en que el piso estaba muy bien amueblado para haber sido el taller de un artista. Sus cuadros debían de haberse vendido bien. Supuso que los feos también querían hacerse retratos.

Catherine, la mujer que iba a ser su nueva casera –Kate no recordaba su apellido, aunque le parecía que empezaba por «m»–, revolvía en el armario. Sacó toallas limpias y una pastilla de jabón castellano, que colocó en la mesilla al lado de la cama.

–Podemos ir a buscarlo más tarde –propuso John al sentarse en la cama con un brillo en la mirada que ella ya conocía. Dio unas palmadas en la colcha–. Probemos este colchón de plumas nuevo en cuanto la mujer se vaya. A ver si estar en tierra firme tiene un efecto deletéreo en nuestras relaciones amorosas.

Kate dirigió una mirada a la mujer, que sacaba otro cobertor cuyo penetrante olor a hierbas impregnó el aire y se mezcló con el de la trementina. Parecía ajena a ellos.

Kate hizo una mueca, como si se escandalizara, y musitó:

–Caramba, maese Frith, para ser teólogo sois un marido de lo más ardiente.

La mujer les entregó el cobertor y sonrió, reflejándose en sus ojos una jocosidad inusual.

–Espero que estéis a gusto aquí –dijo en un inglés no solo correcto, sino perfecto–. Celebro que vuelva la alegría a esta habitación. También a Quentin le habría complacido. No solo retrataba a mujeres feas. Podréis ver su obra en la catedral. El retablo es muy conocido. La gente viene desde muy lejos para verlo.

John se puso del color de las colgaduras carmesí de la cama.

–Gra… gracias, señora Massys. Es muy… gentil por vuestra parte aceptarnos durante vuestro período de duelo. No sabía que hablabais inglés. Y tan bien. Nos hacemos cargo de vuestra pérdida y trataremos el taller de vuestro hermano con el debido respeto.

Kate ahogó una risita. Bien estaba que John se pillara los dedos de vez en cuando.

Catherine Massys movió la cabeza con un grave gesto de asentimiento pero aún le chispeaban los ojos.

–Gracias por vuestras tranquilizadoras palabras. Me hará mucha ilusión veros en la reunión para el estudio de la Biblia en la Casa Inglesa. Aunque no esta noche, supongo.

Mientras hablaba, se dirigía ya hacia la puerta, gracias a Dios.

–Si necesitáis algo más, decídselo a Merta, mi doncella, que os traerá el desayuno todos los días. No habla inglés, pero eso para vos no será problema, claro está.

Cerró la puerta mientras John farfullaba aún una respuesta.

Se tendió en la cama con los brazos y las piernas abiertos mientras Kate se desternillaba de risa.

–John, ¿cómo vamos a poder mirar a la cara a esa mujer otra vez?

–Ahora no pensemos en eso –respondió él–. Alegrémonos de estar a salvo y tener un techo bajo el que vivir.

–Además de esta preciosa cama –dijo ella. Se tumbó a su lado y volvió a levantarse enseguida.

–¿Y ahora qué pasa? –preguntó él con un gimoteo mientras ella cruzaba el dormitorio y volvía del revés el caballete. Acto seguido empezó a desvestirse hasta quedarse solo con la enagua.

–No permitiré que una duquesa fea nos mire –contestó–. Podría dejar marca en nuestros hijos aún por nacer.

XIX

Fue tal y como John había prometido. Por Navidad Kate empezaba a sentirse en Flandes como en casa. Se había acostumbrado al continuo clamor de las maldiciones políglotas y los bulliciosos saludos, el sonido de las carretas en los adoquines y el tintineo de las campanillas de los arneses delante de la pequeña habitación de su casa. Y solo tenían que cerrar la ancha ventana de cristal y las chirriantes persianas de madera para excluir el mundo entero.

Cada mañana, después de desayunar la leche fresca y los bollos de mantequilla calientes con una cruz de azúcar glas que les llevaba Merta, John se acercaba al Grote Markt y allí, en los edificios de los numerosos gremios, encontraba fácilmente empleo como traductor. Apoyada en la ventana, Kate lo veía recorrer la calle estrecha y tortuosa hasta que, con un amplio movimiento de mano y un rápido beso, doblaba la esquina y se perdía de vista. Los días nublados ella trajinaba por el pequeño piso como un ama de casa normal y corriente, barriendo las migas, ahuecando los cojines, extendiendo el cubrecama sobre el excelente colchón de plumas, tarea que remataba con una afectuosa palmadita final, porque, ciertamente, era una excelente cama.

En los días claros y frescos se aventuraba a ir hasta el mercado, con la cesta colgada del brazo, caminando con la misma determinación que los desconocidos con quienes se cruzaba hasta llegar a los tenderetes entoldados. Una vez allí se paseaba de puesto en puesto, dejando que sus sentidos se deleitaran con las mercancías exóticas que ofrecían: acariciaba con el dedo una delicada pieza de encaje veneciano, admiraba los colores de un tapiz de Brujas, inhalaba los penetrantes olores de la canela y el anís y los frutos secos. En una ocasión incluso compró un cañamazo en el que había un dibujo de una fuente y un unicornio minuciosamente estampados, junto con los correspondientes hilos de seda para bordarlo. John se merecía una esposa consumada y el tapiz quedaría muy bien colgado sobre la cama. En su momento le pareció una buena idea.

Compraba pan recién hecho y queso y a veces sopa que mantenía caliente en el pequeño brasero que Catherine Massys les había enviado para «romper el frío de primera hora de la mañana», aunque Kate rara vez sentía ese frío. Disfrutaba demorándose en la cama con su reciente marido, bien acurrucada en el colchón de plumas hasta que el sol de la mañana calentaba la habitación por las ventanas orientadas al este. A lo que no podía resistirse era a los puestos de libros del mercado. Amberes era la capital mundial de la impresión. Se pasaba horas hojeando aquel sinfín de libros en tantos idiomas, y más de un vendedor tenía libros en inglés. El día anterior había visto uno que quería comprar, pero ahora ya no estaba. Se preguntó si el librero entendería su pregunta.

—¿Lutero? —dijo, pronunciando el nombre lentamente.

El vendedor asintió, escarbó bajo la pila y le entregó un libro que ella era incapaz de leer, pero reconoció el idioma alemán.

—¿Inglés? —preguntó ella.

—Sí —contestó él con toda claridad—. Lo tengo en inglés. Tengo muchos en inglés. Me los compran los mercaderes ingleses. Yo los compró directamente a los impresores.

Metió la mano en una gran bolsa y sacó tres volúmenes distintos.

–Tengo a Tyndale… aquí pone Hitchens, pero eso es otro nombre que usa Tyndale… y los *Adagios* de Erasmo y el libro con los sermones de Lutero.

Kate cogió el libro de los sermones. Era el que había visto el día anterior.

–¿No los tiene a la vista? Este me pareció verlo ayer.

Él se encogió de hombros.

–No en gran cantidad. Esta sigue siendo una ciudad católica pese a que, por lo general, las autoridades hacen la vista gorda en interés del comercio.

Pagó por el libro de sermones: un regalo para John, que disfrutaría comparándolo con su ejemplar alemán. Empezaba a descubrir que la traducción de una lengua combinaba arte y ciencia.

–Supongo que tendré que esconderlo debajo del queso –indicó ella.

–Ah, no os toméis la molestia. Aquí rara vez acosan a los extranjeros. –Volvió a encogerse de hombros–. Todos somos extranjeros. Sin nuestro comercio, esta ciudad se marchitaría como cuando a un viejo se le encogen los… –Se sonrojó hasta lo alto de la calva, se sonrojó como solo podía sonrojarse un hombre de tez muy clara–. Lo que quiero decir es que nosotros nos ocupamos de nuestros asuntos y ellos de los suyos.

–Me llevaré también este –dijo ella, cogiendo una traducción inglesa de la *Odisea* de Homero. Los sermones eran para John, el Homero para ella. John hacía alusión a Ulises tan a menudo que ella quería compartir con él esa gran aventura heroica, deseaba alcanzar a ver la atracción del «vinoso ponto».

Qué lugar tan maravilloso para vivir, pensó en el camino de vuelta a casa. John había elegido bien. Allí, en Amberes, no eran más que dos extranjeros en una ciudad de extranjeros. Londres parecía muy lejos.

A veces John y ella bajaban a los muelles al ponerse el sol para ver llegar a los barcos: carabelas portuguesas, galeones españoles, barcos mercantes venecianos, todos con las vistosas insignias de sus naciones de origen. Siempre que veía un barco inglés, aguzaba la vista por si acaso era *El canto de la sirena*. Pensaba por un momento en Endor encorvada sobre su pequeño horno y tomaba conciencia de la medalla de hojalata de escaso valor entre sus pechos, en contacto con la piel, bajo su camisola. Pensaba, también, en el capitán Lasser de pie en la popa, oteando el horizonte con sus ojos de halcón.

Pero esa noche no habría tiempo para pasear por la orilla del río. Esa noche iban a la Casa Inglesa.

❧

La Casa Inglesa estaba aún más acogedora que de costumbre. En las calles crepusculares de Amberes caía incesantemente una gélida llovizna y la chimenea encendida prometía calor y cordialidad. El salón resplandecía a la luz de las velas, y la hiedra y el acebo se entrelazaban en las vigas de madera. Cuando Kate entregó su capa a la criada, percibió los deliciosos aromas y la mirada se le fue hacia la mesa con su mantel de hilo, donde se desplegaban los diferentes platos.

—Si esa mesa tuviera voz, sin duda gemiría bajo el peso de tal cantidad de pudines de Navidad y carnes asadas —susurró a John.

—Y nosotros colaboraremos en aliviarla de su carga, dulce esposa.

El agradable sonido de las voces inglesas también brindó una calurosa acogida a sus sentidos. Ni una sola sílaba extraña entre ellas. Incluso la risa inglesa era distinta de otras risas, pensó, sintiendo una repentina gratitud por esa pequeña muestra de su tierra. Los saludaron como a viejos amigos; pese a que la clientela tendía a ir y venir en función de sus actividades comerciales, para entonces Kate estaba ya familiarizada con algunos de los visitantes asiduos, y reconoció algunos de los rostros entre los ocho o diez mercaderes reunidos allí esa noche. Como era natural, John se reía fácilmente en su compañía; trabajaba con ellos a diario.

Para ser sobre todo hombres, predominaban las buenas maneras. Lord Poyntz velaba por ello. La cerveza era suficiente, pero no excesiva. Así pues, Kate se conformó con disfrutar de su comida en silencio mientras escuchaba alrededor el flujo de las conversaciones masculinas. No pudo evitar sentir curiosidad por las esposas que esos hombres habían dejado en Inglaterra.

Como siempre, la señora Poyntz parecía alegrarse de la compañía femenina en medio de tantos hombres. Después de la cena, mientras los mercaderes se enzarzaban en una discusión teológica

244

o intercambiaban anécdotas sobre el contrabando de Biblias o jugaban a las cartas o al ajedrez, las dos mujeres permanecían allí sentadas con sus bordados. Su anfitriona se reía mientras Kate hincaba la aguja en los pliegues de la tela, cada día más arrugada.

—Ya aprenderéis, querida, no os preocupéis. ¿Qué importancia tiene una mancha roja aquí o allá? Un simple capullo en un fondo floral. —Se llevó la tela a la delicada boca y cortó un hilo de seda con los dientes. Luego preguntó—: ¿Qué tal vuestro alojamiento? ¿Es agradable?

—Mucho. Y nuestra casera es muy complaciente, aunque la vemos poco.

—Eso podría ser bueno —comentó la señora Poyntz—. No es que Catherine Massys no sea encantadora… Viene aquí de vez en cuando. Es amiga de un mercader, y una mujer muy inteligente. Pero al fin y al cabo estáis recién casados y merecéis cierta intimidad.

—Habla el inglés asombrosamente bien —dijo Kate, sintiendo que se sonrojaba ante el recuerdo—. Me temo que John y yo estuvimos un poco… indiscretos en nuestra conversación pensando que ella no nos entendía.

—Vaya, querida, cuánto lo siento. Nunca habría pensado… Pero sea lo que sea lo que dijisteis… en fin, seguro que la pobre Catherine está encantada de teneros como inquilinos. Adoraba a su hermano, pero temía que su taller se convirtiera en una especie de santuario y que fuera invadido por sus discípulos. Ahora puede poner como pretexto la intimidad de sus inquilinos cuando un artista quiera fisgonear en el taller. Quentin era muy famoso. Pintó el tríptico de la catedral y se lo conocía por sus retratos: uno de ellos incluso fue elogiado por el gran sir Tomás Moro. —Hizo una mueca—. Conocemos a sir Tomás porque negocia con los mercaderes.

Kate se alarmó y ello debió de reflejarse en su rostro.

—No os preocupéis, querida, ahí empieza y acaba nuestra relación con sir Tomás Moro. Viene a Amberes con frecuencia, pero *nunca* será invitado a la Casa Inglesa. Además, él y Erasmo, el filósofo holandés… ¿Lo conocéis?

Kate asintió, indicando que así era.

—Bueno, pues Erasmo y sir Tomás Moro son grandes amigos, tengo entendido, y los dos aprecian la cultura flamenca. —Con un gesto, pidió a la criada que recogiera la mesa–. Quentin incluso grabó una medalla para Erasmo. Aunque a mí no me interesa mucho su obra. La de Quentin, no la de Erasmo. La obra de Quentin es muy… literal. Muy exagerada. Casi raya en lo grotesco. ¿Qué os parece su Cristo descendiendo de la cruz?

–¿La tabla de la catedral? Aún no la he visto. Aunque han quedado unos esbozos en nuestra alcoba… Ya entiendo a lo que os referís con eso de «exagerado». Los esbozos son de una anciana vestida con ropa antigua, vestida exquisitamente… se ven todas las hebras del bordado de su bicornio… pero es tan…

–¿Fea? –lady Poyntz se echó a reír.

–¿Quién podría encargar un retrato así?

–Sí, ¿quién? Pero no creo que eso sea realmente un retrato, o al menos no de alguien a quien conozcamos. Se supone que debe expresar algo sobre la vanidad de las mujeres.

Eso tenía algo de triste y aleccionador… sobre la vanidad de las ancianas, como si las ancianas no pudieran ser hermosas y no debieran siquiera intentarlo. Lanzó una mirada hacia John, preguntándose si la encontraría hermosa cuando fueran viejos, tratando de representárselo con mechones grises en el pelo. Pero conservaría el hoyuelo en la mejilla. Seguiría hablando con el mismo entusiasmo que en ese momento manifestaba en su conversación con John Rogers. El capellán de la casa le aseguraba que sí, que estaba en contacto con William Tyndale y con mucho gusto lo informaría de la presencia de su amigo en Flandes.

La señora Poyntz se disculpó y fue a la cocina a supervisar el proceso de recogida de la vajilla. Las velas, ya muy consumidas, parpadeaban débilmente en sus candeleros, y Kate, dejando escapar un suspiro de evidente frustración, dejó el bordado. John miró en dirección a ella afectuosamente y, poniéndose en pie con sonrisas y apretones de manos a cuantos tenía alrededor, se despidió de los mercaderes.

Cuando recorrieron a pie las pocas calles hasta su casa, la llovizna había dado paso a la bruma. John la cogió de la mano. A Kate el contacto le resultó cálido y reconfortante. La voz del sereno les anunció que eran las nueve en punto y todo estaba en orden, si bien lo anunció en flamenco. Pero Kate empezaba a conocer un poco el idioma.

–Se te ve pensativa –comentó John–. ¿Te he cansado obligándote a permanecer en tan ruidosa compañía demasiado tiempo?

–No. Bueno. Quizá sí estoy un poco cansada. Pero ha sido una buena cena, y lady Poyntz me cae bien. –El olor de la bruma que venía del río, el sabor de esta en su boca, le era familiar, le recordaba a Inglaterra–. John, ¿sabías que sir Tomás Moro es el negociador entre Inglaterra y los mercaderes y que a veces viene a Amberes?

–¿Eso es lo que te inquieta, pues? –John exhaló un pequeño suspiro. Kate imaginó que el vaho de ese suspiro se mezclaba con la bruma, endulzándola–. No, no lo sabía. Pero no me extraña. Amberes es una ciudad importante. Cabe esperar que venga aquí de vez en cuando.

–¿Y si te viera?

–No me reconocería. Podría sonarle mi nombre, pero… estaré atento. No te preocupes, ángel mío. Soy un pez pequeño. El poderoso sir Tomás no se tomaría la menor molestia por mí. El que debe preocuparse es Tyndale. Por eso se traslada tan a menudo. Aunque lord Poyntz dice que está intentando convencerlo de que el lugar más seguro para él es la Casa Inglesa. Allí no podrían detenerlo las autoridades alemanas porque gozaría de inmunidad, y no se permite la entrada a nadie sino por invitación. –John le apretó la mano–. Descuida. Estamos a salvo –dijo, abriendo la puerta de la escalera que conducía a su piso de la planta superior.

Para cuando el sereno anunció que eran las diez en punto y todo estaba en orden, John dormía a su lado y ella estaba acurrucada en su brazo. La reconfortó sentir en la mejilla los latidos de su corazón. Ya a punto de dormirse, recordó el esbozo de la vieja grotesca que había vuelto de cara a la pared.

–¿Me querrás cuando sea vieja, John? –musitó–. ¿Seré tu ángel entonces?

Los suaves ronquidos de John no le dieron respuesta. Kate se puso de lado e intentó dormir, sintiendo una oleada de compasión por la mujer que había posado para el esbozo.

–Va. Tócalo si quieres –susurró el rey al oído a Ana Bolena–. Cuando seas reina tendrás el tuyo, con un salero a juego –le dirigió una de sus volátiles sonrisas– y rubíes grandes como tus ojos.

Ana retiró la mano. Ella no era reina. Todavía no. No mientras Catalina de Aragón fuese la legítima esposa de Enrique. Pero a la vez que apartaba la mano acarició con los dedos las perlas que orlaban la base del hermoso cuenco tapado. Era de lejos la pieza de vajilla más exquisita que había visto en la vida: cristal de roca, oro, esmalte verde mar y piedras preciosas engastadas.

Era la mascarada de la Noche de Reyes, y Enrique había anunciado a Ana que las fiestas de ese año serían una jubilosa celebración de sus propósitos. Esta vez ella había accedido a sentarse a la mesa con él. La máscara dorada le confería cierto anonimato, aunque toda la corte adivinaría de quién eran los ojos que miraban desde detrás del antifaz de plumas y piedras preciosas. Pero como en una mascarada el protocolo era menos riguroso, Ana había aceptado.

La luz y el color llenaban el salón de Hampton Court. Ana tuvo la impresión, al contemplar las mesas desde su elevada posición de honor, de que aquello era casi una visión celestial: los trovadores se paseaban entre los invitados, tañendo sus laúdes; los escanciadores llenaban las copas de oro en una fuente de la que manaba un exquisito vino francés; los embriagadores aromas de los perfumes y la cera de abeja se mezclaban con los suculentos olores que llegaban de las cocinas en el piso de abajo. El resplandor de las velas oscilaba, y la luz, al cambiar, revelaba un puño enjoyado aquí, un cuello de encaje bordado con hilo de oro allá, una redecilla de plata tan sutil como una telaraña: un remolino incandescente de colores que mutaba en luces y sombras. Dos heraldos de librea aparecieron con sus trompetas al fondo del salón.

–Señores, atended –dijo el maestro de ceremonias levantando la voz, y se inició la procesión.

Entraron en el salón un criado tras otro con grandes recipientes de cristal sobre cojines de terciopelo rojo con borlas doradas mientras, desde las mesas, resonaba el grito: «¡Bebamos! ¡Bebamos!». «¡Bebamos! ¡Bebamos!», acompañado de golpes de puño en las mesas. Los candelabros que colgaban de las vigas temblaron, haciendo bailar las luces. Cuando los escanciadores y los maestresalas empezaron a servir la libación de la Noche de Reyes, un coro inició el canto y las voces se acallaron hasta que se llenaron todas las copas. Entonces el rey se puso en pie y levantó su propia copa de oro.

–¡Bebamos! –exclamó y, tras soltar una risotada, apuró su copa.

Ana levantó la suya, tomó un sorbo de aquel vino dulce, con especias, e imaginó que sentía cómo se le subía a la cabeza. Dejó la copa. Aún tenían por delante el baile. Le convenía mantener alerta los sentidos.

–El maestro del festejo de vuestra majestad merece un elogio –dictaminó Ana–. Nunca había visto tanto esplendor.

–Esto no es nada –respondió él, y se echó a reír–. Espera a que seas coronada mi reina; entonces verás lo que es esplendor. Ven, vamos a enseñarles lo bien que baila su soberano.

A Ana se le aceleró el corazón cuando, cogida de la mano de Enrique, se dejó conducir al escenario construido para seis parejas de bailarines, cada una cuidadosamente seleccionada, cuidadosamente vestida, cuidadosamente coreografiada. A intervalos, las parejas salían de detrás de las telas pintadas que formaban el telón de fondo para incorporarse al baile. Todas iban vestidas igual que Enrique y Ana: paño dorado con aberturas que, debajo, dejaban a la vista el verde Tudor, adornadas las recargadas mangas con rosas Tudor, los hombres con sombreros de terciopelo y plumas, las damas con tocados perlados de terciopelo verde sujetos a redecillas de delicada malla dorada. Todos llevaban los mismos antifaces de dorados y plumas.

–Vuestra majestad, para ser un atleta tan poderoso, tenéis los pies ligeros –comentó Ana cuando los flautistas se unieron a los arpistas y salió la última pareja. Se había erigido en el centro del escenario un árbol enorme, y bailaron dando vueltas a su alrededor hasta que Ana casi se mareó.

–Lo ves, ya los hemos desorientado –dijo el rey–. Están apostando sobre quién es el rey.

Una serie de telas pintadas que representaban arcos formaban el telón de fondo. Al dar vueltas las parejas en torno al árbol, entraban y salían por los arcos de las telas. Los flautistas aceleraron el compás. Los bailarines entraban y salían por los arcos, entraban y salían, alrededor del árbol, cada vez más deprisa, por los arcos, alrededor del árbol. De pronto el rey cogió a Ana por la cintura y tiró de ella para llevarla detrás del arco verdadero, un arco de piedra en lo alto de la escalera que bajaba a las cocinas.

Enrique soltó una risa entrecortada cuando, a una señal suya, otra pareja casi idéntica a Enrique y Ana se incorporó al baile.

—Ven, cruzaremos la cocina y entraremos en el salón desde el otro lado.

Era como un niño pequeño jugando, tan ufano. Sin aliento de tanto bailar, Ana tuvo que correr para no rezagarse, esquivando a maestresalas y cocineros que iban cargados con bandejas y revolvían ollas, y se interrumpían solo por un instante para hacer una reverencia acompañada de una sonrisa o un: «Hola, majestad», como si su soberano atravesara corriendo su lugar de trabajo todos los días.

—¿Quién era ese bailarín, alteza, tan parecido a vos en estatura, peso y porte? —preguntó Ana con la respiración acelerada.

—Pero no tan buen bailarín, dulce Ana. —Le lanzó las palabras por encima del hombro sin el menor asomo de jadeo—. Di que no es ni de lejos tan buen bailarín como yo.

—No he bailado con él, majestad. ¿Cómo voy a saberlo?

Él se rio de su insolencia.

—Era Edward Neville. De mi séquito personal. Procura no encontrar una ocasión para bailar con él.

Enrique seguía corriendo y ella no había recobrado aún el aliento cuando entraron en el salón y se quitaron los antifaces.

~�֍~

Cuando el rey tuvo ya suficiente diversión y baile, después de comprobar los apostadores quién de los enmascarados bailarines era el rey —nadie ganó salvo lord Neville, que se embolsó todas las ganancias por medio de su representante Charles Brandon, lord Suffolk, en recompensa por el papel desempeñado en el engaño—, y después de acabarse el banquete con sus diversos platos a base de tórtola, cisne, pavo real y chorlito, ternera al ajo, lengua de buey y carne de ballena con especias, que a Ana no le agradaba pero intentó comer de todos modos porque era una gran exquisitez, y después de servirse la repostería y las golosinas, recibidas con hurras y bravos –estas tampoco le agradaban y las encontraba un tanto sacrílegas; tenía algo de profano representar en azúcar a la Virgen y al Niño–, Enrique aún estaba lo bastante sobrio para proponer que se retiraran a su cámara.

–Su majestad, la noche está muy avanzada y debo aducir cansancio. Además, sería una falta de decoro…

–Estará lord Neville. También Charles Brandon y por supuesto tu doncella. Tu virtud y tu reputación permanecerán intactas. Coincido en que debemos ser circunspectos. Tengo un regalo para mis colaboradores más cercanos con el que señalar esta ocasión. Sin duda a ti se te puede considerar entre los amigos más íntimos del rey.

Así pues, con los pies cansados de tanto bailar, la cabeza dolorida de tanto vino y el estómago hinchado bajo el tenso peto de tanto comer, Ana desplegó una dócil sonrisa y siguió al rey hasta su cámara. ¿De dónde sacaba la energía ese hombre? No era mortal. Había comido y bebido y bailado con más entusiasmo que nadie en el festejo, y no parecía en absoluto afectado. Cuando pasaron ante el pasillo que conducía a la alcoba de Ana, ella se acordó con anhelo de su cama. Y además, dudaba mucho que Charles Brandon, el compañero de juventud del rey y marido de su hermana María, la viera con buenos ojos. Seguro que Enrique pretendía granjearse su voluntad presentándola en el círculo más íntimo del rey, pero estaba demasiado agotada para exhibir sus encantos. No obstante, Enrique había mencionado los regalos de Año Nuevo. Una no se oponía a un rey.

~ ᴎ ᴌ~

Enrique cumplió su palabra. Tenía regalos para todos: espadas bien afiladas para lord Neville y Charles Brandon, poemas de su propio puño y letra igualmente para Brandon y Neville, junto con jarreteras revestidas de rosas de los Tudor y piedras preciosas en los botones; e incluso unos guantes del mejor borreguillo para la doncella de Ana.

–Y llévale esto a tu esposa, nuestra querida hermana María, con el mensaje de que la perdonamos por su caprichosa falta de respeto para con nosotros al casarse contigo.

Su expresión estuvo en consonancia con su gélido tono cuando entregó a Brandon un pequeño paquete. Ana se preguntó qué contenía. Pese a lo mucho que apreciaba a su amigo de la juventud, Enrique había planeado un matrimonio distinto para su hermana viuda, María Tudor, un plan que convenía políticamente a la Corona. Brandon agachó la cabeza en reconocimiento por su gratitud al verse reinstaurado en el favor del rey. Pero Ana sintió una momentánea punzada por María, que había caído en desgracia y no había sido invitada a los festejos de la Noche de Reyes. Si Brandon recuperaba el favor del rey, ¿por qué no María, la hermana del rey? Sintió un amago de ira hacia lord Suffolk, que había dejado en casa a su esposa en la lúgubre bruma de la deshonra.

Pero uno no se oponía al rey.

—Hay otro regalo más, para nuestra amiga especial, lady Ana.

Pidió a Ana que cerrara los ojos y puso en su mano un pequeño sobre de terciopelo. Pero Ana, antes de cerrar los ojos, había visto la mirada que cruzaron Neville y Brandon, y no fue una mirada que le alegrara el corazón. Acarició el pequeño sobre con el dedo, intentando volver a sentir su entusiasmo ante la idea de un regalo más del rey: demasiado plano para ser una sortija o, de hecho, una joya de cualquier tamaño. Parecía un cuadrado pequeño con bordes afilados.

—No mires todavía —dijo él—. Solo abre el sobre.

Ana deslizó los dedos por el sobre de terciopelo y sacó el pequeño objeto plano, palpando la suavidad de su superficie y los ángulos afilados. Oyó una inhalación de Neville o Brandon, no supo distinguir quién de ellos.

—Abre los ojos, mi señora, y mira el regalo de tu rey.

Ana abrió los ojos. Y lo que vio le causó tal angustia que no pudo contener las lágrimas que amenazaban con derramarse. Bajó la mirada para que los cortesanos no las vieran.

Era un retrato en miniatura de Enrique, sin barba, como ahora, así que era un retrato reciente. Se había afeitado la barba para las celebraciones navideñas. Era un retrato en miniatura perfecto, su boca de niño, su mentón un poco hendido por encima del carnoso cuello. Vestía una sencilla sobreveste y un sombrero negro sin plumas y llevaba una sola cadena de oro. La imagen en acuarela estaba pintada sobre un fondo azul oscuro y enmarcada por un delgado círculo de oro dentro de un rectángulo rojo. Y fue en ese borde rectangular donde Ana encontró la causa de sus lágrimas.

Unos ángeles dorados en las esquinas, tanto arriba como abajo, portaban letras de oro sobre un fondo escarlata: «E C». Arriba y abajo. Las veía claramente a través de las lágrimas.

Enrique y Catalina.

–Vuestra majestad, no puedo aceptarlo. No merezco semejante prueba de generosidad de parte vuestra y de la reina. –El objeto odiado flotaba ante ella, distorsionada la imagen del rey por las lágrimas–. Tengo la sensación de que la velada me ha superado. Debo desearos buenas noches.

Hizo una reverencia lo más rápido posible y, retrocediendo, salió de la cámara; luego se recogió la falda y huyó de la presencia del rey. El sonido de la ira de Enrique la persiguió por el pasillo.

–Haré azotar a ese pintor por semejante insulto –vociferó.

Pero lo único en lo que Ana podía pensar era en la expresión de suficiencia en el rostro de Charles Brandon.

XX

*Esto no ha sido obra mía, pero quiera Dios que pueda
yo de este modo liberar a las conciencias esclavizadas
y vaciar los claustros de quienes allí moran.*

MARTÍN LUTERO al enterarse de que nueve
monjas reformistas se habían fugado
de un convento agustino. Una de esas
monjas era Katharina von Bora (1523)

En invierno Kate salía menos. Catherine Massys convirtió la planta baja, donde antes Quentin tenía su academia de pintura, en dos pequeñas tiendas. Un cerero alquiló una, y la otra la ocupó ella misma, vendiendo material artístico: pigmentos y lienzos y pinceles de marta. Era una buena manera de deshacerse de las existencias que había dejado su hermano, explicó. Su hermano aprovisionaba a los artistas de su academia, pero ella no tenía intención de dar el material de balde.

Los días fríos y grises, Kate se complacía en sentarse con ella en la tienda, afanándose con el tapiz del unicornio. Hablaban de cosas de mujeres: los nuevos sombreros en el escaparate de la tienda de enfrente, lo rácano que era el vendedor de paño veneciano cuando medía la seda; pero también hablaban de otras cosas.

Fue por mediación de Catherine Massys que Kate se enteró de que los reformistas religiosos estaban mucho más afianzados en el continente que en Inglaterra y de que el doctor Martín Lutero, el hombre que lo había iniciado todo y cuya teología Kate abrazaba aún más desde su exilio, estaba casado.

—A veces su mujer viaja con él –explicó Catherine–. Y también los hijos. A ella la vi una vez.

—Pero yo pensaba que Lutero era monje. Sacerdote –dijo Kate.

—¿No os parece bien que los sacerdotes se casen?

—No. Es decir, supongo que siempre he pensado en él como alguien demasiado… devoto para casarse. El monje solitario en su celda. Claro que no veo razón alguna para que el clero no contraiga matrimonio. San Pablo dijo que era mejor casarse que abrasarse.

—¿Abrasarse? –Catherine fruncía el entrecejo cuando no entendía algo en inglés.

—De lujuria –respondió Kate–. Sentirse tentado por… ya sabéis…

Catherine sonrió y asintió.

—Ya entiendo. Abrasarse. Como abrasa el fuego. Un amor devorador. El inglés es un idioma poético –comentó. Y añadió–; ¿En Inglaterra los sacerdotes se casan? ¿O sencillamente… se consumen?

—Algunos se casan. –Kate pensó en el cardenal Wolsey, quien, según rumores, tenía esposa, y en el obispo Cranmer, quien, se decía, llevaba a su esposa de aquí para allá en una caja–. Pero lo mantienen en secreto. –Kate tiró de un hilo en el que se había hecho un nudo. En lo alto del cuerno del unicornio empezaba a aparecer un agujero allí donde había tirado de los hilos con demasiada frecuencia–. ¿Cómo es ella, la mujer de Martín Lutero? –preguntó, tensando las fibras como si así el agujero fuera a desaparecer.

Katherine se encogió de hombros.

—La vi de lejos. El doctor Lutero le dobla la edad. Cara pequeña y ovalada, viste con sencillez. Ojos separados, y se la ve más inteligente que guapa. Su boca es un poco… –Apretó los labios en un mohín para expresar lo que no sabía cómo decir–. Se llama Kate, como vos. Kate von Bora. Es de una gran familia, pero la repudiaron cuando rompió los votos.

—¿Rompió los votos? ¿Era monja?

—Se escapó de un convento de clausura con otras ocho monjas. Después de convertirse a las ideas de Lutero.

255

Una monja apóstata y un sacerdote renegado viviendo juntos sin tapujos como marido y mujer. Kate se preguntó cómo conseguían no acabar en la cárcel.

—Debe de estar muy comprometida con la causa luterana para casarse con un hombre que le dobla la edad, por sus escritos.

—O quizá, como decís los ingleses, simplemente le «abrasa» el deseo por su Martín.

—Es posible —dijo Kate. Se sonrojó solo de pensar en cómo se le disparaba el corazón y se le estremecía la carne con el contacto de John. Notó la sonrisa de Catherine.

—Me alegro de que seáis feliz aquí con vuestro marido —comentó Catherine, y tras un breve silencio, añadió—: Y me alegro de que viváis en mi casa. Creo que podríamos llegar a ser amigas. Me reúno con un grupo de mujeres todos los viernes. Estudiamos la Biblia juntas. Quizá podríais acompañarnos. Dos de las mujeres hablan inglés. Les gustaría practicar con vos.

—¿Os reunís en la Casa Inglesa?

—No, nos reunimos aquí. Las mujeres flamencas no serían aceptadas en la Casa de los Mercaderes Ingleses, y además a veces traen a sus hijos.

—¿No hay peligro?

Catherine se encogió de hombros.

—No creo. Nadie nos molestará. Las autoridades nos consideran inofensivas, simples amas de casa chismosas.

—Me haría mucha ilusión asistir —contestó Kate. Se levantó y se acercó a la ventana para ver si John doblaba ya la esquina de regreso a casa—. Quería deciros que he visto el retablo de la catedral. Vuestro hermano era un pintor de gran talento. La figura del Cristo muerto parece tan…

—¿Muy, muy muerto? —Esta vez Catherine apretó los labios por su propia voluntad—. Quentin tenía mucho talento. Pero a veces, pienso, sus imágenes eran un poco demasiado… reales.

—El esbozo de la anciana que hay en el taller…

—Si os molesta, lo quitaré. Fue un descuido dejarlo allí. Sus hijos se llevaron todos los cuadros. Quizá pensaron que el esbozo inacabado no tenía ningún valor.

–No –dijo Kate–. No os lo llevéis. Me he acostumbrado a vivir con él. Como si fuera un fantasma melancólico pero bondadoso. ¿Es el retrato de una mujer real?

–No. O al menos eso creo. Me parece que pretendía hacer referencia a la vanidad de las ancianas.

–¡La vanidad de las ancianas! ¿Y la vanidad de los ancianos? –exclamó Kate, sin concederse un instante para eliminar el desdén de su voz–. Quentin Massys debería haber pintado las pantorrillas marchitas de los ancianos, envueltas en delicadas medias de seda, y sus traseros flacos, enfundados en brocado de oro, y sus ojos bizcos lanzando miradas lujuriosas desde sus rostros marcados de viruela ante cada pecho generoso que aparece ante ellos…

La risita aguda de Catherine reverberó en la tienda.

–Perdonadme –suplicó Kate, consciente ya demasiado tarde de lo grosero que sonaba el comentario–. No pretendía insultar a vuestro hermano. –Tras tener abandonado por un momento el delicado cuerno del unicornio, le hincó la aguja en el cuello–. Debería aprender a no expresar todas las opiniones que me pasan por la cabeza.

–No. Eso es… franqueza. Quentin admiraba la franqueza. Él prefería a las personas con opiniones. Detestaba los rostros vacíos. Os habría retratado con los ojos muy abiertos en una expresión de… agravio. Eso era lo que se le daba mejor: cualquier clase de emoción. El retrato del prestamista y su esposa… ahí se ve la codicia en sus rostros.

Al oír los pasos y el relincho de un caballo, Kate dirigió la atención hacia la ventana.

–Parece que tenéis un cliente. Debería llevar arriba mis opiniones y mis ojos redondos en expresión de agravio. John no tardará en llegar. No debería tener que salir en busca de su mujer cuando vuelva a casa. Esperaré el viernes con impaciencia –dijo por encima del tintineo de la campanilla de la puerta de la tienda.

❧

Kate asistió solo unas cuantas veces a las reuniones en torno a la Biblia de Catherine Massys y su pequeño grupo de mujeres antes de iniciarse una racha de lluvias torrenciales. Pero le bastaron para saber que eso era algo que deseaba seguir haciendo. Aunque rezaban y cantaban e incluso debatían en flamenco, dos de las mujeres hablaban bastante bien en inglés, y le traducían cuando la conversación sobre las escrituras luteranas se animaba, e incluso le pedían su opinión. Y podía adivinar el contenido de las oraciones. Algunas de las mujeres expresaban en silencio su asentimiento a las plegarias que Catherine recitaba en voz alta. Kate sabía flamenco suficiente para darse cuenta de que esas palabras no procedían de ningún devocionario o liturgia romana. Esas plegarias eran ardientes y sinceras y personales. Lo sabía por cómo estrechaban a sus hijos contra su pecho mientras rezaban.

La segunda semana, a propuesta de Catherine, Kate llevó su Biblia de Tyndale, y cuando Catherine acabó de leer un pasaje del Evangelio según san Juan –de la Biblia alemana de Lutero porque no existía traducción al flamenco–, Kate leyó en voz alta de la Biblia inglesa de Tyndale.

–«Yo soy la Vid, vosotros las ramas…».

La tercera semana Kate les enseñó a cantar uno de los himnos de Lutero que había copiado de la traducción de John. El pequeño coro ascendía a una docena de voces femeninas y producía un jubiloso sonido dirigido al Señor, entonando cada verso de: «Una poderosa fortaleza es nuestro Dios» primero en inglés y luego en alemán con más sinceridad que sentido de la armonía. Mientras cantaban el último verso, Kate recordó lo mucho que John y ella tenían en común con su autor alemán y la esposa de este, en particular el peligro que todos corrían. Estas mujeres, que amamantaban a sus pequeños mientras rezaban, desarrollaban una especie de liturgia propia, y Kate tenía la certeza de que no era una liturgia que fueran a aprobar los prelados de la Iglesia.

–En Amberes, siempre y cuando no celebremos la misa, no nos acosarán –le había asegurado Catherine.

Aun así, cuando sonó la aldaba de hierro en la puerta atrancada de la tienda mientras cantaban, Catherine les indicó que guardaran silencio. Kate vio el miedo en sus rostros, y también ella se asustó. En Inglaterra un hombre podía ser azotado o algo peor por pronunciar una oración a Dios en su propia lengua. ¿Qué diría John si su esposa fuera detenida por culto ilegal?, se preguntó. ¿Se enorgullecería de ella o se enfurecería? De una cosa sí estaba segura:

se preocuparía. Eso al menos podía ahorrárselo. A veces deseaba saber menos de las peligrosas aguas que vadeaban William Tyndale y él.

Después de la reunión de la cuarta semana se iniciaron las lluvias y el diluvio prosiguió implacablemente, anegando las calles de la zona baja y el alcantarillado. Las mujeres ya no pudieron reunirse. Solo las calles en las zonas más altas de la ciudad se libraron de las inundaciones. Se sucedían los días lluviosos uno tras otro. Cada día que pasaba eran menos los desesperados o aguerridos que se aventuraban a salir a las calles empantanadas, y la mayoría de las tiendas situadas en los bajos de las casas habían cerrado.

Como ya no podía mantener la tienda abierta, Catherine Massys volvió a su casa de Lovaina. El hijo de Quentin mandaba a un criado a cobrar los seis chelines del alquiler. No hablaba en inglés. Viendo sus vanos esfuerzos por achicar el agua del interior de la tienda cada vez que los visitaba, Kate se alegraba de que su pequeño nido estuviera en la planta de arriba. Contemplaba desde el ventanal las calles inundadas y vacías y pensaba que así debía de sentirse la esposa de Noé y se preguntaba si la lluvia caería también a cántaros al otro lado del Canal de la Mancha. John lo preguntó y, según dijeron en la Casa Inglesa, en efecto así era: en Inglaterra llovía «como si fuera el fin del mundo». El Támesis no daba abasto con el caudal vertido por los ríos de Inglaterra y la cripta de san Pablo estaba bajo el agua. Eso significaba que probablemente también la imprenta se había inundado. Se preguntaba qué se encontraría cuando regresara, si es que regresaba algún día.

A la cuarta semana de lluvias, las precipitaciones amainaron hasta reducirse a una llovizna y, bajo la ventana de Kate, la calle desaguó lo suficiente para ser casi transitable. Kate puso un cartel en la puerta de la tienda, indicando a las mujeres que subieran. Si iban, serían bien recibidas, y ella tenía la intención de estar preparada. Mientras seleccionaba hojas desechables entre los papeles de John, este la miró a la vez que se ponía el abrigo.

—¿Qué buscas?

—Solo unas cuantas hojas y algún carboncillo para que los niños puedan dibujar a Noé y su arca.

John arrugó la frente.

—Pensaba que eso se había terminado ahora que Catherine ha vuelto a casa de sus padres en Lovaina.

—¿Por qué habría de terminarse? Además, algunas no saben que Catherine se ha ido, y quizá vengan ahora que la lluvia ha cesado. —Levantó un papel garabateado, que a todas luces había sido corregido y pasado a limpio—. ¿Podemos usar el dorso de esta hoja?

Él le lanzó una rápida mirada, y luego asintió y rebuscó en la pila hasta encontrar dos más. Kate le dio un beso de agradecimiento y empezó a cortar lo que quedaba de la hogaza de pan de la noche anterior en rebanadas finas para que salieran al menos ocho, suficientes para los niños si iban todos. Quedaban aún una o dos cucharaditas de mermelada que no se había enmohecido. John miró con cara de desaprobación la fina capa que ella extendía sobre el pan, pero ella supo que su ceño no se debía a la mermelada.

—Kate, una cosa era reunirte con Catherine y esas mujeres. Pero no sé si esto es muy buena idea. No me parece que…

—Te preocupas demasiado.

—Si esto suscita sospechas, vendrán a buscar a la cabecilla. Sin Catherine aquí, podrían tomarte a ti por cabecilla.

Ella dejó escapar un suspiro de fingida exasperación.

—No somos más que un grupo de amas de casa, John, que nos reunimos para cotillear. ¿Eso qué tiene de malo? Yo solo cuento historias a los niños, les enseño unas palabras en inglés, mientras las mujeres hablan de otras cosas.

—¿Qué cosas?

—Cosas de mujeres. —Limpió el cuchillo con un paño y desvió la mirada—. Desde luego no son doctas conversaciones como las que tú mantienes con el capellán. —Y luego, para suavizar las duras aristas del engaño, añadió—: A veces cantamos un poco… algún himno de Lutero o…

—¡Himnos de Lutero! Kate…

—Por favor, John, no te enfades. ¿Crees que yo no me preocupo por tus actividades? Esto es muy importante para mí. Me permite hacer una aportación mientras tú te dedicas a tu gran causa.

Él frunció el entrecejo, le cogió la cara con las manos ahuecadas y le dio un leve beso en la frente. Mirándola con expresión seria, dijo:

–Tienes razón. ¿Quién soy yo para impedírtelo? Pero sé prudente, Kate. Ten mucho cuidado con lo que dices. Hay espías de la Iglesia por todas partes. –Tendió la mano y le quitó el papel–. No uses esto. Los traería directamente a nuestra puerta.

¡Espías!, pensó Kate. Un escalofrío le recorrió la espalda. Claro, la hoja contenía una traducción de material de contrabando.

–Debería haberlo pensado. Prometo estar alerta por si aparecen viles espías y no dejar que salga de aquí ningún papel –aseguró ella con aparente despreocupación para disimular su inquietud–. Ahora vete. Quizá hoy tengan trabajo para ti en el Kontor.

Pero al mediodía la lluvia había arreciado otra vez con ímpetu y continuó así hasta el mes siguiente. No apareció ninguna mujer del grupo. Para Kate casi fue un alivio.

La actividad en el anegado Grote Markt se redujo notablemente. También disminuyó el tráfico en el río Escalda, y los mercaderes tenían menos trabajo para John. Disponían de unos pocos ahorros para ir tirando, y vivían en un sitio alto y seco, y la mayoría de los días el agua no subía tanto como para que el caballo y la carreta del lechero no pudieran pasar. Aventurándose a salir entre aguacero y aguacero, Merta les suministraba aún pan recién hecho y requesón. Solo abrían unos pocos puestos del mercado, pero un día John encontró unos nabos mustios en el tenderete de un vendedor callejero acurrucado bajo los aleros de la catedral, y otro día unas manzanas resecas. La Casa Inglesa se hallaba en un terreno más alto, y lady Poyntz les envió un mensaje invitándolos a ir allí y comer cuando se sintieran con ánimos de arrostrar la lluvia y el frío.

Se las apañaban. Solo eran ellos dos. Y también eso empezaba a inquietar a Kate. Seguía teniendo el período con la puntualidad del reloj del edificio del gremio de Mercaderes, aunque bien sabía Dios que si no concebía no era por falta de oportunidades. Cada vez que yacía con John, pensaba: Esta vez. Esta vez habrá un hijo, y se acordaba de Pip e incluso de la pequeña que la mujer había dejado a su cuidado, aquella criatura de ojos azules cuya sabia mirada había despertado en ella un anhelo que ya no la abandonaría.

A finales de febrero las lluvias casi habían cesado y las mujeres del grupo de la Biblia volvieron, agradecidas de poder reunirse igualmente en ausencia de Catherine. Pero la actividad en el

Kontor no se había restablecido plenamente, y John daba indicios de desasosiego.

—¿Has sabido algo del capellán Rogers o de tu amigo Tyndale? —preguntó Kate un día mientras él, apático, miraba las calles vacías por la ventana.

—Es curioso que me lo preguntes, dulce esposa. Debes de haberme leído el pensamiento. Precisamente pensaba en él. Lo último que se ha sabido es que está en Worms. Pero dicen que planea venir a Amberes para imprimir su segunda edición y seguir trabajando en sus traducciones del Antiguo Testamento. —Siguió mirando por la ventana como si maese Tyndale fuese a surgir súbitamente de entre las nubes—. Ya llueve un poco menos. Creo que voy a pasar por la Casa Inglesa para ver qué noticias tienen.

Acabas de venir de la sede de los mercaderes: si hubiera alguna novedad, te habrías enterado, pensó Kate, pero no lo dijo.

—¿Quieres acompañarme?

—No. —La idea de pasar otra velada con un grupo de hombres sin más ocupación que el raído unicornio no la atraía—. Prefiero no mojarme.

—¿No te sientes mal?

—No, estoy bien. Sencillamente no me apetece salir bajo la lluvia. Vete. Tendría que escribir una carta a mi hermano y a Mary, para hacerles saber que estamos a salvo e instalados. La señora Poyntz dijo que la enviaría junto con su correspondencia a lady Walsh.

Eso no era mentira. Venía postergando la carta desde hacía semanas, deseando anunciarles cuando escribiese que estaba embarazada. Pero bien podía mandarla ya.

John le dio un leve beso en la mejilla.

—Si estás segura, pues —dijo él con una amplia sonrisa, como si las nubes en el cielo se hubiesen despejado y asomase el sol, poniéndose ya la capa—. Te traeré comida, y no tardaré.

Cuando John se marchó, Kate se quedó sentada largo rato a la creciente luz crepuscular, escuchando el repiqueteo intermitente de la lluvia en el cristal de la ventana. Reprendiéndose finalmente por haber malgastado la luz natural, encendió una vela y, cogiendo pluma y tinta, se sentó a escribir en el pequeño escritorio del rincón donde John trabajaba.

Mi querido hermano:

Espero que Mary, Pip y tú estéis bien. Te escribo para que sepas que mi marido y yo llegamos sanos y salvos a Amberes y ya estamos instalados. Esta es una ciudad muy grande. Por las calles pululan bestias de carga y carromatos chirriantes y gente que vocea en muchos idiomas. John ha encontrado trabajo con los mercaderes ingleses. Yo me he unido a una especie de clases sobre la Biblia para mujeres de la ciudad y sus hijos, que iban muy bien hasta que empezaron las lluvias del invierno. Nos enteramos de que también allí ha habido inundaciones. Espero que el agua no haya entrado en la tienda de nuestro padre, aunque allí ya poco queda que pueda echarse a perder. Lord Walsh prometió que se ocuparía de que la tapiaran y protegieran de los vagabundos hasta que decidamos qué hacer con ella. ¿Has empezado a construir tu nueva casa o sigues en la de los Clapham? Supongo que...

Se detuvo cuando la vela chisporroteó y la llama vaciló, manteniendo la pluma en alto sobre el papel e intentando imaginar qué era lo que «suponía». Por fin, exhalando un profundo suspiro, dejó la pluma y tachó lo que ya había escrito. La terminaría al día siguiente.

Se acostó sola, hundiéndose en el colchón de plumas como una piedra, echando de menos a John. Seguía despierta cuando oyó sus pasos en la escalera. Cuando él se agachó y le dio un leve beso, ella le rodeó el cuello con los brazos y lo atrajo hacia sí.

–Me alegro de que me hayas esperado –dijo él, y rio–. Te he echado de menos.

Ella le dio una suave bofetada, una palmada afectuosa.

–No te he esperado, zoquete, me has despertado con tus silbidos de felicidad. No creo que me hayas echado mucho de menos.

Pero ¿cómo podía ella fingir descontento estando él allí, a su lado, mordisqueándole la oreja? Se quedó largo rato despierta después de hacer el amor, escuchando el sonido de la lluvia y el ritmo acompasado de la respiración de John a la vez que se preguntaba si esa noche habrían concebido un hijo.

Ana Bolena había huido después de las celebraciones de Año Nuevo. Mandó llamar a su hermano George y le pidió que la acompañara a la casa de su padre. No permanecería en Hampton Court siendo el hazmerreír de todos. Naturalmente, el rey había ido a buscarla, cabalgando hasta el castillo de Hever con Charles Brandon y lord Neville, «para que ellos presenciaran sus contritas disculpas», había dicho. ¿Acaso no era consciente de que esos dos testigos de su humillación eran las últimas personas a las que ella deseaba ver?

Pero ¿cómo podía no perdonarlo cuando él había afrontado valerosamente el frío y la lluvia para llevarle un nuevo retrato en miniatura, igual que el otro, del que habían sido retiradas las ofensivas E C, amén de un collar de diamantes y esmeraldas y tres piezas de paño de oro carmesí? ¿Qué mujer podía resistirse a Enrique Tudor en toda su gloria, y más aún a Enrique Tudor cargado de regalos? Había engalanado su caballo y a sí mismo de tal modo que el sol habría podido palidecer de envidia.

—Por vuestro atuendo veo que no habéis salido de caza, majestad.

Se hallaban en el salón que daba al jardín encharcado por la lluvia. El corazón le dio un ligero vuelco, no supo si por la magnificencia de su traje o por el esplendor del pretendiente.

—Estoy de caza. —Desplegó su sonrisa—. Algunas presas merecen una indumentaria más espléndida.

—¿No soy, pues, más que una presa que acechar, mi señor? —preguntó ella en voz baja para que no la oyeran Neville y Brandon.

—Una presa digna de un rey. Y yo la tuya. Una presa digna de una reina.

Ana sentía los latidos de su corazón en las sienes. Deseaba insultarlo y golpearle el pecho con las manos. Deseaba rozarle los labios con los suyos y sentir la presión del apremio de él contra su cuerpo. No hizo nada de eso sino que se obligó a permanecer ante él en presencia de sus secuaces con el recato de una doncella.

Enrique apretó la miniatura contra su mano.

—Algún día todos los retratos del rey incluirán las iniciales E A en oro. Enrique y Ana. —Se paseó por un momento de aquí para allá. Desvió la mirada y contempló por la ventana los tejos del jardín donde los cuervos se refugiaban de la lluvia. La sonrisa desapareció tan pronto como había asomado–. ¿Te darás por contenta entonces?

–Me daré por contenta, mi señor. Siempre estoy a gusto en vuestra presencia. ¿Debo regresar ahora con vos a la corte?

Anhelaba la vida en la corte. Si bien allí tenía enemigos, cualquier cosa era mejor que la existencia monacal en casa de su padre. Había suplicado a su progenitor que la llevara con él cuando se fuera al continente como hacía antes, pero él se había negado, aduciendo que quizá el rey deseara su compañía.

Por lo visto, no era así. El rey frunció el entrecejo.

–Quizá sea mejor que os quedéis aquí por un tiempo. El cardenal Carpeggio viene de Roma. Albergo la esperanza de que a pesar de la incompetencia de Wolsey, todavía pueda encontrarse una solución y evitarse un enfrentamiento con Roma. El cardenal no debe vernos juntos. Es necesario convencerlo de tu virtud y de que nuestro matrimonio es correcto.

–¿Y qué pasa con Catalina? ¿Está ella convencida?

–Ella nunca se dejará convencer. Pese a que no he estado en su cama desde hace dos años, aún conserva la esperanza. No puedo hacerle entender que nuestra unión fue pecaminosa. Si ella ingresara en un convento, sería fácil apelar en favor de nuestro matrimonio, pero se niega.

–¿Ella sigue en Greenwich, pues? ¿Sigue en los aposentos reales?

–Así es. Hasta que este asunto quede zanjado, no puedo permitirme tener encima al rey de España y al emperador del Sacro Imperio Romano. Carlos viene a ver a su «tía preferida». A Fernando nunca se lo podrá apaciguar, pero Carlos parece más razonable. De hecho, voy de camino a Greenwich para reunirme con él.

–Así que la vestimenta principesca no era para mí…

–¿Crees que vestiría así para una conversación privada con otro hombre? No es esa mi inclinación. –Se rio y se llevó la mano de Ana a los labios–. Una dama domina mi corazón.

Bajo la atenta mirada del duque de Suffolk y lord Neville la besó con delicadeza en la mejilla a la vez que se despedía, un beso tan casto como el que le había dado su padre al marcharse para cumplir con sus obligaciones de embajador.

—¿Me informaréis acerca del resultado del encuentro? —preguntó ella levantando la voz cuando él se alejaba—. Hasta pronto, si Dios quiere, mis señores.

Pero por lo visto Dios no tenía prisa. Ana no volvió a saber de Enrique hasta mediados de febrero. Él estaba cazando bajo la lluvia en New Forrest. Le mandó un par de conejos y un ciervo, «cazados por el propio rey» y un mensaje para informarla de que el cardenal había notificado su retraso a causa de los mares helados y la pleamar y no sabía cuándo llegaría. Enrique no mencionó su encuentro con el sobrino de la reina, pero le decía con palabras cameladoras que añoraba tenerla a su lado. Palabras bonitas. Ana arrugó el mensaje y lo tiró al fuego, preguntándose si Catalina lo había acompañado a Richmond. Puede que Enrique no se acostara con ella, pero sí viajaba con ella. El pueblo la saludaba aún como a su reina. Según había oído, a veces las mujeres se apiñaban en las calles cuando ella desfilaba, llamándola «buena reina Catalina» y echando flores a sus pies.

En abril estalló en Londres la peste sudorosa. Enrique envió una nota para decirle que no fuera a la ciudad. Si el cardenal no llegaba pronto y ejercía sus derechos de legado para dejar la decisión en manos de los arzobispos ingleses, se vería obligado a romper relaciones con Roma y hacerlo él mismo. En cualquier caso, dijo, como él estaría viajando de ducado en ducado, allí donde no hubiese llegado la peste sudorosa, ella debía permanecer en Hever. Pero añadió que le mandaría un regalo especial, cuya expectativa le levantó un poco el ánimo. Aun así, pronto sucumbió de nuevo al desaliento. ¿De qué servían los diamantes y el oro si una no tenía dónde lucirlos?

Y cuando por fin llegó su regalo especial, no tenía nada que ver con los diamantes y el oro.

XXI

... Ojalá estuvieras entre mis brazos o yo entre los tu-
yos, pues creo que hace tiempo que no te beso. Escribo
después de matar un venado a las once y, Dios me-
diante, mañana puntualmente mataré otro con la
mano que, confío, en breve sea tuya.

De una carta conservada en la actualidad
en la Biblioteca Vaticana escrita
en francés a Ana Bolena

Ana Bolena, como todos los días, permanecía atenta ante la
ventana de su alcoba en espera de vislumbrar los colores del rey.
No estaba sola. Su hermana María Carey había decidido llevar a
sus hijos al castillo de Hever, porque la peste sudorosa había llegado
a la casa solariega de los Carey en Pleasance Park. En cuanto su marido William contrajo la enfermedad, ella cogió a los niños y huyó.
Pero Ana, pese a su soledad, no se había alegrado de verla. Era
consciente de que María la observaba con expresión felina mientras
ella aguardaba noticias de Enrique.

Su sobrina, que llevaba el nombre de la reina –qué propio de María hacer alarde de eso; ¿acaso pensaba que todo el mundo estaba
ciego?–, jugaba con sus muñecas a sus pies mientras su sobrino,
llamado apropiadamente Enrique, dormía en el cuarto de los niños.
Una de las muñecas tenía pintado el rostro de la reina Catalina, y la
otra el de la princesa María, cosa que irritaba notablemente a Ana.

Cuando miraba a la niña jugando a sus pies, imaginaba que veía la boca malhumorada y los ojos inteligentes de Enrique, y sentía algo cercano a los celos, y eso la sorprendía. ¿Por qué habría de preocuparle que Enrique se hubiera acostado con su hermana, a menos que estuviera encariñándose con su espléndido Goliat más de lo que tenía previsto?

Había pasado los últimos veinte minutos explicando la naturaleza de su relación con el rey, intentando hacer entender a su hermana que ella, Ana, había elegido un camino distinto. María no la comprendía en absoluto.

—¿Estás diciendo que todavía no te has acostado con él? —preguntó, y se echó a reír.

—Yo no me abro de piernas tan fácilmente como tú, querida hermana.

En respuesta, María bajó la mano y alisó el vestido de la muñeca.

—No arrugues el vestido de la reina, cielo. Tu padre siente un gran aprecio tanto por la reina como por la princesa. —Dirigió una sonrisa inocente a Ana—. Estas muñecas se las regaló William, y a él se las dio el propio chambelán de la reina como obsequio para… su hija.

Ana resistió el impulso de abofetearla. ¿Y si Enrique la visitaba estando María allí? ¿Avivaría acaso su atracción por María verla con su hija jugando a sus pies? Enrique y ella habían eludido el espinoso tema de su anterior relación con María Bolena. «Os habéis acostado con mi hermana» no eran palabras que una echase en cara a un rey. Y el rey era demasiado caballeroso para sacarlo a relucir en su presencia.

—Estoy segura de que lord Carey echa mucho de menos a sus hijos —dijo Ana maliciosamente—. Seguro que a estas alturas ya puedes volver a casa sin peligro. Han pasado dos semanas, ¿no? ¿Y no te preocupa que tu marido pueda estar muriéndose sin hallarte tú a su lado para reconfortarlo?

María se encogió de hombros.

—Ya lo reconfortan sus concesiones reales.

Concesiones que tú ganaste abriéndote de piernas, iba a decir Ana, pero se interrumpió cuando su mirada atenta se posó en un jinete solitario que se aproximaba a la entrada, vestido con una sencilla túnica marrón en lugar de los colores de los Tudor. Ana desvió la mirada, sin saber si sentir alivio o decepción. Habían pasado dos semanas desde el último mensaje del rey, en que le prometía un regalo especial. Pero dadas las circunstancias, si pensaba llevarle el regalo en persona, Ana prefería esperar a que María se hubiese marchado.

Unos suaves golpes a la puerta interrumpieron estas especulaciones.

—Si es un criado con un refrigerio, espero que no apeste a vinagre. Estoy harta del olor a vinagre. —María arrugó la nariz—. Impregna el aire mismo que respiramos.

—Es un precio pequeño si mantiene a raya la peste. Fue el rey quien insistió en que lo usáramos en Hever.

—Bueno, siempre ha sido muy cobarde cuando se propaga una enfermedad. Si piensas que vendrá de visita, yo que tú no esperaría junto a la ventana mucho tiempo. Seguro que está encerrado en algún pabellón de caza sin más compañía que la de Brandon y Neville —dijo mientras Ana abría la puerta.

—Lady Ana, hay fuera un sacerdote —anunció el mayordomo—. Desea hablar con vos.

—¡Un sacerdote!

—Dice que es párroco de Honey Lane. Me encarga que os diga que lo envía el rey como regalo. Para ofreceros consuelo espiritual en estos tiempos difíciles y pronunciar plegarias por vuestro bienestar.

Oyó detrás de ella la risa burlona de María.

—Y pensar que yo solo recibí unas cuantas míseras concesiones de tierra y elegantes prendas.

—Dile al párroco de Honey Lane que lo recibiré en la capilla de inmediato —contestó Ana, procurando hacer caso omiso de su hermana—. Y que me conmueve mucho el interés de su majestad por mi bienestar físico y espiritual.

—Yo no me conmovería demasiado, querida hermana. —María se dejó caer en el ancho asiento contiguo a la ventana y miró hacia fuera—. Y en tu lugar me cuidaría mucho de con quién me confieso y qué le digo. —A continuación volvió a mirar a Ana, ya sin el menor rastro de jocosidad en la cara—. Al fin y al cabo, eres mi hermana.

No me gustaría ver que recae sobre ti la deshonra o algo peor… y sobre todos nosotros.

Pero Ana no estaba de humor para consejos fraternales.

—Debes de confundir mi letanía de pecados con la tuya. Yo no he recibido a media corte francesa entre mis… tan íntimamente como tú. El coqueteo no es un pecado. Pero no tienes por qué preocuparte. Yo solo confieso mis pecados a Dios, como este sacerdote bien sabe. También el rey conoce mi opinión sobre tales asuntos. Ha enviado a ese párroco en particular a petición mía. Pero tú nunca te has tomado en serio estas cosas, ¿verdad?

Este último comentario lo arrojó por encima del hombro mientras salía, y echó la vista atrás para ver si el dardo había dado en el blanco.

María frunció el entrecejo con una expresión adusta en la mirada.

—Y quizá tú te las tomes demasiado en serio —repuso—. Una simple doncella podría ahogarse en esas aguas tan profundas en las que te has metido. Ve con cuidado, hermana. Ve con mucho cuidado.

Pero Ana no estaba preocupada. El aborrecido Wolsey se había ido, y casi daba por sentado que tenía de su lado a Thomas Cromwell. Se rodearía de sacerdotes con mentalidad reformista, como este párroco de Honey Lane y los estudiosos del sótano del pescado que habían recibido tan malos tratos. En cuanto se hallaran a salvo en la corte, estarían en deuda con ella. Amigos como esos ensancharían la brecha entre Enrique y su reina católica. No. Ana no estaba preocupada. ¿Por qué iba a estarlo si el rey de Inglaterra le había prometido hacerla su reina?

A mediados de mayo las aguas del río Escalda volvieron a su cauce después de la crecida; los mercaderes habían reanudado plenamente la actividad; y Kate estaba encinta. Pero todavía no se lo había anunciado a John. Deseaba cerciorarse.

—Se te nota. Seguro que estás en estado. —La señora Poyntz pareció muy firme en su certidumbre, sobre todo cuando Kate le dijo que tenía náuseas por las mañanas, y justo la noche anterior la había asaltado un intenso antojo de comer pasta de hígado de oca, cosa que antes apenas probaba. Lo confesó mientras se servía otra ración del consistente guiso de pescado que hervía en la gran olla colocada en el hogar de la cocina.

—Perdonad esta voracidad mía. A este paso acabaré gorda como la oca que se sacrificó por su hígado –dijo, mojando el pan en el espeso caldo–. ¡Esta salsa está deliciosa!

La señora Poyntz, que en ese momento desplumaba un pollo para asarlo, se echó a reír.

—Hay de sobra. –Empujó cuidadosamente la pila de plumas con un pie y la metió en un saco de boca ancha. A continuación bajó la voz porque la amplia puerta de la cocina daba al salón contiguo–. Piensa que puede que estés comiendo por dos.

Pero no había necesidad de bajar la voz. John, como de costumbre, mantenía una animada conversación con el capellán Rogers sobre la teología de la eucaristía, en concreto su idea de que la doctrina romana estaba totalmente equivocada. La voz de John penetraba a través de la puerta abierta, más sonora y agitada que de costumbre.

—Abogar por la presencia real de Cristo es una superstición. No es el panadero quien obra el milagro de la misa, sino Dios –decía John. Kate oyó el golpe de puño en la mesa cuyo fin era enfatizar–. El milagro es el cambio operado en el receptor, no los atributos físicos del pan y el vino.

A lo que Rogers respondió:

—Coincido con Lutero en casi todo. Está totalmente en lo cierto respecto a la teología de la justificación por medio de la fe y no de las obras, pero en cuanto a la defensa de la presencia real en la eucaristía, coincido con vos; él no podría estar más equivocado.

Puesto que no había nadie para presentar argumentos en sentido contrario, los dos siguieron exponiendo ambas posturas con un entusiasmo casi deportivo.

Si bien Kate compartía la opinión expuesta de que el pan y el vino eran simbólicos y no se convertían literalmente en la sangre y la carne de Jesucristo dentro de su boca –no estaba muy segura de que fuese capaz de tragárselos, ni siquiera para salvar su alma, si aquello se convirtiera en sangre y carne reales–, a veces se preguntaba por qué eso era un punto tan espinoso para todas las partes.

Nadie negaba el milagro de la misa. Habría manifestado esa opinión a la señora Poyntz, pero ella había acabado de desplumar el pollo y se disponía a ocuparse de las entrañas de la desdichada ave. Kate se sirvió otro medio tazón del guiso. Pero lo comió distraída, como si pensara en la conversación sostenida en el salón contiguo.

¿Acaso no residía el verdadero milagro de la misa en la transformación del corazón del participante, en el perdón de los pecados? Pero ¿qué mal había en creer que se convertía también en la sangre y la carne reales? En cualquier caso, era un acto de obediencia, un acto de culto. Tomó un sorbo de caldo y pensó en los niños que acompañaban a las mujeres del grupo de la Biblia, la alegría y la prontitud con que absorbían la sencilla verdad del amor que Jesús enseñaba. Amor a Dios. Amor al prójimo. ¿De qué más podía discutirse?

Pero no se atrevía a decírselo a John, que estaba cada vez más absorto en esas sutilezas de la doctrina. Incluso había mencionado la posibilidad de escribir y publicar sobre la polémica en torno a la eucaristía. Ella prefería que no lo hiciese. Traducir la Biblia ya entrañaba peligro más que suficiente. Eso podía hacerse en secreto, incluso anónimamente; de hecho, se preguntaba por qué Tyndale firmaba las traducciones con su nombre. Pero firmar con el propio nombre un desafío directo a cualquier doctrina relacionada con la misa era como arrojar el guante a los defensores de la antigua fe. Más de un hombre había acabado en la hoguera por mucho menos.

¿Sería John más discreto si fuera padre? Kate suspiró. Probablemente no. Lutero era padre de seis hijos y eso no lo había detenido.

Sí había detenido, en cambio, a su hermano John.

˜˗ʚ˖ʚ˖˜

–¿Qué noticias tenéis de Inglaterra? –preguntó Kate después de cenar el pollo asado. Su anfitriona y ella estaban de nuevo en la cocina sacando brillo a la vajilla. La criada de la cocina se las arreglaba bien para restregar las cazuelas, pero la señora Poyntz se ocupaba personalmente de abrillantar el peltre y la plata. Kate siempre la ayudaba.

—Mucho me temo que no son buenas, querida. Nada más cesar las lluvias, estalló la enfermedad de los sudores. Primero las inundaciones, ahora la peste. Y por si eso no bastara, los trabajadores textiles se sublevaron el primero de mayo para protestar por la presencia de mano de obra extranjera. Asesinaron a varios franceses… en Shoreditch, creo.

Se detuvo en medio de su relato para llamar a uno de los sirvientes y pedirle que sacara al jardín al enorme mastín adormilado junto a la chimenea de la cocina; a continuación, volvió a frotar vigorosamente la gran bandeja con una pasta de vinagre y sal.

—Tuvieron que intervenir los soldados del rey para restablecer el orden. Por lo que he oído, fue una masacre. ¿No te parece una lástima lo que hace la gente temerosa de Dios a otra gente temerosa de Dios cuando ve amenazado su medio de vida?

O incluso cuando solo ven amenazadas sus opiniones, pensó Kate. Pero la palabra «franceses» había dirigido su mente en otra dirección, induciéndola a evocar a la joven Winifred y a la niña de ojos azules que había dejado en el suelo de la librería para perseguir a un cortabolsas. Madeline. La niña se llamaba Madeline. «Su padre es francés», había dicho la mujer. Pero añadió que trabajaba de barquero en Southwark. Los disturbios se habían producido en Shoreditch, promovidos por trabajadores textiles. Apartó de su cabeza ese pensamiento.

La señora Poyntz entregó la bandeja a Kate para que la dejara en el escurridor junto al fuego.

—Maese Frith y tú tenéis suerte de estar bien lejos de Inglaterra en estos momentos. Todo son malos augurios y noticias aciagas. Un gran pez embarrancó en la orilla y murió; los astrólogos trabajan día y noche para explicar la causa de ciertas luces extrañas en el cielo nocturno; y en Kent una monja ha profetizado que la peste y las carencias son el castigo de Dios contra el rey porque intenta anular su matrimonio. Los luteranos naturalmente culpan a los católicos, y los católicos culpan al rey por abandonar a su reina católica. El rey dice que es un castigo de Dios porque vive en pecado con la esposa de su hermano, con la que ya no vive en pecado… —Se interrumpió para dejar escapar una risita—. En lugar de eso, vive en pecado con Ana Bolena.

273

—Debéis saber que ella es de los nuestros —dijo Kate, cogiendo el último plato del escurridor y abrillantándolo con un paño de hilo caliente.

—¿De los nuestros? —La señora Poyntz le cogió el plato y lo guardó en el armario.

—Es protestante —explicó Kate—. Protesta contra algunas de las doctrinas de Roma.

—¿Quieres decir que es luterana? —Miró sorprendida a Kate.

—Lord y lady Walsh dicen que lee a Lutero y a William Tyndale.

El sirviente había dejado la puerta abierta al sol de última hora de la tarde. Kate se asomó al pequeño huerto, donde el mastín levantaba la pata, apuntando expertamente a una mata de romero. Una vez concluida su tarea, volvió con andar cansino a la cocina y ocupó de nuevo su lugar en el hogar frío. Era un perro viejo y mimado por los numerosos clientes de la Casa Inglesa, donde ese día habían acudido seis mercaderes a cenar, y Kate había sonreído al ver que cada uno de ellos le daba disimuladamente un trozo de comida desde la mesa cuando la señora Poyntz no miraba.

—Pues, en ese caso, si Ana Bolena llega a ser reina de Inglaterra, sería todo un avance, ¿no? —comentó la señora Poyntz. Colocó la reluciente bandeja en el centro de la alacena y retrocedió para admirar los estantes llenos—. Eso significaría que con toda probabilidad el heredero del rey se criaría como reformista. No me cabe duda de que la princesa María es católica hasta la médula. —Bajó la voz como si las paredes oyeran—. Hablando de maese Tyndale, hemos recibido correspondencia suya. Tuvo que huir de Colonia después de una redada en la imprenta que él usaba.

Kate la escuchó asombrada. La señora Poyntz informaba mejor que el pregonero de la ciudad.

—Desde entonces ha ido de aquí para allá intentando adelantarse a los espías ingleses quienes, naturalmente, si lo encuentran, lo denunciarán a las autoridades alemanas para su inmediata detención. Ahora está en Worms, pero irá a Augsburgo en junio para reunirse con Lutero y otros reformistas alemanes. El príncipe Federico ha convocado una asamblea especial de la Dieta para escuchar una especie de declaración de fe de los luteranos y ver dónde podría haber puntos de reconciliación. Creo que tu marido y el capellán

Rogers tienen la intención de ir a buscarlo y traerlo aquí para su seguridad.

–John no me lo ha mencionado –dijo Kate, un poco sorprendida al descubrir que esa mujer sabía más que ella acerca de los planes de su marido.

La señora Poyntz le dio unas tranquilizadoras palmadas en la mano.

–No dejes que ese pequeño descuido te preocupe, querida. Solo hace una semana que lo planean. Estoy convencida de que ya te lo dirá. Ellos no nos lo cuentan todo a las esposas, sino solo lo que quieren que sepamos. A veces lord Poyntz, de pronto, me anuncia que se marcha varias semanas...

Siguió hablando sobre una empresa comercial en la que participaba su marido, pero Kate la oyó solo a medias. Sí la preocupaba. No el hecho de que John no lo hubiera mencionado aún, sino que pareciera algo peligroso. Y se separaría de su marido por primera vez desde que abandonaron Inglaterra.

❧

Era un día soleado de junio en Chelsea y, según el reloj de sol en el jardín, pasaban de las tres. Margaret Roper llevaba ya tiempo esperando que su padre la emplazara para un picnic. Los viernes, si hacía buen tiempo, solían comer junto al río. Cuando se casó con William, le dijo que cada día de la semana le pertenecía a él excepto el viernes. Los viernes por la tarde eran de sir Tomás.

Siempre aguardaba con ilusión sus conversaciones, pero en especial ese día. Ese día con toda seguridad él mencionaría su libro. Ya se había publicado oficialmente, con la licencia del rey, y podían comentarlo con entera libertad. Al ver que el emplazamiento no llegaba, decidió tomar cartas en el asunto y fue en busca de lady Alice. La encontró en la gran cocina, agobiando a la cocinera.

–¿Dónde está mi padre? Es viernes. Hace un día precioso. ¿Han vuelto a llamarlo a Westminster?

Alice retiró la tapa de la gran olla que colgaba en la chimenea y probó la sopa con un cucharón. Frunció el entrecejo.

–Necesita sal y más sabor, quizá un toque de salvia –bramó–. Y esta vez añade suero bien frío a la cena de sir Tomás. No te hará

275

daño bajar al sótano por la escalerilla. O envía al chico. —Señaló con la cabeza al pilluelo que atormentaba al gallo ante la puerta abierta de la cocina—. En verano tiene poco trabajo con las chimeneas. Necesita ejercicio.

—¿Padre está en casa, pues? ¿Por qué no estamos…?

—Pregúntaselo tú misma. —Andaba muy ajetreada, sirviendo la sopa, añadiendo un trozo crujiente de pan todavía caliente, secando un vaso de peltre para el suero con la nívea tela de hilo de su delantal—. Está en el gabinete. Como siempre. Puedes llevarle la cena, aunque dudo que encuentre un momento para comérsela. Ahora incluso descuida sus devociones. Imagina lo indignada que estoy.

Era evidente que estaba «indignada» por algo.

—Supongo que debemos tener paciencia —aconsejó Margaret—. Ahora es lord canciller, y era previsible que el rey le exigiera todo su tiempo…

—Pamplinas. No son los asuntos del rey lo que lo retiene en su gabinete día y noche. El rey está de caza. Lo ha estado desde marzo. Se debe a su propia obsesión. Los herejes… herejes asados, fritos o flambeados… no piensa en otra cosa. Creo que los enviaría a todos él mismo al infierno, incluido tu marido, y se alegraría de ello si tuviera el poder de hacerlo.

—¡William no es un hereje! Solo porque es de miras abiertas…

El chico volvió con el suero. La cocinera había huido prudentemente a la despensa hasta que amainara la tormenta en que se convertía lady Alice en sus arrebatos de mal genio. Al arrancarle la jarra al chico, derramó una gota lechosa en la mesa. El chico retrocedió mientras su señora llenaba el vaso. Acto seguido lady Alice cogió la bandeja y se la entregó a Margaret.

—Toma. A ver si consigues distraerlo de su obsesión.

Pocos minutos después Margaret llamaba tímidamente a la puerta del gabinete de su padre.

—¿Quién es?

Margaret reconoció el tono que él empleaba cuando no deseaba que lo interrumpieran.

—Soy Margaret, padre. Os traigo la cena —anunció ella, oyendo el rasgueo de su pluma. Sin esperar el permiso, empujó la puerta con el hombro y entró. El gabinete, normalmente en orden, era un caos de libros esparcidos al azar por todas las superficies, algunos boca abajo y abiertos como para marcar una página, y hojas manuscritas puestas a secar. Cubrían incluso la repisa de la ventana. Nunca lo había visto tratar sus libros de manera tan descuidada.

—Ponla ahí mismo, Meg —masculló—. Ya comeré más tarde.

—¿Dónde? —preguntó ella en una clara indirecta.

Entonces él alzó la vista y ella se asombró al ver su cara: las oscuras ojeras, las mejillas hundidas.

—Padre, ¿estáis enfermo?

Él dejó la pluma y empezó a desplazar algunos de los libros para despejar un hueco en el ángulo del escritorio.

—Estoy bien, aunque muy ocupado.

—Alice ha preparado ella misma la bandeja —informó a la vez que la colocaba en la mesa.

Él volvió a coger la pluma de ganso y la hundió en el tintero.

—¿Queréis que me siente con vos mientras coméis? —preguntó ella, y se agachó para retirar un par de volúmenes de la silla.

—Esos no los toques —ordenó él bruscamente.

Margaret vio que el de encima llevaba el nombre de Tyndale.

—¿Estáis escribiendo una refutación contra maese Tyndale? Pensaba que la habíais terminado hacía semanas.

—Es otra. Los herejes no duermen; yo tampoco lo haré. Ese demonio de Tyndale ronda por el continente de aquí para allá, causando estragos a su paso. Entretanto yo debo suministrar un antídoto para el veneno que fluye de su pluma.

Se formaba ya una capa de grasa en la sopa cremosa al enfriarse.

—Seguro que maese Tyndale hace algún alto para dormir y comer.

—Para eso ya habrá tiempo de sobra —dijo él sin alterarse, pero ella advirtió que estaba poniendo a prueba su paciencia.

—¿Y qué hay de los asuntos del rey? —preguntó Margaret.

—El rey no tiene asuntos más importantes que la persecución y quema de herejes —contestó él categóricamente.

Margaret miró los libros dispersos por la habitación, con la esperanza de ver el suyo.

—He obtenido la licencia del rey para publicar mi traducción —anunció.

—Ya lo sé —murmuró él—. Tengo aquí un ejemplar. —Lanzó una expeditiva mirada alrededor—. En algún sitio.

Ya había vuelto a fijar la atención en el documento que tenía ante sí. Escribía con rapidez, parando apenas para reflexionar o tachar una palabra, como si todo lo que quería decir brotara fluidamente de su cerebro con la misma facilidad que si lloviera.

—Es viernes. Esperaba que pudiéramos compartir una comida y… quizá hablar de… mi traducción.

Él ni siquiera levantó la vista.

—Habrá otros viernes, Margaret. Ya hablaremos de eso más adelante.

No había respuesta para tan profundo rechazo.

XXII

No hay atadura en la tierra tan dulce, ni separación
tan amarga, como las que se producen en un buen
matrimonio.

MARTÍN LUTERO

Kate, a cuatro patas, restregaba el entarimado de pino de su dormitorio cuando empezó a sentir el dolor en la espalda.

–No es nada –dijo en voz alta al esbozo de la vieja fea. A continuación, en el silencio de la muda respuesta, murmuró–: Deberíamos tener un gato; así al menos podría hablar con algo que se mueve.

Ya darás gracias por este silencio cuando nazca el niño, pensó.

Ahora oía voces: su mente mantenía ambos lados de la conversación. Estaba más desesperada de lo que creía.

Debería cantar alguna nana para practicar –se dijo–. Así John no llegará a casa de improviso y se encontrará a la loca de su esposa hablando sola. Empezó a tararear y cayó entonces en la cuenta de que no conocía ninguna nana. Ni sabía nada de bebés ni de sus cuidados en general, nada de nada. Tal vez John sí sabía. Él parecía saberlo todo, aunque seguramente, pensó, existía alguna forma de conocimiento que no podía obtenerse en los libros.

Restregó una mancha de pintura verde en las tablas barnizadas y la rascó con la uña. Esa mancha de pintura venía molestándola desde hacía semanas. Incluso John la había mencionado una vez. Se enjugó una línea de sudor de la frente con el antebrazo y restregó con más ahínco. Si se daba prisa, aún tendría tiempo para acabar eso, refrescarse e ir al mercado antes de que él llegara a casa. Repasó la lista en su cabeza: vino, una buena botella de vino francés –venía ahorrando seis peniques por semana desde que sospechaba que estaba embarazada– y velas de cera de abeja, y fruta y queso y pan recién hecho, y quizá un poco de pescado ahumado y una tarta, sí, tarta de crema, de la pastelería al final de la calle Mayor… un derroche pero debía haber una celebración.

Intentó imaginar la cara de John cuando se lo anunciara. John, vas a ser padre. No, demasiado brusco. El pobre podría desmayarse. John, creo que es posible que esté encinta… no lo sé con certeza. Han pasado diez semanas. Mejor. Menos definitivo. Había que darle tiempo para acostumbrarse a la idea.

Arrancó el último residuo verde y se lo echó al delantal. ¿Y si no le gusta la idea? Nunca lo diría; tendría muy en cuenta los sentimientos de Kate. Pero ella lo notaría. Lo leería en sus ojos.

Otra punzada de dolor le traspasó la espalda y le llegó hasta la ingle, un dolor familiar pero más insistente. Casi parecía… Se levantó con cuidado y, tras entrar en el retrete, comprobó si sangraba. Un pequeño punto brillante, solo eso. Nada fuera de lo normal, había dicho la señora Poyntz, previniéndola sobre lo que cabía esperar. Se sentó en el orinal y esperó unos minutos; luego volvió a mirar. No había más sangre. Probablemente solo había sido una advertencia de que no le convenía hacer esfuerzos.

Vació el agua de fregar de la palangana en la calle desde la ventana, mirando antes a ambos lados y gritando en su vacilante flamenco «¡Agua va!» antes de lanzar el contenido. Era más cuidadosa al echar los desechos y el agua de los platos desde un día que manchó a un petimetre cuando este se apeaba de su carruaje. Contuvo una risita, recordando la cara de indignación de aquel individuo y los trozos de huevo adheridos a su barba puntiaguda y su refinada gorguera almidonada mientras ella, alzando la voz, se disculpaba. Había sentido miedo un instante –antes de que John aplacara la cólera de aquel hombre con su encanto– ante la posibilidad de que su desdichada víctima desafiara en duelo a su marido. ¿Y si hubiera tenido que matar a un hombre –o acabar muerto– solo porque su esposa vaciaba torpemente una palangana de agua sucia? Por suerte se batieron en un duelo de palabras, y no de espadas, aunque John le había asegurado más tarde, quizá con cierta bravuconería, pensó ella, que sabía defenderse bien con la espada.

Tenía tiempo para refrescarse. La sombra de la joyería en la acera de enfrente era aún corta, su emblema de vidrio en forma de enorme diamante destellaba aún allí donde lo iluminaba la luz del sol. Vertió un poco de agua fría en el aguamanil y, haciendo espuma con un poco de jabón, se la aplicó en las manos, los brazos y la cara. Que Dios bendijera a Quentin Massys por instalar una ingeniosa serie de tubos de plomo y una bomba de mano, un lujo del que muy pocos disfrutaban. Nunca bebían esa agua, preferían consumir el agua clara y fresca del pozo público, que se hallaba a solo un par de estadios, a esta otra procedente de la tubería, con un desagradable sabor, pero servía para lavar y sería una bendición de Dios cuando llegara el bebé.

Mientras se deslizaba un peine por el cabello, le sobrevino un dolor más intenso: un dolor tan agudo que se le cortó la respiración. Tuvo que agarrarse al poste de la cama para no caerse. Eso parecía algo más que una advertencia. Quizá debía olvidarse del mercado e ir a ver a la señora Poyntz. Ella sabría qué significaban esos dolores.

Se dobló al sentir otra punzada.

Y otra más.

Siguió un derrame caliente entre las piernas, y Kate Frith supo que no habría celebración cuando John llegara a casa. Tras una tercera punzada, quedó hecha un ovillo en el suelo.

John Frith oyó los sollozos de Kate desde el pie de la escalera y subió los peldaños de dos en dos. Nunca había oído llorar a su mujer, ni una sola vez, ni siquiera cuando se produjeron las inundaciones, ni durante las largas noches de invierno, cuando él temía que ella sintiera añoranza de Inglaterra, y de pronto ahora emitía esos desgarradores sollozos que no cesaron cuando él abrió la puerta y la encontró encogida en la cama, sin más ropa que la enagua.

–Dios mío, Kate, ¿te has hecho daño? ¿Qué pasa? –preguntó, temiendo lo que todo buen marido teme, que un intruso hubiese irrumpido por la fuerza en su casa y hubiese violado a su tesoro más preciado.

Bastó, no obstante, una rápida mirada alrededor para comprobar que la alcoba estaba intacta, incluso más ordenada que de costumbre. Se sentó en la cama junto a Kate y ella levantó la cabeza para mirarlo, pero su intento de responder se redujo a un mero cabeceo. Tenía los ojos rojos e hinchados de tanto llorar. Se aferraba al barato amuleto de hojalata que Endor le había regalado como si fuera una cuerda de salvamento y ella una mujer a punto de ahogarse: la viva imagen de la desesperación. La culpa la tenía él, pensó John, afligido. Había estado demasiado abstraído en sus cosas, la había desatendido, la había considerado más fuerte de espíritu de lo que era solo porque nunca se había quejado.

Le apartó de los ojos un mechón de pelo húmedo y, poniéndole los dedos bajo la barbilla, le levantó la cara.

–¿Qué te pasa, ángel mío? ¿Has recibido alguna mala noticia? ¿Te has hecho daño? –Percibió un olor dulce y empalagoso en la habitación–. ¿Estás enferma?

En ese momento reparó en el vestido tirado en el suelo, hecho un rebujo, y en el macabro brillo de la mancha de color carmesí.

–Voy a buscar a un médico. No te muevas. Enseguida vuelvo.

Ella se incorporó y tendió la mano para agarrarlo por la manga de la camisa. Estaba ronca de tanto llorar.

–No. Ya es demasiado tarde. ¿Qué puede hacer un médico ahora?

–¿Demasiado tarde? ¿A qué te refieres? –Pero empezó a tomar conciencia de lo ocurrido.

Ella respiró hondo como si el aire, por alguna cualidad, fuera a fortalecerla.

–Era un niño, John. He perdido a nuestro hijo.

–Pero…

–Tenía que habértelo dicho –musitó ella–. Quería esperar hasta estar segura. –En ese momento volvieron a saltársele las lágrimas.

¡Dios santo, cómo aborrecía él esas lágrimas! No soportaba verla llorar.

–El bebé me da igual –dijo. La acercó a él y le besó la coronilla, pero ella se apartó y alzó la vista para mirarlo a los ojos como si hurgara en su alma y no le gustara lo que veía allí dentro. Unas profundas arrugas surcaron su frente y la tenue línea azul entre sus cejas ya no era tenue, sino que sobresalía como un cordón. John casi la veía latir.

–¡Te da igual el bebé!

–No quería decir eso. Claro que me importa el bebé, pero su alma ha vuelto a Dios. A ti no puedo reemplazarte.

El rostro de Kate era un visaje de sufrimiento y de algo más –quizá concentración– cuando preguntó:

–¿No piensas que el alma del bebé está en el limbo, pues?

–No creo en el limbo; ya lo sabes. Todas las almas humanas están con Dios desde el principio, y el alma inocente vuelve junto a Dios. ¿Qué podría ser más inocente que un niño no nacido?

No era exactamente la doctrina de la Santa Iglesia, pero tenía más sentido que las enseñanzas de esta, y pareció reconfortarla. Kate dejó escapar un suspiro entrecortado, pero ya no lloraba. Finalmente, John había dicho algo acertado.

–¿Estarás bien? ¿No deberíamos llamar a un médico de todos modos? –Miró el vestido manchado de sangre–. ¿La hemorragia parará sola? ¿Te duele?

–¿De qué servirá una sangría?

John no rebatió la lógica de su respuesta.

–Merta. Traeré a Merta, pues. O a la señora Poyntz. Ellas sabrán qué hacer.

Kate apoyó la mano en la manga de su marido como si quisiera tranquilizarlo, darle consuelo.

–John, no hay nada que hacer. Así obra la naturaleza –dijo entre hipidos. Una larga pausa–. Lo siento… pero es que… lo deseaba… lo deseaba tanto. –Cada palabra le representaba un esfuerzo, y empezó a sollozar de nuevo.

Él la abrazó, advirtiendo por primera vez su fragilidad. Siempre la había visto como una mujer fuerte. ¿Acaso había perdido peso?

Era poco probable teniendo en cuenta su voraz apetito... Claro, ahora lo entendía.

–Vendrán otros, Kate. Tendremos otro, ya lo verás. Ahora que recuerdo, mi hermana abortó al menos dos veces. –Le había parecido tan normal cuando se lo contaron. Se preguntó si en su caso habría habido tanta sangre, tantas lágrimas–. Pero antes debes restablecerte. Con mucho vino tinto para reconstituirte.

Al oír esto, ella rompió a llorar otra vez.

–Vamos, ángel mío, no debes tomártelo así. Te debilitarás aún más.

Ella se estremeció un poco y los sollozos remitieron. John la abrazó hasta que se quedó dormida. Entonces se levantó, limpió el suelo y recogió el vestido para que no fuera lo primero que ella viese nada más despertarse.

Mientras fregaba, advirtió que la mancha de pintura verde había desaparecido. Lo molestaba desde hacía semanas. Ahora le parecía una tontería.

✷

En las semanas posteriores al aborto, John estuvo más atento. Iban menos a la Casa Inglesa y paseaban más por la orilla del río. Él la llevaba de la mano y la llamaba «ángel mío», pero solo le había hecho el amor una vez desde que perdió al bebé y con tanto cuidado que ella apenas se había enterado.

–En serio, John, no soy una muñeca de porcelana.

–Debes preservar las fuerzas.

Al menos esa era su excusa. ¿O era que en realidad no quería un hijo, no quería la responsabilidad de un hijo, pensando que lo distraería de su trabajo? Pero ella procuraba no pensar en eso, procuraba estar alegre por él. Aunque a veces pasaba varias horas sin pensar en el hijo perdido, de pronto le asaltaban las dudas y se preguntaba por qué no había podido traerlo al mundo y qué podía significar eso. Aun así, no quería preocupar a John y se callaba esos pensamientos.

Para cuando John anunció que iba a Augsburgo para asistir a la conferencia convocada por el emperador a fin de escuchar a la Confesión Luterana y posiblemente para reunirse con William Tyndale,

Kate ya ni se acordaba de ese viaje. La decepción debió de reflejarse en su rostro.

–¿Por qué no me acompañas? –preguntó él.

Pero Kate no estaba muy segura de que un viaje en barco fuese lo que más le apetecía en ese momento.

–Dicen que la cuenca del Rin es espectacular. Y como traduzco para la Contaduría de la Hansa, y Augsburgo está en una de las rutas comerciales de la Hansa, no nos será difícil encontrar un pasaje barato.

Como ella no contestó de inmediato, recordando los intensos mareos que había padecido en *El canto de la sirena,* él pareció leerle el pensamiento.

–Si no recuerdo mal –comentó él, exhibiendo una amplia sonrisa–, se te dan muy bien los viajes por río.

El ala encogida del maltrecho espíritu de Kate se agitó un poco, como si estuviera a punto de desplegarse. Recordó el tiempo que habían pasado juntos en la pequeña litera de *El canto de la sirena,* haciendo el amor al ritmo del mar, lo cerca que parecían estar el uno del otro, ellos dos solos contra el mundo.

¿Qué era aquel brebaje que le había dado a beber Endor? Una infusión de jengibre. Sí. Era eso. Kate recordaba haber visto esa fea raicilla en el mercado de las especias. Se proveería bien, por si acaso.

❧

El viaje a Augsburgo fue una decepción, aunque el paisaje de Renania era tan espectacular como John había prometido, y ella no se había mareado. El barco era más pequeño que *El canto de la sirena,* con solo una vela latina y cuatro tripulantes. Era uno de los barcos construidos por los astilleros de la Hansa especialmente para los mercaderes de la Liga Hanseática que navegaban por vías fluviales, así que, a pesar de su reducido tamaño, contaba con un camarote para pasajeros, provisto de una cama tan grande que John, después de darle un afectuoso beso de buenas noches y acurrucarse junto a ella durante un rato, pudo darse la vuelta y dormir el resto de la noche sin tocarla siquiera. Los bebés no se hacían así, pensó ella mientras permanecía en vela mucho después de empezar a oír sus ronquidos.

John se sintió frustrado porque, contra lo previsto, William Tyndale no acudió a la conferencia. Hacía calor y Kate se quedó fuera, a las puertas de la sala de audiencias, en compañía de un grupo maloliente formado en su mayor parte por hombres, esforzándose por oír las disertaciones mientras John escrutaba a la muchedumbre con la vana esperanza de localizar a su amigo. Esto de por sí no lo convirtió en el más agradable de los acompañantes, y además estaba indignado por el hecho de que la conferencia se hubiera trasladado a un espacio menor y al final la «confesión» fuera rechazada expeditivamente.

—No querían que la gente oyese sus refutaciones mezquinas ni la fuerza de la argumentación de Lutero.

Pero, a pesar de la decepción de John, Kate tuvo que admitir que intentó mostrarse atento y despreocupado, tanto que empezó a preguntarse si no estaría convirtiéndose en una carga para él.

Sentados en un banco del muelle, a la sombra de un almacén, miraban los barcos que llegaban en busca de uno que los llevara a casa, mientras comían pan y embutido y bebían una cerveza amarga que parecía encantar a John. A Kate el olor le recordaba el taller de cerveza de los Walsh. Arrugó la nariz y bebió un sorbo. Al menos era un líquido y ella tenía sed.

—En realidad, si te paras a pensar —comentó Kate—, ¿por qué iba a venir Tyndale? Es decir, si es un fugitivo por su fe religiosa, ¿no sería una estupidez por su parte asistir a una conferencia donde se han reunido todos los altos cargos del reino para reflexionar sobre las doctrinas a las que son hostiles?

—Eres muy sagaz, esposa mía. Así es precisamente como fue capturado Jan Hus de Bohemia tras prometerle un salvoconducto para asistir a un concilio papal. —Dio un bocado al embutido—. No estás comiendo. ¿Lo encuentras demasiado picante? ¿Te traigo otra cosa?

—No, John, estoy bien. En serio. ¿Qué le pasó a Hus? —preguntó, dando un pequeño bocado para tranquilizarlo.

—Cuando llegó a la conferencia, lo traicionaron, lo detuvieron y lo quemaron sin procesarlo. Lutero aprendió bien la lección de su predecesor bohemio. Rara vez se aventura a salir de la Sajonia protestante, donde vive bajo la protección del príncipe.

—Entonces ¿cómo puede llamarse confesión luterana si no está Lutero para profesarla?

—Envió su aprobación del documento por medio de su amigo Melanchthon.

Eso fue otra decepción para Kate. Sentía curiosidad por ver al gran Martín Lutero y tal vez incluso a su mujer. Se decía que Katharina von Bora viajaba a menudo con él.

—¿Dónde vive? ¿Lejos de aquí? ¿Crees que podríamos pedir audiencia con él?

—Uno pide audiencia con el papa —contestó John, dejando su jarra y cogiendo la de ella, aún medio llena, y el resto de su embutido sin comer—. Tengo entendido que Lutero se reúne con cualquiera que desee hablar de la doctrina o incluso pedir un favor, al margen de su posición o reputación. Ahora que lo pienso, puede que él hasta sepa dónde está Tyndale.

—Pero ¿si no puedes encontrar a Tyndale, cómo vas a encontrar a Lutero?

—Muy fácilmente. Lutero no tiene que esconderse mientras no salga de Sajonia. Me presenté a algunos miembros de la delegación luterana: tuvimos una interesante conversación sobre la naturaleza de la gracia. En todo caso, me han contado que Lutero vive en un viejo convento agustino en Wittenberg.

—Eso ¿a qué distancia está?

—No lo sé con exactitud. Está muy al noreste de aquí. Demasiado lejos. Al menos desde aquí.

Menos mal, pensó Kate. Ya estaba harta de la carne con especias y la amarga cerveza alemana. Incluso le hacía ilusión volver a la Casa Inglesa. Allí al menos la comida era buena. Pero primero tenían que encontrar un barco rumbo al norte. Solo habían comprado el pasaje de ida, pensando en coger otro barco mercante a su regreso. En el Kontor, la contaduría del almacén hanseático que se alzaba en el muelle detrás de ellos, les habían dicho que eran frecuentes los barcos que realizaban la ruta del Rin entre Augsburgo y Amberes. De momento, ese día solo había zarpado un barco en esa dirección, y no admitía pasaje. Pero Kate veía otros dos en el horizonte procedentes del sur. Confió en que uno de ellos pudiera alojarlos. El de mayor tamaño se acercaba. Algo en su aspecto le resultó familiar, aunque no estaba segura.

—John, ¿ese no es…?

—Es posible —contestó él, agachándose para recoger el baúl que tenía a sus pies. Ella se protegió los ojos del sol con la mano cuando *El canto de la sirena* se aproximó—. Sí, lo es. Vamos. Bajemos a donde van a descargar.

—Pero no tiene camarote para pasajeros. Recuerda aquel banco minúsculo que hacía las veces de cama.

—Lo recuerdo —dijo él con un brillo en los ojos—. Si la memoria no me engaña, nos las arreglamos bastante bien. —Y luego añadió—: si estás demasiado incómoda por la falta de espacio, dormiré en el suelo.

—Pero el capitán Lasser tuvo que renunciar a su propio alojamiento…

—Se alegrará de llevarnos. Acabamos siendo muy buenos amigos.

—Mientras yo echaba las tripas. Eso recuerdo yo.

Kate no comprendió su propia reticencia. El viaje anterior había sido agradable una vez que ella se recuperó del mareo, pero algo en el capitán Tom Lasser la inquietaba.

—¿Prefieres esperar otro barco? —preguntó él.

—No —respondió ella, sintiéndose como una tonta—. A saber cuánto tendríamos que esperar. Al fin y al cabo, no es más que una manera de volver a casa.

XXIII

No hay hombre en Europa con mayor aptitud [que
Tomás Moro] para dirigir malas palabras en buen
latín.

OBISPO FRANCIS ATTERBURY,
anglicano del siglo XVII

Tomás Moro salió de la Cámara Estrellada tan excitado como un sabueso con las aletas del hocico abiertas al captar un rastro. El nuevo obispo de Londres estaba resultando ser un aliado mucho más valioso que su predecesor. Cuthbert Tunstall había sido un amigo y un hombre docto, pero carecía del estómago necesario para el cargo, en tanto que el obispo Stokesley había recordado a Tomás que atacar con palabras era meritorio, pero una amenaza como la herejía en realidad solo podía eliminarse con la hoguera. Tomás no podía estar más de acuerdo. Su verdadera labor se hallaba aún por realizar.

Ese día habían hecho un gran avance. Habían obtenido una confesión pública ante el tribunal de un tal George Constantine, un importante distribuidor de traducciones y tratados heréticos. Tras ciertas tácticas de persuasión en el jardín privado de Moro en Chelsea y un breve descanso en el cepo de la garita del portero, Constantine había sido generoso al prestar declaración en la Cámara Estrellada, ofreciendo los nombres de sus contactos, no solo en Inglaterra, sino también en Amberes. John Frith, autor de un atrevido y blasfemo tratado que presentaba al papa como el Anticristo de Roma, era uno de esos nombres. Otra cabeza joven y brillante perdida a causa de las influencias de Lutero: ese *cacodemon*, ese diablo de mierda.

De hecho, no se sorprendió cuando se enteró de que Frith se escondía en Amberes, ya que se sabía que era un protegido de Tyndale, y que aquello era un nido de herejes, sobre todo la Casa Inglesa. Hacía tiempo que lo sospechaba, pero la Corona de Inglaterra no tenía potestad en Flandes. Aunque las autoridades católicas cooperarían con mucho gusto, los tratados comerciales protegían a los ocupantes de la Casa Inglesa de toda injerencia extranjera. Lo que necesitaban era infiltrar a un espía, y ahora ya tenían a uno. Henry Phillips era un cobarde y también la clase de bazofia capaz de traicionar a su propio padre por dinero. Precisamente la clase de hombre que necesitaban. Y si Henry Phillips no se animaba a hacer algo mediante el soborno, podían obligarlo con la intimidación. Pero el obispo Stokesley había averiguado algo más a través de su red de espías. Algo inquietante.

Tomás cruzó las macizas puertas de Westminster Hall, deshaciéndose de la omnipresente multitud de suplicantes en el patio del Palacio Nuevo. «… ¡Sir Tomás Moro, me han agraviado! Sir Tomás. Busco justicia… tenéis fama de hombre justo…» Una mujer que no estaba dispuesta a pasar inadvertida se abrió camino entre la muchedumbre y le puso un paquete en las manos. «… Un regalo, sir Tomás, por pronunciar un veredicto justo en el caso de mi marido.» Él se detuvo solo el tiempo suficiente para devolvérselo —debía evitar a toda costa dar la impresión de que cedía al soborno; Wolsey ya había hecho bastante daño al cargo de canciller—, pero la mujer se esfumó tan pronto como había aparecido. Preocupado por la información que acababa de transmitirle el obispo Stokesley, ocultó el objeto bajo la toga oficial de su cargo y se olvidó de él. Tenía asuntos más importantes en que pensar.

Según el obispo, el rey llevaba a cabo indagaciones por su cuenta en relación con algunos de los hombres que, como él bien sabía, sir Tomás y Stokesley también perseguían. Eso inquietaba a

Tomás. ¿Por qué no habría informado a su consejero jefe de que había enviado a un hombre llamado Stephen Vaughan a buscar el escondrijo de Frith y Tyndale? Temía que el soberano de Inglaterra llegara a ser más abierto de miras de lo que convenía. Sin duda, era por influencia de la Bolena.

O tal vez sencillamente se debía a que el rey no confiaba del todo en su nuevo canciller, e incluso lamentaba hasta cierto punto su elección. Tomás solo tenía que recordar la visita del rey a Chelsea hacía dos semanas para entender el origen de la frialdad entre su soberano y él. Tomás estaba podando los rosales mientras esperaba la llegada del mensajero real, que debía llevarle unos documentos para firmarlos, cuando de pronto Enrique se presentó en persona. Tomás no debería haberse sorprendido, pensó ahora; a Enrique le gustaba coger a sus cortesanos desprevenidos. En tales circunstancias era cuando más peligroso resultaba.

–Tomás –saludó con su tono más cordial y desenfadado–. Me moría de ganas de disfrutar de una compañía ingeniosa y se me ha ocurrido traerte esto en persona. –Agitó un legajo de pergaminos por encima de la cabeza.

Tomás se limpió las manos en el blusón, cohibido por la sencillez de su atuendo, pensando en lo mal preparada que estaba su casa para recibir al rey, cuyo séquito debía de permanecer en la pequeña barcaza del puerto, aguardando hospitalidad. Pero eso el rey lo sabía. Había formado parte de su estrategia desde el principio, para tener ventaja.

Enrique hizo un comentario sobre la belleza de los amplios jardines de Chelsea como si se hubiera dejado caer allí para visitar a un viejo amigo.

–Podemos sentarnos en esa bonita mesa de picnic bajo el sauce. No es necesario molestar a tu señora con cuestiones de hospitalidad. –Rodeó el hombro de Tomás con el brazo mientras caminaban, riendo y bromeando sobre la última pulla del bufón de la corte–. Tendrías que haber visto la expresión en la cara de Brandon cuando Will Somers se mofó de él.

Pero Tomás sabía que cuando el rey se mostraba afable y jocoso para relajar a un hombre, era el momento en que dicho hombre más debía ponerse en guardia. Se sentaron en el banco del jardín bajo la luz moteada, y Tomás leyó por encima los documentos de la corte, firmándolos uno por uno: una orden para aumentar el suministro de forraje destinado a las cuadras reales –las lluvias de esa primavera habían echado a perder gran parte de los pastos–; un nuevo tributo para la exportación de lana –eso no iba a gustar a los comerciantes textiles, pero el Parlamento lo había aprobado a instancias de Moro–; en su mayor parte asuntos prosaicos y cotidianos que podría haberle llevado un mensajero.

–Ah, me parece que hay uno más. –Enrique había plantado el pergamino enrollado ante él–. Esto es un remanso de paz, canciller –dijo, contemplando el río–. Eres un hombre con suerte.

Tomás miró la petición con su ilustración dorada y su regia caligrafía negra. Eso no era un asunto de Estado rutinario. Era un documento instando al papa a «declarar por vuestra autoridad lo que tantos hombres doctos proclaman», a saber, que el matrimonio de Enrique y Catalina de Aragón era ilícito y debía anularse, dejando así al rey la libertad de contraer nupcias de nuevo. Seguían dos columnas de nombres, nombres de eruditos de universidades y eclesiásticos de renombre. A Moro no le extrañó ver algunos de ellos, como el de Thomas Cranmer. En cambio, otros, como el del obispo Stokesley, lo llevaron a vacilar por un momento en su determinación. ¿Qué lealtad tenía precedencia? ¿La lealtad a la Corona o la lealtad a la Iglesia? Pero en Tomás no había espacio para la duda. No podía contemporizar. Dejó la pluma y apartó el documento. Repudiar a la reina española equivalía a repudiar todo aquello que ella representaba. Y ella representaba a una Inglaterra católica.

–Vuestra majestad, con todo mi pesar debo recordaros que, en conciencia, no puedo firmar esto.

Enrique lo miró fijamente, entrecerrando los ojos hasta reducirlos a dos rendijas. Los músculos de su mandíbula formaron una tensa hilera de nudos. No dijo nada. Un arrendajo en el árbol por encima de ellos expresó con un graznido una especie de protesta, o advertencia.

–Vuestra majestad conoce mi opinión al respecto desde hace tiempo.

La sonrisa de Enrique se tensó. Retiró la petición y, enrollándola apretadamente, se la metió en el jubón.

–No te pediríamos que actuaras contra tu conciencia, maese Moro. Pensaba que tal vez simplemente podías prestar tu firma... una entre tantas, todas de hombres con conciencia... a este último intento de presentar al papa... como un favor a tu rey.

¿Último intento? ¿Significaba eso que renunciaba si la petición no convencía a su santidad de que el matrimonio debía anularse?

–Como vos mismo decís, majestad, es una entre tantas. La firma de un laico no se echará de menos.

–Laico o no, es la firma del canciller de Inglaterra. –Enrique se permitió una brusca palmada en la rodilla antes de adoptar una actitud más despreocupada, como si no tuviera la menor importancia que su canciller fuese un obstáculo para alcanzar su mayor deseo–. Pero es intrascendente. Si esto no da resultado, quizá busque una vía de actuación más eficaz.

Decidió no hacer partícipe a su canciller de cuál era esa vía de actuación más eficaz, pero Tomás no tuvo que preguntarlo. En torno a la Bolena había consejeros que vertían veneno en los oídos del rey, asegurándole que el papa no tenía autoridad sobre un rey ungido, asegurándole que Inglaterra podía cortar sus lazos con Roma.

El rey se despidió bruscamente y desde entonces no había vuelto a hablar con Tomás. Pero comoquiera que fuese, Tomás no iba a dejarse distraer por ese recuerdo ni flojearía en su determinación. Ese día habían hecho un gran avance. Si podían romper el grueso de la cadena de contrabando y quemar a unos cuantos proveedores, el mundo recuperaría su debido orden.

Tomás llamó a su barquero, que descansaba junto al embarcadero de Westminster Stairs. Mientras bogaban en dirección a Chelsea, recordó el paquete que llevaba bajo la toga. Lo sacó y lo desenvolvió bajo la atenta mirada de su barquero.

–¿Un regalo para vuestra esposa? –preguntó Richard, el barquero.

–No, un regalo de una mujer para cuyo marido el tribunal dictaminó una sentencia favorable.

–¿Ah, sí? –Richard se mostró sorprendido.

–Una sentencia justa. –Sir Tomás respondió a la pregunta no formulada.

Era un jarrón de plata de calidad mediocre. Reportaría unas cuantas libras en el mercado. Lo vendería y entregaría el dinero a la casa de beneficencia. Envolvió otra vez el jarrón y cerró los ojos para dormir un poco en el largo camino de vuelta a casa.

❧

El capitán Lasser observó a Kate Frith mientras esta comía su guiso de pescado con menos entusiasmo del que él recordaba. Advirtiendo el nerviosismo en sus manos, la vio cambiada de un modo que no podía precisar. Se preguntó si era feliz en su vida de exilio. A su marido se lo veía igual, o prácticamente igual que antes, como si hubiera tomado un elixir mágico de una fuente de perpetua alegría. Su personalidad exhibía esa misma calidez contagiosa por la que era difícil sentir aversión por él, pese a que algo dentro de Tom lo intentaba. Lo intentaba de verdad.

—¿Habéis encontrado trabajo en la contaduría de Amberes, pues? ¿Os basta con eso? Yo podría hablar…

—Ah, no, os aseguro que nos las arreglaremos. Pese a que el Kontor no es más que una contaduría subsidiaria, tienen trabajo más que suficiente, pero no es el trabajo que yo deseo hacer. En cuanto mi amigo Tyndale regrese a Amberes, no daré abasto.

—Me extrañaría que Tyndale pueda pagaros. Quiero decir… sé que sus traducciones y tratados se venden bien. Al fin y al cabo, he transportado muchos de ellos. Pero son muy baratos, y es probable que tenga problemas para imprimir a precio de mercado dado el riesgo que eso implica para el impresor.

—Ah, no espero pago alguno. Hay cosas que uno hace porque sí —dijo Frith, con cierta ampulosidad, o eso pensó Tom—. Espero ahorrar lo suficiente para que cuando él llegue a Amberes, mi mujer y yo podamos arreglárnoslas. De momento solo somos nosotros dos.

Tom advirtió cómo cerraba Kate los ojos al oír estas palabras. En realidad, fue solo un lento parpadeo, pero a la vez apartó la vista de su marido, como si no soportara oírlas.

Abochornado por entrometerse en un dolor privado, Tom también desvió la mirada. Al otro lado del ojo de buey, donde tenía que estar el cielo azul, se alzaba una pared de roca escarpada.

—Estamos entrando en el cañón. Aquí el canal se estrecha. Mejor será que suba a cubierta. —Luego añadió—: Quizá queráis acompañarme. La vista de los acantilados es tan magnífica como cualquier catedral.

—Quiero charlar con Endor —dijo Kate. No miró a su marido al agregar—: Sube tú, John.

A Tom le sonó a rechazo, pero John no pareció darse por aludido. Dio a su mujer un beso expeditivo en la mejilla y siguió a Tom por la escalerilla.

❧❧

—Me alegro de volver a verte, Endor. ¿Has estado bien? —preguntó Kate después de que los dos hombres se fueran.

Endor movió la cabeza en un solemne gesto de asentimiento y, desplegando una sonrisa, cogió a Kate de la mano y le dio unas palmadas para indicar que sí, que estaba bien y además contenta. Alzó la copa de vino de Kate con una expresión interrogativa en la mirada.

—No. Más vino, no. Pero querría un poco de agua. —Luego, dándose cuenta de que no era fácil disponer de agua dulce en el mar, añadió—: Si hay.

Endor sonrió y asintió; luego cogió la copa de Kate y la colocó bajo el grifo de un pequeño barril de madera colgado de la pared. Kate había supuesto que contenía cerveza.

—¿Quieres sentarte un rato conmigo? —preguntó cuando Endor le entregó el agua.

Con cierta sorpresa, pero complacida, Endor se sentó a la mesa frente a Kate, no recostada contra el respaldo de la silla, sino en el borde como un ave a punto de levantar el vuelo.

—Pienso en ti a menudo. —Kate se llevó la mano bajo el corpiño y sacó el emblema de santa Ana que llevaba colgado al cuello—. Tengo esto para acordarme de ti.

Endor sonrió y asintió.

Kate volvió a dejar el colgante bajo la camisola, sintiendo el frescor del metal cuando se deslizó entre sus pechos; a continuación puso las manos en la mesa para detener el movimiento nervioso de sus dedos. Deslizó muy suavemente las yemas de los índices por los

295

lisos contornos de las tablas de la mesa. Sin saber por dónde empezar, respiró hondo el aire del mar mezclado con los olores a aceite de linaza y a madera vieja. Endor la miró con actitud expectante. Los sonidos amortiguados del agua al lamer el casco del buque penetraban en el silencio.

—Ahora tenemos otra cosa en común, Endor —dijo—. Yo también he perdido a un niño.

Endor alargó los brazos por encima de la mesa y apoyó las manos en las de ella. Las tenía ásperas, fuertes y reconfortantes. La copa de agua permanecía justo a la derecha de sus manos unidas.

—Fue muy doloroso para mí —prosiguió Kate, procurando que no se le quebrara la voz.

Endor asintió y cerró los ojos; luego sacudió la cabeza como si se quitara de encima un recuerdo.

Kate retiró la mano de debajo de la de Endor y, tras coger la copa, bebió un trago. Era transparente y estaba fría, llena todavía casi hasta el borde. Vio sus propios ojos reflejados en ella cuando se la llevó a los labios. No había otra manera de decirlo más que preguntar. Sencillamente preguntar.

—¿Fue eso lo que viste la otra vez en el agua, Endor? ¿Sabías que perdería a mi hijo?

Endor ensanchó los ojos y apretó los labios formando una tensa línea. Retiró la mano de la mesa y se acercó aún más al borde del asiento, dispuesta a huir. Kate recordó lo mucho que se había alterado la otra vez. No debía pedirle que volviera a hacerlo. Sería un pecado, no solo una mancha en su propia alma, sino también en el alma de Endor. Y eso estaba prohibido. Como traficar con Biblias en inglés, una transgresión digna de la hoguera. No permitirás que viva una bruja, decía la Biblia. Pero desde luego Endor no era una bruja. Simplemente tenía un don. Quizá era Dios quien le había concedido ese don. En ella no había la menor maldad.

Kate dejó la copa en medio de la mesa.

—¿Tendré otro hijo? —susurró.

Endor permaneció inmóvil; esta vez fue Kate quien se puso en pie y, alterada, se dio la vuelta. No debería haberlo preguntado, estaba decidida a abstenerse. Se le habían escapado las palabras.

—Perdona. No tengo derecho…

Sintió un tirón en la manga, instándola a sentarse de nuevo. Endor asintió, y acto seguido, rodeando con las manos el pie de la copa, se la acercó. Fijó la mirada en el agua. Kate contuvo el aliento, pero Endor se limitó a cabecear ligeramente. A continuación cerró los ojos y, cuando los abrió, volvió a mirar dentro de la copa sin parpadear, con cara de profunda concentración. Kate no era consciente de que ella misma, a imagen de Endor, no parpadeaba, hasta que los ojos empezaron a escocerle y a llorar. Endor sonrió y se apresuró a asentir con aquella barbilla pequeña y afilada suya. Alzó un dedo.

–Un hijo –exclamó Kate, casi sin respiración–. Has visto un hijo.

Endor asintió y se señaló los ojos con dos dedos, luego el ojo de buey, luego los ojos otra vez.

Kate negó con la cabeza.

–No lo entiendo.

Endor volvió a señalarse los ojos.

–Mi hijo tendrá… ojos…

Endor señaló el mapa colgado en la pared al lado del barril de agua. Era un mapamundi azul.

–¡Mi hijo… tendrá ojos azules!

La pequeña y afilada barbilla osciló de nuevo.

–Pero John tiene los ojos castaños y yo verdes… cómo… bah, da igual. Por mí como si los tiene de color violeta. Gracias, Endor. Gracias –dijo, y estrechó a la mujer.

Endor asintió y se encogió de hombros como para quitarle importancia.

⚓

Aquella noche, horas más tarde, Endor, aún despierta, contemplaba el cielo de terciopelo estrellado a través de la porción de noche enmarcada por su puerta abierta, a la vez que escuchaba los ruidos nocturnos: el chirrido de los cabos del ancla contra el casco, los crujidos de las tablas, las risas de la guardia de noche mientras jugaban a los dados. Lo que le impedía conciliar el sueño no eran esos sonidos ya conocidos, sino una leve punzada de culpabilidad. Desde aquella última vez que el capitán le había pedido que mirara dentro de la sopera, había rezado para que desapareciera el don de la segunda visión. Le llenaba el corazón de angustia. Desconfiando de sus plegarias, no había vuelto a posar la mirada en aguas quietas el tiempo suficiente para tener sus visiones.

Hasta esa noche.

Endor sentía el dolor de la mujer en su propio corazón. ¿Cómo no iba a ofrecerle el poco consuelo que podía darle? Y, sin embargo, parecía que el Dios silencioso e incognoscible que había esparcido esos millones de estrellas por el firmamento había atendido por fin sus plegarias.

Ya que lo único que Endor había visto era el reflejo de sus propios ojos azules.

~⚜~

El camarote estaba a oscuras cuando John volvió. La luz de la luna, filtrándose a través del ojo de buey, creaba una penumbra fantasmagórica. Kate dormía en el estrecho camastro, con el pelo extendido sobre la almohada. A no ser por el rítmico movimiento de su respiración, toda ella podría haber sido un sueño. Él le acarició el pelo con delicadeza. Ella se movió pero no despertó. Él anheló sentir su cuerpo junto al suyo, tal y como imaginaba que el señor griego del inframundo debió de anhelar a Perséfone, David a Betsabé, Menelao a su Helena secuestrada. Era casi irresistible.

Casi. Porque lo único que necesitaba John Frith para sofocar su virilidad era el recuerdo del vestido ensangrentado en un rebujo húmedo y arrugado en el suelo y la imagen del rostro de Kate, rojo e hinchado por el llanto, la tristeza en sus ojos, todavía presente. Sabía que cada vez que él se retraía, ella lo consideraba una actitud egoísta por su parte, egoísta porque estaba tan absorto en su trabajo y sus objetivos que no quería compartir su vida con hijos. Por eso ella siempre le mencionaba a Lutero, recordándole de manera indirecta que el gran doctor Martín Lutero tenía hijos y, aun así, encontraba tiempo para el trabajo.

Extendió las mantas en el suelo y se acostó en ellas, procurando no molestarla. No quería ver la acusación en sus ojos cuando él le diera la espalda. Mientras yacía despierto, oía la respiración acompasada de ella, exhalando su aliento suavemente en la quietud del camarote, y escuchaba también la respiración del mar cuando besaba el barco. Deseó apretar sus labios contra los de ella, absorber el

298

aliento de su esposa en su cuerpo, inhalar su espíritu para unirlo al suyo. Quiso poseer su alma para que no pudiera haber división alguna entre ambos.

Entró en un duermevela y soñó que era Ulises, solo, un náufrago que flotaba sobre un ancho tablón en un mar infinito. Iba a la deriva hacia una costa anhelada que veía pero nunca alcanzaba. Poco antes del alba, despertó y la encontró tendida a su lado en el suelo. Ella susurró su nombre y él abrió los brazos para envolverla. Era Betsabé. Era Perséfone. Era Helena. Ejercía una atracción irresistible.

XXIV

Os manifesté que no sentía, ni sentiría jamás, curiosidad alguna por conocer los asuntos de otros hombres, y menos aún cualquier asunto de príncipes o de reinos.

SIR TOMÁS MORO en una carta a
Elizabeth Barton (llamada la santa
Doncella de Kent)

La capilla de la Casa Inglesa era el sitio preferido de John en Amberes, junto con el piso que compartía con su mujer, claro está. A veces iba allí porque buscaba un lugar sencillo y sagrado. Pero ese día había ido en busca del capellán Rogers para informarlo sobre la conferencia de Augsburgo convocada por el emperador del Sacro Imperio Romano para promover la paz entre las facciones religiosas en conflicto dentro del reino. La capilla era una pequeña cámara al final de un estrecho pasillo que conducía al salón principal de la Casa Inglesa. Tenía un altar sencillo y dos angostas hileras de bancos, una ventana modelada al estilo antiguo y una puerta de madera maciza que daba a un jardín tapiado adonde uno podía salir con sus devociones si la vida de la casa irrumpía en la quietud, cosa que rara vez ocurría. Sus muros eran gruesos.

Rogers, todo oídos, no había superado aún su decepción por haberse visto privado del viaje a causa de las circunstancias.

–La verdad es que no os habéis perdido nada: está todo ahí.
–John señaló la *Confesión de Augsburgo*–. Lo imprimieron en alemán y latín. Os he traído la versión en latín. No pude conseguir la alemana. Supongo que se deshicieron de todas las copias después de leerse en público debido a las protestas de la Dieta, que intentó impedir su lectura.

–¿Cómo reaccionó el emperador?

–La verdad es que no lo sé, dado que no se me permitió acceder a la pequeña cámara donde se leyó, pero me consta que fue leída porque el lector habló con una voz fuerte y clara que traspasó las puertas. Cuando llegó a los improperios del final en relación con la falsa doctrina, se oyeron grandes aplausos y vítores, al menos fuera de la cámara.

Rogers alzó el documento y tradujo:

–«Las iglesias presentes entre nosotros enseñan con gran consenso…» –A continuación, después de mirar por encima los veintinueve artículos, preguntó–: ¿Estáis de acuerdo con el documento?

–Con la mayor parte. Desde luego en el tema esencial de la salvación por medio de la fe y no de las obras, que arremete contra el núcleo de todo el sistema de penitencias católico, y estoy de acuerdo con la autorización al clero para contraer matrimonio, naturalmente, pero tengo mis dudas acerca de que la absolución privada de los propios pecados ataña a la Iglesia. Tiendo a creer que cada hombre es su propio sacerdote, una especie de sacerdocio ejercido por el creyente, tal como enseñaron los primeros lolardos, pero lo que realmente no entiendo es por qué Lutero se niega a ver la falacia en la doctrina de la transubstanciación. –Se encogió de hombros–. Claro que en realidad no importa porque la Dieta se negó a contemplar siquiera nada de eso. –Y de pronto John se acordó de sus modales y la razón por la que Rogers se había excusado en el último momento–. ¿Y qué hay de vuestro amigo enfermo? ¿Se encuentra mejor?

–Se recuperará, Dios mediante.

–Bueno, habéis hecho bien en quedaros. Cuando hayáis estudiado ese documento impreso a toda prisa, sabréis tanto como quienes realizaron el viaje. Esa copia incluye un tosco facsímil de la firma y el sello de Lutero, así que probablemente valga la pena conservarla pese a su deficiente calidad y quizá algún día sea un documento de cierta importancia. Presenta la posición reformista con notable claridad, pese a que, a mi juicio, se queda un poco corto.

—No hubo señales de nuestro común amigo en la conferencia, supongo.

—Ni por asomo.

Rogers enrolló los papeles y, con ellos, dio un suave golpe a John en el hombro, iluminándose sus ojos de satisfacción.

—Pues aquí sí hemos recibido noticias suyas en vuestra ausencia. Esperamos su llegada de un momento a otro.

—Queréis decir…

—Tyndale sabe que estáis en Amberes. Dice que viene para trabajar en su traducción del Antiguo Testamento y que vos y yo podemos ayudarlo.

—Es una noticia excelente, una noticia excelente. —Sin poder contenerse, John se levantó de un salto, cogió a su amigo por los hombros y le dio una entusiasta sacudida que casi lo derribó.

Rogers soltó una carcajada.

—Sí, es una excelente noticia.

John sintió crecer la expectación. Por fin.

—No digáis nada de su visita, excepto a vuestra esposa, pero prevenidla. Debemos ser muy discretos. Sin ir más lejos, ayer alguien llamó a la puerta preguntando por maese William Tyndale. El portero intentó deshacerse de ese hombre, pero se puso muy insistente, casi agresivo. Era la segunda vez que venía. Ahora que lo pienso, la primera vez ocurrió más o menos en las fechas de vuestra llegada. Dijo que era inglés, guantero de oficio, y buscaba a un compatriota inglés.

A John lo asaltó una vaga inquietud.

—Esta vez se lo veía un poco desesperado. Insistió en que traía un mensaje para maese Tyndale de su majestad real, Enrique VIII, rey de Inglaterra, que le habían informado de que Tyndale estaba aquí, y que no pensaba marcharse sin hablar con alguien en un puesto de autoridad. Finalmente, la señora Poyntz reclamó mi presencia para convencerlo de que se fuera.

—¿Recordáis cómo se llamaba ese hombre?

—Creo que no lo dijo.

–¿Tenía una barba roja pequeña y bien recortada, en punta, y el pelo escaso? ¿Tirando a alto, de constitución endeble, un poco mayor que yo?

–Sí –respondió Rogers, sorprendido–. ¿Lo conocéis? ¿No teníamos que haberlo echado?

–Habéis hecho bien en echarlo. Se llama Vaughan. Stephen Vaughan. Viajó en el mismo barco que nos trajo a Kate y a mí a Amberes. Si sigue aquí después de tanto tiempo, espía para alguien, sin duda, pero es posible que no sea para el rey. Muy probablemente está al servicio de Tomás Moro.

–Esta es una circunstancia muy molesta –comentó Rogers, dejando en el altar la *Confessio Agustana* y deslizándose los dedos entre el pelo como si de ese modo pudiera eliminar la irritación–. Le he garantizado protección a Tyndale.

–¿No deberíamos prevenirlo para que no venga?

Rogers se detuvo a pensar por un momento.

–No. Creo que no –respondió . Aquí, entre las paredes de la Casa Inglesa, estará a salvo, seguramente más que en cualquier otra parte de Europa. Esto será su refugio. Nosotros nos ocuparemos de que así sea.

–Refugio. –John asintió en un gesto de conformidad–. Si alguien lo merece, ese es William.

Era media tarde y los aromas de la cocina flotaban en el pasillo y entraban por la puerta abierta.

–Aquí tendrá un sitio seguro donde trabajar y a la vez estará bien alimentado.

El capellán se echó a reír.

–¿Podéis quedaros a compartir el pan con nosotros? –Cogió el documento enrollado y lo agitó con actitud invitadora–. Podemos hablar de la *Confessio Augustana* con detalle. –Al ver que John vacilaba, Rogers añadió otro aliciente–. Hoy es lunes: conejo con *dumplings*.

–Lo sé –dijo John–. Huelo esas suculentas criaturas cociéndose con los *dumplings,* pero por tentadoras que sean tanto la conversación como las viandas, le he prometido a Kate que no tardaría en volver.

–Ay, la dicha conyugal. –Vaciló y preguntó–: ¿Aún lo es?

—Aún lo es ¿qué?

—Dicha.

John buscó una respuesta ingeniosa, preguntándose si el comentario de su amigo era fruto solo de una curiosidad ociosa.

—Casi todos los días —contestó—. Casi todos los días tengo la sensación de ser Adán y de que ella es mi Eva, y no concibo la vida sin ella. Pero a veces… puede ser… bueno, uno tiene una ración doble de alegría pero a veces también una ración doble de dolor.

—¿Y se lo recomendaríais, pues, a aquellos de nosotros que estamos solteros?

—Volved a preguntármelo dentro de treinta años —respondió con una sonrisa. Como si acabara de ocurrírsele, añadió—: No digáis nada acerca de ese Stephen Vaughan a Kate. No quiero que se preocupe innecesariamente. De un tiempo a esta parte ha estado un poco nerviosa.

—Será nuestro secreto —dijo el capellán Rogers.

❧

Estaba ya avanzado el día y Kate se hallaba en el mercado de los jueves con la intención de comprar pan recién hecho y arenque en escabeche para la reunión de la Biblia del día siguiente. La sesión trataba del milagro de los panes y los peces, y la comida sería una especie de lección práctica para los niños. Se dirigía al mercado del pescado cuando el hombre la llamó.

—Señora Gough, señora Gough.

¿Quién podía conocerla por ese nombre en esa extraña ciudad, a menos…? Al volverse vio a Stephen Vaughan avanzar apresuradamente hacia ella. Ya era tarde para echar a correr. Le volvió la espalda, simulando estar abstraída, examinando las manzanas de lo alto de la gran pirámide en el carromato de un vendedor, con la esperanza de que Vaughan pensara que se había confundido al ver que ella no respondía. Consciente de que él se hallaba a un paso, observándola, preguntó al vendedor en su vacilante flamenco si las manzanas eran frescas. El vendedor, a quien había comprado fruta a menudo, le contestó en inglés.

—Cogidas del árbol al amanecer.

Kate sintió un suave golpeteo en el hombro.

304

—Señora Gough, qué encuentro tan feliz y oportuno. Ya no tenía esperanzas de volver a veros.

Ella se volvió, decidiendo que no le quedaba más remedio que echarle valor.

—Caballero, debéis de confundirme... Ah, ya me acuerdo. Sois el joven a quien conocimos a nuestro regreso de Inglaterra. Maese... —dijo Kate, intentando ganar tiempo.

—Vaughan —apuntó él.

—Eso, Stephen Vaughan, ¿no? Os hacía ya de regreso en Inglaterra una vez concluido... ese encargo que tan a desgana os trajo aquí.

—Por desgracia, mi misión para el rey aún no ha terminado. Por eso me alegro tanto de encontraros. Cuando nos despedimos me olvidé de pediros las señas de vuestra residencia.

—¿Las señas? Pero ¿por qué...?

—Vuestro marido me resultó una compañía muy grata, y como reside en Amberes y es un compatriota inglés, pensé que quizá él podría ayudarme con mi encargo. Pregunté en el gremio de merceros por un exportador llamado Gough, pero nadie parecía conocerlo.

—No está en el gremio de los merceros. Está con... comercia en... metales poco comunes. —Se cambió de brazo el cesto de la compra—. Ahora debo irme, maese Vaughan. Mi marido me espera.

—Permitidme que os acompañe a casa. Puedo llevaros el cesto. —Intentó cogerle el cesto, pero ella lo retuvo con fuerza. El posterior tira y afloja habría sido cómico si ella no se hubiese sentido tan amenazada.

—No. Muy amable... por vuestra parte, pero tengo que hacer un par de altos en el camino. —Y luego, al ver que no iba a ser tan fácil librarse de él, añadió—: Podéis venir mañana. Vivimos en una casa en la calle Camino del Surco. En el número tres. A una milla al este de la ciudad. Preguntad a cualquiera. —Se alejó rápidamente, con la intención de confundirse entre la multitud de compradores en el bullicio de la calle.

—Pero, un momento, yo...

—Le diré a John que espere vuestra visita. Mañana alrededor del mediodía.

Con las prisas, rozó el carromato de las manzanas y una pila de esferas rosadas cayó en cascada al suelo entre Vaughan y ella. A sus espaldas, el vendedor lanzó un juramento y la emprendió con el desafortunado Vaughan, como si el accidente hubicra sido culpa suya, exigiéndole el pago de las manzanas dañadas y amenazándolo con llamar a las autoridades si no pagaba. Agachada, pasó por detrás de una carreta con una carga de cubas, y atravesó la plaza como una flecha, sin detenerse hasta llegar al otro lado del mercado para volverse a examinar a la multitud. No se veía a ningún hombre alto con barba roja y puntiaguda. Pero, por si la seguía –al fin y al cabo, si era agente del rey, a saber qué habilidades poseería–, no se encaminó hacia su casa, sino en dirección contraria.

Para cuando dobló hacia su calle, le pesaba el cesto, y tras echar un último vistazo, se metió en el portal.

John la recibió en la puerta en lo alto de la escalera con cara de preocupación.

–Estaba a punto de salir a buscarte. He pensado que te habías perdido.

–Ha sido peor que eso –dijo ella, dejando la cesta y desatando el pañuelo que le sujetaba el pelo. Con tantas prisas, estaba bañada en sudor.

–¿Qué podría ser peor que eso? –John sonrió, acercándola hacia sí y besándola en la frente.

–Stephen Vaughan –respondió ella, apartándose para mirarlo a los ojos–. El espía que viajó con nosotros. Aún está aquí y te busca.

–Lo sé –respondió John, pensando mal de la señora Poyntz al deducir que se había ido de la lengua–. Pero no te preocupes. Esta es una ciudad grande. No nos encontrará.

–¡Ya me ha encontrado! –exclamó ella.

–¿Lo has visto? –Sus ojos se ensombrecieron y unas leves arrugas surcaron su frente–. ¿Dónde? ¿Cuándo?

–Hace un momento. En el mercado. Me ha llamado por el nombre que le dio el capitán Lasser. ¿Te acuerdas? Gough. Me ha llamado señora Gough. Me ha preguntado por ti. Me ha preguntado dónde vivimos.

–¿Y qué le has dicho?

–He mentido. Me he inventado el nombre de una calle.

–Qué fortuna la de un hombre cuya esposa no solo es hermosa sino también inteligente. Incluso si encuentra esa calle, preguntará por otra persona. –Le cogió la mano y se la llevó a los labios–. No te preocupes, querida. Amberes es una ciudad grande. Es poco probable que nos volvamos a encontrar con él, y si nos lo encontramos, no sabe quiénes somos, gracias al buen capitán.

Pero Kate, pese a sus palabras tranquilizadoras, lo vio lanzar miradas furtivas por la ventana.

–No creo que me haya seguido. He ido con cuidado. Por eso he tardado tanto.

–¿Lo ves? ¿Qué te he dicho? Hermosa e inteligente. –Levantó la tapa del cesto y echó un vistazo–. Veamos, pues, ¿qué tenemos aquí para comer? He renunciado a un guiso de conejo solo para cenar pan y queso con mi hermosa e inteligente esposa.

–Solo pan. No hay queso. Estaba demasiado ocupada intentando escapar. –Una imagen de las manzanas caídas del carromato asomó a su cabeza y se acordó–. Pero tenemos unas manzanas deliciosas y crujientes.

–Y una botella de excelente cerveza que ha enviado la señora Poyntz –dijo él–. La vida es bella. No te preocupes. Yo cuidaré de ti. –Y la besó: fue un beso largo y satisfactorio, y ella incluso sintió un cosquilleo en el cuero cabelludo.

–Mmm. La vida es bella –repitió Kate–, pero más vale que disfrutes de las manzanas. Puede que sean las últimas que comamos en una temporada.

A continuación se rieron mientras ella le contaba la anécdota del carromato y las manzanas caídas.

Pero aunque él aparentaba despreocupación, ella no pudo menos que reparar en su mirada escrutadora hacia la calle a través de la ventana. Y cuando oscureció y encendieron las velas, él cerró los postigos, impidiendo la entrada de la brisa en una cálida noche veraniega. Kate pensó en Stephen Vaughan y rezó para que no estuviera al acecho entre las sombras cuando a la mañana siguiente llegaran las mujeres del grupo de la Biblia.

Como hacía calor en el gran salón de Chelsea, lady Alice había ordenado que la cena se sirviera fuera, en el patio. Inspeccionó la mesa. Todo estaba en orden: la segunda mejor vajilla, de peltre, no de plata, puesta en un mantel de hilo blanco como la nieve, una comida sencilla a base de arenque con gelatina y cordero en lonchas, conservado fresco en el sótano sobre un lecho de hojas de menta, acompañados de pepinillos y cebollas en vinagre con hierbas de su propio huerto y granos de pimienta importados, y pan con mantequilla preparada esa misma mañana. Unas sencillas natillas, espolvoreadas con azúcar refinada, completaban una cena sin pretensiones que debía ser del agrado de un hermano franciscano de Canterbury.

Vaciló; luego cogió el gran cuenco de natillas y volvió hacia la casa. Quizá el franciscano considerase un derroche el azúcar blanco traído de Francia. Aún estaba a tiempo de retirarlo. Podía poner en su lugar queso y peras frescas. Volvió a hacer otra pirueta –en la medida en que podía hacer una pirueta una mujer de grandes caderas con un miriñaque– y dejó otra vez las natillas en la mesa. No, esa era la mesa del canciller, y un visitante, aun tratándose de un visitante humilde, esperaría algo especial.

Como anfitriona de un gran hombre, estaba siempre en la cuerda floja, sin saber jamás quién se presentaría a comer. Tomás tenía por costumbre invitar a su mesa de Chelsea a quienquiera que se le antojase, ya fuera un juez del Tribunal Supremo, algún artista o universitario de visita, o un mendigo a quien había decidido dar de comer, ya fuera por caridad o por curiosidad intelectual, eso ella nunca lo sabría. A veces él los invitaba a todos al mismo tiempo. Podía ser un auténtico desafío, aunque últimamente era un desafío que echaba de menos.

Cuando lo nombraron canciller, ella salió a comprar manteles de mayor calidad, un recargado salero dorado, cucharas labradas, más plata, todo ello ante la expectativa de que les llegaría una avalancha de visitantes de la realeza. Pero sir Tomás invitaba a Chelsea a pocas personas de la corte, y el rey solo lo había visitado una vez, quedándose con Tomás en el jardín todo el tiempo y marchándose luego malhumorado antes de que ella pudiese siquiera sacar el salero del envoltorio.

Últimamente, enfrascado en sus escritos, su marido había comido, lo poco que comía, en su gabinete. Al menos para esta comida se reuniría con su familia, puesto que tenían un invitado y habría conversación erudita y un ánimo festivo. Eso era bueno. Hacía tiempo que no oía las bromas de Tomás. Debía de haber agotado el ingenio con sus escritos, junto con ese sarcasmo bien afilado, que ella añoraba pese a que las más de las veces iba dirigido a ella.

Alguna que otra agradable brisa procedente del río agitaba el mantel y los cordeles de su gorro de diario –no tenía sentido engalanarse para un franciscano–, pero la brisa traía consigo el olor hediondo del Támesis en verano. Se preguntó por un momento si el franciscano consideraría un exceso los aguamaniles con flores aromáticas flotando en agua de lavanda, y decidió que la traía sin cuidado. Ayudarían a disipar el olor a algas y peces muertos que emanaba el río.

O tal vez el olor provenía de los arenques. Cogió la bandeja y la olfateó. No, el posible olor a pescado del arenque quedaba totalmente ahogado por el penetrante aroma del vino gelatinoso en que estaban bañados.

Precisamente cuando colocaba el último de los aguamaniles, reunidos apresuradamente por dos criadas de la cocina, alzó la vista y vio acercarse hacia ella a su lord canciller, seguido de un hermano con hábito marrón.

–Alice, este es Richard Risby, de los franciscanos observantes de Canterbury. Se alojará aquí esta noche.

Alice inclinó la cabeza en respuesta a la presentación.

–Bienvenido seáis a compartir nuestra humilde comida casera. Pronto se reunirán con nosotros los demás miembros de la familia.

El hermano asintió.

–La hospitalidad de Chelsea es legendaria, lady Alice. Os doy las gracias. –Recorrió con una rápida mirada la comida que ella había dispuesto–. Ah, natillas con azúcar francés. Mi postre preferido –exclamó el religioso, frotándose las manos–. A veces en el refectorio les echamos un poco de canela rallada.

Por lo visto los votos de pobreza no se aplicaban a la despensa franciscana, pensó Alice, pero mientras buscaba una respuesta que no ofendiera –carecía del ingenio vivo de Tomás–, apareció el resto de la familia como por arte de magia.

–Mi hija Margaret Roper –presentó Tomás, y extendiendo la mano para incluir informalmente a los demás que se situaban al extremo opuesto de la larga mesa, añadió–: y su marido, William, y mis otras dos hijas, y la hija de Alice, mi pupila. –Sin molestarse en dar los nombres–. Venga, comamos antes de que esos truenos que se oyen al otro lado del río decidan reunirse con nosotros. Margaret, tú siéntate al lado de nuestro invitado. Quiero que vea lo versadas que están mis hijas en lenguas clásicas y en las Sagradas Escrituras.

Enseguida todos se sentaron. La familia Moro se distinguía por su disciplina y su orden. No se toleraba llegar con retraso a la cena ni a ningún otro sitio. Tomás sin duda había heredado eso de su anciano padre, por quien Alice no sentía el menor aprecio. Achacaba los contados defectos que veía en el carácter de su marido a John Moro y deseaba fervientemente que Tomás procurara parecerse menos a él. Se alegró de no tener que padecer la compañía de su suegro ese día. Si bien este comía casi siempre en Lincoln's Inn, con frecuencia visitaba Chelsea cuando tenían un invitado distinguido. Pero un clérigo no debía de ser de su interés.

Sentada al otro lado de Margaret, Alice los oía parlotear en latín, los muy benditos, mientras Tomás los contemplaba con orgullo. Alice no habría podido asegurarlo, pero por la cara de honda concentración de Risby, deducía que tenía serias dificultades para seguir el discurso erudito de Margaret.

–Quizá deberíamos conversar en inglés para que otros puedan disfrutar de nuestra conversación –propuso él–. Sois digno de elogio, maese Moro, por la excelente formación que habéis dado a vuestras hijas, aunque uno se pregunta…

Aquí tuvo la sensatez de no expresar las palabras que, sospechó Alice, iban a formarse en sus labios, algo acerca de la inutilidad de impartir saber a las mujeres, opinión de la que ella no discrepaba plenamente.

–Uno se pregunta si la mitad de los hermanos ordenados podrían hablar así de bien –masculló el franciscano.

–Sí. Uno se lo pregunta… –Tomás sonrió y guiñó un ojo a Alice.

310

Ese guiño dirigido a ella equivalía al beso de cualquier otro hombre.

–¿Qué novedades nos traéis de Canterbury, hermano Risby? –preguntó Tomás mientras el camarero mayor colocaba la bandeja de cordero ante él. Alice sintió alivio al ver que se servía una porción grande. Ahora solo faltaba que se la comiera.

–Novedades acerca de una doncella santa. Sus visiones milagrosas son la comidilla de todos en los pueblos. ¿Habéis oído hablar de ella? –preguntó el franciscano.

–Si os referís a esa monja loca de Kent, sí, algo he oído.

–¿Loca? ¿Cómo decís loca, señor? –La cuchara del hermano quedó suspendida en el aire. Alice vio con consternación que la salsa de los arenques goteaba en su mantel limpio.

–¿Elizabeth Barton? Toda Inglaterra ha oído hablar de las visiones de esa joven doncella –dijo Margaret en inglés.

Alice le dio un codazo en las costillas para recordar a la joven sus modales. Acaso supiera leer y escribir en latín y griego, pero ignoraba que una dama no debía entrometerse en una conversación entre hombres. Bueno, casi nunca. Salvo en interés de una buena discusión.

–Visiones sagradas, señora Roper –contestó Risby.

–Visiones dementes, dicen algunos –corrigió sir Tomás sin alterarse–. De algún modo unos ripios acerca de su profecía llegaron ante los ojos del rey por mediación de maese Cromwell, sospecho… en los que se vaticinaban graves desgracias para su persona y el reino si él persistía en… ciertos asuntos. El rey solicitó mi opinión al respecto.

–¿Y vos qué pensáis?

–Le dije que me parecían los delirios inofensivos de una mente simple.

–Hacer profecías contra el rey… –intervino Margaret–, ¿eso no se consideraría traición?

–Así se consideraría, sí. A menos, claro está, que fuese la inofensiva palabrería de una mente simple enloquecida, o de una mente simple manipulada por personas sin escrúpulos, o sencillamente de una doncella que ha perdido la cabeza.

–William dice que…

—No deseo oír lo que dice William, Margaret. Esta conversación sobre Elizabeth Barton no es más que un chismorreo de necios, y ya sabes que en esta casa no se permiten los chismorreos ni andar con cuentos perniciosos. No hablaremos más de la Doncella de Kent y sus… visiones.

Tras esta declaración, posó la mirada primero en Margaret, luego en Alice y por último en su yerno William Roper, que se sonrojó visiblemente y tocó a Margaret con el pie por debajo de la mesa. Alice sintió una momentánea compasión por él. Formar parte de la familia y no gozar de la buena opinión de sir Tomás no era una situación cómoda. Daba fe del afecto que Tomás sentía por Margaret el hecho mismo de que hubiese consentido el matrimonio.

—Ahora abordemos temas más propicios para la digestión. Y hablando de noticias de Canterbury, tengo una para vos, hermano Risby. Alguien a quien quizá conozcáis, el obispo Cranmer, goza últimamente del favor del rey. ¿Qué pensáis de él?

—Pienso… —Risby se interrumpió como si se dispusiera a elegir con cuidado las palabras. Las nubes se habían acumulado amenazadoramente en el horizonte y se había levantado viento. Agitaba las hojas de los árboles por encima de ellos y azotaba el mantel—. Pienso que Thomas Cranmer no es amigo de la reina Catalina.

Una gran gota de lluvia cayó en el centro de la fuente de natillas.

—Creo que está a punto de desatarse una tormenta sobre nuestras cabezas —anunció Tomás, y se puso en pie—. Mejor será que hagamos caso del aviso. Que cada cual coja un plato —ordenó, y cargó la bandeja del cordero.

El franciscano se apropió de la fuente de natillas y siguió a sir Tomás. El grupo consiguió refugiarse en la casa justo cuando el cielo empezaba a descargar.

Esa noche los candiles ardieron hasta hora avanzada en el gabinete de sir Tomás. Alice llamó a la puerta antes de acostarse.

—Vete a la cama, Alice. Yo acompañaré a nuestro invitado a su alcoba.

Alice estaba segura de haber oído el nombre de Elizabeth Barton antes de llamar a la puerta. Por lo visto la prohibición de chismorrear no afectaba al señor de Chelsea.

XXV

*Si todo lo que he escrito es verdad, y no contradice
la palabra de Dios, ¿por qué su majestad, contando
con tan excelente guía en el conocimiento de las Escrituras, me empuja a hacer algo contra mi conciencia?*

WILLIAM TYNDALE al serle ofrecido
el perdón condicional del rey

El mes de agosto transcurrió en la mayor agitación. Tyndale
por fin había llegado a la Casa Inglesa, y John trabajaba felizmente
con él en su traducción del Antiguo Testamento. Kate pasaba más
tiempo del que hubiese querido encorvada sobre su desigual bordado
en compañía de la señora Poyntz. El lamentable unicornio de Kate
se parecía más a un asno deforme que a una bestia regia y mágica,
pero si deseaba estar cerca de John, tenía que estar allí. Y cada día,
salvo los martes y los jueves, días en que aún trabajaba en el Kontor
hanseático, John colaboraba gustosamente con el gran traductor en
la Casa Inglesa.

Kate ya sabía que su marido era un estudioso de Oxford, pero
le resultaba gratificante ver que un gran hombre como William
Tyndale contaba con su ayuda. Los hombres trabajaban largas horas, hasta entrada la noche, debatiendo incluso durante las comidas
sobre la palabra exacta para transmitir el significado original.

«¡Sencillez, amigo mío! Mantengamos la sencillez. Son las Escrituras, no Virgilio. Un labriego no conocería una palabra tan altisonante, Frith. Ahorraos las alusiones clásicas para vuestra próxima polémica. Vuestra erudición encolerizará a Moro y sus adláteres.» Dicho esto, se rio, como si hablara de una competición académica con «Moro y sus adláteres», y no de un asunto de vida o muerte.

John siempre cedía sin oponer apenas resistencia y con buen humor. Kate opinaba que su respeto hacia Tyndale rayaba en la veneración.

–No es Jesucristo, John –dijo una vez cuando ya habían vuelto a su pequeño apartamento–. Eres brillante. Enfréntate a él. A mí me pareció que tu propuesta era mejor que la suya. –Aunque no recordaba la palabra concreta en discusión y esperaba que él no la obligara a mencionarla.

–Puede que no sea Cristo, pero desde luego lleva a Cristo dentro de sí. Lo lleva más que cualquier clérigo con hábito que yo conozca. ¿Sabes qué hace los martes y los jueves mientras yo estoy en la contaduría? Sale a las calles de Amberes, va hasta las zonas más pobres de la ciudad y busca a los hambrientos y los afligidos, solo para darles un poco de comida o una prenda de abrigo.

–¿Eso no es peligroso? ¿Y si lo vieran?

–Dice que nadie sabe qué aspecto tiene. Es muy hábil para mezclarse con la muchedumbre. Se cala el gorro, se sube el cuello y sale saltando la tapia del jardín de detrás de la capilla por si alguien vigila la casa. El otro día yo me lo crucé en la calle y casi pasé de largo, pensando que era solo otro hombre del campo. Compartía una tarta con un jorobado a la sombra de un plátano. Se reían juntos como si fueran viejos amigos: ¡un mendigo jorobado y el mejor lingüista de Inglaterra, quizá de toda Europa!

Kate nunca había visto a John más feliz. La complacía verlo tan inmerso en el trabajo que lo fascinaba; la complacía también saber que, pese a lo absorto que estaba, la deseaba a ella cerca. Tyndale, el capellán Rogers y John habían montado un pequeño taller, delimitado por un biombo de madera tallada, en un rincón del salón. La mesa de trabajo de John estaba colocada de manera que veía a Kate sentada con sus libros o su bordado o incluso con la contabilidad de la Casa Inglesa, tarea en la que ayudaba a la señora Poyntz, quien se quejaba de que se la cargara con «tantos cálculos». (A Kate se le antojaba un esfuerzo mínimo en pago por las muchas comidas que tomaban los dos en la Casa Inglesa, y concedía a Kate un agradecido descanso del abominable bordado.) Pero si entraba en la cocina para ayudar o salía al jardín, o si acompañaba a la señora Poyntz a su alcoba para ver alguna prenda a la moda, John, cuando ella volvía al salón, alzaba la vista, dejando gotear la tinta de su pluma, y sonreía.

–Pienso mejor cuando veo a mi bella esposa. Tú me inspiras.

Así pues, el verano dio paso al otoño agradablemente. Kate seguía sin saber con exactitud qué opinión formarse del famoso traductor. Era brillante, de eso no cabía duda. Y entregado, desde luego; casi podría decirse que obsesionado. De hecho, parecía que lo único en que pensaba era en su deseo de llevar una Biblia inglesa a Inglaterra: un objetivo en la vida a todas luces digno, y que exigía un sacrificio personal, e incluso implicaba riesgos. Había que admirar a ese hombre por su valor, y sí, pese a que ella era reacia a admitirlo ante John, para no animarlo demasiado a estrechar el lazo con un hombre tan peligroso, parecía poseer esa delicadeza de espíritu que su marido había mencionado.

Pero lo que la inquietaba de él era esa determinación que ella tanto admiraba. Al fin y al cabo, había otras cosas en la vida, como la familia y los niños y la música y la belleza. Esperaba que el fervor de Tyndale no fuera algo de lo que uno pudiera contagiarse como se contagia uno de la peste, porque de ser así, seguramente su John estaba expuesto al mal. Y a saber cómo podía acabar aquello.

❧

Era martes, y John esperaba terminar temprano su jornada en el Kontor. Los días empezaban a ser más cortos, y a Kate le gustaba que él llegara a casa antes de oscurecer. Apartando la vista del conocimiento de embarque que traducía para un mercader alemán que aguardaba pacientemente en una silla junto a su mesa, vio con satisfacción que su cámara en la contaduría estaba casi vacía. Solo esperaba un hombre, de pie y de espaldas a la mesa de John, mirando las sombras vespertinas avanzar lentamente por la calle.

John puso el sello oficial de la Hansa en los papeles del alemán y se los entregó.

315

–Danke. Herr Frith.

–Ich freue mich, von Nutzen zu sein.

El hombre que aguardaba bajo el umbral en arco se hizo a un lado para franquear el paso al alemán.

–Hoe kan ik u helpen? –dijo John, alzando la vista y dirigiéndose al recién llegado en el idioma más ampliamente usado en Amberes.

La luz procedente de la puerta abierta iluminaba el perfil de aquel hombre. A John le dio un vuelco el corazón y se le cayó el alma a los pies. La puerta se cerró a espaldas del mercader alemán, y quedaron los dos solos en la habitación.

–Volvemos a vernos, pues... maese Gough –saludó Stephen Vaughan en inglés a la vez que se volvía para mirar a John directamente a la cara.

«Maese Gough.» Tal vez no había oído al alemán llamarlo por su verdadero nombre.

Vaughan se acercó al escritorio y, sin invitación previa, tomó asiento en la silla que el alemán había desocupado.

–Qué feliz coincidencia haberos encontrado aquí –manifestó–. Hace unas semanas me tropecé con vuestra adorable esposa. Me invitó a vuestra casa, pero por desgracia debí de... entender mal la dirección.

Su tono de voz, la pequeña pausa antes de la palabra «entender», indicaron que sabía que Kate le había dado una dirección incorrecta adrede.

–Me disculpo si mi esposa os ha ofendido. Una mujer sola que se encuentra con una persona a la que apenas conoce... en fin, comprended que quizá le pareciera imprudente revelaros dónde vivía... –John percibió su propio nerviosismo en la breve risa que dejó escapar y esperó que Vaughan no lo advirtiera–. Así que... bueno. Me alegro de veros otra vez. Y ahora decidme, ¿en qué puedo serviros? Me dijisteis que erais guantero, ¿verdad?

–Ah, no estoy aquí por asuntos comerciales. Sigo haciendo indagaciones. Me pareció que este era un buen lugar donde indagar, sobre todo teniendo en cuenta que vos os dedicáis a la «exportación», si no recuerdo mal.

John pasó por alto la pulla y fingió sorprenderse.

–¿Seguís al servicio del rey, pues? Ha pasado casi un año. ¿O se trata de una nueva indagación?

–No. Es la misma. Está siendo difícil de resolver. Pero creo que he dado con lo que buscaba. –Hizo una pausa y desplegó una amplia sonrisa–. Al menos una parte.

El sentido de sus palabras era inequívoco.

–Pues enhorabuena –dijo John, afectando aún ignorancia mientras miraba por la ventana con la esperanza de ver algo que le permitiera un grado de distracción. El Kontor era un gran edificio cuadrado con tantas cámaras como una conejera. Si pudiera al menos llegar al patio…–. Sin duda estáis impaciente por concluir la misión y regresar a Inglaterra.

–No os preocupéis tanto, maese Frith. No he venido a deteneros. Como os dije en el barco, soy agente del rey, y mi misión es ofreceros el perdón.

–¿Perdón de qué y de quién? ¿A quién rendís cuentas? –preguntó John, sin dejarse atraer por las tranquilizadoras palabras de aquel hombre, preguntándose si podría vencerlo: era más alto que John, pero de complexión más delgada, y no llevaba ningún arma al cinto.

–No al canciller Moro, si es eso lo que estáis pensando. Mi correspondencia con el rey pasa a través de Thomas Cromwell. Y solo la lee el rey.

–¿Y Tyndale?

–Lo mismo. El rey está dispuesto a ofreceros a ambos un salvoconducto y su protección… si regresáis a Inglaterra.

–¿Por qué? ¿A cambio de qué? –Pero John creyó saberlo–. No abjuraré. No seré expuesto con haces de leña prendidos de la capa como símbolos de la hoguera. No recorreré High Street montado de espaldas en un asno mientras los sacerdotes incitan a la gente a maltratarme con basura y piedras.

Vaughan se echó a reír.

–No os culpo. Pero podéis estar tranquilo, no seréis blanco de burlas ni se os pedirá que os retractéis de vuestros actos pasados, ni siquiera de vuestras creencias, o al menos no en un espectáculo público. Su majestad conoce el gran talento de maesc Tyndale y vuestra reputación como erudito. Como erudito y lingüista él mismo, el

317

rey Enrique está muy impresionado. Piensa que vuestro intelecto y talento serán… provechosos para su corte.

—¿No lo influye la hostilidad de Moro y Wolsey hacia nuestra labor?

—Wolsey ya no influye en nada. Y en cuanto a Moro… en fin, el rey tiene sus propias ideas.

—¿Cómo sé que esto no es una trampa? ¿Cómo sé que sois quien decís ser?

Vaughan se llevó la mano bajo el abrigo y extrajo un pergamino enrollado, lo desplegó y lo extendió sobre la mesa ante John.

—Como veréis, lleva la firma del rey. Confío en que sepáis leer en latín —dijo, y sonrió ante su propia broma.

Esperó pacientemente mientras John leía. Parecía que lo que decía el hombre era verdad. Era claramente un perdón, pero con una condición real, exigiendo tan solo a «maese Frith» que dejara de escribir textos heréticos en adelante y a «maese Tyndale» que interrumpiera sus traducciones ilegales, y a los dos que destinaran su considerable talento e intelecto al servicio de su rey.

—Por si teméis que el documento sea falso, pensad que sería delito de traición falsificar la firma y el sello reales.

—Parece que todo es como habéis dicho. Pero tendré que pensar en ello —contestó John—. Hablaré del asunto con mi esposa. Sin duda os hacéis cargo.

En respuesta, Vaughan se encogió de hombros.

—Supongo que vivís en la casa de los mercaderes ingleses. Como seguramente sabéis, no se me ha permitido el acceso allí. ¿Estaréis aquí mañana?

—El jueves. Os daré mi respuesta el jueves.

—Bien —dijo Vaughan—. Muy bien. —Se quedó pensativo y tamborileó en la mesa con los dedos, como si meditase cuidadosamente sus siguientes palabras—. No es mi intención daros un consejo sobre el asunto. Yo solo soy el mensajero. Pero tened la certeza, maese Frith, de que carezco de autoridad para deteneros y además no deseo hacerlo. No os perseguiré más, sea cual sea vuestra decisión. No puedo hablar en nombre de otros.

Lo dijo con tal sinceridad que John casi lo creyó.

–Podéis enseñar el documento a vuestra esposa. Y os sugiero que si conocéis el paradero de William Tyndale, también se lo mostréis a él. Le haríais un gran servicio a vuestro amigo. Se sabe que el canciller tiene sus propios espías.

Se puso en pie y se dirigió a la puerta. Ladeando el sombrero con una sonrisa, dijo:

–Hasta el jueves.

Al cabo de un momento John salió del Kontor con la invitación del rey y la declaración de perdón en el bolsillo. No volvió al apartamento, sino que fue directo a la Casa Inglesa.

❧

A finales de la semana siguiente, Stephen Vaughan estaba de regreso en Londres, y de nuevo lo conducían a la presencia del rey, y de nuevo el miedo le pesaba como una cota de malla cuando atravesó la verja de Whitehall. Pero, a pesar de que tras el encuentro con Tyndale había escrito al rey para prevenirlo del probable desenlace poco favorable, Enrique estaba de buen humor. Pobre del mensajero que debiera enturbiar ese buen humor, pensó Stephen, pero que fuera lo que Dios quisiera. Él había cumplido con su cometido de mensajero. ¿Cómo podía considerárselo responsable del resultado?

–Vuestra majestad. –Stephen saludó primero al rey con una reverencia, y luego, con una inclinación algo menor, al duque de Suffolk–. Excelencia.

–Vaughan. Por fin. –El rey echó atrás su silla de un empujón y se puso en pie.

Ha aumentado de peso, pensó Stephen, advirtiendo la tensión del jubón en el pecho. Las actividades del último año deben de haber incluido deportes más sedentarios que las justas. Se fijó entonces en el tablero de ajedrez colocado entre Enrique y el duque de Suffolk.

–Déjanos, Brandon. Hablaremos con maese Vaughan en privado. Ha estado en misión para la Corona. –Y dirigiendo una mirada al tablero, añadió–: No te preocupes, no cambiaremos las piezas de sitio. De todos modos vas a perder.

Mientras Brandon se levantaba y salía parsimoniosamente, Vaughan se preguntó qué clase de necio se atrevería a superar al

319

rey en el ajedrez o, de hecho, en cualquier juego. Brandon sería capaz, pensó. Al fin y al cabo, alguna vez lo había derrotado en las justas y había osado casarse con la hermana del rey sin permiso. Pero al parecer había sido perdonado. Stephen confió en que Enrique siguiera con ánimo tan condescendiente.

—Siéntate, siéntate. Ocupa el sitio de Suffolk —ofreció el rey—. Y dime qué nuevas traes. Según me informa Cromwell, has encontrado a Tyndale. En tu carta lo presentabas como un individuo agradable. Decías que quedó claramente conmovido por el ofrecimiento de perdón. —Enrique cerró los ojos como si rebuscara en su memoria—. «Las lágrimas asomaron a sus ojos cuando leyó las misericordiosas palabras», creo que decías.

—Así es, vuestra majestad. Vuestro ofrecimiento de clemencia lo conmovió visiblemente.

—¿Y qué me dices del otro? ¿El erudito Frith? ¿Lo encontraste también a él?

—Fue él quien concertó mi encuentro con Tyndale.

—Buen hombre. Buen hombre. Estoy impaciente por ver la expresión de Moro cuando esté cara a cara… Dejémoslo. ¿Están aquí fuera? Naturalmente, tendrá que estar presente un representante de la Iglesia para ratificar el perdón del rey; Cranmer estará más que dispuesto a hacerlo. Entretanto los alojaremos en la torre. Cómodamente, por supuesto.

—Vuestra majestad. —Vaughan carraspeó para aclararse la garganta con una repentina sensación de ahogo—. No han vuelto conmigo.

Enrique cogió el alfil negro, el alfil de Brandon, y lo acarició con el dedo, pensativo. Luego volvió a dejarlo. Miró a Stephen enarcando una ceja bien peinada.

—¿Cuándo se prevé, pues, su llegada? —preguntó en voz baja.

—Como os informé en mi carta, pese a que los dos se conmovieron ante la misericordia de vuestra majestad, Tyndale ha enviado esta respuesta. —Se llevó la mano a la bolsa y extrajo un pergamino enrollado, que entregó al rey por encima del tablero de ajedrez.

—¿Conocéis su contenido?

—No, vuestra majestad… Va dirigido a vos, y está escrito en latín. Yo no sé leer en latín.

Eso era mentira. Sabía qué decía el documento. Tanto Tyndale como Frith habían dejado bien claro que no volverían a Inglaterra bajo el perdón condicional del rey pese a que él prácticamente se lo había suplicado. Eran buenos hombres, y se notaba que el ofrecimiento los tentaba, en especial a Frith. Él había concertado el encuentro, llegando incluso a sugerir que quizá, una vez en Inglaterra, podrían convencer al rey de la importancia de una Biblia inglesa. Al fin y al cabo, ¿por qué había concedido el perdón si no simpatizara mínimamente? Quizá la Bolena influía en él a favor de la causa de la Biblia.

Deseando ser despedido, Stephen miró al rey mientras desplegaba el pergamino y empezaba a leer. Cuanto más leía, más se tensaban sus labios. Su piel adquirió un color rojo moteado.

Stephen volvió a experimentar una sensación de ahogo: Este hombre podría morir de una apoplejía, y me culparían a mí.

–Te lo traduciré, maese Vaughan –dijo Enrique, y empezó a leer en voz alta, cada palabra seca y rebosante de desdén–: «Si fuera la graciosa voluntad del rey conceder a su pueblo solo un escueto texto de las Escrituras». ¿Qué clase de criminal se atrevería a regatear ante un ofrecimiento de misericordia…? Cielo santo, se acordará del día que pudo salvarse de la hoguera y lo despreció.

Enrolló el documento formando una apretada y estrecha columna y lo agarró entre los dedos enjoyados como si fuera el cuello de Tyndale; luego golpeó el tablero con él, haciendo volar las piezas.

Vaughan se agachó para recogerlas.

–Déjalo –bramó–. Lacayo –vociferó, y cuando el lacayo apareció, dijo–: Trae a maese Cromwell. –A continuación, lanzando una mirada severa a Stephen, preguntó–: ¿Y qué hay de Frith?

–Es del mismo parecer que Tyndale –contestó Stephen con sobriedad.

Cromwell entró en la sala, rozando con la vestidura las esterillas del suelo. Lanzó una breve mirada a Vaughan.

–¿Sí, vuestra majestad?

–Hay que pagar a maese Vaughan. Su trabajo aquí ha concluido.

Al cabo de un momento, Stephen salía de Whitehall con una bolsa llena de alivio y unas cuantas coronas de oro por sus esfuerzos. No era una paga excesiva, pero sí suficiente. Era el mejor resultado posible para su misión fallida. Pero dudaba que Enrique volviera a solicitar sus servicios, y deseaba con fervor que no lo hiciera. Posiblemente una segunda decepción no sería perdonada. El rey no era un hombre a quien conviniera contrariar. Se alegraba de no estar en las botas de William Tyndale, o incluso en las de John Frith.

❧

Ana Bolena seguía en Hever, esperando. Hacía meses que Enrique no la emplazaba. En ocasiones pensaba que sencillamente se moriría de aburrimiento. A veces incluso acudía al sacerdote que Enrique le había enviado, y él le aconsejaba paciencia y la aleccionaba en los puntos más sutiles de la fe reformada.

—Es verdad que la vieja reina tiene sus seguidores, pero vos también los tenéis, milady. Y gozáis de la confianza del rey. Seréis una gran representante de la fe. Contáis con un gran apoyo.

Y como para demostrarlo, un día seco de finales de septiembre, cuando daba la impresión de que su jardín, como su propia vida, había perdido su esplendor y se le escapaba la juventud, Thomas Cromwell se presentó ante su puerta con un llamamiento. Enrique Rex deseaba que regresara a Hampton Court con la mayor prontitud, y le había mandado a un alto cargo de la corte para acompañarla.

XXVI

De haber servido a Dios como he servido al rey, me habrían salido menos canas.

CARDENAL WOLSEY al ser
arrestado por traición

La luz del día declinaba cuando Thomas Wolsey salía custodiado de la gabarra que lo había llevado hasta la puerta de los traidores de la Torre de Londres. Mientras el cardenal ascendía por la escalera desde el río, el resplandor de la antorcha delineó su sombra en el muro de defensa que delimitaba el cauce del Támesis. Bajo aquella luz vacilante, parecía un hombre de estatura menguada; tras un recodo en la escalera de piedra que conducía a la torre del homenaje, su sombra se agrandó de manera imponente; después de otros dos tramos, no era más que un espectro. Si hubiese sido un hombre más reflexivo, acaso se hubiese detenido a pensar qué podía augurar esa representación inconstante. Pero como no lo era, no le dio mayor importancia.

Su mayor preocupación en ese momento era su ardor crónico en las entrañas, que había entrado en erupción al llegar los soldados del rey con la citación de la Corona. A duras penas mantenía el porte erguido y la dignidad cuando entró en los confortables aposentos del carcelero.

En el viaje de regreso a Londres se había permitido pensar que todo quedaría en una amonestación del rey. Siempre había sabido doblegar la voluntad de Enrique. Quizá el monarca tuviera la última palabra sobre la vida y la muerte en este mundo, pero Wolsey, como representante papal en Inglaterra, tenía la última palabra en el más allá: «Todo lo que atéis en la tierra será atado en el cielo». Y esa era una herramienta poderosa que sostener sobre la cabeza de un hombre, incluso sobre la de un rey. Los soldados que lo habían arrestado en la sala capitular de York ciertamente le habían mostrado la debida deferencia, llamándolo «su eminencia», ayudándolo incluso a llenar un baúl y permitiéndole llevarse a dos de sus criados. Estos esperaban ahora junto con sus pertenencias ante los aposentos del carcelero.

Cuando entró el alguacil, Wolsey se tragó el sabor a bilis que brotaba del fondo de su garganta. No sentía el menor aprecio por sir William Kingston. Debido al complejo sistema de tarifas y extorsiones de la Torre a sus prisioneros, Wolsey consideraba al alguacil un oportunista y explotador sin escrúpulos. El cargo de alguacil de la Torre era uno de los más lucrativos de Inglaterra, al margen de la Iglesia. Era como un pequeño feudo: cada barco que navegaba río arriba hacia Londres tenía que pasar por el muelle de la Torre y dejar allí un diezmo de las mercancías que transportaba. Todo lo que se cultivaba o se movía por la Colina de la Torre o nadaba bajo el Puente de la Torre le pertenecía. Y además estaban, naturalmente, los honorarios que cobraba a los prisioneros por sus «aposentos de hierro». Si el cardenal hubiese sido un hombre más reflexivo, se le habría ocurrido que quizá el alguacil se habría sentido como en casa en el Vaticano, pero como no lo era, no se le ocurrió.

—Alguacil Kingston, confío en que tengáis una explicación para esta indignidad infligida a un servidor de la Santa Iglesia.

—Es como servidor del rey que habéis venido a rendir cuentas, su eminencia. Seréis nuestro huésped hasta que vuestro… hasta que el rey quede satisfecho en lo que se refiere a vuestra culpabilidad o inocencia de la acusación de *praemunire,* o sea, servir al papa por encima del rey.

—Eso no requerirá mucho tiempo —dijo Wolsey—. No se encontrará ninguna prueba de que yo haya sido otra cosa que un leal servidor del rey. —Pero el nudo en el vientre le recordó las cartas que había escrito a Carpeggio. ¡Qué necedad la suya al poner por escrito sus pensamientos… y recomendar una alianza entre Francia y la Santa Sede! ¿Qué demonio se había adueñado de su mente? Pero de sobra conocía el nombre de ese demonio: la ambición. Creía que a esas alturas lo habrían llamado ya a Roma, donde no estaría al alcance de la cólera de Enrique.

—Es posible —admitió el alguacil—, pero seréis nuestro huésped durante ese tiempo, sea cual sea su duración. Veo que habéis traído a dos criados. Solo se os permite —consultó un legajo de papeles en su mesa— … un criado. Y como no tengo una tarifa establecida para un cardenal, diría que vuestro rango es equivalente al de duque, así que se os cargarán veinte libras anuales por la manutención. Por supuesto, no seréis nuestro huésped tanto tiempo, de eso estoy seguro; por lo regular, tales acusaciones se resuelven de manera expeditiva. Dejémoslo en diez chelines semanales por la manutención.

—¿Tanto? —El dolor en el vientre se propagó por su amplia cintura—. ¿Puedo sentarme? No me encuentro bien.

El alguacil empujó una silla con el pie en dirección a él.

Wolsey se sentó con gran esfuerzo y, sin aliento tras la punzada de dolor, añadió:

—Vuestros servicios a la Corona están bien remunerados. Pero conviene que sepáis que yo, en cambio, soy tan pobre como un mendigo. Un pobre servidor de nuestro Señor. No tengo un ochavo en mi haber. He sido despojado de todos mis diezmos, mis rentas seculares.

El alguacil sonrió y se inclinó para acariciar con el dedo el lujoso armiño de la capa roja del cardenal.

—Incluso la ropa que visto pertenece al Santo Padre, quien, debo añadir, no estará contento por el trato dado a su servidor. —Para mayor efecto, guardó silencio por un momento y, bajando la voz hasta hablar casi en un susurro, como siempre hacía al formular la siguiente pregunta, agregó—: ¿Es que no pensáis en vuestra alma, sir Kingston?

Pero el alguacil no se inmutó. Era una señal de los tiempos que corrían, una señal de la malévola influencia de Lutero, que una amenaza así ya no dejara helados los corazones de quienes la oían. El propio papa Clemente era prisionero del emperador del Sacro Imperio Romano.

—En ese caso, cardenal —dijo el alguacil sin apartar la mirada de sus papeles—, mejor será que permitáis a vuestro criado volver a York. No le gustará la comida para pobres que servimos aquí. Tampoco a vos, sospecho. —En este punto alzó la vista y, con una sonrisa y un levísimo tono de sarcasmo, dijo—: Aunque yo haré cuanto esté en mis manos por el pobre servidor del Señor.

—En todo caso, últimamente no tengo mucho apetito. ¿Dónde seré alojado?

—Habíamos pensado colocaros en el campanario. Pero eso se reserva a los huéspedes que mejor pagan. No me miréis con esa cara de miedo, su eminencia. Una persona de vuestro renombre no acabará en las mazmorras. Aunque me temo que la Torre Beauchamp os resultará por debajo del nivel al que estáis acostumbrado en Hampton Court o incluso en York.

Solo cuando fue conducido hasta aquella cámara sin ventanas por el hosco guardia, que incluso escupió en el suelo ante él, el cardenal empezó a tomar conciencia del verdadero alcance de sus difíciles circunstancias. Se llevó la poma a la nariz e inhaló. La carnicería de su padre en Smithfield tenía un olor más agradable que ese pozo infernal, pero lo sufrió en silencio. No les daría la satisfacción. Sabía que cada palabra que pronunciase sería transmitida al alguacil, y del alguacil pasaría al rey. Al menos le habían subido el baúl con la ropa, aunque no veía la menor señal de sus criados.

—Guardia, tráeme un orinal limpio, por favor. Y una jarra de agua. Procuraré que mi presencia no sea una carga excesiva para ti. —Y tras una pausa añadió—: Toda buena acción que concedas al servidor del Señor en su hora de necesidad no pasará inadvertida en el cielo. Rezaré por tu alma.

—Ahorraos vuestras oraciones, cardenal. No me hacen ninguna falta. Yo ya rezo por mi cuenta. Pero os traeré el agua y vaciaré vuestro orinal por caridad cristiana. Mi Biblia inglesa dice que debo «amar a mis enemigos» –declaró mientras cerraba la puerta a sus espaldas.

Así pues, lo que Wolsey había temido que pasara, lo que se había asegurado a sí mismo que nunca pasaría, había pasado: el rey de Inglaterra había decidido romper con Roma. De lo contrario, no se habría atrevido a arrestar a un cardenal. La Bolena simplemente había hechizado al rey, y cada vez era más evidente que Enrique haría cualquier cosa por tenerla, en el sentido carnal de «tenerla». En cierto aspecto esa mujer sí era digna de admiración. Él había conocido a príncipes sin la astucia de esa ramera y a grandes señores demasiado cobardes para correr tales riesgos por el poder. Si esa moza se hubiera abierto de piernas ante el rey como había hecho su hermana, esta crisis se habría evitado.

Pero no era su virtud lo que ella protegía, de eso Wolsey estaba seguro. Su conducta en la corte francesa había estado en boca de todos, y él mismo la había visto con sus propios ojos en compañía del joven Percy, ciertamente no formando la bestia de dos lomos, pero casi. Aun así, pese a toda su sagacidad, la zorra no tenía ni idea del caos que había sembrado. Si Enrique podía tratar al hombre más poderoso de Inglaterra de manera tan abominable, y apartar a una reina querida, ¿se consideraba ella invencible? El rey no tardaría en cansarse de ella. Pero Wolsey temía no estar ya en este mundo para verla recibir su merecido.

El guardia regresó con una jarra de agua y, arrugando la nariz, se llevó el orinal.

–Te doy las gracias, buen hombre –dijo Wolsey, afectando una humildad poco común en él.

Imagina las Sagradas Escrituras en esas manos, que han tocado semejante inmundicia, pensó mientras se santiguaba y murmuraba *Benedicte* en dirección al guardia.

Cuando este volvió al cabo de unos minutos, lo encontró en el suelo, retorciéndose de dolor y, movido por la compasión, fue en busca de un camastro y un médico, pensando por el camino que no le convenía que un hombre tan célebre muriera durante su turno.

La primera noche tras el regreso de Ana Bolena a Hampton Court, la cena fue íntima, servida no en el Gran Salón sino en la antesala que conducía a la sala de audiencias y los aposentos reales. Solo los principales cortesanos se hallaban presentes. Ana experimentó un momento de inquietud cuando se sentó junto al rey, recordando el Año Nuevo, la última vez que había estado en los aposentos reales, y que algunos de esos mismos cortesanos habían sido testigos de su humillación. Pero si alguien lo recordaba, tuvo la sensatez de no hacer la menor alusión. Solo Brandon cometió la desfachatez de mencionar –fingiendo que le daba la bienvenida– su larga ausencia de la corte.

Mientras se entretenía con la empanada de pichón y la lengua de buey con miel, comentó que Enrique había preferido no sustituir los tapices de esa sala. Las reformas en Hampton Court desde la marcha de Wolsey no se habían limitado al encargo de los tapices de Abraham, sino que se habían extendido a todos los recovecos de la mansión, como si el rey se propusiera demostrar que lo que en su día se consideró el magnífico palacio del cardenal no era en realidad tan magnífico. Día y noche se oía el martilleo de los tallistas y carpinteros en el gran techo abovedado de la capilla real. Ya estaban aplicando el pan de oro en las vigas. En la capilla, más que en cualquier otro lugar del palacio, Ana sentía el tirón de sus sentimientos luteranos: detestaba su vulgaridad, prefiriendo la sencillez del altar de su alcoba; no se imaginaba rezando en el asiento de la reina, situado en un voladizo curvo en la galería de la capilla principal. Se representó a Catalina sentada en ese lugar encumbrado, musitando plegarias que caían empapadas de lágrimas en el recargado altar al otro lado de la celosía.

–He dejado los tapices aquí porque me recuerdan al cardenal –dijo Enrique–. Sobre todo uno de los Triunfos de Petrarca: *El triunfo de la Fama sobre la Muerte*. Wolsey está a punto de comprobar si eso es verdad.

–¿Está enfermo el cardenal?

–Ignoro el actual estado de salud del cardenal, pero en este mismísimo momento está siendo arrestado por traición.

–¡Traición! ¿Wolsey? ¿El poderoso cardenal que se mofó de toda Inglaterra con su arrogancia? –Deseó añadir que «se mofó incluso del rey», pero se mordió la lengua.

–Dudo que ahora esté de humor para mofarse de nadie –dijo Enrique.

–¿De qué se lo acusa?

–*Praemunire*.

Ana no sentía ningún aprecio por el cardenal. De hecho, celebraba su caída; mientras Wolsey viviese, ella no se sentiría a salvo en la corte. Pero había algo de escalofriante en la rapidez con que Enrique arremetía contra sus predilectos: primero su reina de tantos años y ahora su amigo y asesor de confianza. Y la propia acusación, *praemunire,* producía cierta nebulosa sensación de amaño. Era una acusación espuria; era normal que el antiguo canciller tuviera vínculos con Roma. Por eso Enrique lo había elegido: porque ejercía una influencia sobre el papa, y ahora volver esa aparente ventaja en contra de él parecía injusto.

–¿No serán difíciles de demostrar esos cargos ante el Parlamento? –preguntó ella.

Hemos interceptado ciertos papeles, documentos de un legado papal… este vino está picado… –Lo escupió en la copa, salpicando de pequeñas gotas rojas el mantel de hilo–. Tráeme otro, tira ese tonel –gritó al escanciador–. Wolsey estaba negociando una paz por separado entre el papa y los franceses. Eso le costará la cabeza. Ahora veremos si es verdad que la fama triunfa sobre la muerte.

Con qué facilidad se quita de encima a Wolsey, pensó Ana, como si nunca hubiese existido una relación entre ellos. Pero ¿eso a ella qué más le daba? Su enemigo había caído, y eso era bueno.

–Hablando de cancilleres –dijo Ana, recordándose que no debía celebrar la caída de un enemigo cuando eran tantos los que tenía–. Veo que maese Moro está ausente.

–Su padre enfermó de repente. –Enrique hizo una seña al camarero–. Llévate este montón de uva. Dicen que sir John Moro enfermó a causa de «un exceso de uvas».

–En ese caso se repondrá –auguró Ana, y miró las uvas lamentando no haber cogido un racimo antes de que el rey ordenase que las retiraran. Observó el frutero mientras se alejaba–. No sé de nadie que haya muerto por un exceso de uvas. Quizá se excedió más bien con el jugo de uva.

Enrique se rio con estridentes carcajadas. Los cortesanos más cercanos lo imitaron. Ana advirtió que Brandon no reía.

—Se sabe que John Moro es un hombre disciplinado y poco proclive a los excesos de ningún tipo. Un hombre de carácter noble y buen criterio —dijo Brandon con arrogancia.

—De tal palo, tal astilla. ¿No estáis de acuerdo, mi señor de Suffolk? —preguntó Ana.

—Exactamente.

Enrique frunció el entrecejo.

—Poco sé del criterio del padre, pero el del hijo podría ponerse en tela de juicio —masculló sin levantar la voz lo suficiente para que los demás lo oyeran. Ana, prudentemente, se abstuvo de hacer comentarios al respecto. Pero bien podía ocurrir que el nuevo canciller siguiera los pasos del anterior. Esa posibilidad le dio gran satisfacción.

El rey hizo una seña a los músicos de la corte para que empezaran a tocar, pero mientras los acordes de los flautistas y los arpistas llenaban la sala, él permaneció en silencio, sin acompañarlos con su canto como a veces hacía. Se lo veía abstraído. Una vez concluida la interpretación y retirado el último de los elaborados postres, anunció en voz alta para que todos lo oyeran:

—El lacayo te acompañará a tus aposentos, lady Ana. Tus damas ya están allí. A partir de ahora, cuando estés en Hampton Court dormirás en los aposentos de la reina.

A continuación recorrió con la mirada a los cortesanos allí reunidos, no más de una docena de sus predilectos, y asomó a sus ojos una expresión de franco desafío. Nadie tuvo el valor ni la insensatez necesarios para recoger el guante, ni siquiera el duque de Suffolk.

❧

Ana no estaba preparada para el esplendor que encontró al entrar en la alcoba real y el gabinete reservados a la reina en Hampton Court. Los ricos tapices y candeleros de plata en la pared, las colgaduras de damasco de la cama, los candelabros de oro y el escritorio exquisitamente labrado en el gabinete de la reina, la cámara de baño con su gran bañera de piedra revestida de hilo, rivalizaban incluso con lo que había visto en la corte francesa. Como dama de compañía de la reina Catalina, Ana la había auxiliado una vez a salir de una bañera parecida en el palacio de Richmond y había estado a menudo en sus aposentos bien amueblados, pero en Richmond nada era tan fastuoso como lo que había construido el cardenal. No era de extrañar que Enrique lo hubiese codiciado.

Cuando entró en la habitación, la saludaron con una reverencia las dos mujeres situadas a ambos lados de la puerta.

—Bienvenida seáis, milady. El rey nos ha pedido que os sirvamos como damas durante la ausencia de la reina. Yo soy lady Margaret Lee, la señora de la cámara privada, y esta es lady Jane Seymour.

Ana reparó en las cautas palabras de Margaret «durante la ausencia de la reina». «Tú no eres la reina y todos lo sabemos. Solo eres otra de las favoritas del rey. Pero, por si acaso, te serviremos gustosamente y bien.»

Ana no se molestó por la cautela de lady Margaret. ¿Cómo iba a molestarse? La mujer solo era prudente. Ya había visto antes a las dos damas en la corte. Tenía en buen concepto a Margaret Lee. Era una mujer mayor, de actitud alegre, casada con un caballero respetable. Una buena elección, debía de haber pensado Enrique, para guiar y proteger a una joven reina. Menos le complacía Jane Seymour. Era todo lo contrario de Ana: pálida y rubia, y no muy culta, prefiriendo el bordado al razonamiento o a los juegos. Dudaba que supiese escribir siquiera su nombre. Se esperaba una acompañante más apta.

—¿Os ayudamos a prepararos para la cama, milady?

Y Margaret, sin esperar respuesta, empezó a quitarle a Ana la diadema y la redecilla, con lo que el pelo le cayó hasta la cintura. Mientras lady Margaret se lo cepillaba, Ana observaba a Jane, que extendía un camisón de la más delicada batista, tan diáfana que dejaba poco espacio al pudor. Ana había visto el camisón de Catalina. Y ese no era el camisón de Catalina.

—Espero que haya un buen cubrecama de plumón de oca para protegerme de los sabañones —comentó.

Lady Margaret sonrió.

—Hay una bata de terciopelo, por si milady la quiere.

–Milady la quiere –contestó Ana con voz inexpresiva.

Sus ayudantes se retiraron a la cámara de las damas poco después de dejarla acostada, tras lo cual ella enseguida se levantó. Envolviéndose en la bata de terciopelo azul, un azul puro y profundo, el color de la túnica de la Virgen en la ventana de cristal de colores de la capilla real, Ana se planteó dónde pronunciar sus oraciones. Un rápido vistazo puso de manifiesto que no había altar, pero no le apetecía recorrer el pasillo en camisón hasta el banco real por encima de la capilla papista. Al día siguiente pediría a Enrique un sencillo altar para el rincón de la alcoba. Entretanto, tendría que arreglárselas. Su Biblia en inglés le aconsejaba que «se encerrara en su gabinete», pero supuso que eso solo era una manera de decir que un cristiano devoto no exhibía públicamente sus plegarias, así que al final se limitó a arrodillarse junto a la cama con dosel y cortinas, poniendo el tupido terciopelo de la bata entre sus rodillas y el frío suelo de piedra. Ana no creía en la mortificación de la carne.

Acababa de rezar sus oraciones y recitaba ya el padrenuestro cuando oyó un ruido procedente del gabinete de la reina. Quizá sí debería haber elegido esa habitación; quizá las palabras debían interpretarse literalmente y el Espíritu Santo estaba allí para reprenderla.

Pero no era ningún espíritu, ni santo ni no santo, lo que salió de detrás de la pared revestida de madera. Era un hombre de carne muy sólida.

–Vuestra majestad, no os esperaba esta noche. Es decir, ya tan tarde. Mis damas se han ido a dormir. ¿Y si se despertaran y…?

–Entonces tendremos que ser muy silenciosos –dijo él, y empezó a quitarse el jubón.

Solo le quedaba por quitarse la camisa larga y el calzón cuando ella por fin recuperó la voz.

–Vuestra majestad, protesto.

–En ese caso debes protestar en voz baja si no deseas despertar a tus damas.

Ana sintió un momento de pánico. Sabía que no solo estaba en juego su virginidad, que hasta el momento había protegido mediante diversos métodos, sino también su futuro. Se apartó de él.

Por un momento casi la asustó la expresión en el rostro de Enrique.

—Milady, te he hecho regalos por los que mendigaría un príncipe, te he rodeado de sacerdotes herejes elegidos por ti contra la voluntad de mis consejeros y asesores, ¿y acaso no estás ahora mismo alojada en los aposentos de la propia reina? ¿No he dejado claras mis intenciones? Por los clavos de Cristo, mujer, ¿no yacerás con tu rey en la cama de la propia reina?

Ella dio un paso atrás y respiró hondo. Si lo rechazaba en ese momento, ¿sería llegar demasiado lejos? Pero ¿acaso su hermana María no había sido recompensada así, antes de ser desechada? Y ella incluso había dado al rey un bastardo. Esa idea le infundió valor.

—Pero yo no soy la reina, vuestra majestad. Y no yaceré con el rey hasta que lo sea.

Él tendió los brazos hacia ella y la atrajo hacia sí bruscamente. Le dio un vehemente beso, con la respiración acelerada, y la manoseó por debajo de la bata, rodeando con la palma caliente su pecho a través del fino velo del camisón. El cuerpo de ella quería rendirse. Ana no había sentido tal tentación desde la expulsión de Percy. El adorable Percy. Al acordarse, su voluntad se vio fortalecida.

—Vuestra majestad, no puedo. Sería un pecado…

El aliento de Enrique en su oreja era tan caliente como el contacto de la mano en su pecho, tan caliente como ella sentía su propia piel bajo el excesivo abrigo de la bata de terciopelo.

—En ese caso por lo menos echad una mano al rey —dijo él con voz ronca.

—Eso sí puedo hacerlo —accedió ella, y sus dedos empezaron a trabajar, ejercitando una habilidad que había aprendido en la corte francesa, una habilidad que había perfeccionado con Percy—. Eso, y nada más —susurró mientras la semilla del rey se derramaba en su mano.

XXVII

[Tomás Moro] nunca lo ofendió ni le llevó la con-
traria [a su padre, sir John Moro] ni de palabra ni
de obra.

CRESACRE MORE, *The Life and Death*
of sir Thomas More, 1631

A mediados de otoño, los traductores iban ya por el Penta-
teuco, que llevaban muy avanzado, traduciendo directamente del
hebreo, lengua que a Kate se le antojaba líneas en movimiento más
que verdaderas palabras. ¿Qué debía sentir uno al saber que su trabajo era tan importante, al saber que muchas vidas cambiarían a
causa de él? A veces le resultaba difícil no envidiar a su marido, su
inteligencia y su determinación. Se atrevía a preguntarse si ella habría sido capaz de aprender a leer en hebreo, o al menos en griego,
si hubiese tenido profesores, llegando al extremo de pensar que
quizá él le enseñara lenguas clásicas como su hermano le había enseñado a leer en inglés. Pero una vez que ella miró por encima del
hombro de John y se interesó por esos garabatos danzantes, él contestó con impaciencia:

—En realidad no es un alfabeto, Kate. Es un poco más complicado que eso.

–Pero sí lo son los caracteres griegos del Nuevo Testamento que tradujo William, ¿no? ¿Alfa no equivale a «A»?

–Ajá. –Pero John siguió escribiendo sin alzar la vista.

–Mira –dijo ella, señalando un texto griego entre los papeles esparcidos sobre la mesa–. Eso es beta, ¿no?

Entonces él sí levantó la mirada y le besó la mano con que señalaba el texto griego.

–¿Estás pensando en enseñar griego a tus jóvenes alumnos? –Se echó a reír.

–Quizá –contestó ella, irritándose un poco–. O a lo mejor tú podrías dejarte caer algún viernes y concedernos el beneficio de tu inteligencia.

–Puede que lo haga –contestó él–. Pero, de momento, ¿podrías traer a tu sediento marido una copa de sidra?

Ella le llevó la sidra, pensando que al menos él había dejado de reprocharle su participación en las actividades del grupo de la Biblia. Aunque, claro, en realidad él no sabía que se trataba de un grupo para el estudio de la Biblia, pensó ella, y se sintió un poco culpable por tenerlo engañado: apenas hablaba sobre la lectura de las Sagradas Escrituras o las conversaciones serias o las fervientes oraciones, o de cómo se cogían de la mano y cantaban su himno al final. En lugar de eso, siempre que él le preguntaba por la marcha de esas reuniones, ella lo entretenía con anécdotas sobre las frivolidades de las que charlaban, los chismorreos que cruzaban antes de iniciar el culto: algún comentario ingenioso que había dejado caer Hulda sobre la devota esposa del panadero, o las quejas de Caroline sobre las miradas que su marido lanzaba a otras mujeres. No podía considerarse a eso total franqueza. Y se sentía un poco culpable. A veces. Pero no ahora. No cuando él le pedía que fuera a buscarle algo. No cuando le seguía la corriente como a una niña.

☙❧

El día de Todos los Santos, Kate tenía la contabilidad de la Casa Inglesa lo bastante al día como para someterla a la inspección de la contaduría de la Hansa, así que volvió a castigar a la desigual bestia, el unicornio-burro. Pero aquello se había convertido en motivo de bochorno. Incluso la amable señora Poyntz le había sugerido que quizá debía empezar otro bordado, ahora que tanto había practicado con ese, pero Kate seguía decidida a perseverar... hasta el incidente con la aguja.

Se cepillaba el pelo antes de irse a la cama e intentaba contar mentalmente los días transcurridos desde su último período. Había recibido una carta de su hermano John, justo el día anterior, informándola de que su casa estaba acabada, y de que Mary, el pequeño Pipkin y él se encontraban bien. Tenía trabajo suficiente como escriba para pagar las vituallas que no podían obtener de la tierra, y quizá ella se alegrara de saber que él no había abandonado el movimiento reformista, sino que, inspirado por ella, había iniciado su propio pequeño grupo de estudio de la Biblia con campesinos. Enseñaba a leer a la población local y había instalado una rudimentaria prensa para imprimir láminas sueltas de las Escrituras en inglés a modo de texto.

Al final añadía una última noticia feliz —iba a ser tía por segunda vez—, junto con una pregunta: ¿cuándo iba a ser tío él?

Eso mismo: ¿cuándo? Hacía ya meses que había perdido a su hijo. ¿Por qué no había vuelto a concebir? Desde aquella vez en el barco, no era desde luego por no intentarlo. Según la vieja comadrona con la que había consultado, una mujer era más fértil en determinados días, pero por desgracia no recordaba cuáles. Tonta, Kate, mira que eres tonta. No recuerdas algo así de importante y te crees capaz de aprender griego.

Al oír la exclamación de dolor de John, dejó de recriminarse y de cepillarse el pelo.

—Por todos los dioses del Olimpo, Kate, ¿es que quieres matarme?

Era lo más cercano a un juramento que había oído decir a John, al menos en inglés. El cepillo cayó ruidosamente al suelo, y Kate giró en redondo para averiguar la causa de esa súbita invocación a los dioses paganos.

Él se extraía la aguja de la base de la mano izquierda; gracias a Dios y a todos los ángeles, no era la mano con que sostenía la pluma.

—Déjame ver. —Después de examinarla detenidamente, Kate dictaminó con alivio—: Es solo un pinchazo. Ha entrado y vuelto a salir limpiamente, mira –aseguró, con la aguja en alto–, ni siquiera hay una mancha de sangre.

–Pues me ha dolido como…

–Lo siento. Ha sido un descuido por mi parte dejarla en la silla –se disculpó ella en el mismo tono que uno emplearía para tranquilizar a un niño enfurruñado, y besó la herida casi invisible.

Pero pasados cinco minutos John seguía chupándose el pequeño punto rojo donde había penetrado la aguja como si fuera una herida mortal, eso un hombre que había soportado el horror de la reclusión en el sótano del pescado durante meses y había escapado de las garras de la muerte, sin decir una palabra de su dolor o sus fiebres o siquiera del peligro. ¡Y ahora no paraba de quejarse por un pinchazo de aguja! Así y todo, ella chasqueó la lengua e hizo aspavientos, lavándosela con un poco de vinagre y untándola con miel como le hacía a ella su madre con los cortes y las raspaduras cuando era niña.

Cuando acabó y se disculpó por enésima vez, él levantó el pequeño tapiz que envolvía la aguja culpable y le lanzó una mirada de perplejidad.

–Pero ¿y esto qué es?

–¿Cómo que qué es? ¿No es evidente? Es un… unicornio.

–Ah, bueno, sí. –Entrecerrando los ojos, lo ladeó–. Supongo que sí, ahora que lo dices.

–Oye, John, no todo el mundo es tan brillante en todo lo que hace como tú –dijo Kate, intentando disimular con su sarcasmo lo dolida que estaba–. Algunos necesitamos un poco de práctica para hacer algo incluso tan insignificante como un pequeño bordado.

Ahora le tocaba a él disculparse, cosa que hizo con sobrada gracia, diciéndole con sincera sorpresa en la voz que era una mujer con muchas aptitudes.

–Dime una –pidió ella, conteniendo las lágrimas que de pronto la asaltaron, aunque fuera algo tan intrascendente–. No sé hilar ni tejer ni tocar un instrumento musical. No sé cantar. No sé hacer ninguna de las cosas que cabría esperar de la esposa de un hombre brillante. Dime… una… sola.

–Sabes leer y escribir y hacer cuentas –dijo él, mirándola atónito–. ¿Cuántas mujeres son capaces de eso? Puede que no sepas coser bien, pero eres la esposa perfecta para un estudioso. –Y la besó en la cabeza con delicadeza y afecto, tal como ella le había besado la herida.

Pero esas no son dotes femeninas, habría deseado decir. No son dotes femeninas en absoluto. No era capaz de llevar a cabo correctamente las tareas propias de una mujer –ni siquiera la más básica, la maternidad–, y no se le permitía, al parecer, ocuparse de tareas no femeninas de verdadera importancia.

Él le acarició el pelo con ternura; al cabo de un momento sintió que su nuca quedaba al descubierto y él se la besaba; al principio fue solo un roce, pero enseguida el beso de consuelo se convirtió en algo más, y su lengua empezó a explorarle la oreja. John tiró al suelo el tapiz culpable y lo apartó con el pie.

–Eres la esposa perfecta para este estudioso –dijo, estrechándola.

Sus manos –ni la derecha ni la izquierda– no parecían haber sufrido ninguna merma en sus funciones. Kate tuvo apenas tiempo para pensar, antes de que su mente se rindiera a las necesidades más apremiantes del cuerpo, que era gratificante observar, al menos en ese terreno específico, que su marido encontraba su función femenina más que suficiente.

❧

Al día siguiente volvió a confesar su fracaso ante el esbozo de la duquesa fea. Parece que John va a verse privado de una esposa consumada, dijo con irritación a la vez que recogía el tapiz del suelo y se disponía a tirarlo a la basura. Luego se lo pensó mejor. Esa criatura, o esa imagen bordada de una criatura, en su fealdad e imperfección, la había hecho ella con sus propias manos. No existía antes de hacerla. La arruga en el costado no era para tanto, pero el agujero del cuerno no tenía arreglo. En cambio, el ojo era precioso, un simple punto de hilo de seda blanco en el azul de la pupila, para capturar la luz. Ella se había enorgullecido de ese ojo. La apenaba tirarlo sin más. Alisó el tapiz y tapó la parte superior con el borde de la mano. Así no se veía tan mal. Unos puntos más en el ancho cuerpo para rellenar las partes exiguas; algún día quizá cortase la parte del cuerno.

338

No tenía por qué ser un unicornio. Quizá en realidad quería ser solo un caballo.

Kate Gough, estás igual de loca que el pintor que esbozó ese otro retrato tan feo, masculló en voz alta.

Pero no fue capaz de tirar el bordado a la basura. Lo plegó con cuidado y lo guardó hasta el día en que pudiera pensar más detenidamente en su redención.

❧

Las campanas de St. Mary-le-Bow tocaban a difuntos mientras sir Tomás caminaba detrás del féretro de su padre. Era una suerte que el camposanto de la iglesia de St. Lawrence Jewry estuviera cerca de la casa patriarcal de Milk Street. Era un día gris y frío, y Tomás tenía helados tanto el cuerpo como el alma y temía sucumbir. No estaba preparado para ese día y lo invadía la extraña sensación de que le habían cortado las amarras, de que navegaba a la deriva en un mar encrespado. En el octogésimo invierno de John Moro, no podía decirse que su fallecimiento fuera inesperado. Y, sin embargo, lo fue. Tomás nunca había imaginado el mundo sin su padre.

El triste cortejo desfiló ante algunos de los hitos de su infancia que escarbaban en la pesadumbre de su corazón y la transformaban en una premonición infernal. ¿Cómo era posible? ¿Cómo ese león de los tribunales del rey, que a lo largo de toda la vida de Tomás había montado guardia ante las fuerzas del caos, ese firme defensor del deber y la disciplina y la justicia, había sido abatido por una simple indigestión? ¿Dónde estaba el orden en eso? Para Tomás, fue como si su metáfora de Dios Padre se disolviera en vapor. El Padre vivía mientras viviera el padre.

Había recorrido ese mismo camino hacía muchos años, pasando ante la iglesia de Santa María Magdalena, que en ese momento tomaba el relevo del toque de difuntos con su única campana. Era una imagen enterrada en lo más hondo de su memoria, renacida ahora como si hubiera ocurrido ayer, su mano de niño en la de su padre, más grande, cuando lo llevaba a la casa de John Morton, arzobispo de Canterbury y lord canciller de Inglaterra, para actuar allí de paje. Mientras caminaban, su padre lo aleccionó sobre sus obligaciones. Era una extraordinaria oportunidad para un niño, dijo,

339

entrar al servicio del hombre más influyente de Inglaterra, y advirtió a Tomás que debía portarse bien, que no avergonzara a su padre, que cumpliera con su deber y algún día también él sería un gran hombre.

Dejaron atrás la alta fuente de piedra de West Chepe. También aquel era un día triste y gris como este y en aquella ocasión, al igual que ahora, unas cuantas personas esperaban en las fuentes para llenar sus cubos con agua del río Tybourne. Habían quemado a un hombre en la colina de Tybourne, un hereje lolardo, explicó su padre cuando Tomás arrugó la nariz al percibir el olor residual del humo y la carne chamuscada, añadiendo que el movimiento lolardo era una forma de anarquía, un mal empeñado en destruir el orden del mundo. Era la primera vez que Tomás oía esa palabra.

Cuando el séquito dobló por St. Lawrence Lane de camino a la iglesia, pasaron ante el Blossoms Inn. Unos cuantos viajeros curiosos observaron el paso del cortejo fúnebre. Tomás solo reconoció al posadero, que se quitó el sombrero e inclinó la cabeza. Aquel otro día, hacía tanto tiempo, su padre y él se habían detenido a compartir una bebida mientras el padre seguía instruyendo a su hijo. Ese fue el día en que Tomás tomó conciencia por primera vez de que John Moro tenía el futuro de su hijo trazado con el mismo cuidado con que preparaba una exposición jurídica. Un futuro que, se lo recordaría más tarde, iba a estar vinculado al derecho en Lincoln's Inn y no a la teología en Oxford.

Cuando Tomás creía que no iba a poder dar un paso más –no había comido ni dormido en los tres días que tardó su padre en morir, la viva imagen del hijo responsable velando junto al lecho de muerte de su padre–, de pronto su hija Margaret apareció a su lado y le ofreció el brazo. Juntos completaron el breve recorrido que terminaba en el camposanto. No se celebró una gran ceremonia, o no al menos la ceremonia que cabía esperar para un gran hombre: su padre había dejado instrucciones cuando supo que moría. El párroco ofició una misa de réquiem, y trece dolientes –trece como el número en la Última Cena de Cristo– se reunieron en torno a la tumba. Tomás observó, casi mudo de incredulidad, mientras rociaban con hisopo el féretro de su padre y lo bajaban a la fosa de piedra.

Hasta mucho más tarde, después de regresar a la casa de Milk Lane para un banquete funerario presidido por la cuarta esposa de su padre, ahora viuda, al que asistieron personas muy importantes, después de permanecer Tomás insomne la mayor parte de la noche en la habitación de su infancia, intentando convencerse de que su padre no dormía en la gran cama tallada de la habitación de abajo, sino en el frío suelo del camposanto de St. Lawrence, después de caer en la cuenta de que ya nunca se cruzaría con su padre en los pasillos de Westminster ni se arrodillaría para presentarle sus respetos, no se le ocurrió pensar que la ambición de su padre se había realizado al ver a su hijo como canciller de Inglaterra.

Y ahora Tomás tenía que escribir el resto de la historia él solo. Había cumplido con sus obligaciones para con su padre. Ya podía servir libremente a la Iglesia.

⌖

—¿Qué te parece, John? —preguntó Kate a su marido, inclinado sobre su escritorio de espaldas a ella. Se acercó y agitó ante él la carta de invitación de Catherine Massys—. ¿Te importa si voy?

Él examinó la carta, arrugó la frente y se la devolvió.

—¿Estás segura de que quieres ir?

Traducción: preferiría que no fueras, pensó ella.

—Serían solo unos días. Dice que puedo viajar a la ida y a la vuelta en compañía del hijo de Quentin y su mujer. No habrá el menor riesgo. Lovaina está a solo un día poco más o menos, al sur de aquí.

—Un día arduo. Y claro que me importa. Te echaría de menos. ¿Y qué pasará con tu reunión… de mujeres?

—El hijo de Quentin saldrá el sábado después de la reunión del viernes, así que solo me perdería una. Tú piensa en lo mucho que podrás trabajar sin estar yo aquí para distraerte.

—Tú nunca me distraes. —John sonrió y le dio un leve beso—. Es el trabajo lo que me distrae de ti.

—Eres un adulador con pico de oro, John Frith. —Y le dio una ligera palmada en el hombro—. Pero me he acostumbrado tanto a tus zalamerías que creo que no quiero prescindir de ellas. Le diré a Catherine que le agradezco la invitación, pero que no puedo separarme de mi marido tanto tiempo.

—Me parece muy bien –dijo él.

Pero esa noche, mientras veía a John afanarse con sus traducciones a la luz de la vela, se lo replanteó.

—La verdad es que serían solo unos días –adujo–. Apenas tendrás tiempo de echarme de menos.

—Te echaré de menos en cuanto salgas de aquí.

John dejó la pluma y se desperezó. Ella se situó detrás de él y le masajeó el cuello, percibiendo cómo se relajaban los músculos firmes y tensos bajo sus dedos a la vez que cerraba los ojos y gemía de alivio.

—¿Sabes una cosa, mi dulce esposa? –preguntó entre murmullos y exclamaciones de placer–. Creo que ya te echo de menos, y solo estás pensando en irte. –Pero cuando los dedos de Kate se detuvieron, él volvió a coger la pluma y reanudó su trabajo.

✥

Al día siguiente del entierro de su padre, sir Tomás Moro se metió en cama, en su casa de Chelsea, quejándose de una opresión en el pecho. De nada sirvieron todas las cataplasmas y pócimas de lady Alice. Él no tenía fuerzas para levantarse. En sus sueños afiebrados volvió a ser un niño, perdido y errante en un bosque oscuro, que buscaba a su padre, que no le contestaba.

Pero la cuarta mañana su yerno William Roper se presentó con la noticia de que mientras el lord canciller estaba absorto en la muerte de su padre y sumido en su aflicción, el cardenal Wolsey había sido juzgado por traición y condenado a ser decapitado. Cuando Tomás supo que Wolsey se había burlado del verdugo muriendo de camino al tajo, sonrió. Al menos el viejo réprobo se había librado de la indignidad de la decapitación y conseguido entorpecer los elaborados planes del rey, una vez más.

Tomás llamó a Barnabas para que lo ayudara a vestirse, y tambaleante, tosiendo y esputando, bajó a su gabinete. Se bebió el caldo que le ofrecía Alice para deshacerse de ella y luego cogió la pluma. El hecho de que Wolsey hubiese sido condenado significaba solo una cosa. Enrique había decidido romper relaciones con Roma, quizá no ese día, ni siquiera al día siguiente, pero en breve. Tomás Moro sabía que lo obligarían a elegir entre la Corona y la Iglesia.

Esta vez la elección estaría en sus manos. Entretanto llenaría el mundo de tal furia en forma de refutación contra los herejes que a William Tyndale le arderían las orejas como si las llamas ya se las abrasasen.

Tomás encontraría su camino a través del bosque oscuro. La llama imaginaria de una hoguera humana alumbraría sus pasos.

XXVIII

El corazón sincero de una esposa [es el] don más pre-
ciado que tiene un hombre en este mundo.

WILLIAM TYNDALE acerca
del séptimo mandamiento

Thomas Cromwell salió de la cámara privada del rey más compungido que al entrar. La reunión con Enrique y el agente que había llevado la petición del monarca había tomado un giro imprevisto.

Cromwell no se había alegrado precisamente cuando Enrique le pidió el nombre de alguien de lealtad y silencio incuestionables, alguien con el oído siempre atento y capacidad para sonsacar información, alguien a quien encomendarle con plena confianza que fuera al continente y reuniera opiniones favorables acerca de su «gran asunto» a fin de presentárselas al papa. Eso solo podía significar una cosa: si el rey buscaba aún testimonios influyentes, la ruptura con Roma no era tan inminente como Cromwell esperaba.

Enseguida acudió a su mente el nombre de sir Thomas Elyot. No podía decirse que fuera del todo digno de confianza, pero era un noble conocido suyo que necesitaba empleo, y Thomas Cromwell conocía el valor de conceder favores a parlamentarios en difícil situación económica. El rey pareció bastante complacido con la elección, e indicó a Elyot que informara a maese Cromwell de todos los gastos en que pudiera incurrir durante su misión. Eso gustó a Cromwell. Estaba bien que los pagos recayeran en él; dejaría a ese hombre aún más en deuda con él y lo mantendría informado.

Pensando que ahí se acababa el asunto, Cromwell saludó con una inclinación, y se disponía a marcharse cuando Enrique lo detuvo con un gesto.

—Quizá te preguntes, maese Cromwell, por qué después de nuestras recientes conversaciones, contigo y con el arzobispo Cranmer, solicitamos aún testimonios a este respecto. No es así. Como tú aconsejaste, hemos optado por otra vía.

—Pero vuestra majestad ha dicho… ah, ya veo. Es una treta. Muy astuto por parte de vuestra majestad.

Por un momento se había preocupado. La Bolena le importaba menos que el nudillo de un santo, pero librarse de la reina católica sin duda favorecería la causa de la Reforma. Y deshacerse de Roma favorecería el Tesoro, con toda esa riqueza, todas esas tierras, y ese oro y esa plata propiedades de la Iglesia, encerrados en los monasterios y las catedrales de Inglaterra.

—Imaginad que la Corona controlara eso, vuestra majestad —había aducido Cromwell—, y que ni el rey ni su reino, ni sus arzobispos, ni sus obispos, ni siquiera los párrocos más humildes estuvieran sometidos ya más a la tiranía de Roma.

Era una acción de una audacia que cortaba la respiración.

Ni siquiera Felipe el Hermoso de Francia se había atrevido a ir tan lejos al enfrentarse al papa Urbano, poniendo en su lugar como cabeza de la Iglesia en Francia a un cardenal francés. Cromwell había desaconsejado a Enrique repetir ese precedente histórico argumentando los desastrosos resultados. La cristiandad había acabado teniendo dos papas durante un tiempo: uno en Roma y otro en Aviñón, y después un tercero para imponerse a los otros dos.

—Una cabeza suprema —había aconsejado al rey—, tanto de lo temporal como de lo sagrado. Así el rey se concedería él mismo el divorcio. –Esa era la semilla que Cromwell había plantado en la cabeza de Enrique, la misma semilla que Cranmer había regado, y ahora estaba a punto de germinar pese a los fanáticos esfuerzos del canciller Moro por aferrarse al antiguo orden.

–Tienes razón, maese Cromwell. Reunir testimonios no es más que una farsa –dijo el rey, examinándose tranquilamente las manos, reacomodándose el sello real como si el asunto careciera de importancia–. La verdadera misión de maese Elyot es buscar a William Tyndale y John Frith. Le comunicaréis esta misión en secreto.

Cromwell guardó silencio por un momento mientras intentaba desentrañar el significado de aquello. Había pensado que el objetivo de la treta era solo conseguir que los prelados romanos bajaran la guardia, para cogerlos por sorpresa cuando el Parlamento declarase a Enrique VIII, rey de Inglaterra, jefe supremo de la Santa Iglesia de Dios en Inglaterra.

–No lo entiendo, vuestra majestad. Perdonadme, pero creía que eso ya se había hecho; Stephen Vaughan los encontró y regresó con su respuesta.

Cromwell recordaría después la expresión en el rostro de Enrique y volvería a verla muchas veces en los siguientes años. Fue un destello de ira, rápido y desconcertante en su aparición, como un rayo quebrado al caer en tierra un día despejado de verano. Igual de peligroso y fugaz.

–Los encontró y los perdió. –Sacudió la mano como si espantase un mosquito–. La misión de Vaughan era otra. Maese Tyndale y maese Frith desdeñaron la gracia del rey. Si vuelves a localizarlos, debes ayudar a sir Elyot a traerlos. Seguro que siguen ocultos en algún lugar de los Países Bajos, aunque posiblemente a estas alturas hayan buscado otro escondite. –Y añadió–: Emplea cualquier medio que sea necesario.

–Si se me permite preguntarlo, vuestra majestad…

–Para ser juzgados por herejía, naturalmente.

–Naturalmente –contestó Cromwell.

Pero la verdad era que no lo entendía. Estaba convencido de que el rey, por influencia de Ana Bolena, les había otorgado su favor. Era por influencia de ella que él les había ofrecido su gracia y su favor de buen comienzo. Si ahora Enrique había cambiado de idea por la ofensa a su vanidad, ¿por qué no confiaba en el espía enviado por Tomás Moro y el obispo Stokesley? Henry Phillips era un calavera redomado. Si había alguien capaz de inducirlos mediante engaños a abandonar la protección de la Casa de los Mercaderes Ingleses, era él… a menos que el rey ya no confiara en el canciller Moro.

—Vuestra majestad, el canciller Moro ya tiene a un agente trabajando en esto, como sin duda sabéis.

—El canciller Moro está en otras.

¿Por qué no avivar las llamas del desfavor de Moro?, pensó Cromwell, y dijo:

—¿En otras? ¿Al margen de los asuntos del rey?

—Es posible que las intenciones del canciller Moro, pese a ser laico, estén más próximas a los intereses del papa Clemente que a los del rey. ¿Está clara la misión, pues?

—Muy clara. Encontrar a Tyndale y a Frith y traerlos de regreso empleando cualquier medio que sea necesario. —Intuyendo que la reunión tocaba a su fin, Cromwell inclinó la cabeza—. ¿Eso es todo, vuestra majestad?

—Eso es todo, maese Cromwell.

Mientras salía de la cámara privada seguido de Elyot, Thomas pensó que el favor del rey era tan voluble como su estado de ánimo. Le convenía recordarlo.

❧

Una araña había tejido su ancha tela entre dos arbustos del patio de la Casa Inglesa. John Frith reflexionó acerca de la simetría vaporosa de la tela, la fuerza del filamento casi invisible que la anclaba al arbusto más cercano al banco en el que estaba sentado con William Tyndale. Los rayos del sol cruzaban oblicuamente la tela, dorando los nervios de seda del vaporoso edificio. Era un objeto de gran hermosura, no muy distinto del intrincado esplendor del rosetón de una gran catedral, pensó John. Un objeto de gran hermosura, pero en el centro de esa intrincada hermosura una araña vestida de negro devoraba a placer una luciérnaga que se agitaba desesperadamente. John habría liberado al desdichado insecto, pero ya era demasiado tarde. La cabeza de la luciérnaga estaba siendo digerida lentamente por la araña.

Era una metáfora aleccionadora de aquello para lo que acababa de ofrecerse.

—Me gustaría esperar a que regrese mi esposa —dijo a William Tyndale—. Ha ido a Lovaina a visitar a Catherine Massys.

Tyndale se miró las manos manchadas de tinta; se presionó los dedos entrelazados y le crujieron los nudillos.

—Lo comprendo —contestó—. Ya sabes, John, que no estás obligado a ir. Podemos esperar; podemos encontrar otra manera. Confiaba en recibir alguna señal de Stephen Vaughan en cuanto a la opinión de su majestad al recibir mi carta. Puede que esté dispuesto a dejarse convencer y autorice la distribución legal de la Biblia. Pero eres un fugitivo, igual que yo. El riesgo sería considerable para cualquiera de los dos.

—Si Tomás Moro me atrapa, la causa no sufrirá como sufriría si te detiene a ti —confirmó John. Y luego, aligerando el tono para tranquilizar a su amigo, añadió—: Además, yo no soy nadie. Seguro que se han olvidado de mí. Y ten en cuenta esto, amigo mío —dio una palmada a Tyndale en el hombro—, quizá escribas mejor que yo y traduzcas más deprisa, pero yo hablo mejor que tú.

Tyndale se echó a reír.

—No niego la verdad de eso. —Pero la risa pronto se apagó y, muy serio, dijo—: Primero tendrías que acceder al rey. Concedió un salvoconducto a Robert Barnes cuando este le mandó una atenta carta solicitando que se le permitiera regresar para ocuparse de sus asuntos. Un salvoconducto sin condiciones. —También él observaba a la araña cebada en su presa. Añadió—: Pero Robert Barnes nunca ha incurrido en la ira de Tomás Moro.

—Tomás Moro solo conoce mi nombre, no mi cara. Si nos cruzáramos por la calle, no sabría quién soy. Conozco a Robert Barnes. Es un buen hombre. Puedo ir camuflado, quizá como criado suyo. Así el salvoconducto me incluiría también a mí.

—Si vas como criado de alguien, mejor será que mantengas la boca cerrada. —Tyndale se permitió una parca sonrisa—. Los criados, cuando maldicen, no sueltan alusiones clásicas.

Pero John no respondió a la amable broma de Tyndale.

–¿Cuándo parte Barnes? –preguntó, y en ese momento se decidió.

–Esta tarde. Dentro de unas cinco horas sale un cargamento de la Hansa con destino al Steelyard de Londres. Me enorgullece decir que transportará algo más que tejidos flamencos. Barnes me dijo que se proponía viajar en ese barco. Podrías estar en Londres esta noche. Si todo va bien, podrías estar de vuelta antes de que regrese tu mujer. Si es que decides ir.

–Aunque no pueda acceder al rey, puedo inspeccionar el terreno. Seguro que puedo llegar a Cromwell. Recibimos informes muy contradictorios. Algunos dicen que Moro está perdiendo influencia, que la Bolena tiene influencia sobre el rey. Podría ser que argumentos persuasivos nos granjearan la voluntad de Enrique. Al menos debería estar abierto a la idea. ¿Por qué, si no, nos habría ofrecido el perdón y un lugar en la corte?

–Llévate al capellán Rogers –sugirió Tyndale.

John negó con la cabeza.

–Dos correríamos más peligro que uno. Iré yo solo. Pero explica por favor lo del salvoconducto a mi mujer para que entienda por qué me he marchado sin decírselo. Dile que regresaré en cuanto pueda y que me gustaría que ella se refugiara en la Casa Inglesa hasta mi vuelta.

–No temas, John. La mantendremos a salvo. Tú cuídate. Kate es demasiado joven para quedarse viuda.

❧

Kate escuchaba la respiración rítmica de Catherine Massys y anhelaba los suaves ronquidos de John. Era su última noche en Lovaina y añoraba no solo la comodidad de su cama sino el consuelo de los brazos de su esposo. Pero se alegraba de haber ido; le había complacido especialmente conocer a las amigas de Catherine. Era un grupo de mujeres valerosas.

Como tenían que actuar con mayor reserva que en Amberes –que era un centro comercial más grande e importante, y más tolerante, menos pendiente de tales actividades–, una chispa de excitación animaba el estudio de la Biblia de las mujeres de Lovaina. No se

349

permitía la presencia de niños, por temor a que contaran algo fuera de allí. En su mayor parte las mujeres eran mayores, excepto dos: una que era soltera, y otra que, como Kate, no tenía hijos. Acogieron a Kate en su hermandad con sonrisas y abrazos. Kate pronto vio que para esas mujeres la fe era una cuestión de vida o muerte. Se maravilló de su audacia… y su temeridad. Incluso Catherine se estremeció cuando Berta, la mayor de ellas, después de leer la lección de la Biblia, despotricó contra los charlatanes de sotana negra de Roma. ¿No se le ocurrió en ningún momento a Berta pensar que la desconocida en quien confiaban podía ser una espía al servicio de la Iglesia?

Pero Kate sospechaba que todas sabían que aquello no era un juego tonto de niñas. Mientras Kate ayudaba a Catherine a disponer los cojines en círculo en el suelo de su habitación —«una habitación superior», la llamaba Charlotte, la bonita *fräulein* rubia—, las mujeres hablaban de las tretas que usaban con sus maridos. Una de las asiduas, una tal Dora, no se había presentado. Su marido había descubierto las reuniones y le había puesto un ojo morado, amenazándola con algo peor. Tardaría un tiempo en volver. «Pero conozco a Dora. Encontrará la manera», había dicho Catherine muy seria. Cómo debían de parecerse a los primeros cristianos, pensó Kate, antes de que la poderosa jerarquía eclesiástica ocultase el mensaje simple y puro predicado por un carpintero galileo itinerante bajo un lenguaje indescifrable, piedra labrada y oro laminado.

Ahora, recordando a la mujer a quien el marido había pegado, Kate permaneció en vela en la silenciosa oscuridad de esa misma habitación superior y pronunció en susurros una breve plegaria de agradecimiento por el tierno marido que en cierta ocasión había prometido en broma «no pegarle». Para Dora y muchas mujeres como ella eso no era una broma. Aun así, incluso el marido de Kate, que compartía las mismas creencias que ella y arriesgaba su vida para demostrarlo, no aprobaba las reuniones de mujeres y hubiera preferido que ella se quedara en la Casa Inglesa afilándole las plumas de escribir y llevándole sidra.

¿Era un pecado que Kate quisiera más? ¿Un pecado que quisiera participar de manera directa en la causa? Los sacerdotes sostenían

–incluso algunos reformistas– que las mujeres cargaban con la maldición de Eva, y por consiguiente el suyo era un papel menor. ¿Era un pecado de orgullo lo que la inducía a desear asumir los riesgos que asumían, cambiar lo poco que pudieran cambiar? ¿Un pecado de orgullo pensar siquiera que poseía el valor para ello? Ese mismo pecado –si era un pecado– la había llevado al río vestida de hombre para realizar el trabajo de un hombre, y Dios había recompensado esa acción uniéndola a John. Y de pronto la asaltó otro pensamiento que penetró en ella como unas tenazas candentes en carne tierna.

¿Podía ser que su orgullo de mujer fuera el pecado por el que su hijo murió en su vientre?

¿Fue aquello castigo de Dios? Recompensas por las buenas obras, castigos por las malas acciones: eso enseñaban los sacerdotes. Pero tú eso no lo crees, Kate Frith. Un Dios compasivo y misericordioso no castigaría a tu hijo inocente por tus pecados, ni siquiera un Dios justiciero lo haría. Y luego otro pensamiento se abrió paso en su cabeza. Pero tal vez Dios no considerara apta para la maternidad a una mujer tan obstinada.

No –¿lo dijo en voz alta? Catherine masculló en sueños y se dio la vuelta–. Kate rechazó esa idea de plano. Los luteranos creían en la gracia y rechazaban la imagen de Dios como un mayoral cruel con un látigo en una mano y una bolsa de monedas en la otra, y Kate coincidía con ellos.

¿Por qué, pues, la mantenían insomne esos pensamientos en conflicto? Quizá porque era demasiado tonta para entenderlo todo, quizá porque era mujer; no, si era tonta, no era por ser mujer. Había estado leyendo los textos del Antiguo Testamento traducidos al inglés en los que John y Tyndale habían trabajado con tanto esfuerzo. Allí aparecían mujeres: mujeres fuertes, como Judit y Débora y Esther. Y en el Nuevo Testamento estaban Dorcas y Febe y Lidia de Filipos, a quienes el apóstol Pablo dirigió su carta: «Doy gracias a mi Dios por cada recuerdo de vosotras…». Mujeres valientes que también se reunían para estudiar y rezar corriendo un gran riesgo personal.

Una cosa era indudable. Ella no tenía que engañar a John como esas mujeres de Lovaina a sus maridos. No estaba bien engañarlo. Le contaría toda la verdad: que el grupo era más numeroso en cada

351

reunión y que su determinación era tan firme y tan seria como la de él y los demás que habían sido encerrados con él en aquel sótano de Oxford. John no se lo prohibiría. De eso estaba segura.

Se durmió imaginándolo dormido solo y se preguntó si estaría en vela, echándola de menos.

XXIX

El espíritu del error y la mentira se llevó su misera-
ble alma directamente desde el breve fuego hasta el
fuego eterno. Y he aquí que este es sir Thomas Hitton,
el hediondo mártir de los demonios, de cuya quema
Tyndale se jactó tanto.

SIR TOMÁS MORO, sobre la muerte
de Thomas Hitton

—¡Está… quebrantando… la ley! Tu padre, el mayor defensor de la ley en Inglaterra, la incumple como si fuese el que dicta la ley y no el que la mantiene. La ley es clara. Todas las personas acusadas de herejía deben ser entregadas a las autoridades.

—Pero él es la autoridad secular —adujo Meg Roper con la actitud más sosegada posible para calmar a su marido, en general hombre de modales suaves.

—Existen procedimientos, un proceso ya establecido y legítimo… que él desacata. —Dio un puñetazo en la mesa. Parte de las gachas de su desayuno se derramaron.

—Chist, William. Los criados podrían oírte —dijo ella, a la vez que limpiaba las gachas.

Él bajó la voz, pero solo un poco.

—Está desquiciándose, te lo aseguro. Tiene una obsesión morbosa con la hoguera. Primero fue aquel peletero, Phillips, a quien él y su obispo servil interrogaron ilegalmente en su «árbol de la verdad», en su propio jardín de Chelsea, y siguió haciéndolo en una flagrante violación de la ley, incluso después de que un jurado lo declarara inocente. Y luego ese sacerdote, Hitton… la primera quema en ocho años. Ocho años, Meg. Inglaterra había estado libre de la mancha del humo, y justo entonces nombran canciller a tu padre.

–Pero eso es pura coincidencia.

–Thomas Hitton acabó en la hoguera después de un registro ilegal, y Tomás Moro se recreó en la quema de un hombre cuyo único delito era llevar cartas en los bolsillos para personas a quienes tu padre llamaba «los herejes de allende el mar». Cartas, Meg. Un hombre fue atado a una estaca y quemado porque llevaba cartas para William Tyndale.

Meg, incómoda, recordó el momento en que ella entró en el jardín sin previa invitación y su padre la reprendió por la intrusión, él, a quien siempre había considerado el más tierno de los hombres; también recordó que más de una vez había oído extraños gritos procedentes de la garita del portero, otro lugar al que ella y el resto de la familia tenían prohibido el acceso.

–Todo eso son mentiras, pérfidas mentiras difundidas por sus enemigos –insistió Margaret–. Todo gran hombre tiene enemigos. Es bastante indulgente con tus opiniones reformistas. ¿Cómo puede ser tan malo como dicen algunos?

–No seas tan ciega, Margaret. El gran Tomás Moro en persona registró el Muelle de Petite y encarceló a John Petite, miembro del Parlamento y burgués de Londres, pese a no encontrar un solo libro prohibido.

William arrancó un trozo de pan y la señaló con él para subrayar sus palabras.

–Más vale que alguien lo frene. Más vale que alguien hable con él. Ni siquiera Wolsey quebrantó la ley tan a la ligera. Y quizá Cuthbert Tunstall fuera un adulador del papa, pero, a diferencia de Stokesley, no llegaba al límite de la tortura y la hoguera. Cuando las víctimas de tu padre cuentan lo que hace, él se limita a esbozar esa sonrisa suya y dice que solo pretende salvar almas. Entre él y el nuevo obispo de Londres, al final no quedará ningún alma que salvar.

–¿Quieres más gachas? –preguntó ella con la esperanza de cambiar de tema–. Siento que no haya nada más. La cocinera está ocupada preparando morcilla. A ti te gusta la morcilla.

Pero él no se dejó distraer tan fácilmente. Era como si se hubiera roto una presa, y las palabras siguieron brotando. Margaret ignoraba que hubiera acumulado dentro de sí tal resentimiento hacia su padre.

–Sé de un librero de Cambridge, un tal Nicholson, que jura que sir Tomás lo azotó durante cinco días, cinco días, mientras lo mantenía atado a un poste en su jardín, y le ciñeron cuerdas en torno a la frente, apretándoselas hasta que se desmayaba. Será mejor que hables con tu padre, Meg. Tú ejerces cierta influencia sobre él. Si lo quieres, habla con él. Está emborrachándose con su propio poder.

–Hablaré con él –prometió Meg, solo para hacerlo callar. Estaba segura de que su padre tendría una respuesta para todas y cada una de esas infames acusaciones.

–¿Cuándo? –preguntó él con toda intención.

–Cuando llegue el momento oportuno, William. Le plantearé los rumores, y entonces verás que responde a todas tus acusaciones.

–Puede que lo haga a satisfacción tuya –dijo él–, pero dudo que de nadie más.

A continuación abandonó la mesa repentinamente, sin siquiera darle el habitual beso en la mejilla.

☙❧

La desconcertante noticia de que John se había marchado a Inglaterra sin ella, regresando a la boca del lobo sin siquiera consultárselo, la encolerizó. Luego la aterrorizó. Cuando él volvió, una semana antes de Navidad, tan andrajoso y desaliñado que Kate apenas lo reconoció, la abrazó con tal júbilo que ella se preguntó si él no era consciente del abandono que había sentido, el terror al que la había sometido.

–Son más numerosas las masas desaseadas que los hombres prósperos, amor mío –explicó él–. La clave está en confundirse con ellas sin parecer un vagabundo. He aquí a un corriente jornalero, impaciente por volver a casa junto a su extraordinaria esposa –dijo, y la besó. Olía a los caminos, pero sus labios eran dulces como la

355

miel–. Incluso falsifiqué un permiso para demostrar que estoy al servicio de un tal sir Sidney Stottlemeyer –prosiguió cuando se separaron. Metió la mano en su morral de cuero y le entregó el documento para que ella pudiera apreciar la broma–. Un guardia en las puertas de Westminster llegó a decir que lo conocía, pese a que acababa de inventarme el nombre. «Un digno caballero de pelo gris», dije, «con un lunar en la punta de la nariz». «Sí, sí, lo recuerdo bien. Dadle saludos de mi parte», contestó el pobre necio.

Kate examinó el documento de aspecto oficial que él había falsificado con su cuidada letra, admirada ante el valor y los recursos de su marido.

–¿Por qué necesitaste mostrar un permiso? A nosotros nunca nos pidieron esa clase de documento. No recuerdo que nuestro aprendiz llevara uno.

La sonrisa de él se desvaneció y dio paso a una expresión de ira que ella nunca había visto en el rostro de su marido.

–Eso es obra del caritativo canciller Moro. Ha conseguido que el Parlamento apruebe una ley por la que se estipula que toda persona saludable hallada fuera de su parroquia original sin un permiso para mendigar o prueba de empleo será desnudada, atada a una carreta y azotada en público por las calles hasta que su cuerpo sangre.

Kate de pronto tuvo una visión de la espalda de su hermano atravesada por las cicatrices, seguida de otra de Margaret Roper defendiendo la caridad de su noble padre. La antigua ira de otros tiempos brotó de dentro de ella.

Pero en John, con su buen carácter innato, la ira no podía ser muy duradera. Se echó a reír como si todo fuera el mismo gran juego y no una cuestión de vida o muerte mientras se quitaba la almilla manchada y cortaba el forro con un cuchillo. Salieron cartas, docenas de cartas, desparramándose ante él.

–Cada sobre contiene un montón de dinero –anunció con orgullo–, y palabras de aliento y gran afecto para nuestra causa. –Le brillaban los ojos de entusiasmo.

Había vuelto solo, explicó, sin esperar a Barnes para viajar con su salvoconducto porque quería entregar las cartas y, por supuesto, ver a su bella esposa. No había podido acceder al rey, dijo, pero daba igual porque seguramente no habría servido de nada. En su función de canciller, Moro estaba resuelto a quemar a todos los reformistas de la cristiandad. Cuando John empezó a nombrar a vendedores, compradores y lectores de Biblias que habían sido interrogados por sir Tomás Moro y el obispo Stokesley, Kate sintió tal pánico que casi se le paró el corazón.

–¿Te acuerdas de un tal Christoffel van Ruremund, ese del que hemos hablado alguna vez?

Kate movió la cabeza en un gesto de negación.

–Es… era… –dijo John– un holandés que introducía ilegalmente en Inglaterra ejemplares sin encuadernar del Nuevo Testamento de William. No era uno de los nuestros, pero eso poco importa. Mientras William consiga difundir la Palabra de Dios, le da igual quién obtenga beneficio.

–¿Has dicho «era»?

–Moro lo capturó. Lo encerró en la Torre. Murió allí después de uno de los «interrogatorios» del canciller.

A Kate se le cortó la respiración.

–¿Y tú cómo te has enterado de eso?

–Hay una posada junto al puente de Londres, el Signo de la Botella, donde se reúnen los hombres de la Biblia. No sé si la conocías. Probablemente tu hermano sí. Allí me contaron lo de Christoffel y unos cuantos clientes más. La mujer del posadero me advirtió de que los espías de Moro vigilaban el establecimiento. –Hizo una pausa y, cogiéndola por los hombros, la estrechó contra sí–. Nunca hables con desconocidos sobre lo que hacemos aquí, Kate. Ni siquiera con las mujeres con quienes te reúnes. A veces desearía que te conformaras con…

–Sabes que no lo haría –atajó ella antes de que John expresara la protesta que ella no deseaba oír, y menos ahora que él había corrido tal riesgo sin consultarle antes a ella–. Eres tú quien se pone en peligro. Eres tú el que se va de la lengua, siempre predicando ante el primero que se presenta dispuesto a escucharte, metiéndote en la guarida del dragón.

–Es solo que cuanta menos gente nos conozca, cuanta menos gente sepa lo que hacemos… bueno, imagina que Christoffel hubiera sucumbido al interrogatorio, como ha sido el caso de hombres más débiles…

Kate pensó en su hermano, que había sucumbido bajo esa misma cólera, y la vergüenza y el horror que había sentido ella por su sufrimiento.

—Si se enterara de dónde estamos…

A Kate los ojos le escocieron a causa de las lágrimas ante la sola idea de perder tanto a su hermano como a su marido por el odio desenfrenado de Tomás Moro.

—Prométeme que nunca más volverás a hacerlo, por favor.

John la atrajo hacia sí y la besó en lo alto de la cabeza.

—Fui a Paternoster Row. Vi tu imprenta.

Ella alzó la mirada, con gran curiosidad, aunque no pasó por alto la treta de John. Pretendía distraerla. No le había prometido nada. Pero ella decidió que si John volvía a marcharse, no se iría solo.

—Todavía está el cartel, LIBRERÍA E IMPRENTA GOUGH, aunque un poco herrumbroso y necesitado de una mano de pintura.

—¿La ocupaba alguien?

—No. Las ventanas y las puertas estaban tapiadas. Y un aviso descolorido decía que había sido cerrada a causa de la peste, con un tosco dibujo para ahuyentar a los analfabetos… Eso fue, supongo, lo que disuadió de entrar a los vagabundos. El aviso llevaba el sello de lord Walsh. Lo copié y le cambié la fecha.

—Pero no entraste. —De pronto la asaltó el anhelo de ver la pequeña tienda y subir por la escalera a su vieja habitación bajo el alero.

—Claro que entré. Fue allí donde me alojé durante mi estancia en Londres. Arranqué una tabla y entré por la ventana que da al callejón. —Sonrió—. Dormí en tu pequeño camastro, aunque habría sido más apto para dos.

—¿Cuánto tiempo estuviste allí? ¿Adónde más fuiste?

—No me quedé mucho en Londres, lo justo para averiguar lo que necesitaba saber.

—¿Y eso qué fue?

—Que si la Bolena en algún momento ha abierto la mente de Enrique como pensábamos, esa ventana se ha cerrado. En abril reunió a unos cuantos miembros del clero e incluso hablaron de autorizar una Biblia inglesa. Algunos, según mis fuentes en la posada de la que te he hablado, de hecho tuvieron el valor de salir en su defensa, pero Moro ganó la partida. Mientras Moro sea canciller, no habrá Biblia legal –dijo muy serio–. Y sin embargo hay Biblias por todas partes, desde Gravesend hasta Bristol, desde el castillo más noble hasta la más miserable choza. Algún día, no pronto, pero sí algún día… es una libertad que la gente aspira a tener.

–Pero ¿cómo van a tenerla si el rey no la permite?

–Han demostrado que están dispuestos a arriesgarlo todo por eso. ¿Qué puede hacer un papa, un rey o incluso un emperador ante una cosa así? Cuando la cantidad aumenta demasiado, la única salida es ceder. O si no, no quedará en Inglaterra nadie para pagar los tributos y financiar las guerras de Enrique.

Se sentó en la cama y se quitó las botas.

–Qué placer estar en casa –exclamó, y se tendió con los brazos y las piernas extendidos en la cama–. No me has hablado de tu viaje.

Pero ya había cerrado los ojos.

–Conocí a muchas de las amigas de Catherine. Eran francamente… –Kate se interrumpió–. Ya te lo contaré más tarde, cuando no estés tan cansado.

─ ❧ ─

En virtud de sus funciones de canciller, sir Tomás Moro era el único laico presente en la Asamblea del Clero convocada por el rey, y como el objetivo de dicha asamblea atañía claramente al Tesoro, era su reticente deber leer la proclama. Estaban todos allí: el arzobispo Warham de Canterbury, Tunstall, el nuevo obispo de Durham, y Stokesley, su sustituto en Londres, junto con una legión de obispos, abades y priores, muchos de los cuales Tomás conocía por su nombre.

Con un susurro de seda y de delicada lana negra, ocuparon sus asientos en la sala de Westminster, saludándose con sus tocas negras y púrpura y sus estolas ribeteadas de armiño, tapándose los labios tensos con los dedos enjoyados al cuchichear. En la sala se respiraba un ambiente de dignidad, impregnado del aroma de densos perfumes, pero a Tomás le recordó el aire previo a la tormenta. El arresto de Wolsey había sido para ellos el ruido del trueno a lo lejos.

Esperaban a ver si los nubarrones se habían despejado, y tenían razones para creer que así era. El cadáver del cardenal, a pesar de su arresto por conspirar con el papa contra el rey, había sido expuesto públicamente, tras su oportuna muerte unas pocas semanas antes, con toda la dignidad de su cargo: mitra, báculo, anillo, palio y vestiduras. Se había instalado una capilla ardiente a la vista de todos, con el féretro bien iluminado mediante velas de cera mientras los canónigos entonaban cantos fúnebres. Aunque se rumoreaba entre el clero que la ramera del rey había ofrecido una mascarada de Año Nuevo en la corte para honrar «la ida al infierno del cardenal Wolsey», el hecho de que se lo hubiera enterrado con los honores propios de un cardenal era prueba de que el rey seguía bajo el yugo papal.

Correspondía a Tomás ese día la triste misión de sacarlos de su engaño.

De pie en la cabecera de la sala, aguardó a que cesaran los murmullos y todas las miradas se volvieran hacia él, y entonces, con la eficiencia que lo caracterizaba, anunció que estaba allí en representación de la Corona. Unos cuantos expresaron en susurros su insatisfacción por la circunstancia de ver que su majestad había decidido no honrarlos con su presencia cuando ellos, a petición de él, habían viajado desde tan lejos por los caminos estragados a causa del invierno. Ese no era un buen augurio, y lo sabían.

Tomás cogió los papeles de la mesa y, aclarándose la garganta para quitarse el nudo de reticencia ante tal tarea, empezó a leer los cargos. Todas las miradas permanecían fijas en él, todos los oídos aguzados para no perderse una sola palabra. Tomás no levantó la voz. Nunca levantaba la voz. Hacía tiempo que sabía que solo los impotentes vociferaban. Tomás no tenía necesidad de gritar.

Sin emoción, y con un tono uniforme que no delataba lo mucho que aborrecía esa lectura, dio a conocer la declaración del rey. Afirmaba que los retrasos del papa por nimiedades en lo referente al matrimonio del rey habían costado al Tesoro cien mil libras, y se exigiría la restitución de dicha cantidad a los representantes ingleses de la Santa Iglesia Católica Romana allí reunidos. Todo sacerdote y prelado que hubiese secundado la *praemunire* del difunto cardenal era en igual medida culpable de la traición del cardenal y estaba, por consiguiente, sujeto a pena de prisión en la Torre y confiscación de sus propiedades.

Siguió un suspiro colectivo, un intercambio de miradas inquietas, e incluso unas cuantas exclamaciones de indignación, pero nadie expresó un franco desafío. Cobardes todos, pensó Tomás al reanudar la lectura. Si él hubiese ceñido la mitra en lugar de llevar la cadena de su cargo –hacia la que lo habían conducido su padre y su naturaleza carnal–, ante tal ultraje no se habría quedado en silencio como hizo el arzobispo Warham. No había uno solo entre ellos, quizá a excepción del obispo Fisher de Rochester, dotado de la entereza necesaria para mantenerse firme. Pero incluso él guardó silencio ante tal chantaje.

Tomás prosiguió. Si tenían el sentido común de pagar al Tesoro la suma de cien mil libras, no habría ulteriores investigaciones ni se presentarían más cargos. La Corona se daría por satisfecha.

Tomás no se sorprendió al enterarse, dos días después, de que habían accedido a pagar la extorsión del rey. Tampoco se sorprendió cuando al cabo de dos semanas Enrique VIII, rey de Inglaterra, se presentó en el Parlamento y exigió que se lo reconociera como único protector y jefe supremo de la Iglesia y el clero ingleses. En esta ocasión el obispo Fisher de Rochester expresó su oposición con contundencia. Tomás, sintiendo que el peso de la gran cadena del cargo le quemaba como un hierro candente, guardó silencio. *Qui tacet consentire videtur.* Así, con su silencio, Tomás manifestó su consentimiento a la destrucción de su Iglesia en Inglaterra.

Esa noche la pasó postrado en el suelo de su capilla de Chelsea, mientras se coagulaba la sangre de los verdugones en su espalda, heridas que se había infligido él mismo para aplacar a un Jesucristo defraudado. Pero al día siguiente sería fuerte, renovaría sus esfuerzos para dar con los verdaderos enemigos de su Iglesia, aquellos que aspiraban a la destrucción de la Santa Sede. Lo haría por el Jesucristo a quien había decepcionado. Les daría caza mientras viviera, si es que vivía. Les daría caza dentro del país, les daría caza en el extranjero. Tomás Moro, sacerdote, ofrecería a los herejes como expiación suya. El olor a humo se elevaría hasta el cielo.

XXX

[Richard Bayfield], sacerdote y monje a la vez…
cayó en la herejía y abjuró, y después de eso, como un
perro que vuelve a su vómito, huyó al otro lado del
mar y envió desde allí las herejías de Tyndale con
muchos otros libros malévolos… el monje apóstata
fue bien y debidamente quemado en Smithfield.

SIR TOMÁS MORO sobre la quema
de Richard Bayfield

En los meses siguientes, durante el largo invierno y gran parte del año entrante, el pequeño grupo de traductores, fortalecido por las cartas de apoyo con las que John había vuelto de Inglaterra, trabajó afanosamente. Los días y las noches entraron en una plácida rutina construida en torno al trabajo.

Kate y John se trasladaron a la Casa Inglesa a instancias de Tyndale, pero Kate se negó a renunciar a sus clases sobre la Biblia. El apartamento no se había alquilado, y Catherine Massys accedió a que las mujeres continuaran reuniéndose allí. Complacía a Kate que el grupo siguiera creciendo y deseaba compartir esa satisfacción con John, pero por alguna razón no le parecía sensato sacar el tema a relucir. Él había consentido a regañadientes esas reuniones cuando Kate se quejó de tener que instalarse a vivir con los Poyntz. Sencillamente no era seguro estar en ninguna otra parte, había dicho John, no cuando eran cada vez más los fugitivos procedentes de Inglaterra.

Tarde o temprano, por fuerza, se encontrarían con alguien como Stephen Vaughan, de quien se sabía que estaba de vuelta en Amberes, y reconocería a John o incluso a Kate.

Vaughan sostuvo que ya no era agente del rey, pero no confiaban plenamente en él. Les había advertido, por mediación de un mercader inglés, con quien había trabado una precaria amistad, que un distribuidor de Tyndale había sido prendido en Inglaterra. George Constantine había sucumbido fácilmente bajo el interrogatorio de Moro, que se prolongó varias semanas, y dio los nombres de capitanes de barco e imprentas, así como los códigos secretos asignados a las cajas embarcadas con carga de contrabando. Vaughan afirmaba que temía por su propia seguridad, ya que, según se decía, Constantine había dado su nombre como simpatizante de los refugiados de Amberes.

Incluso Tyndale salía menos tras ser prevenido por el mismo mercader de que el rey había ordenado a Thomas Elyot, el nuevo embajador inglés en la corte imperial, que capturara al traductor y lo llevara de regreso a Inglaterra. Tyndale había salvaguardado su imagen cuidosamente durante los años de exilio, pero ahora eran muchos los que lo reconocerían. Aún se aventuraba a visitar los barrios más pobres de la ciudad para llevar a cabo su labor caritativa, aunque con menos frecuencia. A veces John lo acompañaba, pero a Kate nunca la dejaban ir con ellos.

Eran muchas y muy animadas sus conversaciones acerca de lo que podía significar tal texto de las Escrituras en la traducción más rigurosa o si el «labriego más pobre e inculto» de Inglaterra comprendería mejor tal elección de palabras que tal otra. Más de una vez Kate se calló su opinión hasta el punto de creer que iba a atragantarse con ella. No deseaba avergonzar a John. Cada vez se convertían más y más en una sociedad cerrada. Ella salía sigilosamente los viernes por la mañana con la esperanza de no llamar la atención, por temor a que de pronto decidieran que sus reuniones planteaban un riesgo excesivo. Ni siquiera la dejaban llevar material a la imprenta o recogerlo, por miedo a que la siguieran.

Cuando los días se acortaron, empezó a temer el invierno. John cada vez tenía menos tiempo para ella. Pero Kate, si era sincera consigo misma, no podía decir que su marido la desatendiera. Estaba pletórico de energía, e incluso en la escasa intimidad de la Casa Inglesa, cuando la puerta de su alcoba se atrancaba, le mostraba su afecto y desde luego pasión suficiente para engendrar un hijo… para engendrar toda una casa llena de hijos. El fallo debía de estar en ella, pensó Kate.

A la primera luz del alba, John siempre abandonaba la cama para empezar a trabajar temprano. Esas mañanas frías ella lo invitaba a volver a acostarse. «William dice que debemos comenzar temprano para ahorrar el coste de las velas», le recordaba él. Y luego, con un beso en la frente, decía: «Duérmete, ángel mío». Pero algunos días ella no volvía a dormirse. Los viernes, y ahora también los martes, se levantaba y se vestía, y luego salía discretamente por el jardín de la capilla para ir al pequeño apartamento donde el número de mujeres y niños iba en aumento. Pero siempre se cuidaba de que no la siguieran. John nunca la perdonaría si ella perjudicaba de alguna manera su trabajo o ponía a su amigo en peligro.

Las noticias de Inglaterra eran aún más alarmantes. A cada nuevo barco los refugiados temerosos traían historias de quemas. Kate se sintió especialmente afectada al conocer el caso de una de las víctimas. Richard Bayfield era un antiguo benedictino que se había adherido a la Reforma y traficado tanto con textos reformistas luteranos como con los libros de Tyndale. Al igual que otros antes que él, que se habían visto obligados a abjurar, había huido al continente. Kate recordaba el día que lo conoció. Fue el verano anterior, y el hombre estaba de un humor excelente, justo después de introducir con éxito un cargamento por la costa este, ante las mismísimas narices de los espías del canciller, y llegar luego a Londres a través de Colchester. Se había reído y había brindado por el afortunado viaje con varios mercaderes de la Casa Inglesa, e incluso los traductores habían abandonado su trabajo para sumarse a la celebración. Daba la impresión de que Dios realmente viera con buenos ojos sus esfuerzos.

Pero cuando Bayfield regresó en noviembre parecía otro hombre. En esta ocasión la escena fue sombría. Estaba allí, dijo, para informar de una desventura y un fracaso. El barco había sido apresado en los muelles de St. Katherine, poco más abajo de la Torre. Él se había librado de la captura al echar por la borda las Biblias de contrabando en cuanto avistó a los inspectores de Aduanas debajo del puente. Como ya se había retractado una vez, añadió avergonzado, por un segundo delito podían mandarlo a la hoguera sin juicio. Tyndale le dijo que no se preocupara por las Biblias, dando por sobreentendido que el impresor podía sustituir los libros pero no a un buen hombre, y que Moro debía de tener un espía cerca si conocía el destino del cargamento. Quizá Bayfield debía tomarse un descanso.

Pero Bayfield negó con la cabeza y dijo: «No. Nada de descansos. Tengo que expiar… lo otro».

Kate sabía a qué se refería y lo admiraba por ello. Se acordó de su hermano y de la tristeza que se había apoderado de él después de abjurar. La vergüenza que ella había sentido por él. Deseó recordar a Richard Bayfield que no necesitaba, de hecho no podía, expiar sus propios pecados. Como seguidor de Lutero, creía sin duda en el libre perdón del pecado por medio de la gracia y no de las obras. Pero nunca tuvo ocasión de ofrecerle ese consuelo. En Semana Santa, Bayfield fue prendido por contrabando en Norfolk y ejecutado sumariamente.

Al cabo de tres semanas, les llegó la noticia de la quema de un peletero londinense, llamado John Tewkesbury, por posesión de libros de Tyndale. A partir de ese día fue tal el desasosiego de su marido por el bienestar de ambos que se convirtió en una auténtica prisionera en la Casa Inglesa.

—Lo mismo sería estar en la Torre –dijo ella con rabia cuando él le prohibió salir.

—No lo creo, ángel mío. –Apartó la vista de su trabajo–. Aquí tienes un carcelero muy comprensivo –añadió, dejando la pluma–. Ven. Daremos un paseo por el jardín tapiado.

—No quiero dar un paseo por el jardín. No soy una niña a quien haya que calmar –protestó ella–. Sé lo importante que es tu trabajo, John. También sé lo arriesgado que es. Tú confía en mí. No hablaré de tu trabajo.

—Confío en ti, Kate. No es eso. Temo por tu seguridad. Solo es cuestión de tiempo que tus actividades se descubran y censuren. Se harán pesquisas. Hay espías de Moro por todas partes.

–Las otras mujeres me conocen solo por el nombre de Kate. Ni siquiera saben cómo te llamas tú. Si, como dices, existe un riesgo, es solo para mí, y yo he decidido aceptarlo. Es poca cosa. La mía no es una gran aportación, a diferencia de la tuya y de la de Tyndale, pero es mi aportación. –Se acordó de la mujer de Lovaina con el ojo morado, la Dora que ya encontraría una manera de acudir a las sesiones–. Pienso ir, John. Encontraré la manera. Esas mujeres cuentan conmigo.

Se puso la capa y se levantó la capucha para protegerse del frío de finales de la primavera, y luego lo besó.

–Te quiero, John Frith –dijo–. Ahora me voy a mi reunión, y llegaré a tiempo de afilarte las plumas y volver a llenarte la copa de sidra.

Él no intentó detenerla.

❦

Alegando una opresión en el pecho, sir Tomás Moro no asistió a las celebraciones navideñas del rey, aunque no le cabía duda de que su ausencia no pasaría inadvertida. Sencillamente no se sentía con ánimos de ver a la Bolena exhibiendo su influencia ante la corte, ni al petulante Thomas Cromwell, ufanándose del favor real. Prefirió pasar esas noches enclaustrado con su último invitado en la garita del portero, donde obtuvo resultados más felices. Cuando el «árbol de la verdad» y unos cuantos días en el cepo hicieron mella en su determinación, la información había escapado del prisionero Constantine como de un cubo herrumbroso. Esa noche el canciller había ordenado al portero que lo dejara fugarse: un roedor escabulléndose hacia el nido de alimañas, y ellos lo seguirían en su camino de regreso a Amberes.

–¿Dices que maese Constantine ha saltado la tapia?

El portero sonrió.

–Sí, milord, me temo que he sido descuidado.

–Bien hecho, Barnabas. Pero más vale que reparemos el cepo, y que cerremos bien. Puede que nuestro prisionero quiera volver –bromeó sir Tomás. Enseguida cambió de tono–. La garita deberá estar disponible cuanto antes. Esta noche vamos a recibir a un abogado del Middle Temple, un tal Bainham. Creo que el abogado

366

Bainham necesita instrucción en cuestiones de verdadera fe. Esta no abarca tanto como el querría. Ha escrito que «si un judío, turco o sarraceno deposita su fe en Dios, es un buen cristiano». ¿Te imaginas, Barnabas? ¡Un buen cristiano rezando con judíos, turcos y sarracenos!

Barnabas movió la cabeza en un gesto de incredulidad.

–¿Habrá que persuadirlo primero con argumentos o interrogatorios, milord? –preguntó.

–Argumentos y oraciones. Puede que consigamos salvar su alma sin causar daño a su cuerpo. Pero ha ido demasiado lejos en la dirección contraria, me temo. Pone en duda la verdad de la eucaristía. –Se palpó el profundo bolsillo de su voluminosa capa y sacó un documento enrollado–. Aquí está su orden de detención. Dile al sargento de armas que si no lo encuentra en las cámaras del Middle Temple, busque en la cama de su nueva esposa.

–¿Está recién casado, pues? –La expresión de consternación del portero indicó que su entusiasmo ante la idea del interrogatorio decaía.

–Aférrate a la fe, hombre. El hecho de que esté recién casado no quiere decir nada. No desperdicies tu compasión. Su nueva esposa no es una doncella dulce e inocente que está aprendiendo los placeres del amor de su nuevo marido. Es la viuda de un destacado hereje, un escritor de textos casi tan injuriosos contra la Santa Iglesia como los del propio Tyndale.

El portero cogió la orden, y sir Tomás se volvió hacia la casa principal.

–Estaré en mi gabinete. Llámame cuando llegue nuestro invitado. Sea cual sea la hora.

Pero cuando entró en su casa, sir Tomás pasó por su gabinete justo el tiempo suficiente para coger la pequeña tralla de su sitio habitual. A continuación se dirigió a la capilla. Eran ya más de las doce cuando encendió los candiles de su gabinete y empezó a escribir.

~✦~

A la mañana siguiente, Meg Roper, vacilante, llamó a la puerta del gabinete de su padre.

–¿Quién es? –contestó él con tono seco, impaciente. Meg ni siquiera reconoció aquella voz de tenor, y al principio pensó que tras el escritorio de su padre había otro hombre.

–Soy Margaret, padre. Os traigo vuestras camisas.

–Pasa –dijo él. Señalando con la cabeza el fardo que ella acarreaba, añadió–: Déjalo en la silla de debajo de la ventana. Hay otras dos arrugadas bajo el taburete.

Meg recogió las camisas sucias, advirtiendo que una de ellas seguía húmeda de sudor y estaba manchada de sangre reseca. Notó también la delgadez de su padre y lo grises que tenía el pelo y la piel, como si todo fuera del mismo color. Se entretuvo, sin saber por dónde empezar, con la esperanza de que él la invitara a quedarse. Pero no fue así: su padre volvió a fijar la atención en la polémica que estaba escribiendo. Meg supo por la furia con que movía la pluma y por el ceño en su frente que era otra de las enconadas respuestas a una de las obras de Lutero o Tyndale. ¿Por qué esos hombres tenían que mantener tal discusión en público? ¿Por qué no intercambiaban su virulencia en privado y ahorraban a otras almas el dolor de oírlos?

Tan abstraído estaba que no parecía darse cuenta de que ella continuaba allí, hasta que entre dientes, sin alzar la vista, dijo en una clara indirecta:

–¿Alguna otra cosa, Margaret?

–Una de las camisas, padre… estaba tan manchada de sangre que no he podido dejarla del todo limpia. ¿Toda esa sangre era vuestra?

Sir Tomás abandonó la pluma y, dejando escapar un suspiro, la miró.

–¿De quién iba a ser, si no?

–Pero estaba tan salpicada…

–Tú ya conoces el ritual de la mortificación de la carne. Hemos hablado antes de eso. Sabes por qué lo hago –concluyó, reprendiéndola con el mismo tono que empleaba cuando ella, de niña, cometía algún descuido en sus traducciones de Virgilio.

Ciertamente habían tratado el tema. Y lo conocía, pero en realidad no lo entendía. La Iglesia había condenado la autoflagelación, si bien algunos monjes la practicaban aún en secreto. Cuando ella le preguntó por primera vez por qué lo hacía pese a las enseñanzas de la Iglesia, él le explicó que era una doctrina sensata y que la Iglesia solo se había opuesto a la exhibición pública de esa práctica. Antes los monjes y los sacerdotes desfilaban por los pueblos azotando a la gente a la vez que se azotaban ellos mismos. Creaban un espectáculo que atraía críticas. Algunos de los flagelantes incluso vendían sus propias prendas ensangrentadas a campesinos supersticiosos presentándolas como paños milagrosos.

Su padre se había reído al contarlo, y añadió que esperaba que ella no tuviese la intención de vender tiras ensangrentadas de su camisa. Él deseaba mantener su devoción en privado. Por eso no recurría a la lavandera de Chelsea. A Margaret no le había importado. Llevaba años lavando la sangre de sus camisas. Pero nunca habían estado tan manchadas. Eso no era un ritual simbólico.

—¿Por qué me lo preguntas, Margaret? ¿Por qué quieres saber si toda la sangre es mía? ¿Acaso has escuchado algún rumor malévolo?

—Solo me preocupo por vos. A medida que aumenta la cantidad de sangre en vuestras camisas… vuestra alegría parece desvanecerse.

Él esbozó una débil sonrisa, una sonrisa que si pretendía ser tranquilizadora, se quedaba corta.

—Ya habrá tiempo más adelante para la alegría. Cuando el trabajo duro de la Iglesia esté acabado.

—¡La Iglesia! Sois canciller, padre, no arzobispo.

—No seas insolente con tu padre, Margaret. Es pecado. Pero el hecho es que mis obligaciones de canciller no se diferencian de las obligaciones del arzobispo. El Estado no puede existir sin la Iglesia. Lo que es bueno para la Iglesia es bueno igualmente para la Corona. —En este punto bajó la voz, como si lo hubiera distraído un pensamiento ingrato.

—Lo siento. No era mi intención faltaros al respeto. Es solo que corren rumores… de que quizá vos os… excedéis en vuestro celo en cuestiones sagradas. Os excedéis más de lo que permite la ley.

—¿Pretendes darme lecciones en materia de leyes, hija? —preguntó él, endureciendo el tono de voz—. Por lo visto te he enseñado más de leyes que de modales.

Margaret sintió que su piel empezaba a arder bajo aquella mirada fulminante. De pronto no eran padre e hija, sino adversarios.

Él la miraba con frialdad y le hablaba con una voz controlada, totalmente desprovista de la calidez y el regocijo que ella solía ver cuando estaban juntos. Se le ocurrió, pero solo por un segundo, pensar que no le gustaría hallarse ante un acusador como él.

–Claro que no… es solo que… William dice…

–Ah, William dice. –La mirada que le dirigió fue tan feroz que Margaret casi se quedó sin aliento–. ¿Y qué más dice mi yerno William Roper? El hombre cuya falsa teología ha contagiado mi casa, cosa que he tolerado solo por amor a mi hija. Dime, hija, ¿qué más dice William? ¿Con qué malevolencia me lo paga?

Meg mantenía aferradas contra el pecho las camisas ensangrentadas, sin darse cuenta de que una había dejado una mancha en la seda azul claro de su corpiño, sin darse cuenta de nada salvo de la vergüenza y el remordimiento que sentía por causar dolor a su padre.

–Nada, padre. William no tiene para vos más que palabras de alabanza. Está orgulloso de vos, como lo estamos todos.

Él guardó silencio y miró por la ventana del gabinete hacia donde la primera nevada de la estación empezaba a cubrir la tierra fea y surcada de cicatrices de escarcha asesina.

–Vuelve el invierno –anunció él, como si esa circunstancia lo sorprendiera.

–Sí, padre. Así es –contestó ella, alegrándose de que se hubiera cerrado el tema. Nada había cambiado; ella no lo había convencido, pero había cumplido su promesa.

–Necesitarás una capa nueva –dijo él–. Las hijas del canciller deben ataviarse como corresponde a su rango.

–Sois muy generoso –respondió Margaret, pensando que los rumores por fuerza eran falsos. Era un padre afectuoso y un hombre justo. ¿Acaso su tolerancia para con las tendencias reformistas de William no era prueba de esa tolerancia?

–¿Me permitiríais aplicaros ungüento balsámico en la espalda?

Al oírla, él se rio.

–Bueno, eso en cierto modo rebajaría el acto de la expiación, ¿no?

Era grato oírlo reír. Margaret intentaba recordar la última vez que había oído su risa, cuando los interrumpió la repentina aparición en la puerta del portero.

–Está aquí vuestro invitado, sir Tomás –dijo.

–Enseguida voy –contestó, levantándose al instante de su silla. Ella lo miró perpleja mientras él salía apresuradamente tras el portero con toda la energía de un joven.

～✧✦～

Resultó que el abogado James Bainham no era tan fácil de persuadir. Kate observó los rostros atónitos de los traductores mientras los mercaderes informadores contaban cómo lo habían sometido al «árbol de la verdad» de Moro, y luego al potro hasta que su cuerpo quedó lisiado e inútil, y aun así, no se retractó. Pero la noticia de que su nueva esposa había sido encarcelada en Fleet por ocultar los libros de Tyndale, que finalmente aparecieron en el registro de la casa, consiguió lo que la tortura física no había logrado: Bainham abjuró.

Kate se acordó de su hermano, que se había retractado por el bien de su mujer y su hijo. «¿Haría John eso por mí? ¿Querría yo que lo hiciese?», se preguntó. Los mercaderes y los traductores, así como unos cuantos refugiados –los pocos en quienes se podía confiar– se reunían semanalmente para rezar, ahora por quienes sufrían en Inglaterra. Rogando para no verse nunca ante esa elección, Kate dio gracias a Dios de que John no estuviera en Inglaterra.

371

XXXI

Todos los agravios que los hombres temporales (se-glares) padecían deberían ser puestos por escrito y entregados al rey.

Parlamento, enero de 1532, en relación
con las quejas contra el clero, que dieron
lugar a la legislación que limitó el poder
del clero y llevó a la dimisión de Moro

En marzo, Kate tenía la certeza de que estaba encinta. La pri-mera mañana que vomitó, lo atribuyó al venado de la noche ante-rior; le había parecido detectar un intenso olor bajo las sabrosas es-pecias que a veces usaba la cocinera para rescatar aquello que era relativamente rescatable. John había abandonado su cama caliente al amanecer para bajar al *scriptorium,* como llamaban en broma a la zona poco espaciosa del salón que la señora Poyntz intentaba ocultar tras un biombo. Kate forcejeaba con los cordones del cor-piño cuando, sin previo aviso, sucumbió a las náuseas. Antes de poder sacar el orinal de debajo de la cama, vomitó el venado cau-sante de su malestar en el suelo cubierto de esteras. Se tumbó otra vez en la cama hasta que se le pasaron las náuseas; luego limpió el suelo y bajó para ver si John la necesitaba.

Durante los días siguientes solo pudo ingerir galletas saladas rancias y sidra aguada. Al principio John había hecho una pequeña broma acerca de su repentina afición por las obleas de la comunión, pero luego empezó a preocuparse. Kate lo tranquilizó aduciendo que, debido a la vida conyugal, estaba engordando, y pensaba que si comía menos quizá no perdería la figura. Tras lo cual él le rodeó la cintura con el brazo y le dijo que la querría aunque engordara tanto como la esposa del panadero.

Para cuando el tiempo del deshielo trajo las primeras gotas de nieve fundida, Kate ya no lo achacaba al venado. Al principio no se atrevió a acariciar esperanzas, ni compartió la buena nueva con nadie, ni siquiera con las mujeres del grupo de estudio; pero más de una vez John había interrumpido sus ensoñaciones y había comentado que la notaba ausente. «Solo estaba pensando en lo afortunada que soy de tener un marido con tanto talento» o «Sueño con la primavera que llega». Eso parecía satisfacer a John, que después volvía a enfrascarse en sus textos.

Llevaba días trabajando en su polémica, siempre que no corregía textos de Tyndale o traducía pasajes. En ella sostenía que la doctrina del purgatorio era un constructo reciente de la Iglesia, sin fundamento en las Sagradas Escrituras, y que el pan y el vino de la eucaristía eran solo símbolos del cuerpo de Cristo. Kate entendía el razonamiento contra el purgatorio; era el andamiaje en el que se basaba la venta de indulgencias, el medio por el cual la gente corriente se veía explotada y esclavizada por la jerarquía eclesiástica corrupta. Ahora bien, no comprendía la insistencia de su marido en dedicar tanto tiempo al simbolismo de la eucaristía. Ni siquiera los hombres de la Biblia, u «hombres nuevos», como algunos los llamaban, se ponían de acuerdo en la doctrina de la transubstanciación. ¿Qué importaba si el participante pensaba que el vino se convertía realmente en sangre, siempre y cuando creyera que estaba recibiendo en su cuerpo el espíritu de Cristo en un acto de obediencia? Pero John estaba plenamente entregado a desarrollar la argumentación más completa posible contra la presencia real del cuerpo y la sangre de Cristo en el pan y el vino de la eucaristía. Ya tenía bastante material para llenar dos volúmenes, y seguía escribiendo.

El ambiente masculino de la pensión de los mercaderes no era el hogar adecuado para un recién nacido, decidió Kate un día mientras los traductores conversaban afablemente. El niño necesitaba un hogar como era debido. ¿Cómo podía decírselo a John? A diferencia de ella, a él le encantaba el entorno de la Casa Inglesa. Pero, claro está, él se había formado en Cambridge y Oxford. La convivencia íntima de las residencias le gustaba. De hecho, Kate temía que la noticia de la llegada del niño pudiera no ser del todo bien recibida por su teólogo convertido en marido a punto de convertirse en padre. Con el paso de los meses se lo veía más aliviado que molesto por no tener hijos, dejándolo a la voluntad de Dios cada vez que ella sacaba el tema. Bueno, ahora que ese hijo era un hecho consumado, y un hecho en cuya consumación él había participado activamente, ella solo tenía que recordarle que también eso era voluntad de Dios.

En mayo estaba ya tan convencida que empezó a coser torpemente ropa de bebé, y confió el secreto a la señora Poyntz, rogándole que comprara tejidos adecuados. Cuando la señora Poyntz regresó del mercado, llamó a Kate a su habitación y dejó el suave hilo para los pañales en la cama.

—No he podido resistirme —dijo la señora Poyntz, y fue casi como si leyera el pensamiento a Kate—. No, esto no lo pagarás tú. Es un obsequio.

Kate, incrédula, acarició la seda y el encaje de un gorrito. Ya estaba de tres meses, dos semanas más que cuando perdió al otro niño. Iba a ocurrir; iban a tener un hijo. Las lágrimas asomaron a sus ojos y se derramaron, resbalando por sus mejillas. Sorbiéndose la nariz, se las enjugó.

—Tienes que decírselo, ya lo sabes —aconsejó la señora Poyntz, cogiéndole la mano.

—Lo sé —contestó Kate entre hipidos—. Solo esperaba hasta…

—Hasta estar segura de que no lo perderías. Pero de eso en realidad nunca puedes estar segura, querida, no hasta que tienes al niño en brazos y él te tira del pezón como un pequeño salvaje hambriento.

—Se lo diré —afirmó Kate—. Cuando encuentre el momento oportuno, se lo diré.

Esa era la gota que colmaba el vaso, pensó sir Tomás mientras avanzaba a zancadas desde el Parlamento hasta las escaleras de

Westminster para llamar a su barquero. La sesión había concluido y él había perdido. Cromwell y el rey se habían salido con la suya. El Parlamento había asignado a Enrique el poder único en Inglaterra, despojando a los obispos de todo, incluso de la potestad de arrestar a los herejes. También eso recaía ahora en el rey. Si el canciller Moro deseaba arrestar a alguien por herejía, debía acudir a Cromwell y no al obispo Stokesley. ¡Ja! Eso era una pérdida de tiempo.

Debía constituirse una comisión formada por laicos y clérigos a partes iguales, que dictaminaría sobre todos los asuntos eclesiásticos, incluidos los casos de herejía. Con las simpatías luteranas de Cromwell y la presión de la Bolena sobre el rey para que fuera tolerante, difícilmente podría mantener los recientes avances. La campaña de Tomás Moro para la protección de la única Iglesia verdadera había sufrido un grave revés.

Al hablar en favor de los obispos, demasiado cobardes para defender su propia causa, y contra Enrique, lo había puesto todo en peligro. Ya había perdido el favor del rey por el gran asunto de su divorcio. Ahora, con esa fallida campaña parlamentaria en pro de que los obispos conservaran su poder y sus privilegios, había incurrido en la cólera del rey. Pues que así fuera. Tomás Moro había sido fiel a lo que más le importaba en el mundo. En su honor no aparecería la mancha del cobarde. Al diablo las consecuencias.

Tuvo que llamar dos veces al barquero.

—¡Richard! —La segunda vez con aspereza, golpeándolo al mismo tiempo en el hombro con un mandamiento enrollado.

El barquero, que dormía en un banco al lado de la escalera, se levantó de un brinco.

—Os ruego que me perdonéis, milord. No os esperaba tan pronto.

—Mis asuntos aquí han concluido —dijo sir Tomás con sequedad—. Llévame a casa.

Si el barquero percibió cierta irrevocabilidad en su tono, no lo comentó.

Mientras el barquero remaba en silencio en dirección a Chelsea a través de las aguas moteadas por el sol del Támesis, sir Tomás no reparó en el perfume de las flores de los manzanos en el aire ni en la caricia de la brisa cálida en la piel. En su corazón seguía siendo invierno. Planeó su siguiente paso en su propio gran asunto, y se alegró de que su padre no viviera para verlo.

~ ⁊ ~

–Lamento que las cosas hayan llegado a este punto, Tomás –dijo el rey dos días más tarde cuando el clero accedió a la Asamblea. Dada su cobardía, no tenían más alternativa, pensó Tomás. Pusilánimes del primero al último, salvo el obispo Fisher, el único que se había resistido a la marea junto con Tomás. Incluso Stokesley permaneció curiosamente en silencio.

Tomás encontró al rey en el jardín de York Place, jugando con los perros bajo una lluvia de pétalos de color rosa. Sin mediar palabra, le entregó la bolsa de piel de borrego blanca que contenía el sello y la cadena del cargo de canciller. A juzgar por la respiración agitada de Enrique, su majestad estaba acalorado por el ejercicio, pero habló con voz fría.

–Había pensado, al nombrar a un canciller laico, que evitaría estas circunstancias adversas –continuó, dejándose caer pesadamente en un banco bajo un dosel de flores. Indicó a Tomás que se sentara a su lado.

–Es mi salud, vuestra majestad, que, como sabéis, no ha sido buena desde que murió mi padre. En tales circunstancias no puedo servir a vuestra majestad como vuestra majestad merece.

Enrique se echó a reír, pero Tomás conocía esa risa. La oyó cuando se negó a firmar la petición del rey al papa. Era una risa sin alegría.

–Palabras bonitas. Eres un hombre complicado, Tomás –dijo Enrique, aceptando la bolsa y arrojándola al banco entre ellos como si fuera algo insignificante y no el símbolo del segundo hombre más poderoso del reino. Uno de los grandes mastines se acercó a Enrique y él le rascó detrás de las grandes orejas. El perro permaneció inmóvil, en posición de firme.

Tomás no dijo nada. Cuando uno no podía presentar un argumento convincente en su defensa, callar era la opción menos objetable.

–Cometí un error al nombrarte canciller, maese Moro. Estaba en extremo cansado de tropezarme con el clero; siempre los tenía en la cabeza, a los pies y a mi lado, mirara hacia donde mirara. Pensé que con tu nombramiento me libraría de esa incesante intrusión en las cuestiones de Estado. —Suspiró, con tan gran exhalación que al perro le tembló la pata trasera—. Pero ahora veo que hay dentro de ti más de clérigo que en cualquier arzobispo de los que he conocido.

Dejó de rascar las orejas al perro. El mastín se sentó obedientemente a los pies de su amo, tan quieto que podría haber estado labrado en piedra. El otro, una perra del color de la cerveza suave, se hallaba a pocos pasos, observando, con las orejas erguidas como si esperara una señal.

Ni siquiera los perros desafían su disciplina, pensó Tomás. Tú tienes menos sentido común que ellos.

—Es mi salud, majestad, solo mi salud, lo que me impulsa a entregar el sello. Solo deseo retirarme en paz —dijo en voz baja.

—Y yo deseo abdicar del trono y trasladarme a Francia para ser el limpiabotas de Francisco I —respondió Enrique también en voz baja, cada palabra colmada de sarcasmo y amenaza.

De pronto el rey se puso en pie y, silbando a los perros para que lo siguieran, regresó a York Place, dejando a Tomás solo en el banco del jardín con la bolsa de borrego blanca que contenía el símbolo del poder allí abandonada.

❧ ❦

—Es verdad que estás engordando como la mujer del panadero. —John se echó a reír a la vez que daba unas palmadas a su mujer en el vientre un poco prominente bajo la ligera tela de hilo de la enagua veraniega—. Pero me alegro de que hayan pasado las náuseas. Veo que vuelves a comer.

Después de que le comunicara la noticia, él había bajado a la cocina para sisar un trozo de manzana seca y queso y pan, «y suero de leche si hay, por favor». Él había vuelto con todo, incluido el suero de leche, y ahora lo tenían extendido entre ellos en la cama a modo de picnic de medianoche. Él la observaba mientras ella engullía.

—¿Qué miras, John Frith? ¿Acaso nunca has visto comer a una mujer?

—Así no —respondió él, y se echó a reír a la vez que alargaba el brazo y le limpiaba el bigote de leche del labio superior, para luego lamerse el dedo.

Ella se inclinó sobre la comida extendida entre los dos y lo besó.

—Te quiero, marido mío —dijo.

—Eso lo dices ahora —repuso él. Mordisqueó un trozo de manzana seca y le ofreció a ella la otra mitad—. Pero cuando llegue el bebé, solo tendrás ojos para él… o ella.

—Pues no será así, pero si lo fuera, tú apenas te darías cuenta. Tienes tu trabajo y tu amistad con William y el capellán Rogers y el grupo de mercaderes que promueven vuestra causa.

—También es tu causa —rectificó él—. Y sí me daría cuenta.

—Tenía miedo de que no quisieras al bebé —dijo ella, abandonando su gula, de pronto ávida de palabras tranquilizadoras—. Por eso he esperado tanto para decírtelo. —Lo observó con atención, por si su mirada vacilaba o bajaba los párpados. Sabría si le mentía para no herir sus sentimientos.

La mirada de John permaneció inmutable.

—Yo solo quiero lo que tú quieras —afirmó él—. Y procuraré con toda mi alma ser un buen padre.

Era una respuesta aceptable, pero por alguna razón, a diferencia de las vituallas del picnic nocturno, la dejó vagamente insatisfecha.

❧❧

Kate estaba de cinco meses cuando él le anunció que se iba a Inglaterra. Era una calurosa mañana, ya avanzada, de mediados de julio. John había adoptado la costumbre de pasear con ella a la sombra del jardín todos los días, al principio con tanto cuidado y tanta solicitud que la agobiaba, hasta que ella le aseguró que esta vez sería distinto.

Los rosales estaban en flor y había un banco de tierra bajo un plátano.

—Quedémonos aquí un momento antes de entrar —propuso él—. Tyndale ha salido a una de sus visitas benéficas, y el purgatorio puede esperar.

Extendió el pañuelo para que ella no se manchara la falda y la cogió de la mano mientras permanecían sentados en el banco cubierto de hierba.

—Esta mañana he sentido las patadas del bebé —dijo ella—. Era muy extraño, un poco como el aleteo de una mariposa. Mi corazón ha aleteado con él.

—¿Cómo sabes que no eran solo los humores biliares de tantas comidas raras como devoras últimamente? Decías que no te gustaban los arenques en escabeche, y anoche te comiste tu ración y la mitad de la mía.

—Tu mitad era para el niño. Por lo visto, a él… o ella… le gustan los arenques en escabeche. No se lo echarás en cara, ¿verdad?

Él se rio.

—No puedo echarte nada en cara. Podías haberlo cogido todo, ya lo sabes.

—¡Mira! ¡Otra vez! ¿Lo notas? —Le puso la mano allí donde percibía el aleteo. Este paró de pronto.

—No le caigo bien.

—Claro que le caes bien. Eres su padre.

—A mí mi padre no me caía bien. Lo consideraba un ogro.

—Pero tú no eres un ogro.

—Tampoco lo era mi padre.

—A las hijas siempre les caen bien sus padres.

—¿Y cómo sabes que será una niña?

—No lo sé —contestó ella—. ¿Te preocupa mucho?

—Solo si te preocupa a ti.

Esa respuesta también le pareció insatisfactoria a Kate; daba la impresión de que el interés de él en el niño fuese secundario.

—¿Quieres algo para beber? ¿Un poco de arenque escabechado?

Ella sonrió.

—No, hemos venido preparados. —Metiéndose la mano en el bolsillo de su falda, sacó una manzana—. Son un poco ácidas, pero refrescan. —Se la ofreció.

—Claro que sí, Eva, aceptaré un bocado de tu manzana —dijo él, e hizo una mueca al morder la manzana agria.

Ella soltó una carcajada.

–La de Eva debía de ser más dulce –comentó–, pero al menos la mía no trae ninguna maldición. Parece que a nuestro niño le gusta lo ácido. La semana pasada era lo dulce. Chupé la miel del panal con la misma desesperación que san Juan Bautista.

El sol del mediodía exprimía las rosas para que desprendieran su fragancia. Kate inhaló. «Huele esto, pequeño», dijo hablando calladamente a la criatura en su vientre. Aquel era un momento de alegría perfecta, pensó; ojalá pudiera conservarlo para siempre. John guardaba un silencio anormal cuando ella se inclinó y lo besó suavemente en la mejilla.

–Kate, tengo que decirte una cosa. Y no quiero que te lleves un disgusto. No sería bueno para el bebé.

El momento perfecto había volado tan deprisa como llegó. La manzana le supo amarga en la boca. Las rosas se marchitaron bajo el calor.

–Han quemado a otro –dijo ella–. No. No me lo cuentes. No quiero que nuestro hijo oiga esas cosas.

Ella misma no soportaba oírlas. Diez hombres habían ardido en la hoguera desde que Tomás Moro era canciller. A cada relato se le encogía el corazón de miedo. A cada relato tenía sueños llenos de humo que la despertaban sobresaltada en la oscuridad de la noche.

–No, no tiene nada que ver con eso. En realidad, da la impresión de que las cosas cambian para mejor. El Parlamento ha despojado al clero inglés de su conexión con Roma y lo ha puesto bajo la jurisdicción del rey. La mejor noticia es que Tomás Moro, en protesta, ha dimitido del cargo. Por otra parte, los obispos ya no tienen poder para arrestar e interrogar en cuestiones de herejía. Ahora eso queda en manos de Enrique.

–¿Quieres decir que es rey y papa a la vez?

–Algo así.

–Pues en ese caso estará contento. Puede concederse él mismo el divorcio. Aunque me cuesta creer que los obispos se presten a eso. ¿Incluso el arzobispo de Canterbury?

–Warham anda muy mal de salud. Dicen que están preparando a Cranmer para el cargo. Pertenece a la facción de la Bolena, de orientación muy reformista.

–¡Pero esa es una noticia magnífica! ¿Por qué iba a disgustarme?

John le cogió la otra mano, y ahora le sostenía las dos.

–Como las cosas están mejorando, Tyndale y yo pensamos que quizá haya llegado el momento de hacer otro intento. Voy a regresar a Inglaterra. Un viaje rápido. Regresaré mucho antes del parto. Si consigo acceder al rey o a Thomas Cranmer, o incluso a Cromwell, estoy seguro de que podré convencerlos para que amplíen este nuevo ambiente de tolerancia y den permiso a la publicación de la Biblia en Inglaterra.

Apartando la mano de un tirón, Kate se levantó del banco bruscamente, olvidando por un momento su preciosa carga en el calor de la ira.

–¡No, no quiero ni oír hablar de ello! ¡No irás! ¿Ha muerto Tomás Moro? ¿Ha muerto ese nuevo obispo de Londres, Stokesley, que según tú era más peligroso que Tunstall?

–No –contestó él en voz baja–. Están los dos muy vivos. Pero ambos han caído en desgracia. Sus influencias se han visto seriamente mermadas.

El tono cuidadosamente modulado de John la enfureció, como si explicara una idea accesible a cualquier persona corta de alcances. Arremetió contra él.

–Eres un necio, John.

Él la miró como si no pudiera creer que su mujer, por lo general tan ecuánime, se hubiera convertido en una monstruosa bruja.

–Cálmate, Kate. No es bueno para el bebé.

–Mientras Tomás Moro respire, tus amigos y tú seréis perseguidos y no recibiréis más consideración que la que un sabueso concede a su presa. En Inglaterra hay muchos que se aferran violentamente a la antigua fe. Tú y todo lo que representas es anatema para ellos. Deja que vaya William si considera que es tan necesario.

–Chist, Kate. Baja la voz. No hace falta que todo Amberes oiga nuestra discusión. Tyndale no puede ir. Es un trofeo mucho mayor que cualquiera de nosotros.

–Y tú eres prescindible, ¿no? ¿Tiene William Tyndale esposa? ¿Tiene un hijo?

De pronto el calor del jardín se volvió insoportable y se elevó de la tierra en trémulas ondas. Kate respiraba con dificultad. Sintió que le flojeaban las rodillas. John la cogió antes de que se desplomara.

Cuando Kate volvió en sí, yacía en el banco de tierra, y John, de rodillas a su lado, le humedecía la frente con un paño frío. Ella intentó incorporarse, pero la cabeza aún le daba vueltas. También estaba allí la señora Poyntz.

—El bebé... —musitó Kate—. ¿Está el bebé...?

—El bebé está bien, querida. Ha sido solo un desmayo por el calor.

La cara de John flotaba sobre ella.

—Todo irá bien, Kate. No iré si tú no quieres que vaya. Te lo prometo —susurró. Pero la expresión de desdicha en su rostro le recordó a Kate la manera en que su hermano John la había mirado al decirle que había abjurado. Sabía que, en último extremo, la decisión no le correspondía a ella, porque no soportaría ver esa expresión en su cara todos los días de su vida.

XXXII

*Es de estatura media, tez morena, cuello largo, boca
ancha, pecho no muy erguido, y en realidad no tiene
nada más que el voraz apetito del rey, y los ojos, que
son negros y hermosos… Vive como una reina y el rey
la acompaña a misa y a todas partes.*

Descripción de Ana Bolena escrita
por el embajador de Venecia (1532)

—Es un noble sacrificio el que haces, Kate —dijo Tyndale en el puerto, mientras observaban alejarse el barco.

John se despedía de ella con la mano desde la cubierta, y ella le devolvía el saludo con desesperación, procurando reprimir el deseo de llamarlo a gritos para pedirle que volviera. No. Era un error. Todo era un error. Ella lo necesitaba. Su hijo lo necesitaba. No debería haber accedido a dejarlo ir.

—No se habría ido si tú te hubieses opuesto. Estoy seguro. Eres la alegría de su vida. Procura no desanimarte. Él no correrá riesgos innecesarios y regresará antes de que el niño nazca.

Él era la única alegría de mi vida, y ahora se ha ido, pensó ella mientras observaba alejarse el barco hasta que por fin dejó de ver la figura de John y sus gestos de despedida, deseando poseer la certidumbre de Tyndale, deseando poder ver, como Endor, el futuro en el agua. Fijó la mirada en el líquido verdoso y turbio del puerto,

383

pero lo único que vio entre los desechos flotantes fue el reflejo ondulado de una mujer de pie al lado de un anciano. Por un momento se sobresaltó, incapaz de reconocer las siluetas reflejadas.

—Ojalá John poseyera vuestra habilidad para disfrazarse —comentó ella, advirtiendo el bulto en los hombros de Tyndale, el cansancio general en la postura, el mechón gris empolvado en el pelo—. Seguro que podríais presentaros ante la puerta de Tomás Moro y él no os reconocería. —Esperaba que sus palabras no delataran el rencor que sentía en el fondo de su corazón.

—No me reconocería. Nunca me ha visto.

—¿Por qué os odia tanto, pues?

—Tú ya conoces la respuesta a eso. —Le sonrió con amabilidad—. Formó parte de tus argumentos contra el viaje de John. Por todo aquello en lo que creemos, por nuestra propia existencia, por la manera en que ponemos en tela de juicio la sabiduría transmitida por la Iglesia, transmitida por hombres poderosos y no por Dios. Solo hay una revelación de Dios, y no es un hombre sentado en un trono en Roma, sino un libro de Escrituras antiguas interpretado por cada hombre tal como el Espíritu de Dios le da a entender. Esta creencia es anatema para Tomás Moro y para todos aquellos que defienden los «sepulcros blanqueados» en los que se ha convertido la Iglesia de Roma. No pueden permitir que exista tal creencia, ni aquellos que la predicamos… —Se interrumpió con un suspiro y, rodeándola con el brazo, añadió—: Ahora lo que necesitas oír de mí es que cuando decidimos que alguien debía emprender este viaje, yo me ofrecí a ir. Fue John quien insistió en que debía ser él.

Kate no se sintió mejor al oírlo.

—Mejor scrá que volvamos —propuso ella—. Vos a vuestro trabajo y yo a… mis preocupaciones.

—John me ha hablado de tu grupo de estudio de la Biblia —dijo él—. Opino que eso que haces es una labor maravillosa. Lo entiendo. Pero no está exento de peligro.

—No os preocupéis por eso —respondió ella, sintiendo las palabras secas como la lana en su boca—. Lo he dejado. Por la seguridad de mi hijo. Ahora ya no he de pensar solo en mí.

Él le dio una palmada en el hombro en un gesto de consuelo. Ella no se sintió consolada.

Sintió aun menos consuelo esa noche cuando ordenó el escritorio de John y encontró entre las hojas de *Discusión sobre el purgatorio* los papeles cuidadosamente falsificados que lo identificaban como mercader de la Hansa. Rogó con fervor que descubriera su ausencia antes de que le exigieran enseñarlos.

❧

Hasta aquí, todo bien, pensó John Frith cuando desembarcó sin percances en la costa de Essex y detuvo a un pequeño paquebote para que lo llevara a Reading. Su primera misión era visitar al prior de la abadía de Reading, que a lo largo de los años había actuado como canal de financiación e información, cosas ambas que el contingente de Amberes necesitaba ahora desesperadamente. Los traductores habían vendido sus abrigos de invierno al impresor de la última edición, contando con que ese viaje les permitiría reabastecerse tanto de fondos como de ropa.

Dios mediante, podría darse un baño en la abadía y afeitarse, pensó mientras se enjugaba el sudor de la frente y se rascaba la barba greñuda. Se la había dejado crecer intencionadamente a modo de disfraz para eludir a los espías y los vigilantes del Canal que salpicaban la costa. Acaso el prior le dijera que ahora el viento era tan propicio en Inglaterra que el disfraz resultaba ya innecesario.

Cuando se acercaba a Reading, se acordó de la primera vez que había visto a Kate. Fue en una casa de labranza, una de esas de las tantas que había en los pueblos ingleses, donde se leía la Palabra de Dios y sus habitantes lo arriesgaban todo por dar apoyo al movimiento reformista. Aquel también era un día caluroso, pero ella vestía una gruesa capa de hombre y calzón. Aun así, aun creyendo que era un hombre y estando él enfermo a causa de los suplicios padecidos en el sótano del pescado, se acordaba de que la encontró extrañamente atractiva.

Más tarde se habían reído de eso, después de contarle ella, abochornada, que su hermano había abjurado y estaba decidida a ocupar su lugar en el contrabando de libros. Él había bromeado al respecto, diciendo que entonces se había preguntado si ella era como tantos monjes, que buscaban alianzas prohibidas para aliviar su apetito sexual. Aunque en realidad no lo había pensado; estaba demasiado débil para preocuparse por esas cosas, y además conocía bien su propia manera de ser. Había bromeado solo para disipar la vergüenza que ella sentía por la retractación de su hermano.

Tenía la ferviente esperanza de no abochornarla nunca de ese modo. Pero ¿cómo sabía un hombre si tenía lo que hay que tener para soportar la tortura y conservar el honor, y más si debía pensar en su esposa e hijo? Esa era la decisión a la que se había enfrentado su hermano, pobre hombre. John de pronto sintió una afinidad especial con él. Si sus viajes lo llevaban cerca de Gloucestershire, pasaría a visitarlo para ver cómo le iba.

Para cuando llegó a Reading, las sombras de la tarde se extendían por casi todo el río. Observó ociosamente mientras el paquebote se acercaba al muelle para dejarlo desembarcar, donde varios hombres discutían.

—Yo que vos me mantendría alejado de esa panda —recomendó el barquero.

—Seguiré vuestro consejo, mi buen remero —respondió John, abriéndose paso entre los toneles apilados en el centro de la embarcación. Metió la mano en la pequeña bolsa atada a su cinturón y entregó al hombre su última moneda.

—No soy la clase de hombre que se embolsa el último ochavo de una persona —declaró el barquero, viendo la bolsa vacía—. Necesitaréis eso para la cena, imagino.

—Cenaré en la abadía. Tengo amigos allí —contestó él, colocando la moneda en la palma áspera del barquero.

Los rufianes del muelle habían dejado de discutir y empezaban a cruzar golpes.

—Alguien debería avisar al alguacil del pueblo.

—Creo que ya lo han hecho —dijo John, señalando con la cabeza a los dos hombres que se acercaban a los matones con los espadines desenvainados.

Para cuando John atravesó el malecón, los borrachos estaban ya engrilletados, con los brazos inmovilizados a la espalda. Muy posiblemente pasarían la noche encerrados en el sótano del juez de paz, pensó, por alteración del orden en estado de ebriedad, sin más repercusiones a la mañana siguiente que una severa jaqueca y varias esposas coléricas.

–¡Eh! ¡Vos! ¡Alto ahí!

John miró alrededor para ver a quién se dirigían. Estaba solo él en el muelle. El barquero ya se había alejado. Quizá debía hacerse el sordo, seguir adelante. Probablemente lo querían como testigo.

–¡Alto en nombre de la ley!

Suspirando, John se detuvo, dejó su pequeña maleta y se volvió a mirarlos. Uno de los patanes borrachos sonreía con cara de estúpido. Mal de muchos, consuelo de tontos, pensó John.

–¿Deseáis hablar conmigo? Yo, como vos, también acabo de llegar. Os aseguro que no sé nada de este asunto.

–Parecéis forastero. No recuerdo haberos visto en este condado.

–Soy amigo de la abadía.

–Pues perdonadme que os lo diga, pero no tenéis aspecto de amigo de la abadía. Por lo regular, los amigos del prior visten con más elegancia.

–He hecho un largo viaje. Soy mercader. Un mercader de la Hansa adscrita al Steelyard de Londres.

Eso no pareció impresionar a sus interrogadores.

–Mirad, tengo documentos para demostrarlo. –Señaló la maleta a sus pies–. ¿Si me lo permitís?

El alguacil asintió y John metió la mano en la pequeña bolsa y buscó entre la ropa sucia –solo había llevado lo esencial para viajar ligero de equipaje–, incluso miró entre las páginas de su Homero. Nada. Sacudió el libro de los poemas de Homero, pero lo único que cayó fue una de las cintas para el pelo de Kate con la que marcaba la página.

De pronto se acordó.

Había guardado las credenciales falsificadas en su *Discusión sobre el purgatorio,* pensando que podría trabajar en el texto, pero decidiendo por fin prudentemente que si lo registraban sería una prueba condenatoria. Se había dejado las credenciales junto con el libro. El patán risueño recobró el habla.

–Si ese es amigo del abad, yo soy el guardián de una ramera gorda –dijo, arrastrando las palabras.

–Eres guardián de una ramera gorda –respondió otro de los rufianes con una sonrisa burlona–. Yo he poseído a tu mujer.

—Hijo de puta, te cortaré la verga y se la daré de comer a los cuervos delante de tus narices, te...

—Tú cierra esa inmunda boca antes de que te la cierre yo para siempre —atajó el alguacil, recalcando sus palabras con una ligera estocada. Luego señaló a John con la cabeza—. Llevémonos también a este. El juez de paz ya va a sulfurarse bastante cuando interrumpamos su cena. Ya puestos, añadamos a un vagabundo para aumentar el número de mandatos judiciales.

—Si fuerais a preguntar a la abadía... —dijo John, ya realmente alarmado.

—¿Tengo yo aspecto de recadero? —gruñó el alguacil—. Contádselo al juez de paz.

—Eso, tú cuéntaselo al juez de paz —se mofó el más borracho de los maleantes.

John esperaba que el juez fuera más razonable que el alguacil. Eso no auguraba un buen comienzo en su viaje, pensó mientras repechaba la cuesta con ruidos en el estómago y sin un penique en el bolsillo.

⌒⌒

—No, creo que debería ser carmesí. Definitivamente carmesí, si he de ser una mujer perdida —dijo Ana Bolena a la sirvienta de confianza que la había acompañado a Windsor. La anciana la había servido desde la infancia. Ana había dejado a lady Margaret y la boba de Jane Seymour en Hampton Court. Esa noche no quería a ninguna de las dos cerca.

Devolvió las mangas verdes a la criada, junto con la enagua de satén verde.

—Mangas de terciopelo carmesí para hacer juego con la falda de terciopelo. Y una enagua de seda carmesí, con un cinturón de cordón trenzado de oro y carmesí, creo.

Acudiré a él en distintos tonos de rojo, pensó, para calentarle más la sangre.

—Y la toca negra en forma de corazón, tachonada de rubíes. Y un único rubí en la garganta.

—Una elección muy sensata. El rey no podrá resistirse a vos, milady. El carmesí dará realce a vuestros ojos. ¿Os arreglo el pelo?

La sonrisa de la anciana era de complicidad, y reconfortó el corazón de Ana en esa noche que habría de ser la más importante de su vida. Porque esa noche iba a ser nombrada par del reino, marqués de Pembroke, con las correspondientes tierras y derechos, sin depender de los antecedentes mercantiles no muy meritorios de su padre o sus parientes, los Howard. Empleando la forma masculina del título, «marqués», Enrique le concedía un honor jamás otorgado a una mujer por derecho propio. Eso solo podía significar una cosa: dándole el título, la convertía en digna aspirante a ser su reina. El rey por fin había tomado una decisión.

Y Ana también había tomado la suya. Con el poder que el Parlamento había conferido al rey, con Cranmer ahora en la función de arzobispo de Canterbury y Cromwell de su lado, todo estaba en orden.

O casi.

Si Enrique deseaba algo más de lo que la deseaba a ella, era un heredero. Necesitaba estar embarazada de su hijo para Navidad.

—No, me dejaré el pelo suelto esta última vez, para recordarle que soy aún una doncella. –Al menos en rigor, pensó. Su virginidad seguía intacta, aunque sin duda la habría perdido con Percy si Wolsey no los hubiese interrumpido en el gabinete de la reina–. Prepara un baño con aceites aromáticos de Francia. Hay un frasco azul en mi aseo. Es el preferido del rey.

Al cabo de dos horas, después de bañarse y vestirse, Ana estaba ante el espejo de entrepaño con una sonrisa de satisfacción. Era una elección atrevida. El vestido carmesí desde luego daba realce a sus ojos, y el pelo emitía un resplandor oscuro, en contraste con el vibrante terciopelo de las mangas. Tal vez no fuera una belleza rubia conforme a los cánones de la corte, pero al practicar la mirada sutil y la sonrisa coqueta, incluso haciendo señas a la figura del espejo como las que dirigiría más tarde al rey para llevarlo a su cama, experimentó una sensación de poder.

—Estoy lista –anunció–. Llama al lacayo para que lleve este mensaje al rey –dijo, procurando no desarreglarse la falda al sentarse ante su escritorio.

El mensaje no decía más que «Vuestra majestad, espero vuestro placer», y llevaba la firma: «Humildemente, Ana».

Cuando el rey apareció en persona ante la puerta de su cámara para acompañarla a la sala de audiencias, la expresión en su rostro confirmó a Ana el acierto de su elección. Pero cuando él se inclinó para besarla en lo alto de sus «pequeñas doncellas», como llamaba afectuosamente a sus pechos, ella protestó con delicadeza.

—Ya habrá tiempo para eso, vuestra majestad. Primero debemos atender los asuntos de la velada.

Él le cogió la mano con el brazo extendido y la contempló como si pudiera satisfacer su lujuria con la mirada.

—Milady, sin duda eres una bruja, y has hechizado a un rey.

La risa de ella reverberó en el pasillo mientras caminaba a su lado hacia la sala de audiencias donde sería anunciada por primera vez como marqués de Pembroke. Se preguntó si alguno de sus enemigos estaría presente para ser testigo de tan singular honor.

❧

Más tarde, esa misma noche, cuando Ana llevó al rey a su alcoba, flotaba en el ambiente un aroma limpio y dulce. La ventana estaba abierta para dejar entrar el aire cálido de la noche. El único sonido eran los susurros de una conversación entre la brisa y los grandes robles bajo la ventana. El resplandor de las velas iluminaba la habitación. Se habían esparcido pétalos de rosa entre las esterillas y en el cubrecama.

Enrique sonrió al verlo.

Ana empezó a desvestirse, quitándose la toca y agitando la cabeza para que el brillo de las velas realzara mejor sus trenzas.

—¿Quieres que llame a tu criada? –preguntó él.

—No será necesario, mi señor. Estoy segura de que puedo confiar en que vuestra majestad me proporcione la ayuda necesaria.

Se despojó de las mangas y luego, desatándose la falda, salió de ella. Cogiéndole la mano a Enrique, se la guio hacia el corpiño. Él movió expertamente los dedos entre las lazadas hasta que ella no lució más prenda que la camisola corta de diáfana seda. Esta vez, cuando él le besó el pecho, ella no protestó. Notó en la piel la lengua húmeda y caliente de él. Cruzó su mente un fugaz recuerdo de Percy, pero se apresuró a apartarlo, considerando que rayaba en traición pensar en otro hombre mientras hacía el amor con el rey.

–¿Quieres que llame a mi ayuda de cámara? –preguntó él, quitándose el sombrero. Tenía la voz ronca de deseo.

–No es necesario, mi señor. Yo os desvestiré.

Ana levantó con cuidado la cadena de oro que colgaba de su cuello.

Con mucha menos ceremonia, él se despojó del jubón de brocado.

–No hay prisas, mi señor –dijo ella, ahora con voz susurrante y grave. Le desató el calzón y luego le desprendió la bragueta, dejando que los dedos se demoraran juguetonamente.

–Vuestra majestad es muy… majestuoso –espoleó ella.

Cuando Enrique ya solo llevaba los calzoncillos y las jarreteras, ella se quitó la camisola por encima de la cabeza y se plantó ante él sin nada más que el cabello desmelenado y el collar con el rubí. Tuvo un momento de inquietud. Él nunca la había visto desnuda. De hecho, ningún hombre la había visto desnuda, ni siquiera Percy. Tenía los pechos demasiado pequeños, temía, pese a que él a menudo se había quejado de los de la reina.

–¿Está satisfecho vuestra majestad? –preguntó en voz muy baja.

De pronto pareció reinar en la cámara un silencio absoluto. Incluso los robles al otro lado de la ventana interrumpieron su parloteo con el viento.

Pero ella no necesitaba palabras para saber que su majestad estaba satisfecho.

XXXIII

*Y el Saturnio promovió entre ellos funesto tumulto
y dejó caer desde el éter sanguinoso rocío porque habría de precipitar al orco a muchas y valerosas almas.*

Versos de la *Ilíada* citados por John Frith
en la cárcel de Reading (Canto I, 1-4)

John Frith reconoció el olor. Ya había estado allí. El hedor del
sudor y la orina rancios procedía de él. Pero eso no era nada en
comparación con el sótano del pescado, pensó con pesar. Al menos
el cepo estaba al aire libre. Los maleantes arrestados con él habían
sido puestos en libertad tras pagar una multa de diez peniques, que
sin duda fue a parar al bolsillo del juez de paz. Pero John no tenía
los diez peniques para abonar la multa, en caso de habérsele ofrecido la opción.

Pasó su primera noche en Reading desplomado en el cepo, re-
flexionando entre intermitentes estados de somnolencia cómo hacer
frente a esta circunstancia. Cuando la niebla matutina se espesó de
tal manera que se le filtró en la piel y le tapó los orificios nasales,
tembló hasta que le castañetearon los dientes. Pero a media mañana
el sol había disipado la niebla y sentía el calor que le azotaba la cabeza y la nuca.

Mantuvo los ojos cerrados la mayor parte del tiempo, prefiriendo las visiones que evocaba su mente a mirarse los pies y el espacio marrón de tierra apisonada, lo único que había en su campo visual. Algunos trucos aprendidos en el sótano del pescado le fueron útiles en ese momento. Creó y catalogó en su cabeza imágenes agradables de su mujer: Kate la fuerte, despidiéndose valerosamente desde el puerto, parpadeando para que él no le viera las lágrimas cuando le dijo adiós con un beso; Kate la resuelta, entornando los ojos por encima de la aguja mientras cosía para el bebé, jurando en susurros mientras extraía un punto mal dado; Kate la iracunda, brillando sus ojos de desprecio cuando hablaba de los cazadores de herejes; Kate la dulce, afilándole las plumas, corrigiéndole los textos, masajeándole el cuello… Imaginaba el contacto de sus manos en los músculos doloridos de sus hombros. Evocó el aroma de su pelo, la suavidad de su piel, el sabor de sus labios, hasta que la constancia de la imagen de ella se convirtió en su única realidad.

Por la tarde los músculos se le agarrotaron tanto que los trucos mentales ya no surtían efecto. No podía ahogar sus gemidos, y el estómago le ardía de hambre. Temía los azotes impuestos conforme a la nueva ley de Moro contra el vagabundeo, pero estaba impaciente por acabar con aquello. El dolor que sentiría se impondría al dolor en las piernas. No sería un alivio al dolor, pero sí un sufrimiento distinto que él podría soportar durante un rato; y si sobrevivía a los azotes, quedaría en libertad. Quizá Moro no fuera ya canciller, pero la ley era la ley, y lo que había visto de las fuerzas del orden locales no lo inducía a pensar que estuviesen muy predispuestas a la clemencia.

Su cepo se hallaba en la plaza pública, y pensó en dar su verdadero nombre a gritos a un par de viandantes, rogándoles que fueran a la abadía y contaran allí las difíciles circunstancias en que se encontraba. No obstante, a juzgar por los malos tratos físicos y verbales a que lo sometieron, dudó de la eficacia de ese plan. Lo disuadió asimismo la posibilidad de que su nombre fuera a parar a oídos hostiles. Al fin y al cabo, era un fugitivo conocido. Un hombre fuerte sobreviviría a una tanda de azotes; a la hoguera, con toda seguridad no.

Al tercer día, había recurrido de nuevo a su antiguo hábito del sótano del pescado, recitar a Homero para mantener la mente ocupada, verso tras verso en el griego original. De vez en cuando unas palabras en griego escapaban de su mente hasta su garganta reseca. Como cerraba los ojos cada vez que pasaba un viandante para no incitarlo a insultarlo, no vio a las mujeres que llevaban agua del pozo.

—Pobre hombre, ha enloquecido. Murmura incoherencias.

—Dale de beber; debe de estar muerto de sed.

Tras percibir la compasión en sus voces, John abrió los ojos. Solo les veía los pies, calzados con zuecos polvorientos y gastados, y un cubo de agua que una de ellas dejó en el suelo. Miró el agua fresca y clara y pensó en Tántalo.

—No podemos darle agua, Charlotte. Está prohibido.

Él gimió.

—«Un vaso de agua en mi nombre», lo dicen las Escrituras. Es como dárselo a Jesucristo. ¿No daríamos de beber a nuestro Señor?

Estaban citando las Escrituras. ¡Eran lectoras de la Biblia!

—Por favor —intentó decir, pero tenía la garganta seca y le salió un graznido.

Unas manos nudosas se hundieron apresuradamente en el cubo y, formando un cuenco, le acercaron agua a la boca. Él la lamió como un perro, hasta que sintió la aspereza de las palmas en la lengua. La mujer le acercó más agua con las manos ahuecadas, y él bebió hasta que, atragantándose y tosiendo, pudo pronunciar las palabras:

—Por favor, id a buscar al… —No, no podía solicitar la presencia del sacerdote— … maestro de escuela. Decidle que… soy un estudioso… acusado erróneamente.

—Está loco —dijo la otra mujer— o maldito. Vayámonos antes de que alguien nos vea proporcionar alivio a un vagabundo.

—Castigar a alguien por dar de beber a un sediento es una abominación, eso es. —A continuación, a la vez que sentía una palmada en el hombro, la voz que pertenecía a Charlotte añadió—: Rezaremos por ti, por eso no pueden castigarnos.

—El maestro de la escuela —susurró él.

Observó alejarse los pies, y luego cerró los ojos e intentó evocar sus visiones.

≈

–Se llama John Frith –dijo Leonard Cox, el maestro, al juez de paz–. Os lo aseguro, ese hombre es un estudioso de Cambridge. Las incoherencias que le oyeron balbucir vuestros espías eran fragmentos de la *Ilíada* en griego original. Habéis estado a punto de matarlo. Soltadlo.

–¿Y por qué se negó a dar su nombre?

–No lo sé. Seguro que tiene sus razones. Pero yo estoy aquí para dar fe de su identidad. No es un vagabundo. Su padre es un hacendado de Kent. Estudió en Cambridge y Oxford y es un hombre de gran prestigio y saber, ¡y vos lo tenéis inmovilizado en el cepo como a un vulgar criminal!

Por elemental prudencia, se abstuvo de añadir que, conforme a la ley, ni siquiera a un vagabundo corriente debía dejárselo morir de sed y hambre. Mejor no irritar al juez.

Pero el juez debió de leerle el pensamiento. Se rascó la cabeza y contestó a la defensiva:

–Hemos actuado con arreglo a la ley. ¿Cómo sabéis que es quien dice ser? Por eso no le hemos dado de comer. Un hombre con hambre suficiente es menos testarudo.

Cox procuró controlar su genio.

–Lo he reconocido, por eso sé quién es. Charlotte Bascomb ha dicho que preguntaba por mí. He acudido con cierto escepticismo, pero cuando ha empezado a hablar, he recordado su voz. Me ha llamado por mi nombre… estudiamos juntos en Cambridge… y cuando le he limpiado la inmundicia del rostro, inmundicia puesta allí por quienes lo han maltratado, porque vos equivocadamente lo mandasteis al cepo, lo he reconocido de inmediato.

El juez de paz pareció reflexionar antes de responder, y finalmente llamó con un gesto al alguacil.

–Lo dejaremos marchar, pues, dando por buena vuestra palabra, pero si habláis de esto, no dejéis de decir que se negó a dar su nombre y que no llevaba papeles. Hemos actuado conforme a la ley.

–Sí, sí, lo entiendo. No se os echará en cara. Ahora enviad de inmediato al alguacil antes de que el pobre hombre expire de hambre.

～※～

Después de una buena comida y un baño, John, con la ayuda de Leonard Cox, pudo llegar a la abadía, donde el prior lo saludó efusivamente, manifestando su indignación al enterarse del trato que había recibido en Reading. El prior había pasado un tiempo en el cepo durante su año en prisión, dijo, y sabía los efectos que eso tenía en un hombre. Reiteró su apoyo al movimiento, pero admitió que, a partir del momento en que el rey lo puso en libertad con la advertencia de que fuera más ortodoxo en sus enseñanzas, se anduvo con más cuidado.

Sí, todavía supervisaba el movimiento clandestino, todavía realizaban lecturas de la Biblia, pero ahora eran más cautos a la hora de confiar en alguien. Gustosamente sacó una bolsa con peso suficiente para mantener a John en su ronda de visitas a los mercaderes y las «feligresías» en la sombra, como se hacían llamar. Pero también le dirigió una advertencia.

–No os dejéis engañar por el hecho de que Moro haya dimitido –dijo–. Cuentan que está más decidido que nunca a quemar hasta el último vestigio de la Reforma.

–¿Cómo puede ser tan intolerante un hombre docto? –preguntó John.

–Lo sé. Cuesta creer que sea el mismo hombre que escribió *Utopía,* que en otro tiempo defendió causas humanistas y el nuevo saber. Incluso coincidió con Erasmo en que la Reforma era necesaria.

Estaban en la capilla de la abadía, donde el prior cumplía con su turno de limpieza, igual que cualquier otro monje. Ese día le tocaba aplicar aceite de linaza a la madera tallada de la celosía del coro y abrillantar el oro y la plata de los objetos del altar: el recargado cáliz con piedras engastadas, la patena y el copón.

–¿Nunca os preguntáis –dijo John, señalando los vitrales de las ventanas góticas, y el resplandeciente oro del altar, en el que se reflejaban los rayos del sol en forma de destellos multicolor– qué diría Jesús de todo esto?

El prior sonrió.

—Ya sé lo que pensáis, que deberíamos vender el patrimonio de la Iglesia y repartir el dinero entre los pobres, pero os recuerdo, querido amigo, las palabras de nuestro Señor cuando Judas Iscariote puso reparos a una forma de culto dilapidadora y excesiva: «Los pobres los tendréis siempre con vosotros».

—No es necesario que me recordéis lo que dicen las Escrituras, pero eso aparecía en el contexto de la unción de Jesús para la crucifixión. Nosotros celebramos a un Cristo vivo en el espíritu y en la realidad emulando Su manera de actuar, no la de la mujer que lo ungió para enterrarlo con un perfume caro, o la de los sacerdotes del templo.

El prior asintió en lo que podría interpretarse como un gesto de conformidad.

—Vedlo también de la siguiente manera: mientras estén aquí estos objetos del altar, yo puedo proseguir con nuestra misión. Me sirven como encubrimiento. Y tienen otros usos más prácticos. ¿Recordáis esa bolsa que os he dado? No será la primera vez que un candelabro de oro se convierte en Escrituras impresas. Ese lo hemos sustituido por uno de cobre dorado. Ilumina la hostia igual de bien que el de oro, y si viniera el arzobispo… —Se encogió de hombros—. Pero los demás no tardarán en desaparecer. El rey Enrique no podrá resistir la tentación de quedarse con tal tesoro. Resulta irónico, ¿no? Lo que se utilizó para celebrar al Príncipe de la Paz financiará la guerra contra Francia.

John levantó el candelabro falso y lo sopesó en su mano.

—Bueno, pues no será el caso de este. Gracias. William Tyndale os lo agradece también.

El prior se llevó la mano bajo la sotana, sacó un papel y lo desplegó sobre el altar.

—He aquí un mapa en que aparecen marcados con una «F» los lugares donde encontraréis las feligresías que os darán apoyo y se alegrarán de oíros hablar. Quemadlo cuando lo hayáis memorizado. Este otro documento os presenta como mensajero del priorato por si volvéis a tener problemas por la ley contra el vagabundeo. Podéis descansar aquí mientras lo necesitéis. —Entregó a John los documentos—. Tengo entendido que habéis tomado esposa.

—Así es. Con la intervención de un sacerdote de esta misma abadía.

—¿Ha resultado ser una feliz elección?

—Una elección muy feliz. Esperamos un hijo. Una bendición de Navidad.

El prior esbozó una lánguida sonrisa.

—Siendo así, amigo mío, andaos con especial cuidado. No querréis que vuestro hijo quede huérfano antes de nacer. Últimamente Moro y Stokesley son muy expeditivos a la hora de mandar a alguien a la hoguera.

Al cabo de dos días John se sentía con fuerzas para iniciar su recorrido. Se marchó de la abadía a pie, por evitar el gasto de un caballo. La primera «feligresía» estaba a menos de cinco millas en dirección a Londres. La última se hallaba cerca de Southend, en Essex. Desde allí podía embarcar para volver a casa y junto a Kate. Estaría de regreso en Amberes antes del día de Todos los Santos, Dios mediante.

✢

Tomás Moro apartó la vista del mapa que examinaba con los ojos entornados, el mapa de las «feligresías» rebeldes que el obispo Stokesley acababa de entregarle en su gabinete de Chelsea.

—Sabía que estaban propagándose, pero ignoraba que hubiera tantas —comentó Tomás con aversión.

—Esas son solo la mitad, probablemente. Los libros de Tyndale han causado mucho daño a la Iglesia en estos últimos siete años. Cuthbert tendría que haber tratado a ese hombre con mano dura y no dejarlo marchar. Mi predecesor era demasiado propenso a combatir a los enemigos con la palabra.

Tomás desplazó el pisapapeles en su escritorio para inmovilizar un ángulo del mapa. Ese pisapapeles, una mosca suspendida dentro de una enorme gota de ámbar, era un regalo del obispo Tunstall, que le entregó cuando Tomás acabó su primera polémica contra Tyndale.

—No subestiméis la palabra, su ilustrísima —dijo Tomás, irritado. Sentía la necesidad de recordar al obispo lo caras que le habían costado a él sus palabras ante el Parlamento.

El obispo tenía una afilada mandíbula, que a Tomás le recordaba la hoja de una daga, y poseía una voluntad igual de punzante. Pese a su reciente silencio ante el Parlamento, Stokesley era un aliado formidable, más fuerte que el que Tomás había encontrado en el obispo Tunstall. Pero echaba de menos la camaradería de esa otra alianza anterior.

—Cuthbert tenía buenas intenciones —dijo Tomás—. Su problema era que carecía del temperamento necesario para perseverar. Pensaba que era posible contener a un enemigo con palabras y razonamientos. —Señaló la montaña de manuscritos que inmovilizaban otro ángulo del mapa—. Pero tenéis razón, su ilustrísima, si bastara con las palabras, la vil pluma de Tyndale ya habría sido detenida. Yo he contestado a cada una de las argumentaciones heréticas, y aun así, los libros y las Biblias inglesas con las glosas profanas de esos hombres penetran todavía en Inglaterra, trayendo consigo el hedor de un pozo negro de Amberes.

Stokesley descargó un puñetazo en el mapa.

—¡Debemos detenerlos ya! O no habrá en Inglaterra robles suficientes con los que levantar las hogueras donde quemarlos a todos. Y será más difícil ahora que ya no contamos con la cooperación del Parlamento.

Tomás no pudo reprimir una última pulla.

—Bien sabe Dios que lo intenté. Perdí la cancillería por ello.

Mientras vos callabais, pensó. Las palabras no expresadas quedaron flotando entre ellos.

—Nadie podría haber hecho más —se apresuró a contestar el obispo—. Estuvisteis muy elocuente. Pero podéis dar por seguro que los herejes conocen esta nueva circunstancia. Su arrogancia ahora es mayor que nunca. Uno de ellos ha vuelto a escondidas, en una maniobra audaz e insolente.

Tomás aguzó el oído ante esta información.

—¿Es alguien que conocemos? ¿De quién se trata?

El obispo sonrió, visiblemente complacido de comunicar este nuevo dato obtenido por sus espías.

—Dicen que es uno de los amigos más íntimos de William Tyndale, aunque no reconocí su nombre. Fue arrestado por vagabundeo en

Reading. —Señaló el mapa extendido sobre el escritorio, donde la abadía de Reading aparecía marcada con una X mayor que las otras—. Pero, por desgracia, el juez de paz local lo dejó ir cuando el maestro lo identificó como antiguo alumno de Cambridge.

A Tomás se le aceleró el pulso.

—¿Se llamaba John Frith?

—Eso creo. ¿Lo conocéis?

Y también vos deberíais conocerlo, mi ignorante amigo, pensó Moro. Esa era otra diferencia entre Stokesley y su predecesor. Tunstall era un erudito y defensor del nuevo saber en estudios clásicos. Esa era una de las razones por las que Tyndale había acudido a él en primer lugar para plantearle la posibilidad de una traducción al inglés de la Biblia. Este nuevo obispo de Londres se presentaba, y con razón, como hombre de acción, no de palabras.

—Es uno de los jóvenes estudiosos convertidos a la herejía que sobrevivieron al sótano del pescado de Oxford —informó Tomás.

—Ah, ya me sonaba a mí ese nombre.

—Como es lógico. Es un prolífico autor de textos contra la doctrina del purgatorio. —Tomás advirtió con satisfacción la mancha de bochorno en el rostro de Stokesley. Se puso en pie y empezó a pasearse por el gabinete. Los pensamientos se arremolinaban en su cabeza—. Esta vez debemos atraparlo. No solo impediremos que las mentiras profanas que su pluma arroja como veneno inoculen los colmillos de una víbora, sino que además nos llevará derechos a Tyndale. Podríamos quemarlos a los dos, espalda contra espalda. Con tal hoguera la grasa quemada perfumaría las calles del paraíso en un sacrificio de espléndida generosidad.

Stokesley levantó el pisapapeles y lo contempló. Las alas de la mosca estaban extendidas como si hubiese pretendido posarse solo temporalmente sobre la savia y succionar su dulzura antes de ser atrapada para toda la eternidad. Lo dejó en la mesa.

—Lo que necesitamos es una trampa —dijo.

—Las trampas ya están puestas, su ilustrísima. —Moro tocó con el dedo la X del mapa—. Aquí y aquí y aquí. Solo tenemos que ponerles un cebo. Antes o después, John Frith caerá en una de ellas.

—Y cuando lo haga, ¿qué pasará? Según la nueva ley del Parlamento, queda bajo la jurisdicción del rey.

–No es necesario que me lo recordéis –replicó Tomás–. Es verdad, vos no podéis arrestarlo. Pero si bien yo he dimitido como canciller, conservo aún cierto poder legal hasta que se nombre a mi sucesor. Puedo arrestarlo en nombre del rey.

–Pero ¿cómo vamos a cogerlo, si no sabemos cuál es su aspecto? ¿Lo habéis visto alguna vez?

–Sí sabemos cuál es su aspecto. –Tomás rebuscó entre los papeles apilados en su escritorio y extrajo una única hoja. Era un dibujo artístico de un apuesto joven, de cabello oscuro y ondulado, nariz recta y pobladas cejas con pronunciado arco sobre unos ojos muy separados en los que se advertían destellos de inteligencia, tal como George Constantine se lo había descrito a Hans Holbein.

–Haremos circular este retrato entre los espías, infiltrándolos en sus viles feligresías de Oxfordshire y Berkshire y ordenándoles que sonsaquen a todos los sospechosos sus opiniones en lo referente al purgatorio y la eucaristía. Para cuando Frith sea localizado, tendremos tantas pruebas que ni siquiera el rey se opondrá al arresto.

Tomás enrollaba el mapa para devolvérselo a Stokesley cuando llamaron a la puerta. Entregó el mapa al obispo y fue a abrir.

–Sir Tomás, ha venido un hermano franciscano, un tal Richard Risby.

–Dígale que se vaya. Dígale que no lo recibiré y que no vuelva más por aquí –contestó Tomás en voz baja.

El obispo apartó la vista de los retratos en miniatura enmarcados que había estado admirando durante la interrupción.

–Este es vuestro amigo Erasmo, ¿no?

–Lo es. ¿Lo conocéis?

–Conozco su obra –respondió el obispo, orgulloso a todas luces de exhibir esa pizca de saber–. ¿Quién es el hombre del otro retrato?

–Otro amigo íntimo de Flandes, Peter Gillis. Me regaló los retratos como recuerdo de mi última visita a Amberes.

–¿Holbein?

La afectación de conocimiento de bellas artes del obispo ofendió a Tomás. Despreciaba tales pedanterías.

–No. Un artista de Amberes de cierto renombre. Se llama Quentin Massys.

–Ah. –Obviamente el obispo no había oído hablar de él y pareció perder interés de inmediato.

–Massys ya ha muerto –indicó Tomás, dispuesto a alargar la conversación para que Stokcslcy no rccordara las palabras cruzadas durante la breve interrupción. Al entrometido obispo se le daba muy bien escuchar conversaciones ajenas–. Es muy probable que el arte de Massys aumente su valor, si su nombre no se ve empañado por los lazos heréticos de su hermana. Esta ha fundado una sociedad de lectura de la Biblia en Lovaina.

Eso sí lo distraería. Más charla sobre la herejía.

Stokesley dejó las miniaturas y miró a Tomás, bajando ligeramente los párpados.

–El hombre que ha llamado a la puerta…

–Era mi criado. La influencia de Lutero en el Sacro Imperio Romano ha sido más perniciosa de lo que…

–No, me refiero al franciscano, ese Risby. ¿No es el monje vinculado a la Doncella de Kent? ¿La que profetizó un mal augurio contra el rey en relación con el divorcio?

–Lo es.

Stokesley cogió la gota de ámbar y fingió examinarla detenidamente, esperando que Tomás se explayara en su respuesta, cosa que Tomás prefirió no hacer. Pero el obispo no era hombre que dejara atrás retazos de información cuando rastreaba.

–¿Qué pensáis de sus profecías? –preguntó.

–Pienso que es una doncella manipulada, más loca que clarividente.

–¿La habéis conocido?

Esa era la pregunta que Tomás temía. Se resistía a proporcionar a sus amigos –los amigos de hoy, tal vez los enemigos de mañana– elementos que pudieran usarse contra él si lo emplazaban ante los tribunales del rey.

–La vi una vez. En el desempeño de mis funciones de canciller.

–¿Y qué quería Risby?

–Quería que volviera a verla.

–¿Lo haréis?

–No. Esa mujer ha profetizado la muerte del rey. Eso es traición. Y la traición conlleva un castigo incluso mayor que hablar contra la política del rey en el Parlamento.

El obispo, que no tuvo respuesta para eso, recogió apresuradamente sus mapas y se marchó con la promesa de iniciar la cacería de John Frith.

XXXIV

El mismo hombre que ahora huye puede volver a luchar otro día.

ERASMO, *Apotegmas* (1542)

John Frith miró a los escasos parroquianos lolardos congregados en una casa de labranza de Essex, cerca de Chelmsford. Había recorrido muchas millas y llevaba dos días sin dormir, pero la buena acogida dispensada a sus charlas le infundía energía. Nada más llegar, los feligreses lo habían ovacionado, agitando en alto sus Nuevos Testamentos en inglés.

—Estoy impaciente por hablarle de vosotros al traductor —dijo—. Vuestra fe será un gran incentivo para él. Ojalá pudiera estar aquí y veros con sus propios ojos.

Lo mismo había sucedido en todos los lugares donde había predicado durante las últimas semanas, desde Reading hasta East Essex. Nunca daba su verdadero nombre, sino que se hacía llamar Jacob, diciendo que era amigo de los hombres de la Biblia de allende el mar. Solo aceptaba una capa a modo de abrigo o una cama para pernoctar, ya que en octubre el tiempo había refrescado incluso de día, y a veces un poco de comida para el camino. Pero a las numerosas almas bondadosas que ofrecían ayuda económica les indicaba que entregasen las sumas que pudieran permitirse a los máximos representantes de sus feligresías, quienes, a su vez, las remitirían a la Liga Hanseática en el Steelyard, a la atención de sir Humphrey Monmouth, o si vivían próximos a Reading, al prior de su abadía.

Pero les advirtió que anduvieran con cautela.

–Esta manera de organizarlo os protege tanto a vosotros como a mí –afirmó–, ya que vuestras aportaciones serán anónimas, y si a mí llegan a prenderme, no llevaré encima vuestras cartas testimoniales –y con toda seriedad añadió–, ni sabré de quién son.

Ahora, a solo unas millas de la costa, ya no temía tanto que lo prendieran, si bien era muy consciente de que no debía bajar la guardia. En eso residía el mayor peligro. Y sin embargo era difícil no distraerse siendo tan grande su anhelo de ver a Kate y estrecharla, si es que aún podía abarcarla, entre sus brazos. Estaba ya de siete meses. Ella nunca lo perdonaría –tampoco él se lo perdonaría jamás– si no llegaba a tiempo para el nacimiento de su primogénito.

Un mensajero le había entregado una carta de su esposa en el Steelyard a su paso por St. Albans. Él la había leído y releído hasta que el papel quedó arrugado y se desmenuzaba en sus manos. Había conseguido mandar una respuesta por medio del mismo mensajero para pedirle que hiciera saber a Tyndale que se había abierto una cuenta secreta en el Kontor de Amberes para que ellos retiraran dinero. Si ella necesitaba algo, Tyndale se lo proporcionaría. Le había asegurado que pronto regresaría, y si bien le había contado el júbilo con que lo recibían en todas partes, había omitido toda mención a las ocasiones en que lo habían seguido o sus días en el cepo en Reading.

Esa feligresía de Chelmsford era la más numerosa hasta el momento, pero se alegraba de que el encuentro tocara ya a su fin. Se sentía débil a causa del agotamiento. Aun mientras pronunciaba su bendición, pensaba ya en informarse sobre algún establo cercano donde pasar la noche: no le gustaba poner en peligro a las familias para quienes predicaba. Pero apenas había dicho el último «amén» cuando un hombre se acercó a él.

–Padre, ¿puedo hablar con vos un momento?

Un hombre de muy corta estatura y actitud sincera le tendió la mano.

John se la estrechó con la poca energía que le quedaba.

—Por favor, llamadme hermano o sencillamente J... Jacob. Como nuestro Señor nos recordó, solo hay uno digno de llamarse «Padre». ¿Y cuál es vuestro nombre?

—William. William Holt. Soy sastre, de Epping.

—De allí os conozco. Ya me parecía a mí que me sonaba vuestra cara.

—Sí. Estuve en la charla que disteis en Epping. Allí predicasteis sobre la eucaristía, y me conmovieron enormemente vuestras palabras cuando afirmasteis que lo importante es el milagro de la transformación del corazón y no la presencia real del cuerpo de Cristo... tal como lo describisteis, tenía mucho sentido. Intenté recordarlo para explicárselo a un amigo mío, pero, por desgracia, me faltaron las palabras.

—Bueno, no es muy difícil entenderlo. Basta con que le digáis a vuestro amigo...

—Aquí tenéis. ¿Podríais anotármelo? ¿Las ideas centrales de vuestro sermón en Epping?

El sastre sacó de algún sitio un papel y un pequeño cuerno de tinta, como esos que empleaban los escribanos en sus desplazamientos, y se los ofreció a John.

Él vaciló por un brevísimo instante. Tyndale le había advertido que no consignara nada por escrito sobre la doctrina de la eucaristía. Ese tema, más que cualquier otro, suscitaría sin duda las iras no solo del clero, sino también del rey.

—No debería pedíroslo, pero es tan pobre mi uso de la palabra... Cuando vos lo decís, tiene sentido; cuando lo digo yo... y además no recuerdo el segundo punto.

John cogió el papel y anotó una sencilla explicación sobre la doctrina de la eucaristía, enumerando los tres puntos sobre los que había predicado en Epping, que ponían en duda el fundamento mismo de la misa.

—Gracias, señor. Gracias. Ahora podré convencer a mi amigo de lo equivocado que es su razonamiento —dijo el hombre, echando una ojeada al papel–. Ah, y una cosa más. ¿Os importaría firmarlo? –Sonrió con cara de disculpa–. Así sabrá que no me lo he inventado.

Sin pensar, John plasmó su nombre al pie del papel.

El sastre le lanzó un vistazo y, sonriente, plegó el papel y se lo guardó en el bolsillo. A continuación, alargó el brazo y dio un apretón de manos a John.

Mientras John observaba alejarse a William Holt, cayó en la cuenta de que había firmado con su nombre auténtico. Hizo ademán de llamarlo. Pero ¿qué iba a decirle? Si le pedía que le devolviera el papel, no solo sería un insulto para él, sino que quizá incluso llamaría la atención. Además, el sastre parecía un hombre honrado, e incluso si sus enemigos se apoderaban del papel, ¿qué importaba? No podían más que añadirlo a la creciente acumulación de sermones heréticos pronunciados por John Frith. Al cabo de dos días estaría en Southend. Y antes del sábado, en brazos de Kate, sano y salvo en la Casa Inglesa, y nada de aquello tendría ya importancia.

※

–Voy a acompañar al rey a Calais pasado mañana –anunció Ana Bolena a sus damas en la cámara privada de la reina.

Ana había regresado a Hampton Court con nuevo aplomo después de su investidura como marqués de Pembroke. El rey la veneraba como un cachorro a su amo. En verdad, pensó, si sostenía una galleta ante él, se sentaría sobre las patas traseras y suplicaría… bueno, no una galleta, pero sí un incentivo de otro tipo. Aunque ella eso no lo haría, naturalmente; no era prudente inducir a un rey a suplicar.

Acababa de asistir a la misa oficiada por Thomas Cranmer, el nuevo arzobispo de Canterbury, en la capilla real, donde ella había ocupado el banco real junto al rey. El viaje a Calais había sido idea de Cranmer.

–Sería un gesto de cortesía incluir vuestros planes de anulación en las conversaciones con el rey de Francia. Incluso podríais plantearos, vuestra majestad, llevar a lady Ana con vos. Así daríais a Francisco ocasión de conocer a la mujer que pronto será vuestra nueva reina.

Si Ana albergaba dudas sobre este nuevo arzobispo, se disiparon al oír esa sugerencia.

Ahora observaba con cierta satisfacción a lady Margaret Lee mientras esta intentaba disimular su sorpresa.

–¿Sacamos vuestros vestidos, milady?

–Sí, *s'il vous plaît*. Me conviene practicar el francés. No os olvidéis de incluir la faja carmesí. El rey la ha solicitado especialmente, y el manto forrado de armiño. Nos alojaremos en el palacio del tesorero real, y dicen que hay muchas corrientes de aire. También mis mangas y mi faja de ante. Probablemente saldremos de caza con Francisco.

Abrió su joyero y sacó unas cuantas alhajas. Se le iluminó la mirada al ver una tiara de plata. ¿Demasiado presuntuosa? No, decidió. Quedaría bien con el vestido carmesí, y Enrique quizá la encontrara graciosa. Si no era así, sencillamente se la quitaría. La echó sobre la pila. No pasó por alto la mirada que cruzaron las dos mujeres.

–No os olvidéis de llenar el baúl por capas, poniendo las prendas de terciopelo arriba con tallos de lavanda en medio.

Lady Margaret Lee expresó su obediencia con una inclinación de cabeza.

–¿Nosotras os acompañaremos, milady? –preguntó la Seymour con sus pálidas mejillas casi enrojecidas de entusiasmo.

–No, no lo creo. Será un viaje corto. Me bastará con mi doncella personal. No será necesario arrancaros de las comodidades de que disfrutáis aquí.

La Seymour, alicaída, le dirigió una expeditiva reverencia.

–Ahora, si ya tenéis suficientes tareas de que ocuparos, me marcho al patio, donde su majestad me ha retado a una partida de bolos. –Ana salió de la habitación airosamente, procurando no sonreír ante la cara de decepción de la Seymour. Me pregunto si seré más feliz que ahora cuando sea reina, pensó. Por fin tenía ya la casi total certeza: no le había venido la última menstruación. Pero aun cuando la concepción todavía no se hubiera producido, todo se andaría.

Enrique le había susurrado al oído que dispondrían de habitaciones contiguas, según le había asegurado el embajador francés.

✣

408

John Frith solo pensaba en la estrecha franja de mar que lo separaba de la seguridad y los brazos de su esposa cuando se aproximaba a los muelles de Southend. Esa noche dormiría en su propia cama, si su cuerpo extenuado conseguía llegar hasta allí. Los músculos de las piernas le temblaban de fatiga y el estómago le rugía. Pensando que debía hacer un alto para satisfacer al menos alguna de sus necesidades físicas, se detuvo el tiempo imprescindible para tomar una pinta y una empanada en una taberna, pero la pinta estaba solo demediada cuando abandonó la taberna llamada «El zorro y el perro», llevándose la empanada a medio comer.

Si John no hubiese estado tan abstraído, si hubiese tenido menos prisas, se habría fijado en el hombre corpulento que, sentado solo en el rincón, lo observaba atentamente, se habría dado cuenta de que ese hombre salía de la taberna detrás de él, habría visto su revelador gesto de asentimiento a un segundo hombre vestido de labriego que aguardaba ociosamente en un portal al otro lado de la calle. Tampoco advirtió, mientras comía gozosamente su empanada, que un tercer hombre se unía a los otros dos allí donde la calle desembocaba en el embarcadero.

John recorrió con la mirada los barcos allí anclados. Avistó uno con la bandera de la Liga Hanseática. Ese era al que debía dirigirse primero en busca de pasaje. Un corrillo se había congregado y observaba expectante un enorme barco que surcaba el mar a lo lejos.

—Mirad, es el barco de su majestad —clamó alguien.

—Que se lleva más dinero nuestro a Francia, seguro —añadió otro—. Probablemente va a bordo esa puta, la Nana Bolena.

Protegiéndose los ojos del sol con una mano y metiéndose en la boca el último trozo de empanada con la otra, John contempló en lontananza el majestuoso barco con las enseñas de los Tudor. Si pudiera acceder a ese barco, presentaría su ruego al rey sin tener que identificarse ante los numerosos cortesanos vinculados a sus enemigos. Miró alrededor en busca de una embarcación con la que poder perseguirlo. Acaso el rey encontrara graciosa una acción tan audaz, y si Ana Bolena viajaba a bordo, tal vez incluso estaría bien dispuesto a escucharlo. Sería arriesgado. Debía de haber cañones en ese barco; tal vez el capitán abriera fuego y hundiera el bote. Pero si conseguía acercarse lo suficiente, tenía la certeza de que podría convencerlos para que le permitieran subir a bordo.

—¿Maese Frith?

Sorprendido de oír su verdadero nombre pronunciado en alto en medio de una muchedumbre, vaciló más de la cuenta antes de adentrarse entre el gentío para esconderse.

—¡John Frith! Alto. Desearíamos hablar con vos.

Echó a correr para alejarse del muelle, pero no había dado más que unos pasos cuando tres hombres fornidos lo rodearon.

—Soltadme de inmediato u os denunciaré a la guardia del muelle.

Ignoraba si existía una guardia del muelle, pero fue lo primero que se le ocurrió.

—Debéis acompañarnos.

John trató de hacer acopio de la poca indignación que el cansancio le permitió.

—¿Por orden de quién?

—Del obispo de Londres.

De pronto un repentino miedo le insufló energía y la fatiga desapareció, despejándosele la mente. Había ciertas cuestiones sobre las que no era necesario esgrimir argumentos falsos.

—El obispo de Londres no tiene autoridad para llevar a cabo arrestos. Esa autoridad recae en el rey.

—El rey no está aquí, maese Frith —dijo uno de ellos, riendo, y señaló el barco—. Está demasiado ocupado para tomarse ninguna molestia con individuos como vos.

Los hombres lo acorralaron, y uno le inmovilizó el brazo tras la espalda. La punta de una daga se hincó a través de la gruesa sarga de su almilla.

—El obispo no tiene derecho, insisto. El Parlamento ha aprobado una ley…

—Eso contádselo al obispo —gruñó uno de ellos, obligando a John a caminar de un empujón.

Lo superaban en número. Aun si conseguía zafarse, difícilmente escaparía. Vio a un agente de aduanas, que mostraba interés en lo que sucedía pero a todas luces había decidido que eso no era de su competencia.

–Secuestro ilegal –vociferó John en dirección al agente–. Informad a maese Cromwell en Whitehall. Decidle que John Frith ha sido detenido ilegalmente. Me pongo a merced del rey y exijo un trato legal.

Lo repitió más de una vez, levantando la voz lo suficiente para que cualquier persona bien predispuesta que lo oyese pudiera transmitir el mensaje, aun cuando el agente de aduanas se abstuviese. Gritaba todavía cuando sintió tal sacudida en el brazo que el dolor le llegó a la muñeca. Uno de los hombres le tapó la boca con la mano.

–Cerrad la boca si no queréis que os parta el brazo.

Pero mientras John avanzaba a trompicones con aquel dolor palpitante, tenía la certeza de que la noticia habría corrido por todo Essex al anochecer. Y llegado a oídos de Cromwell, Dios mío, te lo ruego, suplicó, recordando el sótano del pescado. Dudaba de que tuviera fuerzas para sobrellevar aquello de nuevo. Esta vez era distinto. Esta vez no solo se jugaba la vida. Esta vez estaba Kate… y el niño que habían creado juntos. Gracias a Dios ella no lo sabe, pensó. Algún día se lo contaré. Cuando me haya fugado. Cuando todo esté en orden.

XXXV

*Vine aquí, buena gente, acusado y condenado por
hereje, siendo sir Tomás Moro mi acusador y mi
juez. Y sean estos los artículos por los que muero.
Primero, declaro que es lícito que todos los hombres
y mujeres dispongan del libro de Dios en su lengua
materna. Segundo, que el obispo de Roma es el Anticristo… Que Dios perdone a sir Tomás Moro.*

Declaración de James Bainham antes
de ir a la hoguera, abril de 1532

Al caer las sombras vespertinas, el frío penetró en la parte de
atrás del carromato. John Frith se arrebujó en su capa de lana e intentó pensar. Muy probablemente sus captores lo llevaban ante la
presencia bien del obispo Stokesley en Londres, bien de Tomás
Moro en su casa, donde sin duda lo someterían a la clase de interrogatorio ilegal que Moro venía realizando desde hacía años. La
mejor opción de fuga era antes de llegar a su destino.

Uno de los hombres se había adelantado a caballo –obviamente
para recibir la recompensa por haber capturado a su presa– y otro
conducía el tiro de caballos. Eso mejoraba sus posibilidades, pero
el gigante que sonreía junto a él con la daga desenfundada tenía cor-
pulencia suficiente para partirlo en dos. Al principio John había intentado entablar conversación, con la esperanza de despertar su
compasión. Pero, por lo visto, era una cualidad que no poseía.

–¿Adónde me lleváis?

–Lo sabréis cuando lleguéis allí.

–¿Imagino que no os sería posible atarme las manos por delante, y no a la espalda? Si vais a entregarme al obispo, quizá él no quiera la mercancía dañada.

Su vigilante lo miró con recelo.

–¿Qué diferencia hay si las lleváis atadas delante o detrás?

–Se me han dormido los brazos, y me golpeo una y otra vez las muñecas contra el adral.

–Solo estamos a una hora de Londres.

El carromato traqueteaba y se sacudía al rítmico chacoloteo de los caballos y los chirridos de las ruedas de hierro. John cerró los ojos, fingiendo que dormía, mientras su pensamiento se adentraba en callejones sin salida. Si quería fugarse, debía obligarlos de algún modo a detenerse. Tal vez podía simular algún tipo de ataque para crear una distracción. Pero tendría que actuar deprisa, tendría que coger al vigilante por sorpresa. Y tendrían que hallarse en algún lugar que no fuera ese camino abierto, para encontrar donde esconderse si lograba salir vivo del carromato.

Al aproximarse a la puerta de acceso al obispado, oyó acercarse el ruido de unos cascos de caballo. Reconstruía en su cabeza el trazado de las calles y callejones en torno a la puerta de acceso al obispado cuando de pronto se interrumpió el sonido de los cascos. Las ruedas se detuvieron con un chirrido al tirar el cochero de las riendas.

¡Ahora! Esa era su oportunidad para salir de allí como una flecha si lograba coger desprevenido al vigilante. Desde su fingida postura de hombre dormido, John entreabrió los ojos para calcular el tiempo de que disponía. Abrió los ojos de par en par. ¡Soldados! Los jinetes vestían la librea real. El vigilante se acercó más a él.

–Llevamos a un prisionero ante el obispo Stokesley –explicó el cochero, y su voz llegó a la parte de atrás del carromato. John abrió la boca para hablar. La daga se le hincó en el costado, un suave recordatorio por parte del vigilante.

–¿Quién es? –Uno de los soldados escudriñó dentro del carromato.

–Frith –gritó John–. John Frith. –La daga se clavó en su costado, pero sabía que allí no lo matarían. Esa era su única oportunidad–.

413

Soy un estudioso de Amberes, y he venido a ver a maese Cromwell. Estos hombres me retienen contra mi voluntad. Son matones y asaltantes. –John sintió que la daga se hendía aún más, dando gracias por la resistente capa y la gruesa almilla de sarga–. Llevadme ante maese Cromwell…

–Es un hereje –gruñó el vigilante–. El obispo ha ordenado su detención.

–He sido raptado ilegalmente. Según la nueva ley del Parlamento, el obispo no tiene jurisdicción para arrestar y retener. Si van a presentar cargos contra mí, debo quedar bajo la custodia del rey, no del obispo.

El soldado pareció reflexionar.

–Si dudáis, llevadme ante maese Cromwell. Si estoy en un error, podéis entregarme al obispo vosotros mismos. Si estoy en lo cierto, habréis impedido una injusticia y os habréis granjeado el favor de maese Cromwell.

Los soldados departieron brevemente, y después, para gran alivio de John, uno de ellos indicó al cochero del carromato con un gesto de cabeza que debía pasar a la parte de atrás con el prisionero. Entregó las riendas de su caballo a su compañero y ocupó el asiento del cochero. En menos de una hora John estaba bajo la custodia del alguacil Kingston en la Torre.

❧❧

La primera noche de John en la Torre resultó no ser tan mala como se temía. El viejo guardia de servicio lo llevó a su celda, diciéndole que el alguacil se había retirado ya a sus aposentos privados e interrogaría al prisionero a la mañana siguiente. Al menos había allí una ventana, alta y abierta al cielo, que proporcionaría algo de luz al llegar el día. La claridad de las estrellas que penetraba ahora por ella mostró la inhóspita severidad del pequeño espacio. No había más mobiliario que un colchón de paja, que olía relativamente a limpio y era, pues, preferible al frío suelo de piedra.

Le dieron asimismo una comida aceptable, pese a que nadie le había pedido que la pagara, y menos mal, porque solo llevaba una moneda para el pasaje de vuelta a casa cosida al dobladillo de la capa. Estaba resuelto a no gastarla aunque se muriera de hambre.

414

Tal era su cansancio que durmió a pierna suelta y, para su sorpresa, a la mañana siguiente le sirvieron el desayuno, no copioso, solo un trozo de pan rancio y unas gachas más bien claras, pero suficiente para mantener con vida a un hombre. Aun así, ¿cómo podía sobrevivir un hombre sin libros y material de escritura? Ni siquiera podía enviar una carta a Kate para anunciarle que su llegada no sería tan inminente como él pensaba. Si pudiera decirle al menos que le había surgido un pequeño retraso, nada preocupante, que todo saldría bien, se quedaría más tranquilo.

Contempló el grosor del marco de piedra de la ventana, y se preguntaba si alguien habría escapado alguna vez de una fortaleza así cuando se abrió la puerta de la celda y entraron dos hombres. El más alto, con el espadín ceñido en torno al jubón de terciopelo, se presentó como el alguacil. Su compañero, que también lucía ricas vestiduras, en su caso un gorro y un manto de terciopelo, era obviamente un hombre de cierta importancia, aunque nada en su aspecto denotaba al noble cortesano. Tampoco parecía un obispo.

Maese Frith, debo admitir que me complace conoceros. Sentía curiosidad por vos.

—Este es maese Cromwell —dijo el alguacil—. Tiene especial interés en todos los prisioneros acusados de herejía. Estáis bajo su jurisdicción, pero eso vos ya lo sabéis, según me han dicho los oficiales que os arrestaron.

John se levantó del suelo con dificultad, haciendo acopio de toda la dignidad posible, e hizo una breve inclinación en señal de reconocimiento a uno de los hombres más poderosos de la corte.

—Maese Cromwell, toda Inglaterra os conoce, pero ¿cómo habéis oído vos hablar de mí?

Cromwell sonrió.

—He leído vuestra *Discusión sobre el purgatorio*.

—Es un honor para mí —celebró John, evaluando a aquel hombre y adivinando que era sensible a los halagos—. Más aun teniendo en cuenta que la lectura de mi obra os define como hombre de valor, ya que está prohibida.

—Sin duda es un texto audaz, y más en estos tiempos —afirmó Cromwell.

—Estos tiempos requieren textos audaces, ¿no os parece?

415

—Eso si el martirio es de vuestro agrado. En caso contrario, yo recomendaría prudencia. Si sois prudente, puede que incluso saquéis provecho de esta circunstancia. La nueva reina tendría cierta influencia en vuestro favor.

«¿La nueva reina?» Claro. Cromwell se adelantaba a los acontecimientos. Se sabía que era partidario de Ana Bolena.

—Ella ha mostrado un interés especial en los supervivientes del sótano del pescado. Pero la Iglesia, los obispos y el arzobispo siguen juzgando asuntos de herejía en sus tribunales. Incluso el arzobispo Cranmer, que es… afín a vuestra causa se lo pensaría dos veces antes de desestimar un veredicto de culpabilidad. El obispo Stokesley formará parte de ese tribunal. Tomás Moro será su asesor jurídico. Este es momento para la prudencia, maese Frith, no para la audacia. Si sois tan listo como creo, no necesitáis que os diga más.

—Sois muy amable, maese Cromwell. Me honra vuestro interés, y me complace oír vuestro consejo. Si me permitís la osadía de pedir un favor más, ¿podría disponer de material de escritura?

Cromwell arrugó la frente, entrecerrando los ojos hinchados hasta reducirlos a dos rendijas.

—Después de lo que os he dicho, maese Frith, no os recomendaría…

—Para escribir a mi esposa.

—Tampoco os lo recomendaría. Una carta así podría servir para localizar a vuestra esposa o a… otros amigos. Vuestra esposa podría ser utilizada a modo de palanca para obtener información o induciros a retractaros. Vuestra abjuración sería un regalo caído del cielo.

John de pronto se acordó de lo ocurrido a James Bainham: al no poder quebrantar su voluntad con el potro, habían encarcelado a su esposa en la prisión de Fleet. Gracias a Dios, Moro y Stokesley no sabían que tenía esposa y menos aún dónde vivía.

Cromwell apoyó una mano sobre el hombro de John en actitud fraternal.

—Alguacil Kingston, no es necesario que os preocupéis demasiado por los cerrojos. Creo que puede concederse a nuestro joven amigo libertad para visitar a algunos de los otros prisioneros. Es un hombre de Dios, un hombre compasivo. —Sus labios se curvaron en un amago de sonrisa–. Puede que reconforte a algunos de ellos. Permitid asimismo que lo vea cualquier visitante que pregunte por él.

El alguacil asintió.

–Y satisfaced cualquiera de las necesidades básicas que tenga. Podéis cargarlo a mi cuenta.

–Os agradezco vuestra gentileza, maese Cromwell –dijo John, y así era, aunque había algo en aquel hombre que no le inspiraba plena confianza. Se sabía que simpatizaba con el movimiento protestante, pero no sería el primero que aprovechaba la ola del necesario cambio para acceder al poder. En sus ojos se advertía una expresión de astucia que delataba su interés personal, y al fin y al cabo había sido escogido y adiestrado por Wolsey, parangón del interés personal.

–Cuando vuelva el rey, intercederé por vos ante él. El rey, pese a todas sus disputas con la Iglesia, sigue siendo un fiel defensor de la misa. Recordad eso en vuestras conversaciones con los residentes de la Torre y los visitantes. No sería raro que Moro y Stokesley mandaran un espía o dos.

–¿Y el material de escritura? –insistió John–. Aun a riesgo de abusar de vuestra gentil generosidad. Sería un gran favor.

Cromwell asintió.

–Vuestra posición como teólogo podría serle de mucho provecho al rey, si vuestra conciencia os permitiera escribir o hablar a favor de su decisión de repudiar a la vieja reina. Tenéis suerte de haber caído en mis manos y no en las de vuestros enemigos, maese Frith. Pero, os lo advierto, solo puedo ayudaros hasta cierto punto.

Después de marcharse, llegó la cena de John, y junto con ella una única vela, un poco de material de escritura y un libro con los sermones de Erasmo, no prohibido –Erasmo era un maestro de la cautela y predicaba contra muchos de los abusos de la Iglesia que los «herejes» abominaban, pero quedándose siempre a un paso de la herejía, conservando su amistad con Moro–: un ejemplo de la prudencia de Cromwell. Pero cuando John acabó su empanada de carne y su sidra aguada, no encendió la vela ni cogió el libro o el material de escritura. Se recostó contra la pared, contemplando la única estrella en el estrecho pedazo de cielo negro que alcanzaba a ver.

Se preguntó si Kate estaría mirando esa misma estrella. Si de algún modo sabía que él corría peligro. Se sumió en una soledad tan negra como aquel trozo de cielo.

El capitán Lasser estaba recogiendo un cargamento en el Steelyard cuando le llegó la noticia de que John Frith había sido arrestado. Dejó el paquete que se disponía a entregar a un tripulante.

—¿Sabe la esposa de Frith que lo han capturado? —preguntó a sir Humphrey, que era quien se lo había comunicado.

—Lo dudo. Nosotros acabamos de enterarnos hoy. Estamos intentando llegar a él para ver si necesita cualquier cosa que podamos proporcionarle. Trato de armarme de valor para escribir a su mujer. Es una tarea difícil. Su hermano era impresor e intermediario nuestro antes de que lo prendieran y le destrozaran la prensa. Ella me vendió una Biblia, una excelente reliquia de familia, para reunir dinero cuando cerraron la imprenta de su hermano. —Cabeceó y se acarició la barba, dándole forma de punta de daga—. ¿Cómo puede decírsele a una mujer que su marido ha sido arrestado por herejía?

—Con la mayor delicadeza posible —sugirió Tom, pensando en lo difícil que sería escribir una carta así, aun cuando ella no fuera una joven hermosa y esposa de un hombre a quien él admiraba—. Los conocí bien a los dos cuando los ayudé a escapar. Por entonces estaban recién casados. Cuando me enviasteis a recogerlo a él, no me dijisteis nada de su esposa.

—Yo mismo no lo sabía. Fue una complicación. Pero gracias a vos, todo salió bien.

—Frith es un buen hombre, y listo. Es posible que salga de esta. ¿Dónde lo tienen?

—En la Torre. Al menos Moro y Stokesley no pueden acceder a él.

—Pero aun así ¿será sometido a juicio?

—Muy probablemente. Siempre y cuando consideren que han reunido pruebas suficientes.

—Cosa que estarán haciendo con la misma diligencia que una ardilla recoge nueces, me juego lo que sea. Cuando acabéis de escribir esa carta, dádmela. Yo se la llevaré.

–Otra difícil tarea, capitán.

Tom asintió y levantó una caja con el rótulo «especias» que colocó sobre una pila para que la cargaran. No olía a especias, pero Tom había aprendido a no hacer preguntas. Lo único que necesitaba saber era que iba marcada con dos X y requería un manejo especial.

–Una difícil tarea –coincidió él–. Pero solo le faltaría recibir una carta así de manos de un mensajero desconocido.

Mientras cargaba cajas y fardos marcados con la doble X, se planteó su dilema. Siempre había eludido toda implicación directa con los reformistas: el beneficio era nulo y el riesgo grande. Ningún obispo conocía su nombre, y esa era una situación muy deseable; siempre se las había arreglado para navegar sin llamar su atención, como cualquier otro contrabandista que podía librarse a fuerza de sobornos si lo prendían. Pero la dura verdad era que John Frith no merecía morir a manos de Tomás Moro. Y la valerosa joven que había conocido ante la cárcel de Fleet no merecía esa doble ración de dolor. Si podía prometer ayuda, transmitir a Kate cierta esperanza de que su marido quedaría en libertad, la noticia sería más llevadera para ella. Pero ¿realmente podía hacerlo? ¿Arriesgarlo todo para liberar a Frith? Quizá no.

Para cuando Monmouth regresó con su carta y *El canto de la sirena* zarpó, el capitán Lasser estaba ya convencido de que debía ofrecer a Kate un hombro sobre el que llorar cuando recibiera la noticia. Merecía eso como mínimo.

❧

Kate acabó de coser el dobladillo en la funda de la cuna de su bebé y examinó las diminutas puntadas con satisfacción. No eran perfectas, pero tampoco estaban tan mal. Extendió la suave tela en la cuna y dio a esta un pequeño empujón con el pie.

Con las manos en el vientre, habló con suavidad a la criatura que llevaba en su interior.

–Este mundo es un lugar duro, pero tendrás una cama blanda, aunque la almohada tenga uno o dos puntos torcidos. –El bebé dio una patada como si respondiera. Kate se echó a reír–. Eso resérvaselo a tu padre para que vea lo fuerte que estás. Estará aquí para

419

darte la bienvenida en el mundo como prometió. Tal vez incluso llegue antes.

Al marcharse, John había dicho que volvería por Navidad, pero en su última carta de hacía dos semanas anunciaba que en ese momento pasaba por Londres y regresaría a casa antes. Incluso podría estar allí para el día de Todos los Santos.

—Ahora sí pensará que tu madre está tan gorda como la mujer del panadero.

Contemplaba esa posibilidad con solo un fugaz asomo de desasosiego —¿la vería fea y deforme?—, cuando la criada le comunicó que tenía una visita.

—¿Quién es?

—No lo sé, señora. Nunca lo he visto.

—Ya sabes que no debemos recibir a desconocidos aquí. Podría ser un espía.

—Dice que es de la Liga Hanseática, y me ha enseñado un sello para demostrarlo.

—¿Te ha dado su nombre?

—Capitán… Lasser, creo.

Kate reflexionó por un momento. Tom Lasser siempre la había inquietado de una manera imprecisa. Además, probablemente había ido para ver a John.

—Dile que mi marido no está.

La criada se marchó apresuradamente pero regresó casi de inmediato.

—Dice que es a vos a quien necesita ver, señora. Dice que os trae una carta de Humphrey Monmouth.

Humphrey Monmouth. Quizá sean noticias de John. Dios mío, te lo ruego, que no sea una mala noticia. No lo soportaría. Ahora no.

—Lo recibiré en la capilla —respondió Kate—. Allí podremos hablar en privado.

Y aquel sagrado espacio, pensó, quizá le brindara cierta protección contra las malas nuevas.

☙❧

Cuando Tom entró en la sencilla y pequeña capilla, no la vio en la luz tenue. La reducida estancia estaba en penumbra salvo por un rayo de sol con motas de polvo en suspensión procedente de una alta ventana que iluminaba con un resplandor blanco el austero altar. Cuando ella se levantó y se volvió de cara a él, el haz la iluminó también, y de pronto resultó difícil respirar en el exiguo espacio de la diminuta capilla.

—Estáis… radiante —dijo Tom Lasser, y se le cayó el alma a los pies al verla en avanzado estado de gestación. Como si su misión no fuera ya de por sí bastante difícil—. ¿Para cuándo es el parto?

—Para Navidad, más o menos.

Ella no le sonrió. En su voz no se adivinaba el menor tono de bienvenida. Instintivamente, Tom se acercó.

Ella retrocedió.

—¿Habéis dicho que traéis una carta?

—¿Podemos sentarnos aquí un momento? —Él señaló el banco ante el altar.

—No necesito sentarme. Si no os importa, requieren mi presencia en la sala de contabilidad.

—Por favor, sentaos. Antes necesito hablar con vos. Antes de que leáis la carta.

Kate palideció.

—¿John? ¿Es sobre…?

Él le rodeó la cintura con un brazo y la guio hacia el banco, pero, notando el respingo de ella, lo apartó.

—Estáis temblando —observó él.

Kate se sentó con las manos cruzadas en el regazo. Él alargó los brazos y se las tocó. Las tenía frías y blancas, como si la sangre no corriera por ellas. En la capilla había solo un pequeño brasero, y no estaba encendido. Tom se quitó el jubón y le envolvió los hombros.

Ella pareció encogerse dentro de él.

—Decid lo que tengáis que decir, capitán. —Hablaba con un hilo de voz, un poco ronca por el miedo.

—John está bien, y no debéis alarmaros excesivamente si recibís noticias desconcertantes.

—¿Qué es alarmarse excesivamente, capitán? —preguntó ella, levantando la voz—. ¿Qué grado de alarma debo mostrar?

Tom no estaba planteándolo bien. La angustia que sentía en ella, el temor que sentía por ella, lo alteraban.

—¿Qué noticias desconcertantes?

—John va a… retrasarse.

—¿Retrasarse? ¿Solo es eso? Hay algo más, lo veo en vuestro rostro. Decidlo y acabemos de una vez, os lo ruego, o sencillamente dadme la carta de sir Humphrey y dejádmela leer.

—John ha sido arrestado —espetó Tom, procurando mantener una expresión benévola, la voz ecuánime.

—¡Dios mío! —exclamó ella, y se llevó las manos primero a la cara, y luego al vientre, como si pudiera impedir que el niño lo oyera. Empezó a balancearse hacia atrás y hacia delante—. Dios mío, no, te lo ruego…

El capitán intentó rodearla con los brazos para reconfortarla, pero ella lo apartó como si el contacto le quemara.

—Mi marido está en manos de sir Tomás Moro, el hombre que solo vive para quemar a otros hombres, ¡y me decís que no me alarme excesivamente!

—No, no es así. No lo tiene Tomás Moro. —Le entregó la carta.

Ella dejó de balancearse un momento y se la arrebató. Sosteniéndola con manos trémulas, la devoró con la mirada.

—Aquí dice que está en la Torre. Que lo tiene Thomas Cromwell y no Tomás Moro —leyó Kate con la respiración entrecortada.

—Y eso es una excelente noticia —indicó él—. Concentraos en eso. No abandonéis la esperanza. Si él es paciente, existen muchas probabilidades de que lo pongan en libertad. Puede que ni siquiera haya juicio.

Ella se puso en pie y se plantó ante él, con los ojos muy abiertos por el miedo y la determinación.

—Llevadme con él —solicitó—. Quiero verlo.

—Opino que eso no sería muy buena idea…

—Vuestra opinión me trae sin cuidado.

—Debéis pensar en vuestro hijo.

—Estoy pensando en él. Quiero que al menos oiga la voz de su padre antes… —Y entonces se echó a llorar.

Esta vez, cuando Tom la rodeó con los brazos, en lugar de retirarse se apoyó en él por un momento. Enseguida su cuerpo se tensó como si se esforzara por recobrar el control.

—¿Me llevaréis con él? —preguntó, y alzó la vista para mirarlo—. Por favor.

—Haré lo que deseéis, Kate, pero creo que… no, escuchadme… si descubren vuestra existencia, os utilizarán contra él. Os convertiréis en instrumento de… —Se interrumpió, buscando una palabra que no fuese «tortura»—. Algo que puedan emplear para quebrantar su voluntad, para obligarlo a confesar. Ahora él sabe que vos y el bebé estáis a salvo. Eso le dará algo a lo que aferrarse. Eso le proporcionará fuerza y consuelo. Sé que eso sentiría yo si estuviese en su piel.

—Pero…

—Permitidme que vaya yo en vuestro lugar. Intentaré entrar a verlo. Haré cuanto esté en mis manos. Si todo lo demás falla, hay otros que han escapado de la Torre…

Ella lo miró con una expresión de incertidumbre en los ojos.

—¿Lo haríais? ¿Os pondríais en peligro por John?

Tom se limitó a encogerse de hombros y dijo:

—John es un buen hombre, y Tomás Moro y su hatajo de cazadores de herejes no me inspiran la menor simpatía. Un hombre ha de tener derecho a creer en lo que quiera.

Ella lo miró como si intentara calibrar sus intenciones, preguntándose si podía confiar en él, y finalmente dijo en un susurro:

—También vos sois un buen hombre, capitán. Siempre lo he sabido.

XXXVI

Deseo con toda mi alma, en nombre de nuestro Sal-
vador Jesucristo, que os arméis de paciencia, y seáis
frío, sobrio, sensato y circunspecto, y que manten-
gáis los pies en el suelo, evitando esas elevadas cues-
tiones que exceden la capacidad del hombre co-
mún… En cuanto a la presencia del cuerpo de Cristo
en el sacramento, mejor será tocarlo lo menos posible.

Carta de Tyndale entregada bajo mano
a Frith en la Torre, enero de 1533

Kate no había sentido el movimiento del bebé desde hacía días, desde que recibió la noticia de que John había sido arrestado. Al principio había hablado al niño en su vientre, tranquilizándolo. ¿Podía ser que el niño se diera cuenta? ¿Sentía su dolor? ¿O solo la fatiga que la invadía? Ahora el sueño era su amante, su consuelo, su compañero más querido, porque en el sueño estaba el olvido. El bebedizo a base de semillas de adormidera molidas endulzado con aguamiel que le había dado la señora Poyntz para calmarla se había convertido en un amigo cuyo consuelo y venturosa evasión buscaba con frecuencia. Tal vez el bebé dormía también.

Pero cuando permanecía insomne y atormentada por sus temores, por no tomar el bebedizo para que el niño despertara, este tampoco se movía. Supo entonces que el niño había muerto. Su corazón ya no latía dentro de ella, y su dolor fue tan profundo que imploró su propia muerte y al instante se arrepintió. John necesitará saber que su esposa lo espera, pensó.

Para cuando su cuerpo expulsó al niño muerto, ya no le quedaban lágrimas que derramar. Una vez llamó a gritos a John en su dolor, y se acordó de que su marido no estaba allí, tal vez nunca volvería a estar allí. Cuando la comadrona le puso en los brazos el cuerpo diminuto e inmóvil de su hijo, ella se maravilló ante tal perfección, y se preguntó si tenía los ojos azules, pero nunca lo sabría. Las ventanas de su alma nunca se habían abierto. No habría soportado pensar que el alma de aquel niño quedaba flotando para siempre en el limbo, como afirmaban los sacerdotes. Era reconfortante saber que no se hablaba de un lugar así en las Escrituras.

Cuando la comadrona lavó aquel cuerpo pequeño y perfecto, y lo envolvieron con la tela que habría servido de funda a su cuna —el paño con las puntadas torcidas que ahora lo envolvería en la eternidad—, cuando William Tyndale pronunció una plegaria y leyó el pasaje del Evangelio en que Jesús llama a los niños, Kate se quitó la medalla de santa Ana que llevaba al cuello y, tras rozarla con los labios, la puso en la diminuta mano del niño como un rosario. John no lo habría aprobado. No tenía fe alguna en las medallas de los santos. Pero John no estaba allí, y William era demasiado bondadoso para reprenderla. Ella había llevado el colgante cerca de su corazón del mismo modo que su hijo había permanecido cerca de su corazón. Lo enterraron en el jardín de la capilla. Kate marcó la tumba con un túmulo de piedras tan redondo y perfecto como el pequeño cráneo. Maese Tyndale grabó profundamente una cruz en la piedra de la base y la hundió con firmeza en la tierra. Daba igual que no hubiera sido bautizado, dijo William; su alma era inocente y retornaría a Dios.

Kate sangró durante tres semanas, hasta que pensó que su sangre, como el pozo de su dolor, debía de ser inagotable. De pronto cesó la hemorragia, y recuperó las fuerzas lo suficiente para volver a sus libros de cuentas y sus tareas de corrección de textos. Pero el dolor persistió. No regresó a las reuniones para el estudio de la Biblia. Ya no tenía ánimos para eso.

Todos eran amables con ella; casi todos los mercaderes la trataban como el cristal que los barcos traían de Venecia, pidiéndole discretamente noticias de John, ofreciéndole palabras tranquilizadoras, falsamente alegres, para darle esperanzas. Nadie mencionaba al niño, era como si no hubiera existido excepto para ella. Solo maese Tyndale le hablaba con verdadera comprensión.

Él sabe el riesgo que corren, pensó Kate. Siempre lo ha sabido. Y, sin embargo, sigue adelante como si actuara conforme a un trato ya pactado. Ha contabilizado el coste y ha calculado el valor, y se da por satisfecho. Pero ella no estaba tan segura de haber cerrado un trato así con Dios; quizá sus antepasados sí lo habían hecho, pero ella no.

Habló con William acerca de eso, y él dijo que no todos estaban llamados a aceptar ese trato.

—¿Creéis que John hizo ese trato?

—Creo que sí —respondió él, muy serio—, y cuando pienso en lo que eso puede representar para ti, me alegro de no haber encontrado nunca esposa.

—No querría que John se retractase por mí —declaró ella—. No querría cargar con ese peso en la conciencia. La decisión debe ser suya.

—En ese caso, no lo hará —afirmó William, y lo dijo con tal certidumbre que Kate sintió un escalofrío en la espalda. En presencia de aquel hombre, era fácil contagiarse de la fe, como uno se contagiaba de unas fiebres, pensó Kate. Quizá fue eso lo que le ocurrió a John. Ella también había padecido esa fiebre, en un tiempo en el que el mundo rebosaba nuevas posibilidades: antes de perder dos niños. Su fe debía de ser de una cepa más débil. La fe no se heredaba.

—Supongo que debemos aceptar la voluntad de Dios —dijo Kate, pero pensaba en su padre, que había muerto, en su hermano, que había sobrevivido, y en cómo habían sufrido los dos, en cómo había sufrido William, un animal perseguido durante una década. Si Dios quería que su palabra se difundiera en inglés, ¿por qué no lo propiciaba sin tanto sufrimiento? Pero no podía decir eso a William Tyndale.

En Navidad había recobrado ya fuerzas suficientes para sobrevivir, y ahora sus días estaban llenos de simulación y pasaba las noches sin necesidad del bebedizo de adormidera. Poco después de

Año Nuevo recibió una carta del capitán Lasser. Tenía dos páginas, y ella la devoró con avidez. Decía que John recibía buen trato, no había sido acusado formalmente de herejía, sino solo de sospecha, e incluso le habían dado permiso para visitar el palacio de su antiguo profesor en Cambridge, Stephen Gardiner, que ahora era obispo de Winchester. Como el obispo Gardiner también había sido profesor de Tom durante su breve y poco destacado paso por Cambridge, esperaba poder transmitirle aún más compasión hacia John. Como obispo de Winchester, sin duda formaría parte del jurado clerical, en caso de que John tuviera que presentarse a juicio, cosa dudosa, ya que se consideraba que no existían pruebas suficientes para inducir al rey a dejarlo en manos de los «carroñeros de hábito negro».

> *Permiten a John recibir alguna que otra visita en la Torre, a veces incluso de reconocidos hombres de la Biblia. De hecho, yo conseguí entrar a verlo una vez. Os habríais reído de mi sobria indumentaria de clérigo, como se rio él al reconocerme. Tenía buen aspecto, aparte de cierta palidez por estar encerrado, pero su ánimo era bueno y habló con gran añoranza de su querida Kate. Le aseguré que cuando os vi por última vez, estabais más hermosa que nunca y exultante, y que lo echabais de menos hasta la locura y que tuve que convenceros de que no vinierais a verlo. Convino conmigo en que debéis quedaros donde estáis. Me encargó que os diga que, de lo contrario, él no viviría en paz.*

Poco después llegaron dos cartas del propio John, las dos con fecha anterior a la del capitán, una para Tyndale y la otra para ella, asegurándoles que estaba bien y que aunque le habían proporcionado en secreto pluma, tinta y papel, escribir le destrozaba los nervios, porque en cuanto oía las llaves en la puerta, debía esconderlo todo en el acto. Terminaba rogando a Kate que no pensara que había incumplido su palabra aun si no llegaba a casa por Navidad para dar la bienvenida a su hijo.

La aflicción de Kate regresó con la fuerza de un dolor físico. No lo sabía, claro. ¿Cómo iba a saberlo? Y entonces pensó que si él...

si ocurría lo peor… tal vez nunca lo sabría. Al menos se ahorraría esa pena. Si volvía a casa, le sería más fácil afrontarlo. Para él, el niño nunca había sido algo tan real como para ella. No lo había llevado junto a su corazón.

—¿Debo decirle lo de su hijo? —preguntó a William, sabiendo ya qué le contestaría.

—Tienes que decirle la verdad, pero dile solo que perdiste al niño, no cuánto tiempo lo llevaste en el vientre ni las circunstancias de su muerte. John no estaba aquí para ver lo hermoso que era su hijo. No sentirá esa pérdida tan intensamente como tú —aseguró. Ella creyó detectar cierta melancolía en su voz—. Solo pensará en ti. Asegúrale que estás bien.

William siempre daba buenos consejos.

∽✠✠

John agradecía las visitas. Eran la única interrupción en la deprimente monotonía de sus días. La luz invernal que entraba por la única ventana era mínima, y la celda estaba siempre fría. Había contraído una tos que lo sacudía de tal modo que al final le dolía el pecho. Permanecía sentado a oscuras la mayor parte del tiempo, reservando los escasos cabos de sebo que Cromwell le proporcionaba para sus ratos de escritura. Casi había concluido su discurso para John Rastell, yerno de Tomás Moro e impresor. Conocía lo suficiente a Rastell para saber que al menos escuchaba los argumentos del otro bando. Si se convirtiera, sería un gran paso; no solo estaba bien situado como impresor con licencia en Inglaterra para ayudar a la causa, sino que además John sentía simpatía por él.

Elaboró su argumentación para Rastell durante horas en la cabeza antes de encender su preciada vela con el pedernal que le había enviado Cromwell. Seguía escribiéndolo en su mente cuando oyó el tintineo de las llaves ante su puerta.

En un acto reflejo dio un respingo, pero no tenía pluma ni papel que esconder. Todas las pruebas estaban en su cerebro. Aún era temprano para la cena, así que debían de haber permitido la entrada a un visitante. Quizá al capitán Lasser. Le había prometido que volvería. Pero cuando la puerta se abrió, supo de inmediato, por la estatura de aquel hombre, que no era el capitán. John sintió una momentánea decepción, pues sabía que Tom tendría noticias de Kate y su casa. Pero el pequeño sastre le caía bien.

–Maese Holt, qué amable por vuestra parte haber venido. El viaje desde Chelmsford es largo, y más en un día como este.

–He venido a Londres a comprar tela. En Chelmsford no hay mucha seda de calidad.

Recorrió la celda con una rápida mirada a la vez que se situaba delante de la puerta, aún abierta, para impedir que se viera el interior desde fuera. Levantando la voz lo suficiente para que el guarda lo oyera, dijo:

–Mi mujer os envía un poco de su tarta de manzana. La última vez os gustó mucho. El chambelán de la Torre me ha dado permiso para dárosla.

A continuación, guiñó el ojo a John y le entregó el paquete envuelto en hule. Al percibir el olor de la canela y la manzana, a John se le hizo la boca agua, pero no lo abrió. Esperaría a que su visitante se marchase y la puerta estuviese cerrada, pero sabía que en el centro de la tarta había una vela dentro de un rollo de pergamino.

– En el tarro hay un poco de esa morcilla por la que sentís tanta debilidad.

–Adoro la morcilla –dijo John, dando las gracias por la tinta al pequeño sastre con una sonrisa y un gesto de asentimiento–. Dad las gracias a vuestra mujer de mi parte. ¿Queréis sentaros conmigo un rato? Contadme las noticias que oís en vuestros viajes por Essex.

Fuera, el guardia se alejó para reunirse con sus compañeros al final del pasillo. Pronto llegaron a través de la puerta abierta los juramentos de los hombres mientras jugaban a los dados, ahogando con sus ruidos la conversación de John y el sastre.

Mease Holt bajó la voz hasta hablar casi en un susurro.

–Todo el mundo os manda saludos. Les preocupa vuestra salud.

–Decidles que sigan rezando por mí, pero estoy bien… –Tuvo un arranque de tos, y el sastre enarcó las cejas en expresión de alarma–. Relativamente bien, dadas las circunstancias.

–Hablamos de vos en nuestra última lectura de la Biblia. El tema era la Última Cena del Señor. Intenté explicarles, basándome en las pocas notas que me disteis, lo que habíais dicho, pero, por desgracia, mis palabras carecen de elocuencia.

–Ese es un tema muy controvertido incluso entre los hermanos. Quizá sea mejor que os limitéis…

–Pero quedaba tan claro tal como vos lo expresasteis. Ojalá pudieran oíros. –Y de pronto pareció encenderse una luz en su cabeza–. Si pudierais poner por escrito vuestro sermón… no solo los puntos, sino todo el contenido con vuestras propias palabras, y yo pudiera leérselo a ellos, sería casi como si vos estuvierais allí. Redundaría en gran provecho de su discernimiento.

Como John no le contestó de inmediato, el sastre prosiguió.

–No querría hacer nada que os ponga en mayor peligro, claro está. Es solo que anhelamos una verdadera comprensión de la Palabra de Dios… La Iglesia ha convertido lo que debería ser sagrado en un rito supersticioso y antiguo.

¿Cómo podía John negarse ante espíritu tan afín?

–¿Hasta cuándo estaréis en Londres?

–Solo hasta mañana.

–No sé si me dará tiempo… debo andar con cuidado por temor a…

William Holt se encogió de hombros.

–Si es demasiado… tal vez en otro momento. En cualquier caso, vendré a veros antes de marcharme, si me dejan. Hay una taberna cerca del puente de la Torre donde hacen unas empanadas de carne excelentes. Os traeré una.

–¿Podría abusar de vuestra generosidad y pediros dos? Hay aquí un pobre hombre llamado Petite, un tendero que por desarrollar un visible apego a la Palabra de Dios entró en conflicto con Tomás Moro –soltó una amarga risa–, como nos pasará a todos tarde o temprano. Registraron su casa y no encontraron nada, ni tienen testigos para declarar en su contra, y aun así Moro se niega a ponerlo en libertad pese a que está muy enfermo. A veces el chambelán me permite visitarlo. Una buena empanada de carne quizá le levante el ánimo.

–Pues que sean dos empanadas –y otro guiño–, y más tarta de manzana para sustituir la que consumiréis esta noche. Es una compensación muy pequeña por la buena obra que hacéis. Mañana volveré.

Su visitante salió al pasillo. El guardia se acercó con andar cansino al cabo de unos minutos y cerró la puerta. En cuanto John oyó girar la llave en la cerradura y apagarse las pisadas, partió la tarta de manzana y sacó la pluma y el papel. Después, acercando al centro de la celda la inestable mesita que Cromwell le había procurado, se encaramó a ella y retiró con cuidado el ladrillo encajado en un orificio del techo.

–Psst, Petite –llamó en un susurro–. ¿Estáis despierto?

En respuesta, oyó una voz ronca.

–Venid al agujero. Tengo un manjar para vos. –Y pasó un pedazo de tarta de manzana a través del techo.

Una mano descendió y lo cogió.

–Que Dios os bendiga, John Frith, que Dios os bendiga.

A continuación, bajándose de la mesa, John encendió su cabo de sebo, empuñó la pluma y, hundiéndola en la «morcilla», empezó a escribir: «La misa no es un sacrificio, sino una evocación del sacrificio y una garantía de salvación que Dios nos ha concedido».

La llama de la vela resplandecía uniforme y viva, como hace una llama nueva. Su estabilidad lo distrajo por un momento, hipnotizándolo. Como en trance, acercó el dedo manchado de tinta en la llama hasta que sintió la quemadura. Apartándolo con una mueca de dolor, se lo llevó a los labios para aliviárselo. Thomas Bilney, antes de ser quemado, solía hacer esto a fin de prepararse para el dolor. ¿Tendré tanto valor como él demostró en la hoguera?, se preguntó. Muchos buenos hombres no lo tienen.

Pero si se comportaba de otro modo, defraudaría a su Señor y sería una vergüenza para él... y una vergüenza para su esposa. Él nunca olvidaría el pesar que vio en el rostro de Kate cuando ella habló de su hermano. Sacándose el dedo de la boca, lo puso de nuevo en la llama. ¿Eran imaginaciones suyas o esta vez aguantó más tiempo? En esta ocasión, al retirarlo, no se lo llevó a los labios, sino que, ajeno al dolor, levantó la pluma.

XXXVII

Ana Bolena, marqués de Pembroke, fue proclamada reina en Greenwich y ofreció ese día en la Capilla de los reyes como reina de Inglaterra.

Los hechos sucedidos el 12 de abril de 1533, tal como se recogen en *Las crónicas de Inglaterra durante el reinado de los Tudor*

John contemplaba desde un mirador construido en el jardín de la Torre el paso de la barcaza de la reina por el Támesis. Agradecía más el sol en la cara que la oportunidad de presenciar el desfile fluvial. Dado que el rey, en un acto de caridad, había ordenado que se permitiera a ciertos prisioneros ver la llegada de la nueva reina, una celebración de un nuevo inicio, Thomas Cromwell había enviado una lista con los nombres de los prisioneros que debían presenciar el espectáculo. Como sus compañeros, John había recibido un banderín verde para agitarlo al paso de la barcaza de la reina, y se le había indicado que la vitoreara clamorosamente.

Al observar el sol brillar con su luz trémula en el Támesis, se preguntó si un hombre sobreviviría a un salto así, y cuántos de los demás que se hallaban tan cerca de la balaustrada compartían ese pensamiento. Pero para John no era más que una curiosidad intelectual. El capitán Lasser le había hablado de un plan de huida, pero John tenía la creciente certeza de que ahora que había sido acusado de herejía, no intentar defender sus creencias sería una mancha en su honor y perjudicaría a la causa, y además sería un salto propio de un necio. Los arqueros de la muralla estaban armados. Recibiría un flechazo en la espalda antes de llegar a la superficie del agua.

–Ese es el barco de la reina –dijo el chambelán, que se hallaba a su lado, señalando la barcaza de mayor tamaño.

Llevaba el escudo de armas real y la seguían embarcaciones de menor envergadura –a lo largo del río hasta donde alcanzaba la vista–, pertenecientes a cofradías de la ciudad de Londres. Constituían un espectáculo imponente, festoneadas con banderines de seda verdes y blancos, los colores de los Tudor, bordados con hilo de plata que resplandecía con la luz reflejada en el agua. Llegaba música de muchas de las barcazas cuando pasaban por debajo del mirador, intercalándose periódicas salvas de cañón.

–¿Y qué hay de la antigua reina? –preguntó en un susurro uno de los prisioneros.

–No hay antigua reina. Debéis de referiros a la «princesa viuda» –comentó el chambelán en tono de mofa. Se oyeron risas alrededor.

–Debe de estar bien ser rey –musitó uno de los guardias a otro–. Yo también tengo una mujer vieja que me gustaría sustituir por una jovencita encantadora.

La barcaza que iba al frente viró y cambió de sentido, acercándose a la Torre.

–¡Ahora! Ahí viene –exclamó el guardia–. ¡Gritad! ¡Agitad los banderines!

Un coro de aullidos y vítores estalló alrededor. Dejándose llevar por el momento, John gritó: «Dios salve a la reina» y agitó el banderín con mayor vigor del que habría empleado por el puro placer de mover los brazos. No era que sintiese resentimiento por el triunfo de la nueva reina. Al fin y al cabo era un reformista e incluso le había mandado saludos por mediación de maese Cromwell, diciendo que esperaba que llegara el día en que todos los hombres como él se movieran con libertad por Inglaterra. Cromwell había dado a entender que el rey conocía la reputación de John como erudito y que si maese Frith escribía en favor de ese matrimonio, quizá John se viera agasajado en lugar de encarcelado. Pero hasta el momento

John no se había sentido capaz de hacerlo. Un hombre, aunque fuera rey, no debía quebrantar tan fácilmente un juramento hecho ante Dios. En eso, y solo en eso, John coincidía con Tomás Moro, de quien se decía que deploraba ese matrimonio pese a que con ello ponía en peligro su propia carrera. Por razones muy distintas, pensó John. Probablemente no era el incumplimiento de un juramento lo que Moro despreciaba, sino más bien el hecho de repudiar a una reina católica en favor de una protestante.

La nueva reina alzó la vista en dirección a los prisioneros del mirador. John no vio su rostro con claridad suficiente para interpretar su expresión, pero sí adivinó puro regocijo en sus movimientos cuando lanzó besos y agitó los brazos. Se preguntó qué opinión le merecería a Kate ese espectáculo. No lo sabía con certeza, pero pensó que quizá experimentaría un momento de pesar por Catalina, la reina abandonada. Kate tenía un corazón tierno, y quizá también ella se sintiera abandonada. Eso mismo le había dicho a él la primera vez que discutieron por su marcha, antes de acceder a dejarlo ir.

¿Acaso no había demostrado su amor a su mujer de mil maneras? Aun así, la había dejado atrás para servir a una causa de la que, si le preguntaban, diría que era más importante que un solo hombre, que una sola mujer, más importante incluso que su amor por Kate. ¿Qué era eso, sino abandono? El capitán Lasser le había contado lo del niño. John recordó cómo había sido la otra vez y lamentó no haber estado allí para consolarla. Dio gracias a Dios por contar con Tom Lasser. Era un buen amigo.

Una nube cubrió el sol, tiñendo de gris el agua centelleante. La brisa de abril de pronto pareció más cortante. El séquito se había perdido de vista.

—Se acabó el espectáculo. Es hora de volver adentro —anunció el guardia.

John se puso en fila con los demás para volver a su inhóspita celda. Incluso Petite había salido ya de la Torre, y si bien se alegraba por la puesta en libertad de su camarada, no tenía a nadie a quien susurrar en la negrura de la noche. A nadie en absoluto.

⚘

434

Ana Bolena, furiosa, se volvió hacia el rey, consciente al mismo tiempo de lo mucho que él detestaba sus pataletas, pero parecía incapaz de controlar su mal genio desde que estaba encinta. Era casi como si un demonio hubiese penetrado en ella junto con la semilla de Enrique. Lanzó el bastón con incrustaciones de oro al otro extremo de la cámara privada tal como le habría gustado arrojar a quien se lo había regalado. El bastón había sido un obsequio de Tomás Moro al rey en Año Nuevo, cuando aún era canciller.

–¡Tomás Moro, ese beato hipócrita, no se ha dignado a venir a la cena de mi coronación! ¿Y vos os quedáis de brazos cruzados permitiendo que vuestra reina sea insultada?

Su recorrido por el Támesis la había llenado de júbilo, viendo a la gente congregada en las dos orillas en todos los pueblos, aclamándola desde muelles y malecones, todas las miradas puestas en ella, incluso desde la muralla de la prisión de la Torre, y ella, de pie en la proa de la barcaza, saludaba con las manos, reía, a la vez que la luz del sol destellaba en las joyas de su cuello y las perlas cosidas en dibujos perfectos a lo largo de sus mangas.

Pero después la cena no había ido bien. Ella había estado intranquila, percibiendo la tensión en la sala, mientras los cortesanos cruzaban miradas furtivas, saludándola con reverencias, a veces con una expresión burlona en los ojos, al tiempo que Enrique observaba como un halcón, con los ojos y los oídos atentos a cualquier desaire. Charles Brandon ya había sido enviado a su casa en un arrebato de ira por un supuesto desaire. Mientras el arzobispo Cranmer hablaba a los nobles y obispos allí reunidos en términos elogiosos del amor de la nueva reina por el rey y su amor por Inglaterra, Ana había pasado revista desde su lugar en el estrado. Miró la mesa reservada al Consejo Real. Tomás Moro brillaba por su ausencia.

Enrique también manifestaba todavía la tirantez experimentada durante la cena. Se advertía en la tensión de sus facciones, en la sequedad de su tono cuando le contestó.

–Tomás Moro importa poco. –Cogió el bastón y lo examinó pensativamente, rascando las incrustaciones de oro hasta que se desprendió un trozo. Lo dejó descuidadamente a un lado–. Ya no es canciller.

—¡Claro que importa! Aún es consejero real y probablemente el hombre más respetado de Inglaterra. Podéis estar seguro: su ausencia se habrá dejado notar y será la comidilla de todos. Dará renovadas fuerzas a los partidarios de Catalina.

—Cuando maese Moro reflexione, se impondrá su sentido común. Alegó enfermedad. Pero estará en Westminster para vuestra coronación con el resto de la corte.

Ana sintió que su mal genio se disparaba junto con el tono de su voz al ver que él quitaba importancia a sus temores tan a la ligera.

—¿Sentido común? ¿Cuándo ha demostrado sentido común? ¿Demostró sentido común cuando se opuso a la reforma del clero en el Parlamento? —Se paseaba de aquí para allá con los puños apretados—. ¿Demostró sentido común cuando se negó a firmar la petición al papa?

—¿Quieres que te lo traigan encadenado para que te salude, milady? ¿Al hombre «más respetado de Inglaterra»? ¿Cómo creéis que verían eso los que son leales a Catalina?

Ana percibió la frialdad en su voz y, dejando de pasearse, abrió los puños. Cerró los ojos y respiró hondo en un esfuerzo por recobrar el control. Cuando le contestó, su voz era una octava más baja.

—Tenéis razón, claro está, como siempre. Lo que pasa es que nuestra boda fue tan secreta que me gustaría una exhibición pública, para que todos vuestros súbditos vean lo feliz que es su rey y sepan que Inglaterra pronto tendrá un príncipe. —Alargó el brazo y le tiró de la mano para que le tocara el vientre—. Si me tratan con menos respeto del que merece una reina, quizá tampoco muestren respeto a… nuestro hijo.

Enrique relajó el rostro en una sonrisa casi juvenil.

—Celebraremos una ceremonia tan magnífica que nadie se dará cuenta de si Tomás Moro está o no ausente. Los cegará el esplendor de su reina.

—Contadme cómo será —continuó ella, de pronto tan ávida como una niña, disipándose la ira ante la perspectiva de tener a todo Londres a sus pies.

—Una vez que Cranmer te haya puesto la corona en la cabeza y haya pronunciado las oraciones pertinentes, desfilarás por las calles de Londres en una litera abierta con colgaduras de seda blanca. De pie bajo un dosel de seda enguirnaldado de flores y campanillas de plata, saludarás a las multitudes que flanquearán las calles para ver a su hermosa reina. Yo iré delante en mi corcel más noble para protegerte y anunciar tu llegada.

—¿Ah, sí, ah, sí? –dijo Ana–. Seguid, seguid.

Él se acercó y le besó el cuello, musitando:

—Cuadros vivos… en cada parada… dirigiéndote alabanzas… coros de niños… trompetas…

Y yo con mi vestido blanco, mi cabello oscuro suelto bajo una diadema con piedras preciosas incrustadas, saludaré a mis súbditos, que tanto me adoran. Yo, la hija de un simple caballero, por fin reina de Inglaterra.

Era una visión magnífica que la dejó sin aliento.

—Vamos a la cama, mi señor –dijo, cogiéndolo de la mano.

≈

En Chelsea, aquel día de primavera había refrescado, y ahora el aire era tan frío como el humor de lady Alice, pensó sir Tomás mientras contemplaba el río por la ventana de su gabinete. Su mujer estaba disgustada por no haber ido a Westminster.

—Aún eres consejero del rey. Nos habrían asignado un asiento de honor desde el que ver la coronación.

—No habrías querido ir sin un vestido nuevo, y sabes que ya no podemos permitirnos tales excesos.

—No estamos tan empobrecidos como pretendes. Yo aún disfruto de unas rentas, y tú tienes tus haciendas de Oxfordshire y Kent. Aunque, para tu tranquilidad, me habría conformado con ponerme un vestido viejo.

Pero él veía en sus ojos que Alice no se habría conformado con eso, y ella también lo sabía.

—¿Y nuestras hijas? ¿Se habrían conformado ellas? –preguntó Tomás.

Alice dejó escapar un profundo suspiro.

—No es por habernos privado del espectáculo… no es eso lo que me preocupa. De buena gana me quedaré aquí mientras se honra a la querida del rey. –Tendió la mano y le tocó la manga–. Pero el rey no pasará por alto este desaire de un hombre como tú.

437

–¿Un hombre como yo? –Tomás se rio–. Enrique apenas lo notará. Ya no cuento para él.

Pero Tomás dudaba de que fuera así. Su viejo amigo Cuthbert Tunstall lo había dudado también, instándolo a ir, enviándole incluso veinte libras obtenidas en una colecta entre sus amigos del obispado con que comprarse una capa nueva para la ocasión. Él se había quedado el dinero –había subido el precio de las plumas y la tinta–, pero intentó explicar a sus cobardes amigos que ya había llegado demasiado lejos por una cuestión de principios para rebajarse a mendigar el favor del rey.

–¿Qué nos has hecho, Tomás Moro? –preguntó en voz baja lady Alice.

–Solo he hecho lo que me dictaba la conciencia, Alice. No debe esperarse menos de un hombre.

–¿No te lo replantearás, pues?

–No me lo replantearé.

–No eres el único que sufre por tu conciencia. –Y se marchó dando un portazo.

Tomás todavía permaneció de pie ante la ventana, mientras pensaba cuál sería el siguiente paso del rey y cómo debía contraatacar, asombrado de cómo el «Defensor de la Fe» y él habían acabado en lados opuestos del tablero de ajedrez por causa de una mujer, cuando vio acercarse a la casa a un jinete. Reconoció al pequeño sastre de inmediato. Animado, se dirigió hacia la puerta para recibirlo.

–¿Maese Holt? Pasad. Pasad. Buenas noticias, espero. ¿Habéis traído las pruebas?

El sastre de Chemlsford desplegó una amplia sonrisa.

–En efecto, sir Tomás. Esta vez no son meras anotaciones, sino un sermón, poniendo en duda claramente la santa misa en cada sílaba, tal como pedisteis.

–Buen hombre. Buen hombre –dijo Tomás al coger el papel enrollado. Lo examinó con satisfacción. Por su cara se extendió una sonrisa, y sintió el tirón de los músculos en desuso–. Esto debería bastar. –Rodeó los hombros de William Holt con el brazo en un momento de rara camaradería–. Se os recompensará en el cielo, pero no tendréis que esperar tanto –dijo mientras revolvía en su escritorio y sacaba las veinte libras que le había enviado Cuthbert Tunstall para comprarse una capa nueva.

William Holt miró el dinero y negó con la cabeza.

—No, milord. No aceptaré pago alguno. La verdad es que ha sido más difícil de lo que yo pensaba. Siento aprecio por ese hombre. No me ha parecido que fuera la mala persona que yo preveía. ¿Sabéis que tiene esposa?

—Eso había oído. ¿Sabéis dónde está?

—No. Nunca lo ha dicho.

El sastre no miraba a Tomás, sino por la ventana. Tomás sabía cuándo le mentían, pero de momento lo dejaría pasar.

—¿Cuándo juzgarán a Frith? —preguntó Holt.

—No antes de unas semanas. Primero presentaré esta prueba al obispo Stokesley, que se la enseñará al rey. Entonces ni siquiera el arzobispo podrá impedir el juicio… ni la inevitable condena. Lo habéis hecho muy bien.

—Es una lástima —se lamentó el sastre, moviendo la cabeza—. No me gustará verlo en la hoguera.

—Animaos, hombre. Pensad en su alma. Ante el fuego, es posible que se retracte. Tiene esa opción.

—No lo creo. No parece de esos.

—Seguramente estáis en lo cierto —admitió Tomás, afectando más compasión de la que sentía—. Cuando un dogma fanático se adueña de un hombre, es como si su razón se tomara un descanso. Pero no os preocupéis. Habéis hecho un gran servicio a la Iglesia. Aceptad las veinte libras. Os las habéis ganado.

Cuando William Holt se guardó el dinero en el bolsillo de mala gana y se marchó, Tomás leyó el sermón de Frith negando la presencia real del cuerpo de Cristo en la eucaristía. Con cada palabra, el entusiasmo de Tomás fue en aumento a la vez que desarrollaba en su cabeza el alegato de acusación. Aquello serviría. Ni siquiera el rey sería capaz de digerir semejante herejía.

※

—No puedo hacer nada por él. Ese hombre es un hereje. Niega la misa. Tendrá que ir a juicio —dijo Enrique dos semanas más tarde cuando dio la noticia a Ana. Se preparó para el arranque de ira que vendría a continuación.

–Una verdadera lástima –se limitó a decir ella.

Desde la coronación parecía otra. Será el embarazo, se dijo él. Su estado de ánimo es como el mercurio, aunque siempre ha tenido el genio vivo. Últimamente venía preguntándose si poseía el temperamento propio de una reina. Tal vez Catalina fuera estéril, pero el pueblo la quería, y mostraba siempre un comportamiento regio. A veces Ana actuaba más como una pescadera que como una reina. Pero últimamente, desde la gran rabieta posterior a la coronación, estaba… alterada, apática. Esperaba que ese estado de ánimo extraño no afectara a la criatura.

Pese a los esfuerzos de Enrique, a los grandes gastos, a la presión que había ejercido en todos los nobles para que la trataran con deferencia y respeto, la coronación había sido decepcionante, y ella lo había responsabilizado a él. Pero él no podía obligar a la gente a quererla. El desfile por las calles de Londres había sido acogido con escaso entusiasmo y a ratos hasta con improperios. Muchos se habían negado incluso a destocarse en señal de respeto, por lo que la anciana que siempre acompañaba a Ana había dicho a voces a unos cuantos presentes en la multitud que debían de tener roña en el cuero cabelludo si tanta vergüenza les daba descubrirse. Entre la muchedumbre algunos habían devuelto a gritos los insultos, dirigiéndolos a la nueva reina. A horcajadas en su noble montura, él había fingido no oírlo, pero obligó a su caballo a hacer cabriolas y agitar los arreos dorados para arrancar los vítores del público a fin de que Ana los oyera y pensara que se los dedicaban a ella. Le pareció la mejor solución. Si no podía comprar el favor del pueblo con espectáculos y comida y bebida gratuitas, tenía la certeza de que no podría inculcárselo a golpes.

–Sé que Frith era uno de tus favoritos –dijo él–. Quizá se retracte en el último momento.

–Quizá –contestó ella.

No, desde luego no era la misma de siempre.

Con el rabillo del ojo, observó a Jane Seymour mientras extendía el camisón de su esposa. Cuando Ana le lanzó una mirada severa, él apartó la vista de Jane, pero no así el pensamiento, preguntándose qué sensación produciría el contacto con la piel clara y fresca de Jane, preguntándose si conseguiría él sonrojarla de pasión.

–Dejadnos –ordenó Ana con brusquedad, destellando el resentimiento en sus ojos oscuros. Enrique empezaba a reconocer los inicios de sus arrebatos de mal genio. Siempre asomaban primero a sus ojos.

La hermosa joven de rubios cabellos hizo una reverencia y, retrocediendo, salió de la alcoba, pero no antes de cruzar una mirada comprensiva con Enrique.

Él se marchó poco después, oyendo a sus espaldas la voz airada de Ana que le exigía que volviese. Él prefirió ir a la palestra a ejercitarse –tal vez si pasaba unas cuantas noches sola, su humor mejorara– y después emplazó al arzobispo Cranmer para preparar el juicio de John Frith.

XXXVIII

... Vuestra esposa está conforme con la voluntad divina y no desea ser un obstáculo para la gloria de Dios.

Fragmento de la carta de Tyndale
a John Frith cuando estaba preso

John no se sorprendió al ver a Thomas Cromwell cuando este fue a su celda pocos días después de la coronación de la reina. Últimamente había notado diferencias en el trato que le daban. Ya no le permitían recibir visitas, ni le proporcionaban velas, ni pluma ni papel, ni siquiera un libro que leer, excepto una copia de la respuesta de Tomás Moro al sermón de John sobre la eucaristía, que apareció como por arte de magia en su celda.

Se había sumido en su lectura con avidez, exultante ante la pobre argumentación del canciller. Sin duda, todo ser pensante vería la lógica defectuosa del texto. Era el escrito más endeble que había visto salir de la pluma de Moro. Y de pronto tomó conciencia de lo que implicaba la existencia de ese documento. Si Moro contestaba a su discurso sobre la eucaristía, quería decir que tenía una copia del sermón de John. ¡Lo habían traicionado! Nunca debería haberse fiado del sastre, debería haber hecho caso de las advertencias de

Tyndale y no escribir sobre el tema. Tomás Moro había tendido una trampa más, y en esta ocasión John, como buen necio, había caído de pleno. Durante la última semana había dispuesto de tiempo de sobra para pensar en las consecuencias de eso.

—Dejadnos —ordenó Cromwell al chambelán—. Y cerrad la puerta al salir. Ya os llamaré cuando haya acabado.

—No sois portador de buenas noticias, sospecho —dijo John a su visitante.

Unas arrugas surcaron la frente de Cromwell.

—Una copia de vuestro sermón ha llegado a manos del rey.

—Me pregunto cómo habrá ocurrido —dijo John.

—Por más que su majestad haya desafiado al papa, no llegará al punto de volverle la espalda a la misa. El arzobispo Cranmer ha preparado vuestro juicio por herejía. No puede hacerse nada más. —Su tono era más acusador que compasivo—. Ahora que habéis entregado a vuestros enemigos la antorcha con la que prender vuestra hoguera.

—¿Y la influencia de la reina?

—La reina está alterada por su embarazo y angustiada porque el pueblo no la acoge como su legítima reina. Corren rumores de que ha discutido con el rey. No querrá intervenir, creo, pese a sus simpatías. Las pruebas contra vos son demasiado contundentes.

Un cuervo se posó en el alféizar y, sacudiendo la cabeza, picoteó a un desafortunado insecto. Miró hacia el interior de la celda y alzó el vuelo con un estridente graznido y un aleteo.

—¿Me torturarán primero? —John no podía mirar al secretario. No quería que este viera el temor que debían delatar sus ojos. ¿Era pecado tener miedo?

Cromwell no sonrió, pero su actitud se ablandó por primera vez desde que entró en la celda de John.

—No si el proceso queda a cargo de Cranmer y si la influencia de Moro sigue en declive. Y Stokesley, según la nueva ley, no puede acceder a vos. Tal como yo lo veo, tenéis tres opciones. —Apoyó una mano en el hombro de John—. Podéis retractaros, negar lo que habéis escrito, prometer que aceptaréis la doctrina de la presencia real en la eucaristía y poneros a merced de la Iglesia, en cuyo caso probablemente os permitirán volver a Amberes con vuestra esposa

443

después de convertiros en espectáculo público. –Hizo un alto y añadió sin contemplaciones–: O podéis arder.

Esa era más o menos la conclusión a la que había llegado John en esa última semana. Sabía, naturalmente, cuál de esas opciones elegiría, si Dios le concedía el valor. Solo le faltaba un detalle, y ese se lo había proporcionado Tyndale en la misma carta donde, irónicamente, le advertía por enésima vez que no escribiera sobre la eucaristía. En la correspondencia entre John y Kate, nunca habían abordado el tema de su ejecución, por si mencionarlo era convertirlo en una posibilidad. Solo hablaban de su amor y añoranza mutuos. En cambio, Tyndale, en una carta anterior, había escrito sobre el posible desenlace, alentándolo a tener valor. En respuesta a la pregunta de John sobre cómo sobrellevaba Kate su encarcelamiento, Tyndale había contestado que su esposa, según sus propias palabras, no deseaba que él negara su fe por ella. Era libre de decidir por sí mismo. Pero en realidad ¿qué libertad tenía cuando, como el apóstol san Pablo, había profesado ser esclavo de Cristo?

En la celda reinaba un profundo silencio mientras Cromwell aguardaba a que él se planteara estas dos posibilidades.

–Habéis dicho que hay una tercera. ¿O he entendido mal?

Cromwell se encogió de hombros y miró en dirección a la puerta.

–Podéis fugaros.

–No muchos hombres se han fugado de la Torre. No es una elección con grandes probabilidades de éxito. –Recordó que Tom Lasser había intentado convencerlo de la viabilidad de tramar un plan de fuga. Pero eso habría puesto en peligro al capitán. John se había negado a contemplar siquiera la posibilidad.

Cromwell ladeó la cabeza como si aguzara el oído para captar algún ruido exterior; a continuación bajó la voz tanto que John, pese al silencio, tuvo que hacer un esfuerzo para oírlo.

–Primero seréis interrogado por el arzobispo en su palacio de Croydon. Quedaréis bajo la custodia de los hombres de Cranmer. En algún momento os darán la oportunidad de huir. –Elocuentemente, añadió–: Los guardias no os perseguirán.

¿Había dicho el secretario lo que a él le había parecido oír? ¿Era aquello una trampa? Tenía que ser una trampa.

–Sé qué estáis pensando. Pero no os darán caza. El arzobispo Cranmer y el obispo Gardiner, a quien creo que conocéis bien, presidirán el tribunal junto con el obispo Stokesley. Están al servicio de las leyes de la Iglesia y obligados por tanto a declararos culpable si comparecéis ante ellos. Pero tanto el arzobispo como el obispo Gardiner han dicho que no os perseguirán si tratáis de escapar. –Se encogió de hombros y, con la misma naturalidad que si hablara del precio del grano y no de un asunto de vida o muerte, añadió–: El obispo Stokesley ya es otro cantar.

John negó con la cabeza.

–Nunca lo conseguiré. Stokesley y Tomás Moro tendrán espías apostados a lo largo de todo el camino.

–Posiblemente. Pero ¿qué tenéis que perder? Si os dais a la fuga en el bosque de Brixton, basta con que recorráis unas cinco millas al noreste para llegar al río cerca de Greenwich. Los guardias tienen orden de retrasar el anuncio de vuestra huida: dirán que os buscaron en el bosque y luego informarán de que escapasteis en dirección oeste, así ganaréis un poco de tiempo. Seguid el río rumbo este hasta ver cierto barco atracado. Reconoceréis la insignia. Creo que el capitán y vos sois viejos amigos.

¡Tom Lasser! Por fin asomaba una esperanza. Confiaba en Tom Lasser. Pero al mismo tiempo se le presentaba allí un nuevo dilema. No era como la otra vez que el capitán y Humphrey Monmouth organizaron su huida. En aquella ocasión él solo era fugitivo de una persecución ilegal. Ahora había sido acusado formalmente. ¿Acaso cualquier opción que no fuese reafirmarse en su postura ante el organismo eclesiástico reunido no equivaldría a retractarse? ¿No estaría de hecho, al igual que Pedro ante la fogata del diablo, negando al mismo Cristo a quien había prometido servir? Incluso Lutero, antes de buscar refugio, había proclamado su fe ante el concilio de la Iglesia, declarando: «Esta es mi postura. No puedo hacer otra cosa».

¿Podía John Frith hacer otra cosa?

Cromwell se llevó la mano al bolsillo y sacó una vela y un pequeño rollo de papel y pluma.

–Cranmer está en Canterbury y dice que no volverá a Lambeth hasta dentro de una semana. Sospecho que lo ha hecho con la intención de daros tiempo para pensar en la propuesta y a vuestro

amigo para organizar los preparativos. He pensado que quizá desea-
ríais plasmar vuestros pensamientos por si decidís seguir adelante
con el juicio. A veces es difícil para un hombre poner en orden su
cabeza… incluso para un hombre de vuestra inteligencia… ante la
amenaza de la condenación.

–¿Cómo se ha involucrado…? –Era mejor no pronunciar su
nombre–. ¿Cómo se ha involucrado mi amigo?

–El obispo Gardiner también fue profesor suyo. Según parece,
él, al igual que vos, abandonó una prometedora carrera en la Iglesia, aunque por una misión menos sagrada que la de Tyndale y la
vuestra. Es él quien ha convencido al obispo. Pero os lo advierto,
maese Frith, si esa ventana se cierra, no habrá otra.

Mucho después de cerrarse la puerta tras salir su visitante, John
seguía sentado en la creciente oscuridad. El cuervo volvió dos veces y se posó brevemente en el elevado alféizar antes de emprender
el vuelo con sus estridentes graznidos. Si aquello fuera un poema,
pensó John, la gran ave sería un emisario, o un augurio simbólico
de la muerte. Pero desde donde John estaba sentado, no se sentía el
centro heroico de tal poema, y no tenía la menor noción de cuál era
el posible mensaje que el cuervo traía para él. Se sentía sencillamente como un hombre, solo y asustado. Deseaba ver a Kate, para
que le aconsejara qué hacer. ¿Le diría que defendiera sus creencias
o le diría que huyera?

Sacó la carta arrugada de Tyndale y volvió a leerla una vez más.
«No deseo ser un obstáculo para la gloria de Dios», reproduciendo
sus palabras textuales. Tyndale era muy cuidadoso en esos asuntos.
El significado era claro, y sin embargo… ¿cómo podía abandonarla?

Cuando oscureció, encendió la vela, pero no cogió la pluma y el
papel. No se sentía capaz de preparar una defensa. ¿De qué serviría? Ya había publicado todas sus argumentaciones. Solo podía decir, al igual que Lutero, «esta es mi postura». Pero eso tenía que
hacerlo. De lo contrario, sus enemigos lo tacharían de cobarde.

Colocó la palma de la mano encima de la llama de la vela y la
mantuvo allí hasta que se le saltaron las lágrimas a causa del dolor.
Quizá a pesar de lo que Cromwell había dicho, habría otra ventana
para escapar una vez que él le hubiera hecho frente, no solo a sus

enemigos, sino también a los enemigos de la Palabra de Dios. Alguna manera de preservar su honor y su vida. Cerró los ojos y rezó para pedir valor.

❧

Kate vio *El canto de la sirena* cuando entró en el puerto. Desde hacía semanas iba cada día al muelle para ver si el barco llegaba, por si tenía noticias de John. Cuando los ya familiares aparejos se acercaron lo suficiente para que ella, protegiéndose los ojos del sol, distinguiera el nombre en el flanco, el corazón se le aceleró. Por un breve instante incluso se atrevió a pensar que acaso John se hallara a bordo. En su carta de un mes atrás expresaba la esperanza de que, tras la coronación de la nueva reina, lo pusieran en libertad. Era un cálido día de junio, y con la emoción de concebir esa posibilidad, la cabeza le dio vueltas mientras corría hacia el muelle donde creía que atracaría el barco.

El capitán la avistó de inmediato y le hizo señas para que subiera a bordo a la vez que enviaba a un tripulante que ella conocía para que la ayudara. Recorrió la cubierta con la mirada en busca de algún perfil que pudiera ser el de John, pero cuando vio al capitán, estaba solo. Bastó con mirarlo a la cara –incluso la irónica sonrisa con la que siempre la saludaba había desaparecido– para saber que la vuelta a casa de John no era inminente.

–¿Cuándo lo habéis visto? –preguntó ella mientras se sentaban a la mesa del capitán.

Endor puso ante ellos un plato de aquellos bollos dulces que tanto gustaban a Kate. El olor casi le produjo náuseas, pero esta vez no fue por el balanceo del barco en el puerto. Tenía la garganta cerrada a causa de la angustia –por algo en la manera de actuar de Tom, por cómo eludía su mirada–, y la respiración agitada y anhelosa.

–Hace ya unas semanas. He estado haciendo encargos para la Liga, y cuando intenté verlo la semana pasada, me dijeron que no se le permitían visitas.

–Pero sigue… ¿vivo? –Apenas pudo pronunciar la palabra. Él apartó la vista. Dios bendito, ¿por qué no la miraba?–. ¿Está…?

–Sí, está vivo. –Él apoyó la mano en la de Kate. Esta, cabizbaja, contempló el encaje veneciano en su muñeca, que casi cubría

447

la mano trémula de ella. La retiró–. Pero sus perspectivas no son ya tan propicias como antes.

Kate se llevó la mano a la barbilla para detener su temblor. Cuando habló, fue más una afirmación que una pregunta.

–Van a procesarlo por herejía, ¿verdad?

–Pero conservad la esperanza, Kate. El arzobispo ha accedido a impedir su persecución si él se fuga de camino al juicio.

–¿Ha accedido también Tomás Moro? ¿Ha accedido el obispo de Londres? –Ella intentó contener el temblor en su voz–. ¿Cómo va a poder…?

–Tenemos un plan.

–¿Tenemos? ¿Quiénes?

–Yo lo ayudaré.

–¿Haríais eso por nosotros? Sois consciente del riesgo que corréis. –Ella examinó su rostro, recordando cómo se había reído con John durante el viaje a Amberes, lo a gusto que estaban juntos.

–Ya os lo dije: no tengo intención de dejarme atrapar. Pero aún falta un detalle. Él tiene que aceptarlo.

–Pero ¿por qué no iba a aceptarlo? ¿Qué podría…?

Pero ella lo sabía, aun antes de que él lo dijera, ya lo sabía.

–Creo que vuestro marido posee esa extraña cualidad que define el honor de modo muy restrictivo. Me temo que tiene madera de mártir.

Kate hizo todo lo posible por controlarse. Ese no era el momento. El momento para llorar ya llegaría más tarde cuando estuviera sola y recordara de pronto la desesperación en el rostro de Mary cuando se llevaron a su marido, y cómo su propia madre se había consumido hasta morir de pena; eso Kate no lo había entendido plenamente. Qué ingenua había sido, enorgulleciéndose tanto del recuerdo de su padre. Pero a su padre no le habían dado opción. ¿Acaso no era igual de honorable elegir vivir por las propias creencias que morir por ellas? ¿Sobre todo cuando uno tenía elección? Incluso Jesús había suplicado en Getsemaní que apartaran de él aquel cáliz.

Kate intentó desesperadamente recordar si alguna vez había dicho algo a John que pudiera influir en él. Estuvo aquella vez en que le habló de la vergüenza que sintió al ver sucumbir a su hermano.

No podía ser que él interpretara eso… pero ¿por qué no iba a hacerlo? ¿No habían sido sus propios sentimientos ambivalentes cuando su hermano cedió bajo la tortura? Rogó a Dios que no permitiera que torturasen a John. Que se retractase para no sufrir lo que su hermano había sufrido. Que volviera con ella como su hermano había vuelto con Mary y Pip. Ella tenía que convencerlo de que sería más útil para su causa vivo que muerto.

De pronto apareció Endor junto a ella y, cogiendo la mano de Kate entre las suyas, se la apretó con fuerza, hasta casi lastimarla. No podía expresar con palabras su compasión. No era necesario. Kate la veía en su semblante, en el agua que manaba de sus ojos azules. Y en ese momento lo supo. Eso era lo que Endor había visto en el agua aquella primera vez, cuando, alterada, salió corriendo del camarote. Ahora tenía en el rostro aquella misma expresión de lástima y pesadumbre. En la imaginación de Endor, John era ya un hombre muerto. Al tomar conciencia de eso, una calma paralizante se adueñó de Kate, una sensación de distanciamiento, como si se viera a sí misma desde fuera.

–Llevadme hasta él –dijo–. Tengo que verlo.

–Eso es demasiado peligroso… tanto para vos como para él.

–Llevadme hasta él –insistió Kate–. Si no me lleváis vos, encontraré otra manera de ir. Sé que hay barcos de pasajeros que van y vienen con regularidad. Cogeré uno de ellos.

Tom no dijo nada, solo cerró los ojos como si buscara la solución de un problema difícil. Cuando los abrió, fijó su mirada en la de ella y respondió en tono lúgubre.

–Estad atenta junto a la ventana de la Casa Inglesa al amanecer. A mí no me dejan entrar. Enviaré a un marinero para que os ayude con el equipaje.

XXXIX

Yo, Frith, así pienso, y lo que pienso, lo he dicho, lo he escrito, lo he profesado y afirmado, y en mis libros aparece publicado.

Declaración de John Frith, firmada de su puño
y letra en su juicio del 20 de junio de 1533

John Frith parpadeó cuando lo sacaron al sol. La intensa luz le hirió los ojos, pero prefirió no cerrarlos, no quiso perderse aquellos azules y verdes tan vivos. Un arbusto de aulaga pequeño y raído se afanaba por florecer en el patio de la torre de Beauchamp. Era de una belleza exquisita. No pudo resistir la tentación de tocarlo.

¿Queréis que le pongamos grilletes?

Los dos hombres con armas al cinto que habían ido a buscarlo cruzaron una mirada.

—Creo que no —dijo uno con marcado acento galés.

—Parece un hombre sensato —añadió el otro, que no vestía librea, sino la indumentaria de un gentilhombre.

El ayudante del alguacil se encogió de hombros e indicó al guardia de la puerta que abriera la verja que daba a la escalera del río, donde un barquero aguardaba para transportarlos a la otra orilla del Támesis. Cuando abandonaron el bote, John miró alrededor en busca del carromato de la prisión que, según preveía, estaría allí esperándolos.

—Iremos a pie a partir de aquí —informó el custodio galés—, pero no os preocupéis. Tenemos tiempo de sobra. Podemos descansar siempre que queráis.

—Agradezco la oportunidad de caminar —dijo John—. Mis piernas necesitan ejercicio.

Avanzó en silencio entre sus acompañantes, y como era el más joven de los tres —pese a la falta de ejercicio, a menos que se considerara como tal pasearse por la celda—, le era fácil mantener el paso. Sus guardias no le prestaron ninguna atención durante la mayor parte del camino, dedicándose a hablar de los asuntos administrativos de Croydon. Pero lo trataban con una cortesía poco común. El galés, quien, como supo John, estaba al servicio del arzobispo Cranmer, incluso llevaba un trozo de pan y queso en el morral, que compartió con John. El gentilhombre rehusó el ofrecimiento; John, en cambio, hacía tiempo que no probaba el pan recién hecho y lo devoró agradecido.

Cuando llevaban caminando unas cuantas millas —quizá cinco, calculó John, porque las sombras ya se habían alargado—, se acercaron a una encrucijada solitaria. El camino hacia la izquierda era poco más que un sendero escabroso. El galés lo señaló con la cabeza. En la tenue claridad de última hora de la tarde, el bosque se veía oscuro y amenazador. Eso debe de ser el bosque de Brixton, pensó John, tal como Cromwell había dicho. ¿Esperaban que él se echara a correr hacia allí?

El gentilhombre le dirigió la palabra abiertamente por primera vez.

—Aquí es donde nos separamos, maese Frith. Que Dios os acompañe. Si podéis eludir a los lobos, es posible que lo consigáis.

—Los lobos más feroces están en Londres —dijo John—. Uno ocupa la sede episcopal y el otro se esconde en su madriguera de Chelsea. En comparación con ellos, este bosque parece acogedor.

El galés, que había sido un acompañante más que cordial, tenía ahora una expresión seria.

—Bien dicho. Os concederemos un par de horas antes de ir a Croydon. Les diremos que salisteis corriendo hacia el oeste, que probablemente estaréis en Wandsworth ya bien entrada la noche. –A continuación sonrió–. Os hemos perseguido, pero sois un hombre de pies ligeros.

John sintió que se le humedecían los ojos. Cuánta caridad. Cuánta generosidad. Con una acción así, ellos mismos se ponían en peligro.

–¿Qué dirá el tribunal eclesiástico cuando os presentéis con las manos vacías?

–El arzobispo saldrá en nuestra defensa. Nos ofrecimos voluntarios para esta misión. –El galés abrió el morral donde antes llevaba el pan y el queso y sacó un pequeño Nuevo Testamento de Tyndale–. Dadle las gracias a vuestro amigo si lo conseguís.

John bajó la mirada hacia el pequeño libro del tamaño de un bolsillo. Un sentimiento de honda satisfacción se apoderó de él.

–Os doy las gracias, señores –dijo–. Dios sabe lo agradecido que os estoy, y que Dios os bendiga por vuestro valor y firmeza. –Se interrumpió y respiró hondo, deleitándose con el olor a musgo y tierra del aire después del hedor a humedad de la Torre–. Pero no me voy.

–¿Cómo que no os vais? ¿Estáis loco?

–Soy un hombre honrado. ¿Por qué no habría de quedarme y defender aquello en lo que creo, aquello que he escrito? Si hay justicia…

–¡Justicia! No puede esperarse justicia del tribunal al que vais a enfrentaros. –En su frustración, el galés levantó la voz–. Tendréis las mismas opciones que una bola de nieve en el infierno.

Un leve ruido en el suelo captó la atención de John. Los dos hombres se llevaron las manos a las empuñaduras de sus espadas. Una ardilla espantada trepó rápidamente a un árbol.

–Habéis estado fuera un tiempo, y quizá no sepáis lo que ha estado ocurriendo aquí –comentó el gentilhombre con voz serena, la voz de la razón–. Aquí en Inglaterra os atan a un poste y os prenden fuego por decir las cosas que vos decís.

–Estoy preparado para eso. Me pondré en manos de Dios.

En ese momento John se paró a pensar si no serían aquellos dos hombres las manos que Dios usaba, si no los habría enviado con ese fin. Pero si se permitía creer eso, ¿cómo llegaría a saber con certeza si no era una tentación del diablo?

El galés se dejó caer en un tocón cercano, cabeceando aún con un gesto de incredulidad.

–Sentémonos aquí un momento, y os lo pensáis.

–No pienso en otra cosa desde hace una semana, creedme. Nada deseo tanto como vivir. Tengo esposa… –No. No podía pensar en Kate, o le flaquearía el valor.

Sus custodios no hicieron el menor ademán de reanudar el viaje.

–Si no deseáis acompañarme, buenos señores, encontraré yo mismo el camino al palacio de Croydon, donde me entregaré al arzobispo.

Solo entonces el galés se levantó y se puso en marcha. En el último tramo del viaje, caminaron en fila de a uno, John en retaguardia, unos pasos por detrás.

～≫ ≪～

Kate pasó la primera noche en Londres en su pequeña cama encima de la imprenta. He cerrado un círculo, se dijo, pensando en cómo había cambiado su vida en los últimos cinco años, y sin embargo en realidad no había cambiado nada. Permanecía en vela como antes, agitándose y dando vueltas, llena de temor por un hombre llamado John.

El capitán había entrado por la misma ventana tapiada que John había abierto con una palanca y había quitado el cerrojo a la puerta para franquearle el paso a ella. Kate entró en la pequeña librería de Paternoster Row y fue como si nunca se hubiera marchado de allí, salvo por la gruesa capa de polvo que lo cubría todo. El ya conocido peso del miedo y la soledad cayó sobre ella como si durante todo ese tiempo hubiese estado suspendido allí, en el aire, aguardando su regreso. Había cogido la escoba y empezado a quitar las telarañas del rincón, advirtiendo las pisadas en el polvo debajo de la ventana allí donde las huellas de mayor tamaño del capitán habían desdibujado las de John.

–Por favor, permitidme –dijo el capitán, y alargó el brazo hacia la escoba–. Vos sentaos. Ya me ocuparé yo.

–¿Cuándo lo veré? –preguntó ella.

–Mañana –contestó él–. Os llevaré junto a él mañana. Esta noche ya es demasiado tarde. Estará de servicio el ayudante del alguacil.

453

He descubierto que el hombre razonable es el alguacil Kingston. Sobre todo si uno le muestra una corona de oro en atención a lo razonable que es.

—Nunca podré pagaros… nada de lo que habéis hecho. Habéis sido muy bueno con nosotros.

—Ya se me ocurrirá la manera de resarcirme —contestó él. Pero la sonrisa que se obligó a esbozar fue una mala imitación de la sonrisa burlona que solía exhibir.

Después de limpiar las telarañas, se marchó a buscar comida. Kate abrió su pequeño baúl y colgó la ropa en el armario. Cuando Tom regresó con Endor cargada de ofrendas de su pequeño horno, ella intentó comer para complacerlo —él parecía concederle mucha importancia a eso y era lo mínimo que ella podía hacer—, pero la comida no le sabía a nada, y le costaba tragar por el miedo que atenazaba su garganta. Estaba agotada. El menor movimiento le representaba un gran esfuerzo. No había pegado ojo desde que supo que el juicio de John era inminente.

Cinco años. Y allí estaba otra vez, sola en su estrecha cama en lo alto de la escalera. Cerró los ojos y permaneció despierta, escuchando los sonidos nocturnos que entraban por la ventana abierta del desván. Él está muy cerca, pensó. ¿Por qué no siento su presencia? Y se preguntó si yacía despierto pensando en ella. Pero tampoco ahora lloró. Ni concilió el sueño.

∽≼≽∽

Cuando a la mañana siguiente Tom Lasser llamó a la puerta de la librería, una parte de él deseaba no haber conocido nunca a Kate Frith, deseaba poder subir a bordo de su barco y alejarse sin más, y quizá pudiera hacerlo un día no muy lejano. Dejar todo eso atrás. Pero ese no era el día.

Endor le abrió la puerta. Kate lo miró con ojos suplicantes, rogándole alguna buena noticia cuando él no tenía ninguna que darle.

—No podéis verlo hoy —anunció.

Ella se quedó inmóvil junto a la ventana, erguida y rígida. Despeinada, el pelo le caía en una maraña por la espalda y ante la cara; unas marcadas ojeras oscurecían sus párpados.

—¿Por qué no?

454

¿Cuánto tiempo habría estado ella observando junto a la ventana, esperándolo?

—Porque lo han trasladado. Me temo que vamos a tener que cambiar de plan.

—¿Adónde ha ido? ¿Se lo han llevado para juzgarlo?

Oyendo aquella voz entrecortada, Tom deseó echar a correr. No tenía sentido prolongar la agonía. Debía decírselo.

—Por favor…

—Ya lo han procesado, Kate. Él… firmó una confesión de sus creencias.

—No… Dios mío, te lo ruego. ¿Cómo lo sabéis?

—He ido a la Torre, y me han dicho que lo trasladaron al palacio de Croydon, así que he ido allí de inmediato. El juicio ya había terminado. Ya se lo habían llevado.

Ella se apoyó en él para no caerse. Él la rodeó con el brazo, percibiendo el temblor de sus hombros, y la guio hacia el banco de madera situado junto al escaparate de la tienda. El temblor cesó y dio paso a una rigidez extrema.

—Pero ¿no había un plan de fuga? —Su voz era apenas un susurro—. Dijisteis…

—Se negó, Kate. —Tom no podía mirarla a la cara—. John decidió finalmente seguir el camino del martirio, el pobre iluso. Es imposible ayudar a un hombre que no se deja ayudar.

Según le había explicado a Tom el obispo Gardiner, después de la declaración de Frith, el arzobispo Cranmer no había tenido más opción que dejar al prisionero en manos del juez ordinario correspondiente, y como lo habían arrestado en Southend, en las afueras de Londres, el obispo Stokesley era su juez ordinario. Pero Tom tenía que decirle algo tranquilizador, darle una mínima esperanza a la que aferrarse, pese a que apenas quedaba ninguna.

—Aún no se ha perdido todo. Sigue vivo. Averiguaré adónde lo han llevado. Le darán un par de semanas. Preferirían tener su firma en una declaración de arrepentimiento. —Aunque dudaba que eso fuera verdad. Aquellos hombres estaban obsesionados con la hoguera—. ¿Estaréis bien aquí?

Ella asintió, enmudecida. Desde su marcha de Amberes, se había adueñado de ella esa calma antinatural, profunda, que en cierto modo era peor que el llanto. Era como si su voluntad fuese una presa tras la cual se acumulaba la presión. Qué daños estaban produciéndose detrás de esa pared, él no podía más que imaginarlo. Había visto enloquecer a personas por mucho menos. Pero no sabía cómo ayudarla salvo devolviéndole a su marido.

—Puede que tarde un día o dos. Endor se quedará con vos. Os traerá lo que necesitéis, pero quedaos aquí. —Como ella no respondió, él repitió—: Quedaos aquí. Es importante. No conviene que caigáis en manos de los enemigos de John. Eso no os ayudaría a ninguno de los dos. ¿Me habéis oído?

—Os he oído —contestó ella con voz apagada.

No se lo había prometido, pero él tampoco podía encerrarla. Probablemente estaría a salvo. Al fin y al cabo, Moro y Stokesley tenían ya lo que querían.

❧

Cuando John despertó, pensó por un momento que volvía a estar en el sótano del pescado. Pero la cárcel de Newgate era peor que el sótano del pescado. Allí tenía compañía y libertad de movimiento y esperanza. Aquí estaba solo y aherrojado a la pared por el cuello. Y no tenía esperanza. ¿Cómo podía vivir un hombre sin esperanza? «Tu esperanza está en Jesucristo. Ruega a tu Padre en nombre de él y él aliviará tu dolor o lo acortará.» Eso decía Tyndale en su última carta. Y eso intentó hacer John, aunque no podía arrodillarse, ni inclinar siquiera la cabeza, inmovilizado como estaba junto a la pared. ¿Podía Dios oír las plegarias de un hombre dirigidas desde ese lugar infernal que originaba tantas plegarias, de tantas almas, todas clamando a Dios? Sus plegarias no pronunciadas, un revuelo de desesperación, se mezclaban con su dolor y se arremolinaban en su cabeza.

Lo habían llevado allí después del juicio. Stokesley se había mofado de su herejía, tentándolo con el rescate si se retractaba. Tomás Moro también había estado presente, riéndose, regodeándose de su resistencia. «Tengo entendido que habéis tomado esposa, maese Frith, como todos los herejes que han desertado de la Iglesia. ¿Es hermosa? ¿Estará en Smithfield para veros arder por herejía, o la habéis dejado en Amberes? ¿O quizá en Holanda? ¿Está con

Tyndale, tal vez? Decidnos dónde está el hereje Tyndale y podréis volver con ella.»

Pero con sus burlas no habían hecho más que afianzar su determinación. Y lo extraño era que obtenían un perverso placer en aquello, como si en realidad no quisieran que se retractase. John veía la excitación en sus rostros, y casi los compadecía por esa diabólica obsesión. Sus almas peligraban más que la suya. Tal vez su cuerpo ardiera, pero las almas de ellos se consumían en el fuego del odio.

Los juegos mentales con los que había liberado su espíritu del sótano del pescado y de la Torre ya no surtían efecto. Era incapaz de recitar su poesía griega; el dolor había ganado la batalla a la mente, pero rezó para que Dios le diera fuerzas y protegiera a la esposa que había dejado atrás. Imploró también alguna señal que confirmara que a Dios le complacía su decisión.

Pero ninguna voz habló desde el cielo. Las puertas de la prisión de Newgate no se abrieron de par en par.

Al cabo de un rato se durmió profundamente, sin soñar. Lo tomó como señal, porque cuando despertó sintió mayor paz de espíritu. Kate y Tyndale, e incluso sus libros, le parecían muy lejanos, casi como si formaran parte de la vida de otro hombre. John Frith ya no tenía esposa, ni amigos, ni futuro. Se había resignado y su alma estaba preparada para la muerte. Lo único que le quedaba por sufrir era el desprendimiento final de este mundo, un momento doloroso, desgarrador, lancinante. Rogó que terminara pronto.

⊰❦⊱

«Levántate, Kate. Todo depende de ti. Debes encontrarlo antes de que sea demasiado tarde.» Kate pugnó por salir de su sopor. «Levántate y ve en busca de John.» Pero no tenía fuerzas. John debía de estar a punto de volver de Frankfurt. Él sabría qué hacer. Las estanterías estaban casi vacías. ¡Pero claro que estaban vacías! John había quemado todos los libros. John no estaba en Frankfurt, y tenía que encontrarlo. ¿Qué diría a Mary? Pero Mary no estaba allí. Mary estaba en Gloucestershire con sus padres y con John. Todo era muy confuso y a ella la vencía el cansancio. Si al menos pudiera dormir. Pediría a la señora Poyntz su bebedizo para dormir. Solo una vez más. ¿Qué mal podía hacerle? El bebé dormía bajo las piedras.

457

Endor retiró los restos del desayuno. Kate no recordaba haber comido, pero solo quedaba medio bollo dulce en su plato. Se tapó la cara con las manos e intentó pensar. ¿Por dónde debía empezar? La mente no le respondía. La prisión de Fleet. Empezaría por Fleet. Allí lo había encontrado la última vez.

«No es John Gough, tonta. Tú no eres Kate Gough. Eres Kate Frith. Es John Frith a quien se han llevado. Es John Frith a quien van a torturar. Es John Frith a quien van a matar. Tu marido. El capitán lo encontrará. Duerme, Kate. El capitán lo encontrará.»

Endor puso ante ella una taza humeante; gruñó y, con un gesto, le indicó que bebiera. Como no lo hizo, Endor le acercó la taza a los labios y Kate tomó un sorbo del brebaje. Le produjo una extraña sensación de calma. Tomó otro sorbo. Para cuando vació la taza, también su mente se había vaciado. Se desplomó sobre la mesa y se quedó dormida.

Cuando despertó, el sol ya no entraba a raudales por la ventana orientada al este. Se levantó y se lavó la cara con agua fría. Necesitaba pensar con claridad. Solo había un hombre en toda Inglaterra con poder suficiente para salvar a su marido, y no era el capitán Tom Lasser.

—Me voy, Endor, salgo —dijo a la vez que garabateaba una nota en un papel.

Endor movió la cabeza en un angustiado gesto de negación y suplicó a Kate con la mirada.

—Tengo que ir. Si el capitán regresa, dale esto. Aquí dice que he ido a buscar a John.

XL

> *... Jesucristo avivará para él un fuego de leña y así su cuerpo exudará sangre y su alma irá derecha al fuego del infierno.*
>
> SIR TOMÁS MORO sobre la ejecución
> en la hoguera de John Frith

Para cuando Kate recorrió las dos millas y media hasta Westminster, los ministros ya salían del Parlamento. Abordó a uno de ellos cuando se apresuraba a parar uno de los pequeños transbordadores que surcaban el Támesis a última hora de la tarde.

—Disculpad, caballero, ¿dónde podría encontrar al señor Tomás Moro?

El hombre se rio, y algo en el tono de esa risa indujo a Kate a pensar que no era amigo de sir Tomás.

—Aquí no, eso desde luego. A estas horas ya habrá vuelto a casa. Si es que hoy ha venido. Pasa la mayor parte del tiempo enclaustrado en su gabinete de Chelsea.

—¿Chelsea? Eso está río arriba, ¿no?

—A unas tres millas de aquí, poco más o menos.

Kate no podía recorrer esa distancia a pie antes de anochecer. Su decepción debió de traslucirse en su semblante.

—Yo voy a Richmond. Mi barquero os dejará allí. Lógicamente, tendréis que regresar sola, y habrá oscurecido. Quizá deberíais plantearos esperar a mañana.

—Tengo una amiga allí en la servidumbre. —Con qué naturalidad mintió—. No volveré hasta mañana. Realmente me gustaría ir esta noche.

—Si tan segura estáis… —Y le indicó con una seña que lo siguiera.

Tras unos superficiales intentos por entablar conversación mientras el barquero remaba con esfuerzo río arriba, el parlamentario centró su atención en unos papeles que llevaba en una cartera, dejando a Kate pensar en lo que iba a decir exactamente a Tomás Moro. Iba a ser difícil para ella ponerse a merced de un hombre a quien odiaba tanto, y de pronto cayó en la cuenta de que ni siquiera sabía qué aspecto tenía. ¿Cómo podía odiar a alguien a quien no había visto jamás? Al fin y al cabo era solo un hombre. Tal vez pudiera despertar en él la compasión que, según afirmaba su hija con tanta convicción, poseía.

Cuando el barquero se detuvo junto al pequeño malecón de madera, las lámparas estaban ya encendidas en la gran casa de ladrillo en lo alto de una amplia pendiente de hierba.

—Gracias, amable caballero. —Kate desplegó su sonrisa más valerosa.

—¿Estáis segura de que vuestra amiga estará aquí? Una mujer sola… esto está muy lejos.

—Es el ama de llaves de sir Tomás. Me espera. Pero gracias por vuestra preocupación y por el viaje en barca.

Antes de que él pudiera cambiar de idea, ella bajó de la barca y, recogiéndose la falda para no manchársela en el barro de la orilla, corrió pendiente arriba. Cuando había recorrido media cuesta, casi le flaqueó el valor. Podía regresar junto al río, llamar a la barca… aquel hombre parecía buena persona. Posiblemente le proporcionaría cobijo para esa noche.

Tomás Moro es el hombre que torturó a tu hermano y arruinó tu medio de vida, el hombre que ha perseguido a tu marido como un sabueso del infierno y lo ha encerrado en espera de una muerte atroz. Te ha quitado todo lo que tienes. ¿Qué más puede hacerte?

Ascendió hasta la ancha terraza y llamó a la puerta.

～✦✦～

Sir Tomás sirvió a su visitante una copa de buen vino francés. Era un derroche que rara vez se permitía de un tiempo a esta parte. Pero al menos tenía algo que celebrar. El obispo Stokesley cogió la copa que se le ofrecía y tomó un sorbo sin valorar el vino tanto como habría querido Tomás. Ese hombre era un cernícalo. Incluso Wolsey, aquel hijo de carnicero, habría sabido apreciar tan buen caldo.

—No se ha producido ningún avance, ¿pues? —preguntó sir Tomás.

—No. Me ha visitado el obispo Gardiner. En respuesta a la petición de su antiguo profesor, Frith ha recitado el salmo vigésimo tercero… en hebreo, una y otra vez, con la mirada perdida. La locura se ha adueñado de su mente.

Tomás nunca había dominado el hebreo. ¿Para qué molestarse? Pero admiraba a regañadientes un intelecto así.

—Una buena cabeza desperdiciada. Pero debería haber puesto esa buena cabeza al servicio de su Iglesia. No tiene sentido esperar. ¿Cómo va a arrepentirse un loco? —Tomó un sorbo de vino y lo saboreó. Gozar del favor del rey comportaba muchas ventajas, algunas de las cuales ya echaba de menos—. Supongo que no hemos sonsacado más información sobre Tyndale.

—No importa —dijo Stokesley—. Henry Phillips lo ha encontrado en Amberes como sospechábamos. Refugiado en una casa de la Hansa para mercaderes ingleses. Phillips ha recibido instrucciones de granjearse su confianza y sacarlo de allí. Es un bribón, pero sería capaz de engatusar al mismísimo demonio si con eso se embolsara una moneda de plata. —Stokesley cerró los ojos y sus finos labios se tensaron en una sonrisa de calavera—. Solo es cuestión de tiempo. Paciencia.

Pero a Tomás se le estaba acabando la paciencia. Y no se podía confiar en Phillips para una misión tan importante. Ese había sido el inconveniente de esta persecución: los viles malhechores con que Tomás tenía que tratar. Pero era difícil encontrar un hombre de honor apto para ser buen espía. Stephen Vaughan era prueba de ello.

Un alboroto en el vestíbulo interrumpió sus pensamientos. Al cabo de un minuto, Barnabas llamó a la puerta de su gabinete.

–Hay aquí una joven, sir Tomás. Exige veros.

–Échala. No, espera. Mándala a la cocina. La cocinera puede darle antes algo de comer. Debe de ser una mendiga o alguien que viene a suplicar por un asunto jurídico. –A continuación se volvió de nuevo hacia Stokesley–. Ya no viene tanta de esa gente ahora que no soy uno de los favoritos de la corte. No lo echo en falta.

Stokesley aguardó a que Barnabas cerrara la puerta.

–La ejecución de Frith está prevista para mañana. En Smithfield. ¿Estaréis presente?

–Creo que no. Mi asistencia concede demasiada importancia al hecho. Os sugiero que tampoco vos vayáis. Nos conviene que la gente lo vea como un delincuente común, no como un mártir. Ya hay cierto malestar entre la población. Se han producido catorce suicidios en Londres en los últimos quince días y se habla de otros malos augurios, como cometas en el cielo y una cruz azul por encima de la luna, que asustan a los campesinos.

Stokesley expresó su conformidad con un gesto de asentimiento.

–Holt también ha aportado pruebas contra un aprendiz. Los quemaremos a los dos juntos. Hay que dar a la gente algo real a lo que temer, como la mancha de la herejía y el castigo justo de la Iglesia. –Apuró la copa como si fuera una triste cerveza y se levantó para marcharse.

Sir Tomás frunció el entrecejo.

–Podéis pasar la noche aquí. Alice os proporcionará una cama. No estoy tan empobrecido como para no poder ofrecer hospitalidad a mi obispo.

–La noche es cálida y la luna llena alumbra el río. Mañana tengo asuntos pendientes muy temprano, pero os lo agradezco. Os mantendré informado de los avances de Phillips respecto a Tyndale. La Iglesia os está agradecida por vuestra ayuda.

–Soy yo quien agradece la oportunidad de prestar mis servicios –contestó Tomás, y acompañó al visitante hasta la puerta–. Me proporciona gran satisfacción.

Por primera vez desde hacía semanas fue a cenar con su familia con un ánimo atípicamente festivo. Ya avanzada la cena, se produjo el alboroto.

~❦~

—No, no pienso marcharme de aquí. Exijo ver…

Las puertas del gran salón de Chelsea se abrieron de pronto, y cuando Margaret Roper alzó la vista desde su asiento junto a la mesa, vio a una mujer, apenas sujeta por Barnabas, irrumpir en la estancia. Forcejeaba como un animal salvaje, desesperada por zafarse.

A lady Alice se le cayó la cuchara en el plato ruidosamente.

—¡Que la santa Virgen nos proteja! —exclamó—. Es una loca.

El criado, pese a su complexión musculosa, a duras penas podía contener a la mujer, y tenía la voz entrecortada por el esfuerzo.

—Disculpad, sir Tomás. Ya le he dicho que no deseabais verla.

La mujer llevaba el pelo suelto y le caía por la espalda en una maraña; tenía la falda salpicada de barro y en los ojos, muy abiertos, un brillo de miedo o cólera. Recorrió el comedor con la mirada hasta clavarla en el padre de Margaret, paralizado en la cabecera de la mesa. Su mano, sujetando la tapa de una fuente de peltre, permanecía suspendida sobre el asado.

—Por favor… sir Tomás… Debo hablar con sir Tomás. —Y de pronto logró zafarse, con un ruido de tela rota al desprendérsele parte de la manga, y corrió a postrarse a los pies del padre de Margaret. Él se apartó de la mujer, todavía con la tapa de peltre en la mano, como si pudiera protegerlo de algún contagio letal por el contacto con la intrusa.

Las hermanas de Meg chillaron, y el marido de esta corrió en ayuda de Barnabas. A Meg le sonó vagamente la mujer acurrucada a los pies de su padre, aferrada a la pata de la mesa mientras los hombres intentaban alejarla. Ella agitó la cabeza y el cabello que le tapaba el rostro cayó hacia atrás.

Esa tez blanca y tersa, esa frente ancha con la tenue línea azul palpitando bajo la piel…

—Alto. Yo conozco a esta mujer —intervino Margaret—. No es una loca. Dejadla hablar. Se llama Gough. Su hermano era el impresor

463

de Paternoster Row del que os hablé. ¿Os acordáis, padre? Han pasado unos años. Vos lo pusisteis en libertad cuando estaba en la cárcel. Ella se llama…

—Kate, milord. Me llamo Kate…

Los hombres la soltaron pero se quedaron a su lado. William Roper la ayudó a levantarse. Ella se arregló el pelo y se irguió, realizando un visible esfuerzo por recuperar la compostura. Acto seguido, hizo una parca y digna reverencia, como la que una dama de alto rango dirigiría a un igual.

—La señora Roper está en lo cierto, milord. Conocí a vuestra hija cuando mi hermano estaba en la cárcel. Pero no me llamo Gough. Me llamo Frith, Kate Frith, señora de John Frith, y he… venido aquí… para suplicar a milord por la vida de mi esposo.

Un murmullo recorrió la mesa cuando algunos reconocieron el nombre.

—¿No es aquel traductor que…? Es un estudioso, creo, exiliado por herejía…

Sir Tomás dejó la tapa de peltre y, con un ademán, obligó a callar a su familia. Sonrió entonces como si acabara de hacer un magnífico descubrimiento, como si esa interrupción de la cena fuese una especie de regalo. Meg respiró aliviada. Ahora por fin esa mujer comprobaría que su padre no era el monstruo por quien ella lo tomaba desde la primera vez que se vieron.

—Señora Frith, tenéis mi compasión —dijo sir Tomás.

—Gracias, milord, pero no es vuestra compasión lo que vengo a buscar, sino vuestra intercesión.

Sir Tomás dejó escapar un profundo suspiro. La vela más cercana a él parpadeó a causa del aliento exhalado.

—En ese caso habéis venido al lugar equivocado, me temo. La Iglesia ya ha condenado a vuestro marido. —Mientras lo explicaba, miró con expresión de disculpa a los reunidos en torno a la mesa pero no a la mujer—. No tengo jurisdicción en este asunto.

—No entiendo de jurisdicciones legales, señor, pero si vos lo decís, así será, porque sois un hombre con fama de honorable. —Ella se interrumpió y dio la impresión de que sopesaba las palabras como si fueran oro.

Meg vio el contraste entre la discreta actitud suplicante y la criatura orgullosa que había conocido en la pequeña imprenta.

–Pero vuestra hija me habló de vuestra caridad y compasión y me aseguró que sois un hombre con grandes influencias. Toda Inglaterra sabe de vuestra importancia. –Entonces miró a Margaret, como si rogara su intervención–. Estoy aquí para pedir una pequeña porción de esa compasión de la que habló vuestra hija, pediros que empleéis vuestra influencia con el obispo.

La sonrisa con que respondió su padre fue para Margaret como un cubo de agua fría. ¿Él siempre había sido tan… frío?

–Mi hija, como la mayoría de las hijas afectuosas, supongo, tiene un sentido exagerado de la importancia de su padre. Seguro que vos hablaríais bien de vuestro padre, señora Frith, pese a que, según he oído, murió en la cárcel.

La mujer dio un visible respingo, pero permaneció en silencio mientras él continuaba.

–No puedo hacer nada por vos ni por vuestro esposo, y para seros sincero, no lo haría aunque pudiera. John Frith es un hereje que ha hecho mucho daño a la Santa Iglesia. Como cristiano, no puedo por menos que celebrar su quema. Su muerte servirá de advertencia a otros.

Meg volvió la cara. No podía mirar a su padre, no podía soportar el odio que veía en su rostro. Tampoco miró a Kate. Fijó la vista en el trozo de carne en su plato, entre los jugos medio cuajados, y deseó no haber vivido para presenciar ese día. Meg alzó los ojos para cruzar una mirada con su marido y supo que ese momento marcaba el final de todas sus ilusiones de la infancia. Se hizo un silencio absoluto en el comedor, interrumpido por el chirrido de la silla de sir Tomás cuando se levantó.

–Pero para demostraros que no carezco del todo de esa compasión que me atribuyó mi hija, os ofreceré cobijo –ofreció el gran hombre–. No os dejaremos marchar en plena noche. Muchos lobos rondan por el bosque.

La mujer pareció aumentar de estatura visiblemente. Echó atrás la cabeza y lanzó una mirada de inquina al hombre a quien acababa de suplicar misericordia. Margaret vio un atisbo de aquella Kate Gough que había conocido en Paternoster Row.

—Me arriesgaré con los lobos, milord —respondió en voz baja—. Pues ellos, que son solo bestias salvajes, llevan en sí tanto de Cristo como vos. Ellos solo matan para sobrevivir. Vos matáis por el placer que os proporciona.

Margaret contuvo la respiración, deseando que la mujer callara.

Pero Kate no calló.

—Pese a toda vuestra erudición, sabéis menos de Cristo que el labriego más pobre que lleva la Biblia en inglés de Tyndale en su bolsillo.

¿Acaso no era ella consciente de que estaba totalmente en manos de él? ¿O es que no le importaba? Era un disparate decir algo así a un hombre a quien uno consideraba desprovisto de toda compasión. El olor de la carne asada en el plato, mezclado con el miedo y la tensión del ambiente, le provocó náuseas a Meg. Pero cuando alzó la vista para mirar a su padre, la sorprendió ver que él no parecía furioso. Daba la impresión de que, por alguna razón, las palabras de Kate lo habían complacido.

—¡Tyndale! Habláis del traductor como si lo conocierais. Si se lo entregarais a los obispos, quizá yo pudiera utilizar mi limitada influencia para que vuestro esposo no sufra en las llamas… demasiado tiempo.

En ese punto, mirándolo con incredulidad, la mujer escupió al suelo ante sus pies.

—No lo entregaré ni aunque me queméis —dijo con voz sibilante—. Mi marido no morirá por nada, y cuando vos cerréis los ojos esta noche, sir Tomás Moro, espero que el hecho de saber que habéis perseguido a muchos hombres buenos y justos hasta la muerte os abrase el corazón como las llamas blancas y candentes en las que ellos murieron.

Meg oyó a lady Alice, junto a ella, ahogar una exclamación. Miró entonces a Kate y vio, brillando detrás de las lágrimas, una valentía que envidió y algo próximo a la lástima. Kate le sonrió; era una sonrisa marcada por la resignación y el hastío.

—Señora Roper, ruego a Dios que nunca conozcáis el dolor que han conocido otras esposas e hijas —dijo—. Mi Biblia en inglés me enseña a perdonar. Pediré a Dios fuerzas para perdonar a vuestro padre.

466

—Llévala a la garita del portero —ordenó sir Tomás con un tono tan cortante como la hoja de una espada.

—Por favor, padre. Está alterada. Debéis entenderlo. Una mujer desesperada es capaz de decir cualquier cosa. No hagáis caso. Dejadla venir con William y conmigo. La vigilaremos esta noche y mañana la llevaremos a su casa.

Él la miró con severidad al contestar:

—Pasará la noche en la garita del portero. Si por la mañana sigue en su estado de obstinación, Barnabas la trasladará a Londres.

Cuando Barnabas se llevó a la mujer, el padre de Meg levantó la tapa de la bandeja y sacó un trozo de carne para trincharla.

—No pongas esa cara de angustia, hija. Ha sido un trastorno sin consecuencias para ti. Y ahora acércame tu plato si quieres más.

Kate pasó la noche encerrada en la garita del portero, sin que nadie la molestara, pese a que, viendo las argollas de la pared, la atormentaban imágenes espectrales. ¿Cuántas almas torturadas habían gemido contra esa pared? Vio a su hermano allí, aherrojado, la cabeza caída sobre el pecho. Vio a su marido allí, su hermosa sonrisa, la sonrisa más encantadora que había visto, retorciéndose de dolor. Se vio allí a sí misma.

El criado que la había sujetado le llevó pan y leche, pero, pese a que le dolía el estómago por el hambre, no pudo ingerirlos. Había sido una estupidez ir allí, una estupidez pensar que podía salvar a un hombre que no quería salvarse, una estupidez pensar que podía arrancar compasión a una piedra. No durmió, sino que osciló entre una ira brutal contra un Dios que no protegía a sus siervos del peligro —de la cólera de hombres viles, de esa furia como una lluvia oscura cayendo desde un cielo lleno de humo— y las plegarias desesperadas a ese mismo Dios para que aligerara el sufrimiento de John si no era posible salvarlo.

Por la mañana, el gran hombre en persona le llevó un tazón de gachas humeantes. Ella volvió la cara, incapaz de soportar el olor. Él se encogió de hombros y dejó el tazón.

—Ahora que habéis tenido tiempo para reflexionar sobre el inevitable destino de vuestro esposo, he pensado que quizá hayáis recapacitado. Os recuerdo que si accedéis a cooperar e inducís a maese Tyndale a salir de la Casa Inglesa para ponerlo en manos de las autoridades correspondientes, utilizaré mi influencia para que vuestro marido no padezca una muerte lenta y agónica. El hombre que lo ate a la estaca lo estrangulará. Enseguida perderá el conocimiento. Todo habrá terminado en uno o dos minutos.

Las náuseas que venían amenazándola la desbordaron. Cuando se dobló y expulsó el contenido del estómago en el suelo de piedra, él retrocedió. Demasiado tarde. Pequeñas gotas de vómito alcanzaron el dobladillo de su delicado manto de lino. A ella aún le quedaron fuerzas suficientes para reírse.

—Tomaré eso como respuesta –gruñó él con un visaje de odio y repugnancia: el rostro del auténtico hombre detrás de la máscara. Kate se preguntó si Margaret Roper había visto alguna vez esa mueca.

—Llevad a esta criatura a Newgate –ordenó–. Que se pudra allí, hasta que el diablo venga a llevársela al infierno, donde podrá reunirse con su marido hereje.

⚜

Tom Lasser se marchó de Croydon muy insatisfecho. No, el arzobispo había hecho todo lo posible. Había dado al hombre una oportunidad de escapar y él la había rechazado. Y no, no sabía dónde lo retenían, ni cuándo estaba prevista la ejecución. Una vez declarado culpable Frith, los soldados del rey llevarían a cabo la sentencia.

Ecclesia non novit sanguinem: la Iglesia no derrama sangre.

El alguacil de la Torre tampoco conocía los detalles de la ejecución. Sir Humphrey, en el Steelyard, no sabía más sobre el paradero de Frith que el capitán. «¿Habéis estado en la Torre de los lolardos?», había preguntado con arrugas de preocupación en la frente. Pero Tom ya había pasado por allí.

No podía presentarse ante Kate sin una pizca de esperanza que ofrecerle. Cuando abandonaba el Steelyard para visitar las otras prisiones, vio la espiral de humo en la orilla del río, desde el muelle donde estaba atracado *El canto de la sirena.*

Para cuándo el capitán llegó, ardían las velas y el palo mayor. Sus hombres –que Dios bendijera sus negros corazones– seguían a bordo, corriendo de aquí para allá, acarreando cubos, intentando apagar las llamas a golpe de manta.

–¡Fuego! –gritaba a los trabajadores del muelle junto a los que pasaba–. Entregaré una corona a todo aquel que luche por salvar mi barco.

Los más desesperados entre ellos, un buen número, cogieron cubos, baldes, cazos, cualquier cosa que pudieran acarrear, y subieron a bordo como buenamente pudieron.

–¿Cómo ha empezado? –preguntó a voz en cuello al segundo de a bordo mientras, hombro con hombro, echaban un cubo tras otro de agua de mar a las llamas que lamían ya la cubierta.

–Casi todos dormíamos cuando ha empezado. Según el vigía, ha sido una flecha encendida.

Cuando anocheció, Tom y su tripulación se desplomaron en la cubierta entre las ascuas del palo mayor caído. El barco se mantenía a flote, pero por muy poco. Las velas habían desaparecido, el casco estaba chamuscado en algunas partes, e incluso el nombre había quedado cubierto por el hollín y las cenizas. Pero seguía siendo un barco. Su barco. Y podía repararse.

En su agotamiento, se acordó de Kate Frith y de que esperaba noticias. Pero no tenía buenas noticias que darle. Las malas noticias podían esperar hasta la mañana siguiente. Si Dios quería, estaría ya dormida en su cama encima de la tienda.

Despertó a eso de la medianoche, por las sacudidas de Endor, inclinada sobre él. Angustiada, gruñía, intentando decirle algo, y finalmente le entregó la nota de Kate. Él se quitó las telarañas del cerebro y se levantó de un salto.

XLI

El aire anhela lanzar vapores nocivos contra el hombre maligno. El mar anhela arrollarlo con sus olas, las montañas caer sobre él, los valles alzarse hacia él, la tierra abrirse bajo sus pies, el infierno engullirlo cuando caiga de cabeza, los demonios arrojarlo a abismos de llamas eternas.

SIR TOMÁS MORO escribiendo desde la cárcel
de la Torre sobre William Tyndale

—¿Podéis transmitir un mensaje por mí? —suplicó Kate al guardia que le llevó el tazón de caldo aguado de la casa de beneficencia—. A un capitán de barco llamado Tom Lasser. Su barco está atracado en el Steelyard. Es *El canto de la sirena.*

—¿Tengo yo cara de mensajero? —rugió el guardia. Dejó bruscamente el tazón, derramando parte del caldo.

—El capitán Lasser os pagará por la información. Es un hombre muy generoso. Por favor —rogó—. Decidle que Kate Frith está prisionera en Newgate.

Ver el caldo le dio náuseas. Ya se formaba una capa verde en su superficie. Lo apartó con la mano para no tener que mirarlo. Quizá llegara la hora en que se alegrara de ver incluso eso. Pero todavía no.

El guardia la miró a ella y después al tazón.

—Lo dejaré por si cambiáis de idea. —Las llaves tintinaban en su mano y la puerta estaba entreabierta.

Es demasiado corpulento. No llegarías ni al patio.

–¿Frith? Es un apellido corriente –observó–. Aquí hemos tenido a otro Frith. No ha estado mucho tiempo.

A Kate le dio un vuelco el corazón, y luego otro.

–¿Decís que lo habéis tenido aquí?

–Se ha marchado esta mañana.

El aire quedó atrapado en el pecho de Kate.

–¿Se llamaba John? ¿Era joven? ¿No había cumplido aún los treinta?

–Era difícil saberlo debajo de semejante barba. No recuerdo su nombre de pila. Era raro. –Movió el dedo en círculo junto a la sien, un gesto de mofa–. Hablaba solo. Básicamente decía cosas incomprensibles.

–No es raro. Es brillante. Es un hombre amable y maravilloso cuyo único delito ha sido proporcionar a la gente libros que pueda leer en su propia lengua.

–¿Es pariente vuestro?

Si John estaba allí cuando la encerraron a ella, ¿por qué no había percibido su cercanía?

–Es mi marido –contestó.

Él la miró con atención, como si de pronto ella le interesase.

–¿Sabéis adónde lo han llevado? –preguntó.

Él desvió la mirada y su expresión se suavizó.

Dios, te lo ruego, que eso que hay en sus ojos no sea lástima.

–Decidme adónde lo han llevado. Tengo que saberlo.

–A Smithfield. Lo han llevado a Smithfield –respondió él, circunspecto.

Sus palabras resonaron en la cabeza de Kate como las campanas de St. Mary-le-Bow, y el suelo se onduló bajo sus pies a cada sílaba. «¡Smith-field! ¡Smith-field! ¡Smith-field!» Las paredes oscilaron al ritmo de las palabras en su cabeza. El mundo se desintegraba en torno a ella, desprendiéndose la esperanza hebra a hebra, dejando en su mente una maraña de lana enredada.

Una mujer gritaba en algún sitio.

No era un viernes cualquiera para sir Tomás: 4 de julio de 1533. Un día de celebración. Un día de expiación. El único día más digno de celebración sería el día en que las llamas consumieran a William Tyndale, deteniendo su pluma vil para siempre. Esperó que ese día llegara pronto. Esperó también vivir para verlo. Cuthbert le había advertido que Cromwell investigaba a la santa Doncella de Kent en busca de indicios de traición. Tomás se había reunido con Elizabeth Barton en más de una ocasión, hecho que Cromwell sin duda descubriría. El Parlamento se había vuelto contra la Iglesia. Incluso los obispos habían perdido el valor. Eran todos unos cobardes. Era solo cuestión de tiempo. Él preparaba ya a su familia para lo inevitable, llegando al punto de escenificar un ensayo de su arresto una noche durante la cena, cuando estaban sentados a la mesa. Había sido aleccionador observar la reacción de todos ellos.

Pero ese día no pensaría en eso, se dijo, cuando, con el flagelo, entró en su capilla privada. El sol habría alcanzado ya su cenit. Estarían prendiendo la hoguera. Cerró los ojos e inhaló como si pudiera llenarse los pulmones del humo de la leña y el pelo y la carne en llamas. Alzó su pequeña tralla y sintió el primer azote de dolor en los hombros. Luego otro. Y otro, hasta que un estremecimiento de éxtasis recorrió su cuerpo.

John Frith sentía una extraña calma cuando los soldados los condujeron a él y al joven aprendiz Andrew Hewet, que moriría con él, a aquella única estaca justo al otro lado de la muralla de Londres. El sol, como si fuera incapaz de contemplar directamente tal abominación, ocultó su tórrida cara de julio detrás de una bruma vaporosa en un cielo blanquecino. John susurró a su compañero las palabras que Tyndale había escrito en su última carta:

–Si el dolor es superior a vuestras fuerzas, Andrew, recordad: «Todo aquello que pidáis en mi nombre, os lo concederé». Rogad al Padre en ese nombre, y Él aliviará nuestro dolor.

John se había aferrado a esas palabras aquellos últimos días como un hombre a punto de ahogarse en la inmensidad del mar se aferra a un madero, suplicando que no le flaqueara el valor, que su actitud transmitiera fuerza y consuelo al otro hombre. El aprendiz asintió con los labios apretados y cerró los ojos cuando lo obligaron a subir, a él primero, a la inestable plataforma de madera y lo ataron a la estaca de espaldas a la muchedumbre.

Cuando le llegó el turno a John, lo ataron a la misma estaca, de cara a la multitud. Cuando sus manos amarradas encontraron las de su compañero, percibió su temblor. John le cogió dos dedos con dos de los suyos.

—Bienaventurado sois cuando por Mi causa os vituperen y os persigan —susurró John. El temblor no cesó.

Cuando le sujetaron el cuello y la cadera a la estaca, John contempló al gentío. Salvo por el rector que estaba al frente de la quema, no lo miraba ningún rostro conocido. Eso era de agradecer. Esta última soledad no podía compartirla. Si se hubiese visto obligado a presenciar el horror en el rostro de Kate, ese horror habría penetrado en su propio corazón, y entonces no habría podido soportar cumplir con su obligación. La imaginó a salvo y lejos, como si la mujer inclinada sobre su bordado en la Casa Inglesa de Amberes fuese alguien a quien había amado en otra vida. Tyndale había prometido cuidar de ella. Y si Tyndale seguía los pasos de él, allí estaría el capitán Lasser para velar por ella.

El rector hizo una seña con la cabeza y los dos soldados, uno a cada lado de la estaca, hundieron las antorchas encendidas en el círculo exterior de broza. Un murmullo se elevó de la muchedumbre como si fuera un coro, y una valiente voz se elevó por encima de las demás:

—Soltadlos. No han hecho nada malo.

—No sintáis más piedad por ellos que por los perros —amonestó el rector al gentío.

Se levantó un viento surgido de ninguna parte que revolvió la barba a John, agitó un mechón de pelo ante su cara e hizo flamear su capa suelta. Se alegró de haber escondido los dos chelines que habrían servido para pagar el pasaje de regreso a casa en el dobladillo de aquella sencilla prenda de lino. Actuarían de lastre hasta que el fuego de la broza alcanzara el dobladillo. Para cuando la capa ardiese, las llamas cubrirían ya su desnudez.

—Bienaventurados los pobres de espíritu, porque de ellos es el reino de los cielos –vociferó a pleno pulmón. Iría a la muerte con las Sagradas Escrituras en inglés en los labios.

Los presentes lo miraron con los ojos muy abiertos: algunos con curiosidad, otros con miedo, otros con estupefacción, sin querer estar allí pero incapaces de marcharse. Algunos se regodeaban. John se dio cuenta por la manera en que se relamían los labios. Algunos contenían las lágrimas. Otros apartaban la mirada. Él se compadeció de todos ellos, y rogó a Dios que tuviera la misericordia de perdonar al rector y al obispo Stokesley y a Tomás Moro. Él no se presentaría ante Dios con odio en el corazón.

—Bienaventurados los que lloran, porque ellos recibirán consolación.

Incluso a él le sorprendió que su voz resonara tan claramente sin delatar el temblor que sentía en su interior.

La leña había sido apilada en forma de alta pirámide y la plataforma estaba impregnada de brea. Apretó más la mano de Andrew cuando las llamas se elevaron entre la yesca seca con un chasquido y una lluvia de chispas.

—Bienaventurados los misericordiosos, porque ellos alcanzarán misericordia –gritó Andrew detrás de John. Las llamas prendieron su ropa.

—Bienaventurados los pacificadores, porque ellos serán llamados hijos de Dios –contestó John–. Bienaventurados los… –Pero el calor y el humo le cortaron la respiración y ya no pudo acabar su respuesta.

Sintió que la mano de Andrew quedaba flácida en la suya y se alegró.

—Bienaventurados los que padecen persecución por causa de la justicia, porque de ellos es el reino de los cielos –entonó una voz entre la muchedumbre.

Pero John no la escuchó.

᙭

El Steelyard no quedaba muy lejos de su camino, pensó el guardia al acabar su turno y marcharse a casa. Le había dicho que el capitán pagaría. Pero incluso si no lo hacía, las circunstancias de la mujer habían despertado algo parecido a la compasión en su corazón tan encallecido como sus propias manos. A causa de sus lamentos y su llanto histérico había acabado en el pabellón de mujeres con las otras locas que debían permanecer encadenadas. Pero cuando llegó la matrona, se dejó llevar como un corderito. Él había visto llegar al pabellón de las locas a otras mujeres con esa misma mirada fija. Solo salían envueltas en una sábana sucia.

Cuando llegó al Steelyard, recorrió el muelle con la mirada en busca de un barco llamado *El canto de la sirena,* pero no vio ninguno con ese nombre. Encogiéndose de hombros, se dio la vuelta y se encaminó hacia su casa, sintiendo una vaga curiosidad por el casco quemado de un barco que se mecía en el agua como un pato muerto. Por lo visto, la mala suerte estaba muy extendida últimamente.

Cuando Tom Lasser leyó la nota que Kate le había dejado, un temor como el lastre de un ancla se abatió sobre él. Kate debía de andar de cárcel en cárcel buscando a su marido como en otro tiempo había buscado a su hermano, pero esta vez no había vuelto. Intentó consolarse con la idea de que quizá había encontrado a John y sencillamente se había negado a marchar, quizá incluso había convencido a algún guardia para que le permitiera quedarse al lado de su esposo. Empezaría preguntando en las cárceles. Pero no fue más allá de Fleet.

No, allí no había nadie llamado John Frith, ni se había interesado por él ninguna mujer ni nadie durante su turno. Había sido un día de poca actividad. Todo el mundo había ido a Smithfield para presenciar la ejecución de aquellos dos herejes.

Dios mío, pensó. Que no esté ella allí. Que no lo haya encontrado precisamente a tiempo de verlo arder.

Olió el humo antes de llegar a la puerta de la ciudad y el estómago se le revolvió a causa del nauseabundo hedor. El gentío se apartó cuando él se abrió paso hacia la hoguera, llamando a gritos a Kate. Nadie contestó.

Para cuando llegó a la gran pirámide de fuego, las llamas se elevaban a tal altura y el calor y la pestilencia eran tan intensos que los asistentes, uno por uno, empezaron a marcharse. Nada quedaba de John Frith que pudiera reconocerse. Los dos cuerpos carbonizados amarrados a la estaca no parecían humanos. Al menos Kate no estaba allí para verlo, pensó, a la vez que, volviéndose a un lado, arrojaba el contenido de su estómago en la tierra cubierta de ceniza. Una lluvia de chispas traspasó la tela de su jubón. Después descubriría las pequeñas ampollas en la piel, pero en ese momento no sintió nada más que espanto al apartarse del fuego para reanudar su búsqueda.

¿Qué diría a Kate cuando la encontrara? Si es que la encontraba.

⚜

Kate estaba en su pequeña habitación encima de la tienda.

—¿Cómo he llegado aquí? –preguntó.

Pero aquello no era real. No era más que otro sueño fruto de la fiebre. Al despertar, oiría los gritos de la loca Maud y vería a Sal acurrucada en el rincón de la celda, babeando encima de su muñeca de trapo.

—Os encontró Endor. Ella sabía dónde buscar.

Era la voz del capitán, muy lejana. Y no era la loca Maud quien estaba inclinada sobre ella. Era Endor. Su queridísima Endor, que sostenía un tazón de caldo humeante ante ella. Olía a pollo. El caldo de sus sueños no olía a nada, y ella nunca lo probaba.

Tampoco ahora lo probó. Se sumió profundamente en la fiebre abrasadora.

Cuando Kate despertó más tarde, Endor seguía allí, pero la mano apoyada en su frente era la del capitán.

—Le ha bajado la temperatura –dictaminó él–. Prueba otra vez con el caldo.

Kate sintió en su espalda el brazo de él cuando la ayudó a incorporarse. Tomó un sorbo de caldo. Sabía bien, pero se percibía el regusto del remedio de Endor. Tosió, escupiendo el líquido, y cuando recobró el aliento preguntó:

—¿Cuánto hace que estoy aquí?

—Dos semanas –respondió el capitán.

¡Dos semanas!

–¡John! ¿Habéis encontrado a John? –Intentó erguirse, pero se desplomó de nuevo contra el fuerte brazo, que la depositó en la almohada–. Llevadme con él.

El capitán retiró el brazo de detrás de su espalda y se irguió, agachando la cabeza bajo el techo abuhardillado. No la miró. Se limitó a respirar hondo, posando la mirada en un nido de golondrina abandonado al otro lado de la estrecha ventana. No dijo nada. No era necesario.

–Está muerto. John ha muerto, ¿no?

–Kate, yo...

–Lo han matado.

Tom se arrodilló junto a la cama y le cogió la mano, pero ella la retiró bruscamente, como si negándose a aceptar su consuelo pudiera anular la certidumbre.

–¿Fue...? –Pero ni siquiera pudo articular las palabras.

–Murió en paz, y con vuestro nombre en los labios. –Parecían unas palabras ensayadas. Tom hizo pliegues en la colcha con sus largos dedos.

El nido abandonado bajo el alero se convirtió de pronto en lo más triste que Kate había visto en su vida.

–Mentís, Tom Lasser –susurró–. Conozco a mi marido. Si algún nombre tenía en los labios cuando murió, era el de Dios. Siempre amó su trabajo más que a mí.

–Entonces era un necio –afirmó el capitán con tal amargura que ella también sintió pena por él.

–No. No era un necio –replicó Kate–. A mí me amaba, me consta. Sencillamente pertenecía a Dios. Yo solo lo tuve en préstamo durante un tiempo.

Permanecieron un rato en silencio.

Endor la miró con expresión de sabiduría y complicidad en los ojos. Le acercó otra vez el caldo a los labios. Pero Kate negó con la cabeza.

–¿Quedó... algo? –preguntó.

Tom hizo un gesto de impotencia con las manos.

–Unas... cenizas, algún pequeño trozo de hueso. Sir Humphrey y yo recogimos lo que pudimos y lo enterramos en el camposanto de la iglesia de St. Dunstan, donde antes predicaba Tyndale.

¡Tyndale! La última vez que vio a su marido, Tyndale estaba con ella mientras lo despedían desde el puerto. Si en ese momento hubiera viajado Tyndale, habría muerto él y no John. ¿Pensaría él eso cuando se enterara?

—¿Lo sabe Tyndale?

—A estas alturas seguro que sí.

Kate asintió, preguntándose por qué no lloraba. Tenía los ojos tan secos que le dolían.

—Me parece que ahora quiero dormir —dijo, siendo su único deseo que ellos la dejaran sola. No era mentira. Quería dormir eternamente.

XLII

Y si repartiese todos mis bienes para dar de comer a
los pobres y si entregase mi cuerpo para ser quemado,
y no tengo amor, de nada me sirve.

De la epístola del apóstol
san Pablo a los Corintios

Kate pasó los días y las semanas posteriores como una so-
námbula. No lloró a John en ningún momento. Ni fue a la iglesia de
St. Dunstan. John no dormía allí como tampoco su hijo dormía bajo
el túmulo de piedras en el jardín de Amberes. Ambos eran solo cenizas y polvo. Sus almas habían regresado junto a Dios. Como haría la suya si dependiera de su voluntad. Pero Endor cuidaba de ella
fielmente, y su cuerpo se fortaleció día a día.

Aunque el capitán pasaba casi todo el tiempo en Woolwich,
donde estaban reparando su barco, la visitaba a menudo, llevándole
alimento y dinero, advirtiéndole de que no volviese a abrir la tienda
para no llamar la atención. Cromwell había ordenado que la pusieran en libertad, pero no debía dar nuevos pretextos a Tomás Moro.
Él no tenía por qué preocuparse; Kate no sentía el menor deseo de
volver a abrir la tienda. Algunos días se planteaba distraídamente su
futuro, qué sería de ella cuando el capitán se marchase, pero era

como si viera a un personaje en una de las representaciones del gremio. Transcurrió el verano sin incidentes, lo cual era irónico ahora que ya todo le traía sin cuidado. Le daba igual si Tomás Moro iba a por ella. ¿Qué más podía hacerle?

Maese Tyndale le escribió. En su carta decía que John seguiría vivo en la gran obra que había realizado. Sus palabras eran bien intencionadas y la finalidad era ofrecerle consuelo. No lo consiguió.

Sir Humphrey se presentó un día para darle el pésame y preguntarle si necesitaba algo. Kate no tenía más que hacérselo saber, dijo. Le devolvió la Biblia que ella le había vendido —parecía haber pasado toda una vida desde entonces—, diciendo que sin duda desearía tener consigo semejante tesoro de la familia. Kate le dio las gracias, y en cuanto él se fue, la envolvió y la guardó de nuevo en su escondrijo, pensando en lo ligado que había estado a ese libro sagrado el destino de su familia durante tantas generaciones, para bien y para mal. Pero ya no se enorgullecía de él como antes. No sentía nada... hasta que un día tuvo otra visita.

Al principio no reconoció a la joven que llamó a su puerta.

—La tienda está cerrada —respondió Kate por la puerta entreabierta.

—He visto luz y vuestra silueta a través de la ventana y he pensado que quizá fueseis vos —dijo la mujer.

—Lo siento. Debéis de estar confundida. —Algo en la actitud de la mujer, su barbilla pequeña y afilada, la niña rubia que llevaba cogida de la mano, avivó su memoria. Aquellos ojos azules de mirada transparente...—. ¡Sois Winifred! ¿Y esta es... la pequeña Madeline?

La mujer asintió, sonriente.

—Ya no es un bebé.

Winifred tenía arrugas en las comisuras de los ojos y se movía con menos brío del que Kate recordaba. Tenía ojeras y el rostro pálido y contraído. Esos últimos años la vida no la había tratado bien.

La niña, que era la salud personificada, miró a Kate con curiosidad.

—¿Sois la librera que antes vivía aquí?

A Kate se le hizo extraño notar la risa en su propia garganta.

–Bueno, antes era librera. Pero de eso hace mucho tiempo. –Se arrodilló y cogió la mano de la niña–. Veo que has estado ocupada durante mi ausencia, ocupada dejando de ser bebé para convertirte en una niña preciosa.

Madeline, con los ojos muy abiertos de satisfacción, miró a su madre.

–Tenías razón, mamá. –Asintió como si fuera ella quien tuviera la última palabra acerca de cualquier tema–. Es amable.

Kate las invitó a entrar y les ofreció las galletas con miel de Endor. Cuando la niña alargó el brazo hacia los dulces, advirtió que llevaba un vestido muy bonito, aunque la mala calidad de la tela contrastaba con la elegante confección.

–Llevas un gorro muy mono, Madeline. –Kate le ofreció una segunda galleta.

Los ojos de Winifred, de un hermoso color azul aciano, un poco más claros que los de su hija, se entornaron cuando una sonrisa se reflejó en ellos.

–Ser la hija de una costurera pobre tiene sus ventajas –comentó.

Pero Kate advirtió lo consumida que se la veía y lo delgados que tenía los brazos.

–¿Y vuestro marido? –preguntó Kate–. ¿Está bien?

Winifred bajó la vista para mirar a la niña y dijo en un susurro:

–Mi francés murió en los disturbios del primero de mayo hace dos años.

–Cuánto lo siento –comentó Kate, recordando que incluso a Amberes había llegado la noticia de la matanza de trabajadores extranjeros. Después de un breve silencio, añadió–: Tenemos algo en común, también yo he perdido a mi marido.

A partir de ese día la mujer y la niña la visitaron con frecuencia. A lo largo del otoño y el invierno Kate las esperaba con ilusión, instando a Endor a tenerla siempre aprovisionada de aquellas galletitas de miel y ofreciéndose a cuidar de la niña los días que la madre tenía que desplazarse lejos de allí. En más de una ocasión apareció el capitán, quien, por lo visto, se encariñó con la niña. Kate los observaba jugar y se reía de él, arrodillado en el suelo con sus elegantes calzones, fingiendo ser un caballo encorvado mientras Madeline se aferraba a su espalda, chillando de placer. Un día le llevó un gato, al que Madeline de inmediato le puso el nombre de *Chorreras,* por la mancha blanca en la garganta.

—Como la del capitán —dijo la niña, señalando el adorno de encaje en la pechera de Tom. Este respondió a la risa de Kate imitando los gestos de un caballero de la corte.

Kate había reparado en que últimamente el capitán vestía con mayor elegancia que de costumbre. Supuso que algunos de esos cortesanos de los que se burlaba lo ayudaban a financiar la reconstrucción de su barco con sus juegos de azar. Pero ¿qué podía decir ella, dado que esas mismas ganancias contribuían a pagar la comida y las velas que Endor y ella consumían?

En invierno, la luz del día era un bien muy preciado, y como el gremio tenía unas reglas muy estrictas y prohibía el trabajo de costura a la luz de las velas, Kate se ofreció a vigilar a Madeline a diario para que la madre pudiera trabajar ininterrumpidamente. Era fácil cuidar de la niña, y la librería se le antojaba menos lúgubre cuando ella estaba allí. Endor disfrutaba de su compañía casi tanto como Kate. Las dos jugaban con muñecas de trapo, sin pronunciar palabra. Contemplar sus elaboradas pantomimas proporcionaba a Kate horas de distracción de su dolor. Casi podía olvidar su aflicción, hasta que un día cayó en la cuenta de que había pasado toda una tarde mirándolas sin pensar en John. Ni una sola vez. Fue entonces cuando por fin las lágrimas empezaron a correr.

Después de eso se sintió mejor. No mucho, pero sí mejor. Escenas imaginadas de la agonía de John desfilaban por su mente en ráfagas desgarradoras, pero la pena se diluía cada vez más en una sensación de pérdida dolorosa. Incluso lo lloraba en sueños. Pero los momentos de olvido eran cada vez más frecuentes, sobre todo cuando el capitán la visitaba, proporcionando júbilo a Madeline y golosinas especiales para todos.

Y pronto surgió una inquietud distinta con la que distraerse al ver que Winifred estaba cada vez más delgada. La mujer apenas comía, ni siquiera el pan con levadura de Endor.

—¿Os encontráis bien? —preguntó un día Kate cuando un violento ataque de tos asaltó a la pequeña costurera—. Endor tiene un elixir mágico para eso.

Winifred bebió la infusión aromática y la tos remitió, pero a Kate le pareció ver una diminuta mancha de sangre en el jirón de hilo en el que Winifred tosía antes de que se apresurara a metérselo de nuevo en la manga. Kate no lo mencionó. No quería alarmar a la niña, que jugaba con un abejorro de madera que el capitán Tom le había regalado. Era un ingenioso invento, con las alas pintadas de vivos colores y ruedas de madera que giraban cuando Madeline tiraba de un cordel.

—Estaré mejor en primavera —dijo Winifred.

—Quizá, pero creo que trabajáis demasiado.

Winifred exhaló un suspiro de agotamiento.

—Desde que no está mi francés, las cosas son más difíciles. —En ese momento levantó la vista y sonrió a su hija, que había interrumpido su juego—. Pero estamos bien, ¿verdad, Madeline?

La niña había estado escuchando mientras jugaba. Kate lo vio en las arrugas que aparecieron entre sus ojos azules.

—Todos nos sentiremos mejor cuando el señor sol vuelva a Londres, ¿no es así, Madeline? —preguntó Kate tan alegremente como pudo.

Madeline asintió y tiró del cordel del abejorro. Sus alas chirriaron y las ruedas traquetearon en el suelo de madera, pero las arrugas permanecieron en el rostro de la niña.

❧

A mediados de Adviento, saltaba a la vista que Winifred había entrado en franco declive. Tuvo que guardar cama y estaba tan débil que apenas podía cuidar de sí misma, y menos aún de su hija.

—Dejad que Madeline se quede con Endor y conmigo hasta que os recobréis —propuso Kate cuando, después de no ver a su amiga durante varios días, fue a buscarla. Vivía en una habitación detrás de una sastrería, una habitación pequeña, mal iluminada para una costurera, y salpicada de patrones de vestidos y piezas de seda que parecían fuera de lugar en aquel espacio vacío y empobrecido.

—Endor vendrá todos los días a cuidaros hasta que estéis mejor, y yo traeré a Madeline de visita.

Esperaba una protesta, pero Winifred la miró con lágrimas en los ojos.

—Eso sería un gran alivio. Que ella no tenga que verme así y saber que está bien cuidada —dijo antes de otro ataque de tos.

Después de unas semanas tomando los elixires curativos para el catarro de Endor, ninguno de los cuales parecía surtir el menor efecto en la tos de Winifred, el capitán mandó a un médico a verla, pero el diagnóstico no fue bueno. Cabía la posibilidad —incluso la gran probabilidad— de que la mujer no se recuperara. Kate no podía negar la evidencia cuando miraba a Winifred, apenas una sombra de la joven animosa que en otro tiempo se echó a correr y dio un tirón de orejas a un cortabolsas.

—Sé que es mucho pedir. Ya tengo una gran deuda con vos. Nunca podré devolveros vuestra amabilidad —comentó Winifred cuando Madeline llevaba quince días con Kate—. Pero solo serán unos pocos días más. Me siento más fuerte cada día.

Pero Kate sospechaba, por el brillo rosado en la tez normalmente pálida de su amiga, que tenía fiebre. Le pediría a Endor que volviera con una infusión de milenrama, camomila y angélica.

—Me encanta tener en casa a Madeline —dijo ella—. Es una fuente de alegría. Vos concentraos en vuestra curación.

—Una cosa más… —Winifred bajó la voz para que Madeline, que se había dormido en los brazos de su madre, no la oyera—. Por si acaso yo… por si acaso pasara algo, hay una noble para la que coso, la condesa Clare. Vive en una casa grande cerca de la puerta de acceso al obispado, la primera calle después de Crosby Hall. —Bajó la mirada hacia la niña dormida y le acarició el pelo con delicadeza, a todas luces armándose de valor para seguir adelante—. Cuando empecé a toser sangre, me asusté. A mi hermana le pasó lo mismo antes de… antes de…

Kate indicó con un gesto que la entendía para que ella no tuviera que decirlo.

Winifred prosiguió en un susurro, acariciando aún el cabello claro de la niña.

—La condesa accedió a aceptar a Madeline en el servicio como ayudante de cocina si me ocurriera algo. Si ella pudiera quedarse con vos y Endor hasta que se acostumbrara a… la idea, y vos pudierais cuidar de ella… al principio. Puede que se sienta sola y…

—Cuidaré de ella, Winifred. No os preocupéis.

Winifred tendió su otra mano, la que no usaba para acariciar a la niña, y estrechó la de Kate. Tenía la piel alarmantemente caliente.

–Habéis sido muy buena conmigo –dijo–. Si puedo rogaros un último favor… Mi francés está enterrado en el camposanto de St. Dunstan. Conozco al sacerdote de allí. Ha accedido a… Solo tenéis que pedírselo.

Por un momento Kate no habló, porque dudó que le salieran las palabras. La iglesia de St. Dunstan. «Enterramos sus cenizas en el camposanto de la iglesia de St. Dunstan.» Trató de tragarse las emociones junto con el nudo en la garganta y suplicó que la niña no despertara.

–Claro que sí, se hará lo que deseéis. Pero es por la fiebre que habláis así. Os recuperaréis. Conseguiré algo para bajaros la temperatura. Si Madeline despierta, decidle que enseguida vuelvo.

Winifred cerró los ojos y asintió.

Kate regresó cuando no habían transcurrido ni veinte minutos. El té aún humeaba. La niña seguía dormida en los brazos de su madre. Winifred también dormía. Pero el suyo era un sueño del que nunca despertaría. Murió dos días después.

᠊᠊᠊᠊

–Debéis de estar harto de acudir siempre en mi ayuda –dijo Kate. Era una mañana gris de invierno, y el capitán Tom y ella estaban solos junto a la tumba de Winifred.

El párroco de St. Dunstan había acabado de leer el salmo y se había marchado. Kate no soportaba ver al enterrador echar la tierra sobre el cuerpo frágil de Winifred. El frío la entumecía y la soledad trepaba desde la tumba a sus pies. Le habrían flaqueado las piernas de no haber sido porque el brazo del capitán la sostenía por detrás, apoyo que ella agradecía. Se alegraba también de haber dejado a Madeline con Endor. Lo último que la niña recordaría de su madre no sería esa horrenda escena, sino el consuelo de los latidos de su corazón mientras ella se quedaba dormida sobre su pecho.

–Os estoy muy agradecida, capitán. No sé cómo habría superado estas semanas y meses sin vos. Pero sé que esto no puede seguir así eternamente –admitió ella–. Esta es la última vez que os aparto de vuestros amigos, os lo prometo. Temo haberme convertido en una carga.

–Es una carga muy pequeña, Kate. Creo que puedo sobrellevarla.

–Puede que vuestra amiga no me considere una carga tan pequeña.

Cuando Winifred murió, y sin saber adónde acudir, Kate había ido a la vivienda de Cheapside donde se alojaba Tom Lasser cuando no estaba en Woolwich trabajando en su barco. Había rogado encontrarlo allí. Pero cuando él abrió la puerta que el casero había indicado a Kate, ella anunció a borbotones su estado de necesidad y de inmediato se arrepintió. Desde el interior iluminado por velas de la íntima sala de estar, llegó una voz femenina que exigió: «Sea quien sea, Tom, échalo. Hoy te quiero solo para mí».

–Al decir amiga, debéis de referiros a Charlotte, ¿no? Es una viuda de Lübeck, que casualmente estaba en Londres por razones de negocios. La conozco desde hace mucho tiempo. Su marido era comerciante textil. Mucho mayor que ella. Falleció, dejándola rica y todavía joven para disfrutar de la vida.

–Es muy guapa –comentó Kate, recordando el mohín en los labios rojos de la mujer rubia que se había asomado por encima del hombro del capitán y había escrutado con expresión burlona a Kate mientras él se ponía su jubón.

–Sí, supongo que lo es –respondió él–. Lo suyo le cuesta.

Para entonces la tumba estaba ya medio llena y no se veía la mortaja. Kate procuró no pensar en los huesos pequeños de Winifred bajo el peso de tanta tierra. Pero ¿cuándo no había soportado ella un gran peso, esa mujer de cuerpo frágil y corazón de león, cuya vida había sido una lucha de principio a fin, tan distinta a la de la viuda rica y hermosa de Lübeck? ¿Dónde estaba la justicia en eso? Kate apartó la vista de la tumba, incapaz de seguir mirándola. ¿Estaba Charlotte esperando al capitán cuando él regresó la noche anterior? ¿Le contó acaso él cómo habían llevado a Winifred a las monjas para que la lavaran y la depositaran en la capilla? ¿Le contó que él había pagado el oficio fúnebre por una pobre costurera? Había dado instrucciones a las monjas como si Winifred fuese su propia hermana. «Candelas junto a la cabeza y los pies toda la noche», había dicho. Había pagado también la tumba, dentro del camposanto, no en la fosa común. ¿Conocía la hermosa viuda de Lübeck el corazón de Tom Lasser?, se preguntó Kate. ¿O a ella le interesaba solo el apuesto capitán de barco con sus ingeniosas respuestas y su radiante sonrisa?

–Confío en que tuvierais ocasión de verla otra vez antes de su partida. –Kate sintió su propio rubor por la mentira y esperó que él no lo notara.

–Ah, aún no se ha ido. Se quedará aquí una temporada. Está visitando las tiendas inglesas. La traeré para presentárosla, si queréis.

Kate no quería. Sintió un repentino e irracional rechazo por la viuda rubia de Lübeck con el mohín en los labios.

–No la molestéis. Seguro que a ella no la complacería. Recuerdo que dijo algo así como que quería teneros para ella sola.

Había empezado a levantarse una tenue bruma, aumentando la tristeza del día. John dormía en algún lugar de ese mismo camposanto. Ella nunca había visto su tumba, ni quería. Sin embargo, de repente, pensó que era incapaz de marcharse de allí sin visitarla.

–Si estáis en condiciones de verla, Kate, os acompañaré –dijo el capitán como si le hubiera leído el pensamiento–. Está por allí. Junto al muro.

Ella asintió, ahogando un repentino sollozo. Él la guio unos pasos más allá de la tumba de Winifred, justo allí donde una enredadera trepaba por el muro de piedra. Habían crecido tallos de hierba sobre el túmulo. Le sorprendió lo grande que era.

–Creía que habíais dicho…

–Quedaban unos cuantos huesos, dispersos entre las cenizas. Los metimos en una caja.

Ella señaló la sencilla cruz, pequeña pero de piedra labrada, clavada en la cabecera. No llevaba nombre.

–¿La pusisteis vos?

Él asintió.

–No pudimos poner el nombre. Ya bastante difícil fue para Monmouth conseguir que lo enterraran en el camposanto.

Él se alejó unos pasos, y ella se agachó para acariciar la lisa piedra con los dedos, sintiéndose de pronto serena y en paz.

–Te echo de menos, John –susurró–. Cuida de mi amiga Winifred. Te habría caído bien, lo sé. Era valiente. Como tú.

Luego se irguió y se dirigió hacia el lugar donde el capitán Lasser esperaba al pie de un tejo. Ninguno de los dos habló mientras regresaban a Paternoster Row.

❦

—¿Mamá sigue debajo de la tierra en el camposanto? —preguntó Madeline una semana después del entierro.

—No, ha ido al cielo.

—Pero no he podido decirle adiós —se quejó la niña, enfurruñada.

—Puedes decírselo cuando pronuncies tus oraciones. Tú dale el mensaje a Dios, y él se encargará de hacérselo llegar.

—¿Volverá mamá mañana?

—Mañana no.

Aquello se convirtió en una letanía entre ellas.

Un día Madeline, pasada ya una semana, andaba muy pensativa.

—¿Está mamá con papá? —preguntó.

—Sí, Madeline. Está con tu padre —contestó Kate, viendo con alivio que por fin la niña lo entendía.

—¿Se quedará Madeline con Kate y Endor? —quiso saber la niña.

—Madeline se quedará con Kate y Endor —respondió Kate. No pudo añadir: «durante un tiempo, hasta que se vaya a vivir a una gran casa cerca de la puerta del obispado». Las palabras no le salieron. Todavía no. Era demasiado pronto.

—Qué bien. A Madeline le gusta estar aquí.

Aludirse a sí misma en tercera persona se convirtió en un hábito que se prolongó durante varias semanas, pero Kate comprendió que a la niña le proporcionaba cierta distancia respecto a su pérdida, y no se lo corrigió. Kate sabía bien lo que eran la pérdida y la distancia. Solo entonces empezaba a asimilar la plena realidad de su viudedad.

La condesa había enviado a un criado a recoger a la niña tres días después del funeral, diciendo que se había enterado de la muerte de la costurera y que el párroco de St. Dunstan le había informado de que la niña estaba con ella.

—Milady desea saber si la niña está aprendiendo a coser —había dicho el lacayo.

—La niña no cose, pero es lista. Está aprendiendo a leer y a escribir.

—Creo que a mi señora solo le interesará la costura. Probablemente la niña empezará en la cocina si no sabe coser.

Y allí acabará, pensó Kate.

Había dado largas al lacayo hasta pasado el Año Nuevo, aduciendo que la niña estaba aún afligida por la pérdida de su madre y que era demasiado pequeña para empezar a servir. Es inútil aplazarlo, se reprendió cuando el criado se fue. ¿En qué estaba pensando? Su único sostén provenía de un hombre que pronto se marcharía. ¿Cómo iba a cuidar de sí misma, y no digamos ya de una niña? Madeline no haría más que apegarse aun más a su nueva casa. Cuando finalmente tuviera que irse, el dolor sería mayor, para ambas.

Cuando acabó el año, Kate sentía temor cada vez que llamaban a la puerta, medio esperando que el lacayo de la condesa se presentara para reclamar a Madeline. Incluso si Kate concebía una manera de mantenerla, Winifred había dicho que tenía un acuerdo con la mujer. ¿Implicaba eso alguna obligación legal? ¿Qué iba a decirle a la niña si tenía que dejarla ir? Pero concluida ya la primera semana del año nuevo, no fue el lacayo quien hizo su aparición no descada.

El primer impulso de Kate al asomarse a la ventana fue no abrir, pero Madeline, antes de que Kate pudiera impedírselo, corrió a la puerta gritando:

—¡Es el capitán! Madeline abrirá la puerta. —Y poniéndose de puntillas, levantó la tranca con las dos manos—. Ah, no sois el capitán —dijo, desilusionada, cuando entró Margaret Roper.

La niña, de pronto cohibida, corrió hacia Kate y se escondió detrás de sus faldas.

—Cuánto me alegro de que hayáis abierto la puerta —saludó la señora Roper—. Vine justo después de... morir vuestro esposo, y no estabais aquí. Me quedé preocupada.

Permaneció de pie en la puerta, dejando entrar el aire frío en torno a ella. Kate no la invitó a pasar.

—¿No os lo contó vuestro padre, pues?

—Solo me dijo que habíais vuelto a Londres.

—Sí, volví a Londres. El gran y caritativo sir Tomás me entregó a la prisión de Newgate. Me encerraron con las maleantes trastornadas mientras daban muerte a mi marido. Seguiría allí si no fuera por la intervención de un buen hombre.

489

–Ah –respondió la visitante con una expresión de malestar en el rostro–. No lo sabía. –Tendió la mano con la palma hacia arriba como si pidiera algo a Kate–. Mi padre… si lo hubieseis conocido antes, ya no es el mismo. Ahora solo piensa en los herejes. No hace más que hablar de Tyndale.

–Pues os ruego, señora Roper, a menos que vuestra visita no sea de buena voluntad como vos decís, que no le recordéis mi existencia.

–¿Puedo pasar, por favor? ¿Solo un momento?

Kate movió la cabeza en un parco gesto de asentimiento, y Margaret Roper dio un par de pasos al frente y cerró la puerta a sus espaldas. Kate no la invitó a sentarse.

–He aprendido una lección difícil acerca de mi padre. Podéis estar segura de que no le mencionaré vuestro nombre nunca más. Espero que sepáis que no fue por obra mía que se destruyó la prensa de vuestro hermano. Yo no sabía nada de eso. Pedí a mi padre que procurara su puesta en libertad. Me prometió que lo haría.

–Lo pusieron en libertad. Me complace decir que ahora vive en un ambiente menos hostil.

Madeline debió de percibir la tensión entre las dos mujeres. Normalmente muy locuaz incluso en presencia de desconocidos, ahora permanecía en silencio pegada a Kate.

–No sabía que teníais una hija –dijo la señora Roper–. Eso agrava aún más la pérdida de vuestro marido. He oído contar que se enfrentó a la muerte con mucho valor. He rezado por su alma todos estos meses y deseo deciros que lamento muchísimo el papel desempeñado por mi familia en vuestro infortunio.

Kate apartó a la niña de su falda y la cogió en brazos, de pronto sintiéndose amenazada, y esta vez no solo por ella misma.

–Y deseo ofreceros ayuda –añadió la señora Roper, lanzando una mirada elocuente a los estantes todavía vacíos–. Voy de camino a la casa de beneficencia. Mi padre no necesita saber que su caridad se extiende a sus enemigos. Puedo…

Kate no podía dar crédito a lo que oía.

–Señora Roper, veo por vuestra actitud y vuestras palabras que lamentáis sinceramente… el… el papel desempeñado por vuestro padre en la persecución de mi familia. Pero debéis saber que aceptaría la caridad del mismísimo demonio antes que la de Tomás Moro. Mi hija y yo nos las arreglaremos perfectamente.

«Mi hija.» Lo había dicho. Margaret Roper así la había descrito, y Kate lo había afirmado. Endor, que había observado la conversación entre las dos mujeres, miró a Kate, y en un gesto que Kate recordaba, se señaló con dos dedos de la mano derecha sus propios ojos muy abiertos y luego los de Madeline. «Ojos azules.»

Mi hija tendrá los ojos azules.

Mi hija tiene los ojos azules.

La decisión estaba tomada. Madeline era en efecto su hija, y pasara lo que pasara, se las arreglarían.

—¿Desea algo más, señora Roper? —preguntó Kate.

En respuesta al rechazo, la mujer se dio media vuelta y apoyó la mano en el pasador.

—Solo una cosa más, señora Frith. Por favor, rezad por nosotros. En estos tiempos, Chelsea no es un lugar feliz.

Kate se sorprendió tanto que casi no pudo responder.

—Rezaré por vos, señora Roper. No creo que pueda rezar por vuestro padre. No soy una santa.

La mujer asintió y cerró la puerta al salir. Meses después, cuando Kate se enteró desde el otro lado del mar de que el rey había mandado decapitar a Tomás Moro, recordaría la tristeza en la cara de Margaret Roper, y no se regodeó en ello.

⚓

Kate no se alegró de la llegada de la primavera. Los primeros narcisos apenas habían levantado la cabeza en las pequeñas macetas frente a la tienda —¿acaso habían florecido cada año durante su ausencia, agitando valientemente sus estandartes amarillos en señal de desafío y esperanza?— cuando el capitán empezó a hablar de su marcha. Su barco estaba casi totalmente reparado. Kate comenzó a plantearse cómo sobreviviría sin su apoyo.

Endor vendía sus galletas con miel y sus bollos a los trabajadores y los barqueros de camino a los muelles cada mañana, y trocaba dulces por harina con la mujer del molinero y por leche con el lechero. Kate trabajaba de escribana para los analfabetos y copiaba a mano, en pergaminos, poemas y canciones de amor ya impresos para venderlos, adornándolos con cenefas y presentándolos enrollados y atados con cordones y cintas de las existencias de Winifred. ¿Qué mozo podía resistirse a adquirir un poema de amor para su amada de la cesta de Madeline mientras la niña brincaba entre los puestos del mercado? Incluso el gato, *Chorreras*, trabajaba. Por fin se habían librado de las ratas que habrían causado estragos en sus pastas para la venta. Sobrevivirían sin el capitán.

Aun así, Kate temía el momento de su marcha. Madeline en particular lo echaría de menos. Y Endor... quizá Endor incluso decidiera irse con él.

También Kate lo echaría de menos; no podía negarlo. Se había sentido a gusto sabiendo que él estaba cerca de allí, en Woolwich, y esperaba con ilusión sus visitas; por Madeline, se decía. Sin duda lo que sentía por el capitán no era más que el afecto que una mujer desvalida debía a su benefactor. Pero no era la bondad del capitán lo que invadía sus sueños. Más de una vez despertaba con una sensación de culpabilidad, intentando evocar el rostro de John. ¿Qué clase de mujer soñaba con otro hombre cuando su marido yacía en la tumba desde hacía solo unos meses? ¿Podía amar una mujer a dos hombres a la vez?, se preguntó. Pero daba igual. Tom Lasser pronto se iría, y Kate tendría por delante interminables años de soledad para arrepentirse de esos sueños.

XLIII

*Mas Atenea, de ojos brillantes, mandóles un viento
propicio cuyo soplo sutil susurraba en las olas rojas
como el vino.*

HOMERO, *Odisea,* canto II

El primer día de mayo, cuando todo Londres estaba de celebración y en cada cementerio y en cada plaza la gente festejaba bailando en torno a los mayos, el capitán Tom Lasser no participó en las ruidosas diversiones. En lugar de eso se vistió con sus mejores galas y se encaminó hacia la oscuridad de su taberna preferida para desplumar a algún incauto. Se hallaba en Southwark, cerca del foso donde se enfrentaban perros y osos y del reñidero de gallos, de modo que cuando los apostadores se cansaban de vitorear y jalear en esos juegos sangrientos podían retirarse a la taberna Gallo de pelea para aplacar su sed y buscar un juego más noble. Con la sangre caliente por la violencia y la muerte gratuita, siempre eran temerarios en las apuestas.

Tom entrecerró los ojos al entrar en el salón iluminado solo por la luz que provenía de una única ventana, y cuando su vista se adaptó a la penumbra, analizó las posibles ganancias. No quería ir a otro sitio. También le traía suerte la taberna Cabeza de jabalí, pero andaba escaso de tiempo. La muchedumbre alborotaría cada vez más, llegando incluso a los disturbios, a medida que avanzara el día, y había prometido acompañar a Charlotte a su casa al salir de la modista. En una mesa de caballetes bajo la ventana, un par de cortesanos jugaban a los dados, pero eso no era lo suyo. La única manera de ganar a los dados era con la ayuda de la dama Fortuna, o haciendo trampa. Tom nunca hacía trampa, y rara vez apostaba al azar. Un hombre capaz de interpretar las expresiones de los rostros no necesitaba hacer nada de eso en un juego en el que existía la posibilidad del farol.

Al pie de la chimenea apagada, había tres hombres encorvados ante un mazo de cartas. Dos parecían mercaderes y el tercero era un clérigo con aires de dandi a quien reconoció con cierta sorpresa. La perspectiva de jugar con Henry Phillips –una vez más– no era del todo grata. Tom le había vaciado la bolsa al advenedizo la última vez que jugaron a los naipes, y luego se enteró de que el dinero que había perdido el joven era de su padre. El alguacil mayor había confiado estúpidamente sus ahorros a su hijo educado en Oxford para que los «invirtiera». Una decisión poco afortunada. Más tarde Tom se enteró de que su padre lo había repudiado, y se sintió un poco culpable por ello. Pero si Phillips no lo hubiera perdido todo con él, habría sido con otro. Era una fruta madura para el tahúr: casualmente era Tom quien se hallaba bajo el árbol. Al fin y al cabo había sido para una muy buena causa. El dinero del alguacil se había destinado a comprar nuevos aparejos para el barco de Tom.

Al oír el chasquido del pasador al quedar encajado en el cajetín, Henry Phillips miró hacia la puerta y fijó la mirada en Tom. Sus ojos brillaron como el acero antes de exhibir una cordial sonrisa y saludarlo con un gesto.

–Capitán, venid a acompañarnos. Con cuatro se juega mejor.

Tom detestaba desplumar al mismo pájaro dos veces, pero Phillips era un incauto propicio y, para colmo, ansioso. Y no quería hacer esperar a Charlotte, así que se acercó parsimoniosamente y preguntó.

–¿Jugamos al primero?

Phillips le indicó que se sentara.

–Si la memoria no me engaña, capitán, ese es vuestro juego preferido.

–¿Según las reglas italianas o las inglesas? –preguntó Tom, ocupando la cuarta silla.

–Las inglesas –contestó uno de los mercaderes–. No declaramos las manos. La apuesta es de dos coronas. El resto es de cuatro.

–Tened, capitán, haced los honores. Para demostraros que no os guardo rencor –dijo Phillips a la vez que entregaba la baraja a Tom para que cortara. El mercader a la izquierda de Tom sacó la carta más baja y repartió.

–Me sorprende veros, maese Phillips –dijo Tom, mirando su mano con expresión ceñuda intencionadamente. Era una mano aceptable: una figura de cada palo con un valor de cuarenta puntos. Pero en realidad el valor de la mano daba igual. Perdería las dos primeras adrede para interesar a los mercaderes en la partida–. Había oído que vivíais en el continente –comentó a continuación mientras se descartaba de los cuatro naipes con gran alarde y cogía otros cuatro.

–Así es. Acabo de volver a Londres para cobrar mi parte en un nuevo negocio.

Y estáis impaciente por perderla, pensó Tom.

–Enhorabuena –dijo, lanzando una ojeada a las pilas de monedas que Phillips tenía ante sí–. Por lo que se ve, habéis encontrado un mecenas acaudalado.

–Un mecenas muy influyente –respondió Phillips, llevándose el bote que acababa de ganar con un simple primero que solo valía unos veinte puntos. Los mercaderes debían de ser novatos para que Phillips ganara con una mano tan baja.

–El obispo de Londres me ha contratado para representar a la Iglesia en ciertos asuntos en el continente –explicó Phillips con fanfarronería–. También he establecido valiosos contactos en Flandes.

–Bravo por vos –dijo Tom, preguntándose qué misión podía haber encargado el obispo de Londres a semejante farsante. Pero eran cuestiones de la Iglesia, claro está. Y Phillips poseía encanto suficiente para congraciarse casi en cualquier parte. Podía ser un espía perfecto. Tenía una de esas caras de niño en las que cualquier hombre o cualquier mujer depositaría gustosamente su confianza… si no se fijaba en aquellos ojos de mirada embustera.

Volvieron a centrarse en la partida, en apostar, pasar y retirarse. En la cuarta mano todos se retiraron, quedando el dinero en el bote. En la quinta, cuando Tom cogió sus cartas, vio que eran muy bajas. Por desgracia, las cartas se le habían resistido desde la primera mano, pero la tarde avanzaba. Charlotte estaría esperándolo. Había llegado el momento. No se descartó de ninguna y se obligó a mostrar una expresión complacida.

Todos vieron la apuesta en otras dos rondas, y el mercader sentado al lado de Phillips aumentó en dos coronas. A Phillips se le empañó la mirada, pero vio la apuesta, se descartó de una y siguió en la partida. Tom calculó la pila de dinero depositada en el centro de la mesa. Debía de ascender más o menos a lo que necesitaba para saldar las deudas generadas por el barco.

—Veo el resto —dijo Tom, poniendo cuatro coronas en el centro con un aplomado aleteo de sus puños de encaje. Los dos mercaderes se retiraron. Henry Phillips tamborileó con los dedos sobre las cartas nerviosamente y al cabo de un silencio interminable y un ligero parpadeo del ojo izquierdo, una señal de angustia que Tom reconoció, tiró las cartas a la mesa boca abajo con un gruñido de disgusto. Henry Phillips no era más que un cobarde, y siempre era posible marcarse un farol con un cobarde.

Tom afectó una mirada de sorpresa y, encogiéndose de hombros, se embolsó el bote.

—En fin, caballeros, parece que esta vez la dama Fortuna me ha sonreído a mí.

Henry Phillips recogió sus cartas y las volvió boca arriba. Un supremo: un seis, un siete y un as de corazones con una puntuación de cincuenta y cinco.

—Mostrad vuestra mano, caballero, si sois tan amable —dijo Phillips con una sonrisa tensa.

—Si insistís —respondió Tom, y soltó una carcajada—. Pero no creo que os guste lo que vais a ver.

Volvió sus cartas: una jota de picas y un dos de picas, más un corazón y un trébol sin valor alguno. La mano alcanzaba una puntuación de solo veintidós puntos, la más baja sobre la mesa.

Phillips se puso en pie y, tambaleante, retrocedió, volcando su silla ruidosamente. El tabernero dejó una jarra de cerveza en la mesa contigua y advirtió a voz en cuello:

—No toleraré alborotos.

Los jugadores de dados interrumpieron su partida y miraron en dirección a ellos. Tom siguió en su asiento, distribuyendo ordenadamente el dinero en pilas para contarlo.

Phillips, con un rápido movimiento, barrió las cartas de la mesa y descargó un puñetazo en su superficie.

—Por la sangre de Cristo, os declaro un embustero y un hijo de mala madre —acusó.

Tom tenía a Phillips por un exaltado, pero un exaltado cobarde. Aun así, estaba ya pensando en la daga oculta en su bota cuando el mercader sujetó la mano de Phillips.

—Os ha ganado limpiamente. Dejadlo estar.

En el posterior silencio, Tom se puso en pie, recogió su dinero con parsimonia e inclinó la cabeza.

—Os agradezco la partida, caballeros. Y me quedaría para permitiros recuperar parte de vuestro dinero, cosa que muy probablemente haríais, pero, por desgracia, parece que nuestro joven amigo está demasiado colérico para continuar. Quizá lo prudente sea dejarlo aquí. —A continuación, con un saludo burlón al enardecido Henry Phillips, añadió—: Os deseo mejor suerte la próxima vez, maese Phillips.

—No habrá una próxima vez, condenado canalla.

Mientras Tom volvía apresuradamente a Cheapside para reunirse con la adorable viuda de Lübeck, soltaba sonoras risotadas. Tenía casi la total certeza de que la flecha encendida que había quemado su barco era un encargo del obispo Stokesley, o de Tomás Moro. Ahora, de una manera muy indirecta, el dinero del obispo serviría para cubrir el último pago de las reparaciones de su barco. Había en ello una grata justicia y le hubiese gustado que ellos lo supieran.

～✦～

El 9 de mayo, día de san Gregorio —Kate siempre se acordaba porque en esa fecha la imprenta Gough imprimía en otro tiempo sus hermosos poemas del siglo IV sobre la Santísima Trinidad–, el capitán se presentó a primera hora ante la puerta de la librería. Su barco estaba listo para la inspección, y serían ellas quienes debían declararlo apto para navegar. A Kate se le cayó el alma a los pies, pero consiguió sonreír y puso a Madeline su gorro más bonito.

El sol estaba en su punto más alto y cabrilleaba en el agua cuando el coche alquilado llegó, en medio del chacoloteo del caballo sobre los adoquines, al muelle de Woolwich. El aire olía a la verde primavera y al mar, y al aroma a almendras del barco de mazapán que Madeline sostenía en sus dedos pegajosos.

–La malcriáis –había dicho Kate cuando él se lo regaló.

–Es una ocasión especial –adujo él–. El mazapán la ayudará a recordarla.

Kate casi nunca lo había visto tan entusiasmado. Está impaciente por volver a la mar –se dijo–. No pensará en nosotras ni por un instante.

En el puerto había unos cuantos barcos, algunos todavía enguirnaldados con los banderines del primero de mayo, y en uno o dos incluso se oía música de flauta; pero solo había una carabela del mismo tonelaje y con un aparejo de cruz en el palo mayor, pero ahora se veía distinta.

–Ahí lo tenéis –anunció el capitán con orgullo.

–¿Dónde? –preguntó Kate–. No lo veo…

–Ahí. –Tom señaló la carabela y se echó a reír–. El mismo barco. Un nombre nuevo.

Kate se protegió los ojos del sol para intentar distinguir el elegante rótulo en el flanco del buque. El resplandor se lo impidió.

–Os encantaba ese nombre. El mar era la única sirena a la que no os podíais resistir.

–Quizá he encontrado otro –dijo él, guiñando el ojo a Madeline mientras la ayudaba a bajar del coche. Luego ayudó a Endor y por último a Kate. El contacto de su mano era tranquilizador. Ella se sentía a salvo en su presencia. Eres una tonta, Kate. Es un hombre peligroso; raro será si no acaba sus días ahorcado. ¿Por qué habrías de sentirte a salvo con él? Retiró la mano en cuanto pisó los adoquines, pero un estremecimiento le recorrió la espalda cuando él apoyó la mano en su cintura para guiarla hacia la pasarela. Una vez que

Endor y ella la hubieron cruzado y estuvieron sanas y salvas en la cubierta, que olía a brea y madera recién cortada, Tom cogió en brazos a la risueña Madeline y se reunió con ellas.

Radiante de orgullo, les enseñó los cambios.

—Un espacio más amplio y seguro para Endor, con un horno nuevo.

A Endor se le iluminó el rostro, pero Kate no compartió su entusiasmo, ya que definitivamente quedaba claro que el capitán tenía previsto que Endor zarpara con él. Y con semejante incentivo, ¿cómo iba ella a resistirse? En ese pequeño camarote incluso había un ojo de buey; pero más importante aún era el hecho de que Endor besaba el suelo que Tom Lasser pisaba. Ella no le negaría nada.

—Permitidme que os enseñe la nueva cámara del capitán.

Kate se acercó a la puerta bajo la cubierta de popa, advirtiendo que ese camarote también era más grande. Abrió con una ligera sensación de desaliento en la boca del estómago, acordándose de John, del pequeño e íntimo nido que habían encontrado allí, de que habían dormido muy juntos en la estrecha litera, como dos cucharas acopladas. Parecía que fue ayer y, sin embargo, había pasado tanto tiempo que bien podía haber sido un sueño.

La estancia era más agradable y espaciosa: la misma mesa y sobre ella, junto con el sextante y el astrolabio, un despliegue de cartas de navegación, el mismo mapa azul en la pared —del color de los ojos de Madeline—, el mismo barril de agua acoplado al mamparo, todo igual salvo por la cama, que era más amplia. La otra cama, que no era más que un banco, seguía allí, y se había añadido un tocador. Un peine y un cepillo con empuñadura de plata resplandecían sobre el chal con flecos que cubría la superficie del tocador. Kate notó que se sonrojaba. Claro. La hermosa viuda. ¿Habría elegido ella el chal? ¿Era de ella el peine con empuñadura de plata?

De la cubierta llegó el sonido de unas voces, el roce de las cuerdas y el chirrido de las poleas.

—Endor, ¿puedes llevarte a Magpie a cubierta? —Guiñó el ojo a Madeline. Era el nombre afectuoso por el que él la llamaba—. A lo mejor quiere ver a los marineros aparejar el palo mayor.

Endor asintió y cogió la mano de Madeline, indiferente al parecer al mazapán pegajoso. Las dos se marcharon alegremente.

El capitán se volvió hacia Kate, que de pronto se sintió avergonzada de quedarse sola con él en ese espacio tan íntimo. Hizo ademán de salir detrás de Madeline y Endor. Él tendió la mano y le tocó ligeramente el brazo.

—Bien, ¿qué os parece?

—Lo veo mucho mejor. Sin duda, es más espacioso y está muy bien arreglado.

—Me alegro de que deis el visto bueno. Charlotte se ha ocupado de todo.

—Ya lo suponía —dijo Kate—. Vuestra viuda tiene un gusto excelente.

Tom enarcó una ceja y le dirigió aquella sonrisa mínima y sesgada que ella había visto por primera vez a través de la ventana de la prisión de Fleet.

—¿Mi viuda? Bueno… sí, supongo que sí lo tiene. Pero no es eso lo que la convierte en una mujer tan extraordinaria.

Kate, cada vez más ruborizada, masculló:

—Estoy segura de que es extraordinaria en muchos sentidos.

—¿Qué os parece el nuevo nombre? —preguntó él, de pronto más serio.

—En realidad no lo he visto por el sol…

Tom señaló una pequeña placa encima de la puerta. *El fénix.*

—Ah —dijo ella—. Renacido de las cenizas. Lo nuevo salido de lo viejo. John lo habría aprobado. Siempre le gustaban las alusiones clásicas.

—Pensaba en él cuando elegí el nombre. Por eso están cargando Biblias en la bodega. Siempre habrá Biblias en la bodega. Aunque yo no soy un mártir, eso al menos sí puedo hacerlo. Pero además pensaba en otra cosa. Pensaba también en nosotros.

—¿Nosotros?

—Vos y yo y Endor y Madeline. —Se interrumpió como si aguardara su respuesta. Como ella no dio ninguna, él prosiguió—: Nosotros cuatro. Podríamos formar una familia, salida de las cenizas de nuestras cuatro vidas quemadas.

Ya no tenía la ceja enarcada ni lucía la sonrisa. ¿De qué estaba hablando? ¿Acaso se burlaba de ella? Pero Kate no advirtió burla alguna en su mirada. Él le cogió las manos y, llevándoselas a los labios, le besó primero una y luego la otra en un gesto tan galante que a ella se le cortó la respiración.

–Pero… vuestra viuda… de Lübeck. Creía…

Sus labios volvieron a esbozar aquella medio sonrisa que ella nunca sabía cómo interpretar.

–«Mi viuda», como la llamáis extrañamente, vive encima de una pequeña librería de Paternoster Row. Charlotte eligió el chal, el peine, el cepillo, el peltre bruñido del armario… para vos, Kate. A petición mía. Solo somos, como ya os dije, viejos amigos.

Kate recordó la expresión burlona en el rostro de la mujer y dudó que Charlotte describiera así la relación. Era la expresión de una mujer evaluando a una rival.

–Os pido que os caséis conmigo, Kate Frith. Os pido que me acompañéis en una maravillosa búsqueda por los mares. Tenéis el mismo afán de aventura que yo. Lo sé. Creo que os amé desde la primera vez que os vi negociar con vuestros peniques ante la cárcel de Fleet por la vida de vuestro hermano. Dios mío, erais un espectáculo digno de verse. Cuando os rescaté a los dos en Bristol… parece que ha pasado toda una vida… os observaba inclinada sobre la barandilla del barco, como la rubia Helena, con el rostro en alto ante la espuma, el cabello ondeando al viento… cómo envidiaba a John. Cuánto me costó disimular esa envidia.

Kate se dejó caer en la cama más pequeña, la cama en la que en otro tiempo ella había yacido con su marido mientras el capitán estaba sobre ellos en cubierta. ¿Qué pensaría John si oyera aquello? Le había escrito desde la cárcel sobre la amistad surgida entre el capitán Lasser y él. ¿Acaso lo había adivinado? ¿O se sentiría traicionado al oír ahora su confesión?

Tal era su emoción que notaba la piel caliente. Debía admitir que se había sentido fascinada, incluso atraída, por el apuesto y audaz capitán que se burlaba del mundo y sus más venerables instituciones. Pero sabía que, bajo ese caparazón de sarcasmo, Tom era un buen hombre. E incluso si ella se convencía de que aquello no sería traicionar la memoria de John, no podría soportar perder a otro buen hombre a manos de la justicia del rey. Eso no podía explicárselo a él.

—Hacéis una elección insensata, capitán. Yo no tengo dote —dijo ella más fríamente de lo que pretendía—. Incluso el techo que me cubre pertenece a mi hermano.

Si Tom percibió su frialdad, su semblante no lo delató.

—Tanto mejor. Así no tendremos que preocuparnos por venderlo. Bastará con tapiar la tienda y dejarla tal como la encontramos hasta que vuestro hermano la reclame. —Se sentó junto a ella, cogiéndole aún las manos. El encaje de sus puños hacía cosquillas a Kate en las muñecas—. *El fénix* nos llevará lejos de aquí, lejos de reyes y clérigos ávidos de poder con su feroz religiosidad. A un lugar donde los hombres deciden por sí solos lo que leer y escribir y pensar… incluso lo que creer.

Ella dejó escapar una risa amarga.

—Ese lugar no existe en el mundo —declaró—, salvo en los sueños de los hombres.

Él negó con la cabeza, apretándole aún más las manos.

—Pero podría existir. Hay tierras más allá del mar del Oeste…

Conque al final resulta que el escéptico capitán Tom Lasser es un soñador. ¿Quién lo habría dicho?, pensó Kate, y soltó una carcajada.

—¡El mar del Oeste! Me mareo cruzando el canal.

—Las provisiones de Endor ya se han cargado. Incluida una cantidad considerable de jengibre.

Era una fantasía contemplar tal posibilidad, un juego tonto, pero ella lo jugaría un rato más.

—Hay ratas en la bodega. —Se estremeció—. Creo que no soportaría las ratas durante las muchas semanas que pasaríamos en la mar.

—Si es verdad lo que dice Magpie, *Chorreras* es un excelente ratonero.

Tal era su seguridad en sí mismo que a Kate su sonrisa se le antojó malévola —malévola e irresistible—, dejando a la vista los dientes blancos en contraste con aquellos labios curvos. ¿Qué sentiría al notar el roce de esos labios en la piel?

De pronto ya no era un juego. La hora de la fantasía había acabado. No podía mirarlo, sino que mantenía la vista fija en el entarimado de roble blanco del suelo bien restregado y liso, como su corazón. El capitán zarparía con la siguiente marea. Para el día de san Miguel el rostro de ella se habría desdibujado en su memoria como el de John empezaba a desdibujarse en la de ella.

—Llevo viuda menos de un año —dijo—. No puedo faltar al recuerdo de mi marido llevando a otro a mi cama tan pronto. Es lo último que puedo hacer por él.

Tom acercó la mano a su barbilla y le levantó la cara con delicadeza. Sus miradas se cruzaron y ella no vio burla ni desprecio en sus ojos oscuros.

—John se ha ido, Kate. Nosotros seguimos aquí. Hacemos lo que podemos. Hoy. Sacrificando vuestra felicidad o la mía no lo recuperaréis. Sois como yo. No tenemos madera de mártires. Si nos dan a elegir, no morimos por nuestras creencias. Vivimos con nuestras creencias. Yo, a diferencia de John, no soy un santo. Soy solo un hombre. Pero los santos no son buenos maridos.

—John era un marido maravilloso —repuso Kate, crispada.

—Y ahora ya no está, y vos estáis triste. Pero pensad, Kate, que si realmente era un buen marido, como vos decís, ahora querría que fueseis feliz, no que pasaseis el resto de vuestra vida llorándolo, sola, como una monja enclaustrada en un convento. Llegué a conocerlo bien. Él amaba la vida, y os amaba a vos. Pero vos misma lo dijisteis: sencillamente amaba más a Dios. Si sois feliz, él no os habrá abandonado. Su vida habrá tenido sentido, y la vuestra también.

De pronto Kate vio el semblante serio de John, como un regalo, como lo había visto tantas veces, muy concentrado, inclinado sobre los libros, totalmente absorto y gozoso en su tarea; era la primera vez que lo evocaba nítidamente desde hacía semanas. Miró al hombre que acababa de proponerle matrimonio, su rostro también serio, serio como ella casi nunca lo había visto. Solo una vez, de hecho, cuando maniobraba para entrar en el puerto.

¿Podía una mujer guardar en su corazón el recuerdo del amor que ella había sentido por John y no verse disminuido ese recuerdo a causa de su amor por otro?

—Una búsqueda —indicó ella en un susurro.

—¿Cómo?

—Habéis dicho que emprenderíamos una búsqueda por los mares. ¿Qué vamos a buscar?

—Pues vientos propicios, mi hermosa Kate, vientos propicios y olas rojas como el vino.

Ella identificó la alusión a Homero, del libro que había comprado a un librero de Amberes hacía tanto tiempo. Con razón John se había llevado tan bien con el capitán. En muchos sentidos eran espíritus afines.

—No haré el papel de Penélope para que vos hagáis el de Ulises —dijo ella—. Nunca más permitiré que se vayan y me dejen.

Él echó la cabeza atrás y soltó una carcajada. Le tocó la mejilla.

—Buscaremos la verdad, Kate, esa por la que John murió. Y el amor. La clase de amor que vos y John teníais. El amor es el único barco que se mantiene a flote en mares embravecidos. No puedo prometeros que no haya mares embravecidos, pero sí puedo prometeros amor.

—Capitán Lasser —se oyó decir Kate entonces, incrédula—, parece que habéis vencido mis objeciones, y no me queda ninguna más. ¿Qué tengo que perder? —dijo entre lágrimas—. ¿Salvo a otro buen hombre?

Él la estrechó entre sus brazos y la besó. Después la mantuvo a un brazo de distancia y le dirigió aquella misma sonrisa burlona que ella había visto por primera vez a través de una reja de hierro en la cárcel de Fleet.

—Creedme, Kate, tomaré todas las precauciones para asegurarme de que eso no ocurra. Por el bien de ambos.

—¿Cuándo zarpáis? —preguntó ella, aún sin hacerse a la idea.

—Zarpamos, mi hermosa Kate; zarpamos mañana. Tengo un par de rutas por el Báltico para la Liga Hanseática. Conozco en Lübeck a un predicador reformista que nos casará.

—Pero mañana. Tan pronto. No hay tiempo…

Él se acercó en un par de zancadas al baúl y lo abrió. Kate, al ver el contenido, se quedó sin respiración. Estaba lleno de ropa.

—¿Charlotte?

—Con ayuda de Endor.

—Estabais muy seguro de vos, capitán.

—Vos misma lo habéis dicho. ¿Qué tenéis que perder? —Y volvió a besarla.

Al día siguiente, cuando las velas de color encina de *El fénix* se hincharon y abandonaron el puerto, Kate Gough Frith, que pronto se apellidaría Lasser, zarpó a bordo, acompañada de su hija Madeline, un gato llamado *Chorreras,* su amiga Endor y una Biblia iluminada que había heredado. Alzó el rostro hacia el sol de la mañana, depositando su fe en Dios, su esperanza en Tom Lasser y su confianza en la infusión de jengibre de Endor.

NOTA HISTÓRICA

La documentación histórica en torno a John Frith no es tan completa como la referente a William Tyndale, cuya traducción de la Biblia al inglés en el siglo XVI dio impulso a la Reforma protestante en Inglaterra y constituyó más tarde el documento fundacional para la Biblia del rey Jacobo. La historia deja constancia del martirio de este excepcional y joven erudito antes de cumplir los treinta años, así como de las circunstancias de su trayectoria y su ejecución por herejía. La mención histórica de que tuvo esposa, una mujer de quien nada se sabe excepto que existió, es la base para el personaje ficticio de Kate Frith. También hay constancia histórica de que un librero e impresor llamado John Gough fue prendido en la batida que dio inicio a la persecución de protestantes más intensa de Inglaterra, a excepción de la que se produjo durante el reinado de María Tudor.

El papel desempeñado por sir Tomás Moro en todas las etapas de esa persecución aparece recogido en documentos históricos, y las circunstancias de su enfrentamiento con Enrique VIII por el matrimonio del rey con Ana Bolena y la posterior ruptura con Roma están igualmente bien documentadas. El 6 de julio de 1535, dos años y dos días después de arder en la hoguera John Frith, Moro fue ejecutado por traición, acusado de negar la validez de la Ley de Sucesión, porque esta no reconocía la autoridad del papa en asuntos relativos a religión en Inglaterra. Se dice que Margaret Roper sobornó al alguacil de la Torre para que retirara la cabeza hervida de su padre de la estaca donde quedó expuesta en el Puente de la Torre, y que la escondió para que su recuerdo no se viera aún más deshonrado. A Moro sus últimos días en la Torre se le hicieron más llevaderos tras saber que su enemigo William Tyndale, que había sido traicionado por Henry Phillips y arrestado en mayo de ese mismo año, languidecía también en prisión, en un castillo de Vilvoorde, a treinta kilómetros de Amberes. William Tyndale fue ejecutado mediante estrangulación y quema en octubre de 1536.

La reina Ana Bolena fue decapitada en el Jardín de la Torre el 19 de mayo de 1536, sin haber dado un heredero varón al rey. Fue acusada de incesto con su hermano George, de adulterio (traición) con un músico, e incluso de practicar la brujería para hechizar al rey. Poco después de la ejecución de Ana, Jane Seymour se convirtió en la tercera esposa de Enrique VIII.

Thomas Cromwell, que sucedió a Tomás Moro como canciller, ha quedado en la historia sobre todo por llevar a cabo las órdenes del rey en el desmantelamiento y pillaje de los monasterios de Inglaterra. No había transcurrido un año desde la muerte de Tyndale cuando Cromwell convenció al monarca de que aprobara la distribución de la Biblia en inglés. (Era la Biblia de Tyndale, pero no llevaba su nombre.) Cromwell fue decapitado por traición en 1540. Thomas Cranmer, arzobispo de Canterbury y autor del *Libro de oración común,* murió en la hoguera en Smithfield acusado de hereje en 1556, durante el reinado de la reina María, hija de Enrique con Catalina de Aragón, también conocida como María la Sangrienta.

En 1543 Catherine Massys (apellido que a veces aparece escrito Matsys), hermana del pintor Quentin Massys, fue quemada en la hoguera en Lovaina por leer la Biblia.

Martín Lutero murió de muerte natural en 1546. Su esposa Katharina von Bora lo sobrevivió muchos años, viviendo y criando a sus hijos en la pobreza.

AGRADECIMIENTOS

Expreso mi gratitud por su erudición a varios historiadores en cuya obra me basé mientras investigaba para escribir esta historia. Su comprensión, sus profundos conocimientos y su sutil percepción de la lucha religiosa de la Inglaterra anterior a la Reforma y de la Reforma han tenido un valor inestimable para mí. Son los siguientes: Peter Ackroyd con *Tomás Moro,* Benson Bobrick con *Wide as the Waters,* G. R. Elton con *England under the Tudors*, Carolly Erickson con su biografía *Great Harry,* John Guy con *Tudor England* y Brian Moynahan con *God's Bestseller.* La lectura de sus libros me inspiró y me permitió buscar a los individuos, tanto si eran célebres como si no, que participaron en la lucha por la libertad religiosa.

Deseo manifestar mi agradecimiento a mi editorial y a las excelentes personas que allí trabajan. Doy las gracias en especial a mi editora, Hope Dellon, que actúa a modo de partera de mis libros y me coge de la mano cuando doy a luz. Como toda partera que se precie, sabe cuándo decir «empuja un poco más» y cuándo decir «bien hecho». También le estoy muy agradecida a mi agente, Harvey Klinger. Sus esfuerzos en mi interés han ido mucho más allá de cualquier expectativa razonable. Y naturalmente deseo dar las gracias a mis lectores. Qué gran placer ha sido oír la opinión de personas de cerca y de lejos y saber que, juntos, hemos creado una obra de imaginación compartida.

Tengo la fortuna de contar con una familia y unos amigos que me apoyan, demasiados para nombrarlos. Los quiero a todos y deseo que sepan que sus palabras de aliento son para mí como perlas. Mi duradera amistad desde hace más de una década con mi colega escritora Meg Waite Clayton, autora de *The Wednesday Sisters*, sigue siendo un sostén profesional y personal a pesar de que ella ahora vive a un continente de distancia. En especial deseo reconocer públicamente el incansable y entusiasta apoyo de mi esposo, Don, en este y todos mis esfuerzos. Finalmente doy gracias a mi Dios por poner a todas estas personas en mi vida.

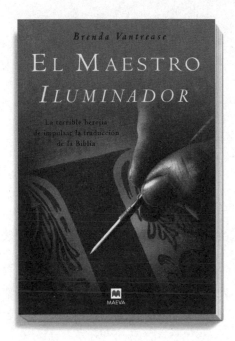

EL MAESTRO ILUMINADOR

La terrible herejía de impulsar la traducción de la Biblia.

En 1379, Finn, el maestro iluminador, llega a Inglaterra y se convierte en el aliado del teólogo reformista John Wycliffe, considerado un hereje por su afán de traducir la Biblia al inglés y enfrentado el intolerante arzobispo Despenser.

LA COMERCIANTE DE LIBROS

Romance, herejía, asesinato, traición y persecución en la Europa del siglo XV.

El maestro iluminador Finn se gana la vida en Praga iluminando ejemplares de la Biblia y desafiando con todo su empeño la intolerancia eclesiástica. Pero cuando el prometido de su nieta Anna es decapitado, junto a otros herejes, Finn insta a su nieta a refugiarse en Inglaterra.